Qingshaonian
Wenhua Duben

青少年文学读本

中学生卷上

刘继明／编著

中国文联出版社

contents 目录

目录
contents

序

作为一个敏悟而正气的作家,刘继明先生的选本是非常可信的。

选本读物总是应运而生,所以今天才出现了那么多花花色色的"精选"和"精编"、成山成岭的"名作"。这在令人目不暇接的同时,更多的是令人生疑。我们不知道历史上有没有这么多选本,只知道流传下来的大多是矜持的、足信的。

也有一个可能,就是所有的选本在历经了一个淘洗的过程之后,留下一些闪烁的颗粒。

当代人的率性而为,或于商业利益驱使下作出的选择,在一些真正的读书人那儿是轻如鸿毛的。可是如同潮水一样涌动的文字印刷品面前,大众读者总会有一些渴望。是的,我们仍然需要有人提出大致的标准。而这些标准的建立,依靠的又只能是经验和学养,是人的资质。任何一种选本,流露而出的都是编者自己的能力与情怀。

我们不必也不可能同意编选者所标举的每一篇,因为这是他自己好恶的权利,是其个性使然。但我们还是会从他顽强维护的审美志趣上,从难以滑动的高度上,看到一个艺术家的苛刻与温情。于是我们在阅读中感受的是别一种视角的鉴赏,是粒粒可数的精淳:很像一个又遥远又切近的人在以某种方式与我们交谈。

我们面前的这个选本就是如此。

它视野开阔,所选篇章竟包含了古今中外,近者直逼眼前,远者可达天涯渺古。编者心里的刻度清晰严整，不曾有一丝的紊乱匆促。同时我们也会看到书中跳动着一个长于抒情的诗心，靠它编织起的整部书宛如一支起伏的曲子。

一个时代的编者应该有自己的欣喜与痛苦。他不可能对当代生活无动于衷。注目于青春未来，就是最大的关切。在铺天盖地的网络、嚣声动地的演唱、遍地风流的武侠——这一切的围堵追逼之下，该有人发出慈爱的提醒和叮嘱了。我们提倡真正的、深入的、通向自尊之路的阅读。在所有美好文字的召集之下，会有一片生气勃勃的面孔在阳光下闪亮。

张　炜

编　选　导　言

　　在人的一生中,青少年时期或中小学阶段所接受的文化熏陶,往往会对他的整个生活产生举足轻重的影响,这就像一棵树在幼苗阶段怎样除草、施肥和剪枝,将直接作用到它未来的成材一样。许多杰出人物在回忆自己的成长经历时,往往钟情于他小时候读过的某一本书,并且承认自己的人生正是由此开始真正发生重大改变的。像这样"一本书改变一个人的命运"的现象,在历史上实在屡见不鲜。

　　由此可见,怎样读书和读什么样的书,对每一个青少年来说的确太重要了。而在我国,以"应试制"为主的当代中小学教育,将孩子们紧紧拴绑在"升学""中考""高考""求职"与所谓"人才竞争"的市场化战车上,使他们原本天真浪漫、自由不拘的天性,因深陷于急功近利的体制化教育和市场流行文化的漩涡,而过早地呈现出疲于奔命、面露倦色和营养失调乃至不良的症状。对此,一些富有责任感的人士已经做出了敏锐的反应,最近一段时期引起广泛关注的对重视"素质教育"的呼吁以及相关书籍的出版,便是证明。

　　但值得忧虑的另一种倾向是,在当前不少出自教育专家或中小学生家长之手的所谓"素质教育"类的图书中,都在有意无意地试图归纳和构建某种快捷的"成才模式",以至大有衍变成一种"青少年成功学"竞赛展览的趋势,而忽略了对健全和丰富孩子们心灵世界与个人品质的整体培育,这同样是一种前景堪忧的现象。

英国道德哲学家塞缪尔·斯迈尔斯曾经说过:"高贵的品质是人类强劲的柱石,是人性伟大的支撑。"俄罗斯文豪托尔斯泰说,他所有的努力都是为了使自己变得更接近于善。而另外一位作家说:"是爱使我变得出类拔萃。"这足以表明,对人的心灵和品格的培养,是造就人生价值的最重要基石,对于正处在中小学阶段的幼苗般的青少年们来说,我们应该做的不是揠苗助长或削足适履,而仅仅是为他们的心智与天性,提供和拓展一个健康的自由生长的空间。明了这一点,我们的责任感和爱心,才能够焕发出更加持久和富于人性的光彩。

正是鉴于以上认识,我产生了编选一部《青少年文学读本》的念头。我相信这是一项颇有意义的工作,所以,对此投入的热情丝毫不亚于自己的创作。而"让文学进入孩子们的精神生活"这一编撰理念的确立,乃是基于我对文学与人类生活密不可分的信念。这一点,在偏重工具和实用理性的当代社会,似乎一直为人们所忽视。高尚的文学作品,从来就是培植、激励和丰富人性的上好粮食与宝贵源泉,文学所尊崇的诸如自由、平等、美、善良、爱、同情、尊严以及对人的语言能力、创造力与想像力的开启,也是人类有史以来孜孜以求的目标和梦想。而这决非是那些干瘪、教条的教科书所能替代的。这同样可以看作是这部读本中作品的入选标准。

无须讳言的是,作为一部由个人单独编选完成的"读本",它不可避免地会掺杂着某些"个人趣味",但这种个人趣味所蕴含的尺度,与文学的普遍价值标准和应该遵循的文化传统是血肉相连的。我们重视中外文学史经验提供的那些经典作品,但这并不能取代对于作为"读本"主要对象的广大青少年们的特殊心理、审美习惯和要求所给予的尊重。我们也不谋求那种所谓的"宝典"、"秘籍"、"指南"式的哗众取宠的许诺。我所期待的是一种真正有益于青少年的身心健康生长的阅读,它应该是自主的、快乐的、愉悦的、充满启悟性、没有任何强制性和"附加条件"的。

青少年文学读本

如果将来某一天，有人在回顾自己的成长历程时说："小时候，有一部书对我的帮助和影响举足轻重……"倘若他指的就是《青少年文学读本》，我想，这部书的目的就达到了。

刘继明

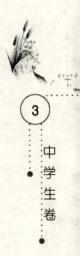

过 客

鲁 迅

鲁迅(1881～1936)，中国文学家、思想家和革命家。原名周树人，字豫才，浙江绍兴人。出身于破落封建家庭。青年时代受进化论、尼采超人哲学和托尔斯泰博爱思想的影响。1918年5月，首次用"鲁迅"的笔名，发表中国现代文学史上第一篇白话小说《狂人日记》，奠定了新文学运动的基石。五四运动前后，参加《新青年》杂志工作，成为"五四"新文化运动的主将。1918年到1926年间，陆续创作出版了小说集《呐喊》、《彷徨》，论文集《坟》，散文诗集《野草》，散文集《朝花夕拾》，杂文集《热风》、《华盖集》、《华盖集续编》等专集。其中，1921年12月发表的中篇小说《阿Q正传》，是中国现代文学史上的不朽杰作。从1927年到1936年，创作了历史小说集《故事新编》中的大部分作品和大量的杂文，对中国文化事业作出了巨大的贡献。1981年出版了《鲁迅全集》（十六卷）。北京、上海、绍兴、广州、厦门等地先后建立了鲁迅博物馆、纪念馆。

时：

　　或一日的黄昏

地：

　　或一处

人：

　　老翁——约七十岁，白头发，黑长袍。

　　女孩——约十岁，紫发，乌眼珠，白地黑方格长衫。

　　过客——约三四十岁，状态困顿倔强，眼光阴沉，黑须，
　　　　　　乱发，黑色短衣裤皆破碎，赤足著破鞋，胁下挂
　　　　　　一个口袋，支着等身的竹杖。

东，是几株杂树和瓦砾；西，是荒凉破败的丛葬；其间有一条似路非路的痕迹。一间小土屋向这痕迹开着一扇门；门侧有一段枯树根。

〔女孩正要将坐在树根上的老翁搀起。〕

翁——孩子。喂，孩子！怎么不动了呢？

孩——〔向东望着，〕有谁走来了，看一看罢。

翁——不用看他。扶我进去罢。太阳要下去了。

孩——我，——看一看。

翁——唉，你这孩子！天天看见天，看见土，看见风，还不够好看吗？什么也不比这些好看。你偏是要看谁。太阳下去时候出现的东西，不会给你什么好处的。……还是进去罢。

孩——可是，已经近来了。阿阿，是一个乞丐。

翁——乞丐？不见得罢。

〔过客从东面的杂树间跄踉走出，暂时踌躇之后，慢慢地走近老翁去。〕

客——老丈，你晚上好？

翁——阿，好！托福。你好？

客——老丈，我实在冒昧，我想在你那里讨一杯水喝。我走得渴极了。这地方又没有一个池塘，一个水洼。

翁——唔，可以可以。你请坐罢。〔向女孩，〕孩子，你拿水来，杯子要洗干净。

〔女孩默默地走进土屋去。〕

翁——客官，你请坐。你是怎么称呼的。

客——称呼？——我不知道。从我还能记得的时候起，我就

只一个人，我不知道我本来叫什么。我一路走，有时人们也随便称呼我，各式各样地，我也记不清楚了，况且相同的称呼也没有听到过第二回。

翁——阿阿。那么，你是从哪里来的呢？

客——〔略略迟疑，〕我不知道。从我还能记得的时候起，我就在这么走。

翁——对了。那么，我可以问你到哪里去吗？

客——自然可以。——但是，我不知道。从我还能记得的时候起，我就在这么走，要走到一个地方去，这地方就在前面。我单记得走了许多路，现在来到这里了。我接着就要走向那边去，〔西指，〕前面！

〔女孩小心地捧出一个木杯来，递去。〕

客——〔接杯，〕多谢，姑娘。〔将水两口喝尽，还杯，〕多谢，姑娘。这真是少有的好意。我真不知道应该怎样感激！

翁——不要这么感激。这于你是没有好处的。

客——是的，这于我没有好处。可是我现在很恢复了些力气了。我就要前去。老丈，你大约是久住在这里的，你可知道前面是怎么一个所在吗？

翁——前面？前面，是坟。

客——〔诧异地，〕坟？

孩——不，不，不的。那里有许多许多野百合，野蔷薇，我常常去玩，去看他们的。

客——〔西顾，仿佛微笑，〕不错。那些地方有许多许多野百合，野蔷薇，我也常常去玩过，去看过的。但是，那是坟。〔向老翁，〕老丈，走完了那坟地之后呢？

翁——走完之后？那我可不知道。我没有走过。

客——不知道?！

孩——我也不知道。

翁——我单知道南边；北边；东边，你的来路。那是我最熟悉的地方，也许倒是于你们最好的地方。你莫怪我多嘴，据我看来，你已经这么劳顿了,还不如回转去,因为你前去也料不定可能走完。

客——料不定可能走完?……〔沉思,忽然惊起,〕那不行!我只得走。回到那里去,就没一处没有名目,没一处没有地主,没一处没有驱逐和牢笼,没一处没有皮面的笑容,没一处没有眶外的眼泪。我憎恶他们,我不回转去!

翁——那也不然。你也会遇见心底的眼泪,为你的悲哀。

客——不。我不愿看见他们心底的眼泪,不要他们为我的悲哀。

翁——那么,你,〔摇头,〕你只得走了。

客——是的,我只得走了。况且还有声音常在前面催促我,叫唤我,使我息不下。可恨的是我的脚早经走破了,有许多伤,流了许多血。〔举起一足给老人看,〕因此,我的血不够了;我要喝些血。但血在哪里呢?可是我也不愿意喝无论谁的血。我只得喝些水,来补充我的血。一路上总有水,我倒也并不感到什么不足。只是我的力气太稀薄了,血里面太多了水的缘故罢。今天连一个小水洼也遇不到,也就是少走了路的缘故罢。

翁——那也未必。太阳下去了,我想,还不如休息一会的好罢,像我似的。

客——但是,那前面的声音叫我走。

翁——我知道。

客——你知道?你知道那声音吗?

翁——是的。他似乎曾经也叫过我。

客——那也就是现在叫我的声音吗?

翁——那我可不知道。他也就是叫过几声,我不理他,他也就不叫了,我也就记不清楚了。

客——唉唉,不理他……。〔沉思,忽然吃惊,倾听着,〕不行!我还是走的好。我息不下。

可恨我的脚早经走破了。〔准备走路。〕

孩——给你!〔递给一片布,〕裹上你的伤去。

青少年文学读本

客——多谢,〔接取,〕姑娘。这真是……这真是极少有的好意。这能使我可以走更多的路。〔就断砖坐下,要将布缠在踝上,〕但是,不行!〔竭力站起,〕姑娘,还了你罢,还是裹不下。况且这太多的好意,我没法感激。

翁——你不要这么感激,这于你没有好处。

客——是的,这于我没有什么好处。但在我,这布施是最上的东西了。你看,我全身上可有这样的。

翁——你不要当真就是。

客——是的。但是我不能。我怕我会这样:倘使我得到了谁的布施,我就要像兀鹰看见死尸一样,在四近徘徊,祝愿她的灭亡,给我亲自看见;或者咒诅她以外的一切全都灭亡,连我自己,因为我就应该得到咒诅。但是我还没有这样的力量;即使有这力量,我也不愿意她有这样的境遇,因为她们大概总不愿意有这样的境遇。我想,这最稳当。〔向女孩,〕姑娘,你这布片太好,可是太小一点了,还了你罢。

孩——〔惊惧,退后,〕我不要了!你带走!

客——〔似笑,〕哦哦……因为我拿过了?

孩——〔点头,指口袋,〕你装在那里,去玩玩。

客——〔颓唐地退后,〕但这背在身上,怎么走呢?……

翁——你息不下,也就背不动。——休息一会,就没有什么了。

客——对咧,休息……〔默想,但忽然惊醒,倾听。〕不,我不能! 我还是走好。

翁——你总不愿意休息吗?

客——我愿意休息。

翁——那么,你就休息一会罢。

客——但是,我不能……

翁——你总还是觉得走好吗?

客——是的。还是走好。

翁——那么,你也还是走好罢。

客——〔将腰一伸，〕好，我告别了。我很感激你们。〔向着女孩，〕姑娘，这还你，请你收回去。

〔女孩惊惧，敛手，要躲进土屋里去。〕

翁——你带去罢。要是太重了，可以随时抛在坟地里面的。

孩——〔走向前，〕阿阿，那不行！

客——阿阿，那不行的。

翁——那么，你挂在野百合野蔷薇上就是了。

孩——〔拍手，〕哈哈！好！

客——哦哦……

〔极暂时中，沉默。〕

翁——那么，再见了。祝你平安。〔站起，向女孩，〕孩子，扶我进去罢。你看，太阳早已下去了。〔转身向门。〕

客——多谢你们。祝你们平安。〔徘徊，沉思，忽然吃惊，〕然而我不能！我只得走。我还是走好罢……〔即刻昂了头，奋然向西走去。〕

〔女孩扶老人走进土屋，随即阖了门。过客向野地里跄踉地闯进去，夜色跟在他后面。〕

一九二五年三月二日

牛 车 上

萧 红

萧红,1911年出生于黑龙江省呼兰县内一个没落地主家庭。写出第一部小说《生死场》时,年仅24岁,奠定了萧红在中国现代文学史上最初的地位,使她身后所有作品得以传世。主要作品有《小城三月》、《马伯乐》、《呼兰河传》、《北中国》等小说及散文、诗歌,约一百万字。由于生活动荡及情感挫折,1942年,年仅三十一岁的萧红病逝于香港。

金花菜在三月的末梢就开遍了溪边。我们的车子在朝阳里轧着山下的红绿颜色的小草,走出了外祖父的村梢。

车夫是远族上的舅父,他打着鞭子,但那不是打在牛的背上,只是鞭梢在空中绕来绕去。

"想睡了吗?车刚走出村子呢!喝点梅子汤吧!等过了前面的那道溪水再睡。"外祖父家的女佣人,是到城里去看她的儿子的。

"什么溪水,刚才不是过的吗?"从外祖父家带回来的黄猫也好像要在我的膝头上睡觉了。

"后塘溪。"她说。

"什么后塘溪?"我并没有注意她,因为外祖父家留在我们的后面什么也看不见了,只有村梢上庙堂前的红旗杆还露着两个金顶。

"喝一碗梅子汤吧,提一提精神。"她已经端了一杯深黄色的梅子汤在手里,一边又去盖着瓶口。

"我不提,提什么精神,你自己提吧!"

他们都笑了起来,车夫立刻把鞭子抽响了一下。

"你这姑娘……顽皮,巧舌头……我……我……"他从车辕转过身来,伸手要抓我的头发。

我缩着肩跑到车尾上去。村里的孩子没有不怕他的,说他当过兵,说他捏人的耳朵也很痛。

五云嫂下车去给我采了这样的花,又采了那样的花,旷野上的风吹得更强些,所以她的头巾好像是在飘着,因为乡村留给我尚没有忘却的记忆,我时时把她的头巾看成乌鸦或是鹊雀。她几乎是跳着,几乎和孩子一样。回到车上,她就唱着各种花朵的名字,我从来没有看到过她这样放肆一般地欢喜。

车夫也在前面哼着低粗的声音,但那分不清是什么词句。那短小的烟管顺着风时时送着烟氛。我们的路途刚开始,希望和期待都还离得很远。

我终于睡了,不知是过了后塘溪,是什么地方,我醒过一次,模模糊糊的好像那管鸭子的孩子仍和我打着招呼,也看到了坐在牛背上的小根和我告别的情景……也好像外祖父拉我的手又在说:"回家告诉你爷爷,秋凉的时候让他来乡下走走。……你就说老爷腌的鹌鹑和顶好的高粱酒等着他来一块喝呢!……你就说我动不了,若不然,这两年,我总也去……"

唤醒我的不是什么人,而是那空空响的车轮。我醒来,第一下看到的是那黄牛自己走在大道上,车夫并不坐在车辕。在我寻找的时候,他被我发现在车尾上。手上的鞭子被他的烟管代替着,左手不住的在擦着下颚,他的眼睛顺着地平线望着辽阔的远方。

我寻找黄猫的时候,黄猫坐到五云嫂的膝头上去了,并且她还抚摸猫的尾巴。我看看她的蓝布头巾已经盖过了眉头,鼻子上显明的皱纹因为挂了尘土，便显明起来。

他们并没有注意到我的醒转。

"到第三年他就不来信啦！你们这当兵的人……"

我就问她："你丈夫也是当兵的吗？"

赶车的舅舅，抓了我的辫发，把我向后拉了一下。

"那么以后……就总也没有信来？"他问她。

"你听我说呀！八月节刚过……可记不得那一年啦，吃完了早饭我就在门前喂猪，一边'口空''口空'的敲着槽子，一边'口高'唠'口高'唠的叫着猪。……那里听得着呢？南村王家的二姑娘喊着：'五云嫂，五云嫂……'一边跑着一边喊：'我娘说，许是五云哥给你捎来的信。'真是，在我眼前的真是一封信，等我把信拿到手哇！看看……我不知为什么就止不住心酸起来。……他还活着吗！他……眼泪就掉在那红笺条上，我就用手去擦，一擦这红字就印到白的上面去。把猪食就丢在院心……进屋换了件干净衣袋。我就赶紧跑，跑到南村的学房见了学房的先生，我就一面笑着，一面流着眼泪，……我说：'是外头人来的信，请先生看看……一年来的没来过一个字。'学房先生接到手里一看就说不是我的。那信我就丢在学房里跑回来啦！……猪也没有喂，鸡也没有上架，我就躺在炕上啦！……好几天，我像失了魂似的。"

"从此就没有来信？"

"没有。"她打开了梅子汤的瓶口，喝了一碗，又喝一碗。

"你们这当兵的人，只说三年二载……可是回来……回来个什么呢！回来个魂灵给人看看吧！……"

"什么？"车夫说："莫不是阵亡在外吗？……"

"是，就算吧！音信皆无过了一年多。"

"是阵亡？"车夫从车上跳下去，拿了鞭子，在空中抽了两下，似乎是什么爆裂的声音。

"还问什么……这当兵的人真是凶多吉少。"她揩皱的嘴唇好像撕裂了的绸片似的，显着轻浮和单薄。

车子一过黄村，太阳就开始斜了下去，青青的麦田上飞着鹊雀。

"五云哥阵亡的时候,你哭吗?"我一面捉弄着黄猫的尾巴,一面看着她。但她没有睬我,自己在整理着头巾。

等车夫颠跳着来到了车尾,扶了车栏,他一跳就坐在了车辕,在他没有抽烟之前,他的厚嘴唇好像关紧了的瓶口似的严密。

五云嫂的说话,好像落着小雨似的,我又顺着车栏睡下了。

等我再醒来,车子停在一个小村头的井口边,牛在饮着水,五云嫂也许是哭过,她陷下的眼睛高起了,并且眼角的皱纹也张开来。车夫从井口搅了一桶水提到车子旁边:

"不喝点吗? 清凉清凉……"

"不喝。"她说。

"喝点吧,不喝就是用凉水洗洗脸也是好的。"他从腰带上取下手巾来,浸了浸水。

"擦一擦! 尘土迷了眼睛……"

当兵的人,怎么也会替人拿手巾? 我感到了惊奇。我知道的当兵的人就会打仗,就会打女人,就会捏孩子们的耳朵。

"那年冬天,我去赶年市,……我到城里去卖猪鬃,我在年市上喊着:'好硬的猪鬃来……好长的猪鬃来……'后一年,我好像把他爹忘下啦……心上也不牵挂……想想那没有个好,这些年,人还会活着! 到秋天,我也到田上去割高粱,看我这手,也吃过气力……春天就带着孩子去做长工,两个月三个月的就把家拆了。冬天又把家归拢起来。什么牛毛啦……猪毛啦……还有些收拾来的鸟雀的毛。冬天就在家里收拾,收拾干净啦呀! ……就选一个暖和的天气进城去卖。若有顺便进城去的车呢! 把秃子也就带着……那一次没有带秃子。偏偏天气又不好,天天下清雪,年市上不怎么闹热;没有几捆猪鬃也总卖不完。一早就蹲在市上,一直蹲到太阳偏西。在十字街口一家大买卖的墙头上贴着一张大纸,人们来来往往地在那里看,像是从一早那张纸就贴出来了! 也许是晌午贴的……有的还一边看,一边念出来几句。我不懂得那一套……人们说是:'告示告示'。可是告的什么,我不懂得那一套……‘告示’，倒知道是官家的事情，与我们做小民的有什么长短！可不知为什么看的人就那么多……听说么，是捉逃兵的‘告示’……又听说么……又听说么……几天就要送到县城来枪毙……”

“哪一年？民国十年枪毙逃兵二十多个的那回事吗？”车夫把卷起的衣袖在下意识地把它放下来，又用手扶着下颚。

“我不知道那叫什么年……反正枪毙不枪毙与我何干，反正我的猪鬃卖不完就不走运气……”她把手掌互相擦了一会，猛然，像是拍着蚊虫似的，凭空打了一下：

“有人念着逃兵的名字……我看着那穿黑马褂的人……我就说：‘你再念一遍。’起先猪毛还拿在我的手上……我听到了姜五云姜五云的；好像那名字响了好几遍……我过了一些时候才想要呕吐……喉管里像有什么腥气的东西喷上来，我想咽下去……又咽不下去……眼睛冒着火苗。……那些看告示的人往上挤着，我就退在了旁边，我再上前去看看，腿就不做主啦！看‘告示’的人越多，我就退下来了！越退越近啦！……”

她的前额和鼻头都流下汗来。

“跟了车，回到乡里，就快半夜了，一下车的时候，我才想起了猪毛。……那里还记得起猪毛……耳朵和两张木片似的啦！……包头巾也许是掉在路上，也许是掉在城里……”

她把头巾掀起来，两个耳朵的下梢完全丢失了。

“看看，这是当兵的老婆……”

这回她把头巾束得更紧了一些，所以随着她的讲话那头巾的角部也起着小小的跳动。

“五云倒还活着，我就想看看他，也算夫妇一回。……”

“……二月里，我就背着秃子，今天进城，明天进城……‘告示’听说又贴了几回，我不去看那玩意儿，我到衙门去问，他们说：‘这里不管这事。’让我到兵营里去……我从小就怕见官……乡下孩子，没有见过。那些带刀挂枪的，我一看到就发颤……去吧！反正他们也不是见人就杀。……后来常常去问，也就不怕了。反正一家三口，已经有一口拿在他们的手心里。……他们告诉我，逃兵还没有送过来。我说什么时候才送过来呢？他们说：'再过一个月吧！'……等我一回到乡下就听说逃兵已从什么县城，那是什么县城？到今天我也记不住那是什么县城……就是听说送过来啦就是啦……都说若不快点去看可就没有了。我再背着秃子，再进城……去问问兵营的人说：'好心急，你还要问个百八十回。不知道，也许就不送过来了。'……有一天，我看着一个大官，坐着马车，丁东丁东地响着铃子，从营房走出来了。……我把秃子放在地上，就跑过去，正好马车是向着这边来的，我就跪下了，也不怕马蹄就踏在我的头上。"

"'大老爷，我的丈夫……姜五……'我还没有说出来，就觉得肩膀上很沉重……那赶马车的把我往后面推倒了。好像跌了跤似的我爬在道边去。只看到那赶马车的也戴着兵帽子。"

"我站起来，把秃子又背在背上……营房的前边，就是一条河，一个下半天都在河边上看着河水。有些钓鱼的，也有些洗衣裳的。远一点，在那河湾上，那水就深了，看着那浪头一排排的从眼前过去。不知道几百条浪头都坐着看过去了。我想把秃子放在河边上，我一跳就下去吧！留他一条小命，他一哭就会有人把他收了去。"

"我拍着那小胸脯，我好像说：'秃儿，睡吧。'我还摸摸那圆圆的耳朵，那孩子的耳朵，真是，长得肥满和他爹的一模一样。一看到那孩子的耳朵，就看到他爹了。"

她为了赞美而笑了笑。

"我又拍着那小胸脯，我又说：'睡吧！秃儿。'我想起了，我还有几吊钱，也放在孩子的胸脯里吧！正在伸，伸手去放……放的时节……孩子睁开眼睛了。……又加上一只帆船转过河湾来，船上的孩子喊妈的声音我一听到，我就从沙滩上面……把秃子抱抱在……怀里了。……"

她用包头巾像是紧了紧她的喉咙，随着她的手，眼泪就流了下来。

"还是……还是背着他回家吧！那怕讨饭，也是有个亲娘……亲娘的好。……"

那蓝色头巾的角部，随着她的下颚也颤抖了起来。

我们车子的前面正过着一堆羊群，放羊的孩了口里响着用柳条做成的叫子，野地在斜过去的太阳里分不出什么是花，什么是草了！只是混混黄黄的一片。

车夫跟着车子走在旁边，把鞭梢在地上荡起着一条条的烟尘。

"……一直到五月，营房的人才说：'就要来的，就要来的。'"

"……五月的末梢，一只大轮船就停在了营房门前的河沿上。不知怎么这样多的人！比七月十五放河灯的人还多。……"

她的两只袖子在招摇着。

13

"逃兵的家属，站在右边。……我也站过去，走过一个带兵帽子的人，还每人给挂了一张牌子。……谁知道，我也不认识那字。……"

"要搭跳板的时候，就来了一群兵队，把我们这些挂牌子的……就圈了起来……'离开河沿远点，远点……'他们用枪把我们赶到离开那轮船有三四丈远。……站在我旁边的一个白胡子的老头，他一只手下提着一个包裹，我问他：'老伯，为啥还带来这东西？'……'哼！不！……我有一个儿子和一个侄子……一人一包……回阴朝地府，不穿洁净衣裳是不上高的。'"

"跳板搭起来了……一看跳板搭起来就有哭的。……我是不哭，我把脚跟立得稳稳当当的，眼睛往船上看着。……可是，总不见出来。……过了一会，一个兵官，挎着洋刀，手扶着栏杆说：'让家属们再往后退退……就要下船……'听着'口高'唠一声，那些兵队又用枪把手把我们向后赶了过去，一直赶上了道旁的豆田，我们就站在豆秧上，跳板又呼隆呼隆的搭起了一块。……走下来了，一个兵官领头……那脚镣子，哗啦哗啦的……我还记得，第一个还是个小矮个……走下来五六个啦……没有一个像秃子他爹宽宽肩膀的，是真的，很难看……两条胳臂直伸伸的。……我看了半天工夫才看出手上都是带了铐子的。旁边的人越哭,我就格外更安静。我只把眼睛看着那跳板……我要问问他爹:'为啥当兵不好好当,要当逃兵。……你看看,你的儿子,对得起吗?'"

"二十来个,我不知道哪个是他爹,远看都是那么个样儿。一个青年的媳妇……还穿了件绿衣裳,发疯了似的,穿开了兵队抢过去了……当兵的哪肯叫她过去……就把她抓回来,她就在地上打滚,她喊:'当了兵还不到三个月呀……还不到……'两个兵队的人,就把她抬回来,那头发都披散开啦。又过了一袋烟的工夫,才把我们这些挂牌子的人带过去。……越走越近了,越近也就越看不清楚哪个是秃子他爹。……眼睛起了白蒙……又加上别人都呜呜咽咽的,哭得我多少也有点心慌……"

"还有的嘴上抽着烟卷,还有的骂着……就是笑的也有。当兵的这种人……不怪说,当兵的不惜命。……"

青少年文学读本

"我看看,真是没有秃子他爹,哼!这可怪事……我一回身就把一个兵官的皮带抓住:'姜五云呢?''他是你的什么人?''是我的丈夫。'我把秃子可就放在地上啦……放在地上那不做美的就哭起来,我啪的一声,给秃子一个嘴巴……接着我就打了那兵官:'你们把人消灭到什么地方去啦?!'"

"'好的……好家伙……够朋友……'那些逃兵们就连起声来踩着脚喊。兵官看看这情形,赶快叫当兵的把我拖开啦,……他们说:'不只姜五云一个人,还有两个没有送过来,明后天,下一班船就送来。……逃兵里他们三个是头目。'"

"我背着孩子就离开了河沿,我就挂着牌子走下去了,我一路走,一路两条腿发颤。奔来看热闹的人满街满道啦……我走过了营房的背后,兵营的墙根下坐着那提着两个包裹的老头,他的包裹只剩了一个。我说:'老伯伯,你的儿子也没来吗?'我一问他,他就把背脊弓了起来,用手把胡子放在嘴唇上,咬着胡子就哭啦!"

"他还说:'因为是头目,就当地正法了咧!'当时我还不知道这'正法'是什么……"

她再说下去,那是完全不相接连的话头。

"又过三年,秃子八岁的那年,把他送进了豆腐房……就是这样:一年我来看他两回。二年他回家一趟……回来也就是十天半月的。……"

车夫离开车子,在小毛道上走着,两只手放在背后,太阳从横面把他拖成一条长影,他每走一步,那影子就分成了一个叉形。

"我也有家小……"他的话从嘴唇上流了下来似的,好像他对着旷野说的一般。

"哟!"五云嫂把头巾放松了些。

"什么!"她鼻子上的折皱揪动了一些时候:"可是真的?……兵不当啦也不回家?……"

"哼!回家!就背着两条腿回家?"车夫把肥大的手揩扭着自己的鼻子笑了。

"这几年,还没多少赚几个?"

"都是想赚几个呀!才当逃兵去啦!"他把腰带更束紧了一些。

我加了一件棉衣,五云嫂披了一张毯子。

"嗯!还有三里路……这若是套的马……嗯!一颠搭就到啦,牛就不行!这牲口性子没紧没慢,上阵打仗,牛就不行。……"车夫从草包取出棉袄来,那棉袄顺着风飞着草末,他就穿上了。

黄昏的风,却是和二月里的一样。车夫在车尾上打开了外祖父给祖父带来的酒坛。

"喝吧!半路开酒坛,穷人好赌钱。……喝上两杯……"他喝了几杯之后,把胸膛就完全露在外面。他一面吃嚼着肉干,一边嘴上起着泡沫,风从他的嘴边走过时,他唇上的泡沫也宏大了一些。

我们将奔到的那座城,在一种灰色的气候里,只能够辨别那不是旷野,也不是山岗,又不是海边,又不是树林……

车子越往前进,城座看来越退越远。脸孔和手上,都有一种粘粘的感觉。……再往前看，连道路也看不到尽头……

车夫收拾了酒坛，拾起了鞭子………这时候，牛角也模糊了去。

"你从出来就没回过家？家也不来信？"五云嫂的问话，车大一定没有听到，他打着口哨，招呼着牛。后来他跳下车去，跟着牛在前面走着。

对面走过一辆空车，车辕上挂着红色的灯笼。

"大雾！"

"好大的雾！"车夫彼此招呼着。

"三月里大雾……不是兵灾，就是荒年……"

两个车子又过去了。

黎明的通知

艾 青

艾青(1910~1996),浙江金华人。自幼由一位贫苦农妇养育到5岁回家。1928年入杭州国立西湖艺术学院绘画系。翌年赴法国勤工俭学。1932年初回国,在上海加入中国左翼美术家联盟,从事革命文艺活动,不久被捕,在狱中写了不少诗,其中的《大堰河——我的保姆》发表后引起轰动,一举成名。1941年赴延安,出版了《北方》、《向太阳》、《旷野》、《火把》、《黎明的通知》等9部诗集。中华人民共和国成立后,艾青著有诗集《宝石的红星》、《黑鳗》、《春天》、《海岬上》。1957年被错划为右派。1976年重又执笔,出现了创作的另一个高潮。创作有诗集《彩色的诗》、《域外集》等,在中国新诗发展史上,艾青是继郭沫若、闻一多等人之后又一位推动一代诗风、并产生过重要影响的诗人,在世界上也享有声誉。1985年,法国授予艾青文学艺术最高勋章。

为了我的祈愿
诗人啊,你起来吧

而且请你告诉他们
说他们所等待的已经要来

说我已踏着露水而来
已借着最后一颗星的照引而来

我从东方来
从汹涌着波涛的海上来

我将带光明给世界
又将带温暖给人类

借你正直人的嘴
请带去我的消息

通知眼睛被渴望所灼痛的人类
和远方的沉浸在苦难里的城市和村庄

请他们来欢迎我
白日的先驱，光明的使者

打开所有的窗子来欢迎
打开所有的门来欢迎

请鸣响汽笛来欢迎
请吹起号角来欢迎

请清道夫来打扫街衢
请搬运车来搬去垃圾

让劳动者以宽阔的步伐走在街上吧
让车辆以辉煌的行列从广场流过吧

请村庄也从潮湿的雾里醒来
为了欢迎我打开它们的篱笆

请村妇打开她们的鸡埘
请农夫从畜棚牵出耕牛

借你的热情的嘴通知他们
说我从山的那边来，从森林的那边来

请他们打扫干净那些晒场
和那些永远污秽的天井

请打开那糊有花纸的窗子
请打开那贴着春联的门

请叫醒殷勤的女人
和那打着鼾声的男子

请年轻的情人也起来
和那些贪睡的少女

请叫醒困倦的母亲
和他身边的婴孩

请叫醒每个人
连那些病者与产妇

连那些衰老的人们
呻吟在床上的人们

连那些因正义而战争的负伤者
和那些因家乡沦亡而流离的难民

请叫醒一切的不幸者
我会一并给他们以慰安

请叫醒一切爱生活的人
工人，技师以及画家

请歌唱者唱着歌来欢迎
用草与露水所渗合的声音

请舞蹈者跳着舞来欢迎
披上她们白雾的晨衣

请叫那些健康而美丽的醒来
说我马上要来叩打他们的窗门

请你忠实于时间的诗人
带给人类以慰安的消息

请他们准备欢迎，请所有的人准备欢迎
当雄鸡最后一次鸣叫的时候我就到来

请他们用虔诚的眼睛凝视天边
我将给所有期待我的以最慈惠的光辉

趁这夜已快完了，请告诉他们
说他们所等待的就要来了

怀念萧珊

巴 金

  巴金,1904年生于四川成都一个官宦家庭。自幼在家延师读书。五四运动中接受民主主义和无政府主义思潮。1920年至1923年在成都外语专门学校攻读英语,参加进步刊物《半月》的工作,参与组织"均社",进行反封建的宣传活动。1927年赴法国,翌年在巴黎完成第一部中篇小说《灭亡》。1928年冬回国,居上海,数年之间,著作颇多。主要作品有《死去的太阳》、《新生》、《砂丁》、《萌芽》和著名的"爱情三部曲"《雾》、《雨》、《电》。1931年在《时报》上连载著名的长篇小说"激流三部曲"之一《家》,是作者的代表作,也是我国现代文学史上最卓越的作品之一。抗日战争期间辗转于上海、广州、桂林、重庆,1938年和1940年分别出版了长篇小说《春》和《秋》,完成了"激流三部曲"。1940年至1945年写作了"抗战三部曲"《火》。抗战后期创作了中篇小说《憩园》和《第四病室》。1946年完成长篇小说《寒夜》。1949年出席第一次全国文代会,当选文联常委。1950年担任上海市文联副主席。1960年当选中国文联副主席和中国作协副主席。1978年起,在香港《大公报》连载散文《随想录》。1982年至1985年相继获得意大利但丁国际荣誉奖、法国荣誉勋章和香港中文大学荣誉文学博士、美国文学艺术研究院名誉院士称号。

今天是萧珊逝世的六周年纪念日。六年前的光景还非常鲜明地出现在我的眼前。那一天我从火葬场回到家中，一切都是乱糟糟的，过了两三天我渐渐地安静下来了，一个人坐在书桌前，想写一篇纪念她的文章。在五十年前我就有了这样一种习惯：有感情无处倾吐时我经常求助于纸笔。可是一九七二年八月里那几天，我每天坐三四个小时望着面前摊开的稿纸，却写不出一句话。我痛苦地想，难道给关了几年的"牛棚"，真的就变成"牛"了？头上仿佛压了一块大石头，思想好像冻结了一样。我索性放下笔，什么也不写了。

六年过去了。林彪、"四人帮"及其爪牙们的确把我搞得很"狼狈"，但我还是活下来了，而且偏偏活得比较健康，脑子也并不糊涂，有时还可以写一两篇文章。最近我经常去火葬场，参加老朋友们的骨灰安放仪式。在大厅里，我想起许多事情。同样地奏着哀乐，我的思想却从挤满了人的大厅转到只有二、三十个人的中厅里去了，我们正在用哭声向萧珊的遗体告别。我记起了《家》里面觉新说过的一句话："好像珏死了，也是一个不祥的鬼。"四十七年前我写这句话的时候，怎么想得到我是在写自己！我没有流眼泪，可是我觉得有无数锋利的指甲在搔我的心。我站在死者遗体旁边，望着那张惨白色的脸，那两片咽下千言万语的嘴唇，我咬紧牙齿，在心里唤着死者的名字。我想，我比她大十三岁，为什么不让我先死？我想，这是多么不公平！她究竟犯了什么罪？她也给关进"牛棚"，挂上"牛鬼蛇神"的小纸牌，还扫过马路。究竟为什么？理由很简单，她是我的妻子。她患了病，得不到治疗，也因为她是我的妻子。想尽办法一直到逝世前三个星期，靠开后门她才住进医院。但是癌细胞已经扩散，肠癌变成了肝癌。

她不想死，她要活，她愿意改造思想，她愿意看到社会主义建成。这个愿望总不能说是痴心妄想吧。她本来可以活下去，倘使她不是"黑老K"的"臭婆娘"。一句话，是我连累了她，是我害了她。

在我靠边的几年中间，我所受到的精神折磨她也同样受到。但是我并未挨过打，她却挨了"北京来的红卫兵"的铜头皮带，留在她左眼上的黑圈好几天以后才褪尽。她挨打只是为了保护我，她看见那些年轻人深夜闯进来，害怕他们把我揪走，便溜出大门，到对面派出所去，请民警同志出来干预。那里只有一个人值班，不敢管。当着民警的面，她被他们用铜头皮带狠狠抽了一下，给押了回来，同我一起关在马桶间里。

她不仅分担了我的痛苦，还给了我不少的安慰和鼓励。在"四害"横行的时候，我在原单位（中国作家协会上海分会）给人当作"罪人"和"贱民"看待，日子十分难过，有时到晚上九、十点钟才能回家。我进了门看到她的面容，满脑子的乌云都消散了。我有什么委屈、牢骚，都可以向她尽情倾吐。有一个时期我和她每晚临睡前要服两粒眠尔通才能够闭眼，可是天刚刚发白就都醒了。我唤她，她也唤我。我诉苦般地说："日子难过啊！"她也用同样的声音回答："日子难过啊！"但是她马上加一句："要坚持下去。"或者再加一句："坚持就是胜利。"我说"日子难过"，因为在那一段时间里，我每天在"牛棚"里面劳动、学习、写交代、写检查、写思想汇报。任何人都可以责骂我、教训我、指挥我。从外地到"作协分会"来串联的人可以随意点名叫我出去"示众"，还要自报罪行。上下班不限时间，由管理"牛棚"的"监督组"随意决定。任何人都可以闯进我家里来，高兴拿什么就拿走什么。这个时候大规模的群众性批斗和电视批斗大会还没有开始，但已经越来越逼近了。

她说"日子难过"，因为她给两次揪到机关，靠边劳动，后来也常常参加陪斗。在淮海中路"大批判专栏"上张贴着批判我的罪行的大字报，我一家人的名字都给写出来"示众"，不用说"臭婆娘"的大名占着显著的地位。这些文字像虫子一样咬痛她的心。她让上海戏剧学院"狂妄派"学生突然袭击、揪到"作协分会"去的时候，在我家大门上还贴了一张揭露她的所谓罪行的大字报。幸好当天夜里我儿子把它撕毁。否则这一张大字报就会要了她的命！

　　人们的白眼，人们的冷嘲热骂蚕蚀着她的身心。我看出来她的健康逐渐遭到损害。表面上的平静是虚假的。内心的痛苦像一锅煮沸的水，她怎么能遮盖住！怎么能使它平静！她不断地给我安慰，对我表示信任，替我感到不平。然而她看到我的问题一天天地变得严重，上面对我的压力一天天地增加，她又非常担心。有时同我一起上班或者下班，走近巨鹿路口，快到"作协分会"，或者走近南湖路口，快到我们家，她总是抬不起头。我理解她，同情她，也非常担心她经受不起沉重的打击。我记得有一天到了平常下班的时间，我们没有受到留难，回到家里她比较高兴，到厨房去烧菜。我翻看当天的报纸，在第三版上看到当时做了"作协分会"的"头头"的两个工人作家写的文章《彻底揭露巴金的反革命真面目》。真是当头一棒！我看了两三行，连忙把报纸藏起来，我害怕让她看见。她端着烧好的菜出来，脸上还带笑容，吃饭时她有说有笑。饭后她要看报，我企图把她的注意力引到别处。但是没有用，她找到了报纸。她的笑容一下子完全消失。这一夜她再没有讲话，早早地进了房间。我后来发现她躺在床上小声哭着。一个安静的夜晚给破坏了。今天回想当时的情景，她那张满是泪痕的脸还在我的眼前。我多么愿意让她的泪痕消失，笑容在她那憔悴的脸上重现，即使减少我几年的生命来换取我们家庭生活中一个宁静的夜晚，我也心甘情愿！

青少年文学读本

二

　　我听周信芳同志的媳妇说，周的夫人在逝世前经常被打手们拉出去当作皮球推来推去，打得遍体鳞伤。有人劝她躲开，她说："我躲开，他们就要这样对付周先生了。"萧珊并未受到这种新式体罚。可是她在精神上给别人当皮球打来打去。她也有这样的想法：她多受一点精神折磨，可以减轻对我的压力。其实这是她一片痴心，结果只苦了她自己。我看见她一天天地憔悴下去，我看见她的生命之火逐渐熄灭,我多么痛心。我劝她,安慰她,我想拉住她,一点也没有用。

她常常问我:"你的问题什么时候才解决呢?"我苦笑地说:"总有一天会解决的。"她叹口气说:"我恐怕等不到那个时候了。"后来她病倒了,有人劝她打电话找我回家,她不知从哪里得来的消息,她说:"他在写检查,不要打搅他。他的问题大概可以解决了。"等到我从五·七干校回家休假,她已经不能起床。她还问我检查写得怎样,问题是否可以解决。我当时的确在写检查,而且已经写了好几次了。他们要我写,只是为了消耗我的生命。但她怎么能理解呢?

这时离她逝世不过两个多月,癌细胞已经扩散,可是我们不知道,想找医生给她认真检查一次,也毫无办法。平日去医院挂号看门诊,等了许久才见到医生或者实习医生,随便给开个药方就算解决问题。只有在发烧到摄氏三十九度才有资格挂急诊号,或者还可以在病人拥挤的观察室里待上一天半天。当时去医院看病找交通工具也很困难,常常是我女婿借了自行车来,让她坐在车上,他慢慢地推着走。有一次她雇到小三轮卡去看病,看好门诊回家雇不到车了,只好同陪她看病的朋友一起慢慢地走回来,走走停停,走到街口,她快要倒下了,只得请求行人到我们家通知,她一个表侄正好来探病,就由他去把她背了回家。她希望拍一张 X 光片子查一查肠子有什么病,但是办不到。后来靠了她一位亲戚帮忙开后门两次拍片,才查出她患肠癌。以后又靠朋友设法开后门住进了医院。她自己还很高兴,以为得救了。只有她一个人不知真实的病情,她在医院里只活了三个星期。

我休假回家假期满了,我又请过两次假,留在家里照料病人。最多也不到一个月。我看见她病情日趋严重,实在不愿意把她丢开不管,我要求延长假期的时候,我们那个单位的一个"工宣队"头头逼着我第二天就回干校去。我回到家里,她问起来,我无法隐瞒。她叹了一口气,说:"你放心去吧。"她把脸掉过去,不让我看她。我女儿、女婿看到这种情景,自告奋勇地跑到巨鹿路向那位"工宣队"头头解释,希望同意我在市区多留些日子照料病人。可是那个头头"执法如山",还说:他不是医生,留在家里,有什么用!"留在家里对他改造不利!"他们气愤地回到家中,只说机关不同意,后来才对我传达了这句"名言"。我还能讲什么呢? 明天回干校去!

整个晚上她睡不好,我更睡不好。出乎意外,第二天一早我那个插队落户的儿子在我们房间里出现了,他是昨天半夜里到的。他得到了家信,请假回家看母亲,却没有想到母亲病成这样。我见了他一面,把他母亲交给他,就回干校去了。

在车上我的情绪很不好。我实在想不通为什么会有这样的事情。我在干校待了五天,无法同家里通消息。我已经猜到她的病不轻了。可是人们不让我过问她的事情。这五天是多么难熬的日子! 到第五天晚上在干校的造反派头头通知我们全体第二天一早回市区开会。这样我才又回到了家,见到我的爱人。靠了朋友帮忙,她可以住进中山医院肝癌病房,一切都准备好,她第二天就要住院了。她多么希望住院前见我一面,我终于回来了。连我也没有想到她的病情发展得这么快。我们见了面,我一句话也讲不出来。她说了一句:"我到底住院了。"我答说:"你安心治疗吧。"她父亲也来看她,老人家双目失明,去医院探病有困难,可能是来同他的女儿告别了。

我吃过中饭,就去参加给别人戴上反革命帽子的大会,受批判、戴帽子的人不止一个,其中有一个我的熟人王若望同志,他过去也是作家,不过比我年轻。我们一起在"牛棚"里关过一个时期,他的罪名是"摘帽右派"。他不服,不听话,他贴出大字报,声明"自己解放自己",因此罪名越搞越大,给捉去关了一个时期不算,还戴上了反革命的帽子监督劳动。

在会场里我一直像在做怪梦。开完会回家,见到萧珊我感到格外亲切,仿佛重回人间。可是她不舒服,不想讲话,偶尔讲一句半句。我还记得她讲了两次:"我看不到了。"我连声问她看不到什么? 她后来才说:"看不到你解放了。"我还能再讲什么呢?

我儿子在旁边,垂头丧气,精神不好,晚饭只吃了半碗,像是患感冒。她忽然指着他小声说:"他怎么办呢?"他当时在安徽山区农村已经待了三年半,政治上没有人管,生活上不能养活自己,而且因为是我的儿子,给剥夺了好些公民权利。他先学会沉默,后来又学会抽烟。我怀着内疚的心情看看他,我后悔当初不该写小说,更不该生儿育女。我还记得前两年在痛苦难熬的时候她对我说:"孩子们说爸爸做了坏事,害了我们大家。"这好像用刀子在割我身上的肉。我没有出声,我把泪水全吞在肚里。她睡了一觉醒过来忽然问我:"你明天不去了?"我说:"不去了。"就是那个"工宣队"头头今天通知我不用再去干校就留在市区。他还问我:"你知道萧珊是什么病?"我答说:"知道。"其实家里瞒住我,不给我知道真相,我还是从他这句问话里猜到的。

三

第二天早晨她动身去医院,一个朋友和我女儿、女婿陪她去。她穿好衣服等候车来。她显得急躁,又有些留恋,东张张西望望,她也许在想是不是能再看到这里的一切。我送走她,心上反而加了一块大石头。

将近二十天里,我每天去医院陪伴她大半天。我照料她,我坐在病床前守着她,同她短短地谈几句话。她的病情恶化,一天天衰弱下去,肚子却一天天大起来,行动越来越不方便。当时病房里没有人照料,生活方面除饭食外一切都必须自理。后来听同病房的人称赞她"坚强",说她每天早晚都默默地挣扎着下了床,走到厕所。医生对我们谈起,病人的身体经不住手术,最怕的是她的肠子堵塞,要是不堵塞,还可以拖延一个时期。她住院后的半个月是一九六六年八月以来我既感痛苦又感到幸福的一段时间,是我和她在一起度过的最后的平静的时刻,我今天还不能将它忘记。但是半个月以后,她的病情又有了发展,一天吃中饭的时候,医生通知我儿子找我去谈话。他告诉我:病人的肠子给堵住了，必须开刀。开刀不一定有把握，也许中途出毛病。但是不开刀，后果更不堪设想。他要我决定，并且要我劝她同意。我做了决定，就去病房对她解释。我讲完话，她只说了一句："看来，我们要分别了。"她望着我，眼睛里全是泪水。我说："不会的……"我的声音哑了。接着护士长来安慰她，对她说："我陪你，不要紧的。"她回答："你陪我就好。"时间很紧迫，医生、护士们很快作好了准备，她给送进手术室去了，是她的表侄把她推到手术室门口的，我们就在外面走廊上等了好几个小时，等到她平安地给送出来，由儿子把她推回到病房去。儿子还在她的身边守过一个夜晚。过两天他也病倒了，查出来他患肝炎，是从安徽农村带回来的。本来我们想瞒住他的母亲，可是无意间让他母亲知道了。她不断地问："儿子怎么样？"我自己也不知道儿子怎么样，我怎么能使她放心呢？晚上回到家，走进空空的、静静的房间，我几乎要叫出声来："一切都朝我的头打下来吧，让所有的灾祸都来吧。我受得住！"

　　我应当感谢那位热心而又善良的护士长，她同情我的处境，要我把儿子的事情完全交给她办。她作好安排，陪他看病、检查，让他很快住进别处的隔离病房，得到及时的治疗和护理。他在隔离病房里苦苦地等候母亲病情的好转。母亲躺在病床上，只能有气无力地说几句短短的话，她经常问："棠棠怎么样？"从她那双含泪的眼睛里我明白她多么想看见她最爱的儿子。但是她已经没有精力多想了。

　　她每天给输血，打盐水针。她看见我去就断断续续地问我："输多少西西的血？该怎么办？"我安慰她："你只管放心。没有问题，治病要紧。"她不止一次地说："你辛苦了。"我有什么苦呢？我能够为我最亲爱的人做事情，哪怕做一件小事，我也高兴！后来她的身体更不行了。医生给她输氧气，鼻子里整天插着管子。她几次要求拿开，这说明她感到难受，但是听了我们的劝告，她终于忍受下去了。开刀以后她只活了五天。谁也想不到她会去得这么快！五天中间我整天守在病床前，默默地望着她在受苦（我是设身处地感觉到这样的），可是她除了两、三次要求搬开床前巨大的氧气瓶，三、四次表示担心输血较多付不出医药费之外，并没有抱怨过什么。见到熟人她常有这样一种表情：请原谅我麻烦了你们。她非常安静，但并未昏睡，始终睁大两只眼睛。眼睛很大，很美，很亮。我望着，望着，好像在望快要燃尽的烛火。我多么想让这对眼睛永远亮下去！我多么害怕她离开我！我甚至愿意为我那十四卷"邪书"受到千刀万剐，只求她能安静地活下去。

不久前我重读梅林写的《马克思传》，书中引用了马克思给女儿的信里的一段话，讲到马克思夫人的死。信上说："她很快就咽了气。……这个病具有一种逐渐虚脱的性质，就像由于衰老所致一样。甚至在最后几小时也没有临终的挣扎，而是慢慢地沉入睡乡。她的眼睛比任何时候都更大、更美、更亮！"这段话我记得很清楚。马克思夫人也死于癌症。我默默地望着萧珊那对很大、很美、很亮的眼睛，我想起这段话，稍微得到一点安慰。听说她的确也"没有临终的挣扎"，也是"慢慢地沉入睡乡"。我这样说，因为她离开这个世界的时候，我不在她的身边。那天是星期天，卫生防疫站因为我们家发现了肝炎病人，派人上午来做消毒工作。她的表妹有空愿意到医院去照料她，讲好我们吃过中饭就去接替。没有想到我们刚刚端起饭碗，就得到传呼电话，通知我女儿去医院，说是她妈妈"不行"了。真是晴天霹雳！我和我女儿、女婿赶到医院。她那张病床上连床垫也给拿走了。别人告诉我她在太平间。我们又下了楼赶到那里，在门口遇见表妹。还是她找人帮忙把"咽了气"的病人抬进来的。死者还不曾给放进铁匣子里送进冷库，她躺在担架上，但已经给白布床单包得紧紧的，看不到面容了。我只看到她的名字。我弯下身子，把地上那个还有点人形的白布包拍了好几下，一面哭着唤她的名字。不过几分钟的时间，这算是什么告别呢？

据表妹说，她逝世的时刻，表妹也不知道。她曾经对表妹说："找医生来。"医生来过，并没有什么。后来她就渐渐地"沉入睡乡"。表妹还以为她在睡眠。一个护士来打针，才发觉她的心脏已经停止跳动了。我没有能同她诀别，我有许多话没有能向她倾吐，她不能没有留下一句遗言就离开我！我后来常常想，她对表妹说："找医生来。"很可能不是"找医生"，是"找李先生"（她平日这样称呼我）。为什么那天上午偏偏我不在病房呢？家里人都不在她身边，她死得这样凄凉！

我女婿马上打电话给我们仅有的几个亲戚。她的弟媳赶到医院，马上晕了过去。三天以后在龙华火葬场举行告别仪式。她的朋友一个也没有来，因为一则我们没有通知，二则我是一个审查了将近七年的对象。没有悼词，没有吊客，只有一片伤心的哭声。我衷心感谢前来参加仪式的少数亲友和特地来帮忙的我女儿的两三个同学，最后，我跟她的遗体告别，女儿望着遗容哀哭，儿子在隔离病房还不知道把他当作命根子的妈妈已经死亡。值得提说的是她当作自己儿子照顾了好些年的一位亡友的男孩从北京赶来，只为了见她的最后一面。这个整天同钢铁打交道的技术员，他的心倒不像钢铁那样。他得到电报以后，他爱人对他说："你去吧，你不去一趟，你的心永远安定不了。"

我在变了形的她的遗体旁边站了一会。别人给我和她照了像。我痛苦地想：这是最后一次了，即使给我们留下来很难看的形象，我也要珍视这个镜头。

一切都结束了。过了几天我和女儿、女婿到火葬场，领到了她的骨灰盒。在存放室寄存了三年之后，我按期把骨灰盒接回家里。有人劝我把她的骨灰安葬，我宁愿让骨灰盒放在我的寝室里，我感到她仍然和我在一起。

四

梦魇一般的日子终于过去了。六年仿佛一瞬间似的远远地落在后面了。其实哪里是一瞬间！这段时间里有多少流着血和泪的日子啊。不仅是六年，从我开始写这篇短文到现在又过去了半年，半年中我经常在火葬场的大厅里默哀，行礼，为了纪念给

"四人帮"迫害致死的朋友。想到他们不能把个人的智慧和才华献给社会主义祖国，我万分惋惜。每次戴上黑纱、插上纸花的同时，我也想起我自己最亲爱的朋友，一个普通的文艺爱好者，一个成绩不大的翻译工作者，一个心地善良的人。她是我生命的一部分，她的骨灰里有我的泪和血。

　　她是我的一个读者。一九三六年我在上海第一次同她见面。一九三八年和一九四一年我们两次在桂林像朋友似的住在一起。一九四四年我们在贵阳结婚。我认识她的时候，她还不到二十，对她的成长我应当负很大的责任。她读了我的小说，给我写信，后来见到了我，对我发生了感情。她在中学念书，看见我以前，因为参加学生运动被学校开除，回到家乡住了一个短时期，又出来进另一所学校。倘使不是为了我，她三七、三八年一定去了延安。她同我谈了八年的恋爱，后来到贵阳旅行结婚，只印发了一个通知，没有摆过一桌酒席。从贵阳我和她先后到了重庆，住在民国路文化生活出版社门市部楼梯下七八个平方米的小屋里。她托人买了四只玻璃杯开始组织我们的小家庭。她陪着我经历了各种艰苦生活。在抗日战争紧张的时期，我们一起在日军进城以前十多个小时逃离广州，我们从广东到广西，从昆明到桂林，从金华到温州，我们分散了，又重见，相见后又别离。在我那两册《旅途通讯》中就有一部分这种生活的记录。四十年前有一位朋友批评我："这算什么文章！"我的《文集》出版后，另一位朋友认为我不应当把它们也收进去。他们都有道理。两年来我对朋友、对读者讲过不止一次，我决定不让《文集》重版。但是为我自己，我要经常翻看那两小册《通讯》。在那些年代，每当我落在困苦的境地里、朋友们各奔前程的时候，她总是亲切地在我的耳边说："不要难过，我不会离开你，我在你的身边。"的确，只有在她最后一次进手术室之前她才说过这样一句："我们要分别了。"

　　我同她一起生活了三十多年。但是我并没有好好地帮助过她。她比我有才华，却缺乏刻苦钻研的精神。我很喜欢她翻译的普希金和屠格涅夫的小说。虽然译文并不恰当，也不是普希金和屠格涅夫的风格，它们却是有创造性的文学作品，阅读它们对我是一种享受。她想改变自己的生活，不愿做家庭妇女，却又缺少吃苦耐劳的勇气。她听一个朋友的劝告，得到后来也是给"四人帮"迫害致死的叶以群同志的同意，到《上海文学》"义务劳动"，也做了一点点工作，然而在运动中却受到批判，说她专门向老作家组稿，又说她是我派去的"坐探"。她为了改造思想，想走捷径，要求参加"四清"运动，找人推荐到某铜厂的工作组工作，工作相当忙碌、紧张，她却精神愉快。但是到我快要靠边的时候，她也被叫回"作协分会"参加运动。她第一次参加这种急风暴雨般的斗争，而且是以反动权威家属的身份参加，她不知道该怎么办才好。她张皇失措，坐立不安，替我担心，又为儿女的前途忧虑。她盼望什么人向她伸出援助的手，可是朋友们离开了她，"同事们"拿她当作箭靶，还有人想通过整她来整我。她不是"作协分会"或者刊物的正式工作人员，可是仍然被"勒令"靠边劳动、站队挂牌，放回家以后，又给揪到机关。过一个时期，她写了认罪的检查，第二次给放回家的时候，我们机关的造反派头头却通知里弄委员会罚她扫街。她怕人看见，每天大清早起来，拿着扫帚出门，扫得精疲力竭，才回到家里，关上大门，吐了一口气。但有时她还碰到上学去的小孩，对她叫骂"巴金的臭婆娘"。我偶尔看见她拿着扫帚回来，不敢正眼看她，我感到负罪的心情，这是对她的一个致命的打击。不到两个月，她病倒了，以后就没有再出去扫街（我妹妹继续扫了一个时期），但是也没有完全恢复健康。尽管她还继续拖了四年，但一直到死她并不曾看到我恢复自由。

这就是她的最后，然而绝不是她的结局。她的结局将和我的结局连在一起。

我绝不悲观。我要争取多活。我要为我们社会主义祖国工作到生命的最后一息。在我丧失工作能力的时候，我希望病榻上有萧珊翻译的那几本小说。等到我永远闭上眼睛，就让我的骨灰同她的搀和在一起。

1979 年 1 月 16 日写完

傅雷家书（节选）

傅　雷

傅雷(1908～1966)，上海人。1926年参加"五卅惨案"学生运动，后又参加上海学联反学阀运动，自费留法，在巴黎大学、国立虞佛学校学习，后回上海定居，致力于文学翻译工作。中国作家协会上海分会理事，专著《傅雷家书》、《世界美术名作十二讲》，译著《托尔斯泰传》、《弥盖朗琪罗传》、《贝多芬传》、《约翰·克利斯朵夫》、《高老头》、《欧也妮·葛朗台》、《幻灭》、《贝姨》、《老实人》、《夏倍上校》、《嘉尔曼》、《英国绘画》、《艺术哲学》、《罗丹艺术论》、《傅雷译文集》(15卷)等。

一

一九五四年一月三十日晚

亲爱的孩子，你走后第二天，就想写信，怕你嫌烦，也就罢了。可是没一天不想着你，每天清早六七点就醒，翻来覆去的睡不着，也说不出为什么。好像克利斯朵夫的母亲独自守在家里，想起孩子童年一幕幕的形象一样，我和你妈妈老是想着你二三岁到六七岁间的小故事。——这一类的话我们不知有多少可以和你说，可是不敢说，你这个年纪是一切向前往的，不愿意回顾的；我们噜哩噜苏的抖出你尿布时代的往事，会引起你的憎厌。孩子，这些我都很懂得，妈妈也懂得。只是你的一切终生会印在我们脑海中，随时随地会浮起来，像一幅幅的小品图画，使我们又快乐又惆怅。

真的，你这次在家一个半月，是我们一生最愉快的时期；这幸福不知应当向谁感谢，即使我没宗教信仰，至此也不由得要谢谢上帝了！我高兴的是我又多了一个朋友；儿子变了朋友，世界上有什么事可以和这种幸福相比的！尽管将来你我之间离多聚少，但我精神上至少是温暖的，不孤独的。我相信我一定会做到不太落伍，不太冬烘，不至于让你厌烦。也希望你不要以为我在高峰的顶尖上所想的，所见到的，比你们的不真实。年纪大的人总是往更远的前途看，许多事你们一时觉得我看得不对，日子久了，现实却给你证明我并没大错。

孩子，我从你身上得到的教训，恐怕不比你从我得到的少。尤其是近三年来，你不知使我对人生多增了几许深刻的体验，我从与你相处的过程中学得了忍耐，学到了说话的技巧，学到了把感情升华！

你走后第二天，妈妈哭了，眼睛肿了两天：这叫做悲喜交集的眼泪。我们可以不用怕羞的这样告诉你，也可以不担心你憎厌而这样告诉你。人毕竟是感情的动物。偶然流露也不是可耻的事。何况母亲的眼泪永远是圣洁的，慈爱的！

二

1. 对终身伴侣的要求，正如对人生一切的要求一样不能太苛。

事情总有正反两面：

追得你太迫切了，你觉得负担重，追得不紧了，又觉得不够热烈。温柔的人有时会显得懦弱，刚强了又近于专制。幻想多了未免不切实际，能干的管家太太又觉得俗气。只有长处而没有短处的人在哪儿呢？世界上究竟有没有十全十美的人或事物呢？抚躬自问，自己又完美到什么程度呢？这一类的问题想必你考虑过不止一次。我觉得最主要的还是本质的善良，天性的温厚，开阔的胸襟。有了这三样，其他都可以逐渐培养，而且有了这三样，将来即使遇到大大小小的风波也不致变成悲剧。做艺术家的妻子比做任何人的妻子都难，你要不预先明白这一点，即使你知道"责人太严，责己太宽"，也不容易学会明哲、体贴、容忍。只要能代你解决生活琐事，同时对你的事业感到兴趣就行，对学问的钻研等等暂时不必期望过奢，还得看你们婚后的生活如何。眼前双方先学习相互的尊重、谅解、宽容。对方把你作为她整个的世界固然很危险，但也很宝贵！你既已发觉，一定会慢慢点醒她，最好旁敲侧击而勿正面提出，还要使她感到那是为了维护她的人格独立，扩大她的世界观。倘若你已经想到奥里维的故事，不妨就把那部书叫她细读一二遍，特别要她注意那一段插曲。像雅葛丽纳那样只知道 love，love，love！（love：爱，爱情。——摘者注）的人只是童话中人物，在现实世界中非但得不到 love，连日子都会过不下去，因为她除了 love 一无所知，一无所有，一无所爱。这样狭窄的天地哪像一个天地！这样片面的人生观哪会得到幸福！无论男女，只有把兴趣集中在事业上，学问上，艺术上，尽量抛开渺小的自我（ego），才有快活的可能，才觉得活得有意义。未经世事的少女往往会存一个荒诞的梦想，以为恋爱时期的感情的高潮也能在婚后维持下去。这是违反自然规律的妄想。古语说，"君子之交淡如水"；又有一句话说，"夫妇相敬如宾"。可见只有平静、含蓄、温和的感情方能持久，另外一句的意义是说，夫妇到后来完全是一种知己朋友的关系，也即是我们所谓的终身伴侣。未婚之前双方能深切领会到这一点，就为将来打定了最可靠的基础，免除了多少不必要的误会和痛苦。

2. 首先态度和心情都要尽可能的冷静。否则观察不会准确。初期交往容易感情冲动，单凭印象，只看见对方的优点，看不出缺点，甚至夸大优点，美化缺点。便是与同性朋友相交也不免如此，对异性更是常有的事。许多青年男女婚前极好，而婚后逐渐相左，甚至反目，往往是这个原因。感情激动时期不仅会耳不聪，目不明,看不清对方,自己也会无意识的只表现好的方面,把缺点隐藏起来。保持冷静还有一个好处,就是不至于为了谈恋爱而荒废正业,或是影响功课或是浪费时间或是损害健康,或是遇到或大或小的波折时扰乱心情。

我一生从来不曾有过"恋爱至上"的看法。"真理至上"、"道德至上"、'正义至上'这种种都应当作为立身的原则。恋爱不论在如何狂热的高潮阶段也不能侵犯这些原则。朋友也好,妻子也好,爱人也好,一遇到重大关头,与真理、道德、正义……等等有关的问题,决不让步。

其次,人是最复杂的动物,观察决不可简单化,而要耐心、细致、深入,经过相当的时间,各种不同的事故和场合,处处要把科学的客观精神和大慈大悲的同情心结合起来。对方的优点,要认清是不是真实可靠的,是不是你自己想象出来的,或者是夸大的。对方的缺点,要分出是否与本质有关。与本质有关的缺点,不能因为其他次要的优点而加以忽视。次要的缺点也得辨别是否能改,是否发展下去会影响品性或日常生活。人人都有缺点,谈恋爱的男女双方都是如此。问题不在于找一个全无缺点的对象,而是要找一个双方缺点都能各自认识,各自承认,愿意逐渐改,同时能彼此容忍的伴侣。(此点很重要。有些缺点双方都能容忍,有些则不能容忍,日子一久即造成裂痕。)最好双方尽量自然,不要做作,各人都拿出真面目来,优缺点一齐让对方看到。必须彼此看到了优点,也看到了缺点,觉得都可以相忍相让,不会影响大局的时候,才谈得上进一步的了解;否则只能做一个普通的朋友。可是要完全看出彼此的优缺点,需要相当时间,也需要各种大大小小的事故来考验;绝对急不来! 更不能轻易下结论! (不论是好的结论或坏的结论)惟有极坦白,才能暴露自己;而暴露自己的缺点总是越早越好,越晚越糟! 为了求恋爱成功而尽量隐藏自己的缺点的人其实是愚蠢的。当然,在恋爱中不知不觉表现出自己的光明面,不知不觉隐藏自己的缺点,不在此例。因为这是人的本能,而且也证明爱情能促使我们进步,往善与美的方向发展,正

青少年文学读本

是爱情的伟大之处,也是古往今来的诗人歌颂爱情的主要原因。小说家常常提到,我们在生活中也一再经历:恋爱中的男女往往比平时聪明;读起书来也理解得快;心地也往往格外善良,为了自己幸福而也想使别人幸福,或者减少别人的苦难;同情心扩大就是爱情可贵的具体表现。

除了优缺点,俩人性格脾气是否相投也是重要因素。刚柔、软硬、缓急的差别要能相互适应调剂。还有许多表现在举动、态度、言笑、声音……之间说不出也数不清的小习惯,在男女之间也有很大作用,要弄清这些就得冷眼旁观慢慢咂摸。所谓经得起考验乃是指有形无形的许许多多批评与自我批评(对人家一举一动所引起的反应即是无形的批评)。诗人常说爱情是盲目的,但不盲目的爱毕竟更健全更可靠。

长相身材虽不是主要考虑点,但在一个爱美的人也不能过于忽视。

交友期间,尽量少送礼物,少花钱;一方面表明你的恋爱观念与物质关系极少牵连,另一方面也是考验对方。

春风沉醉的晚上

郁达夫

郁达夫(1896~1945),名文,字达夫,中国现代文学史上的代表性作家,1896年1月7日出生于浙江富阳,1921年参与发起成立创造社。主要作品有《沉沦》、《迟桂花》、《春风沉醉的晚上》等大量中短篇小说,1945年在印尼苏门答腊遭日军杀害。

一

在沪上闲居了半年,因为失业的结果,我的寓所迁移了三处。最初我住在静安寺路南的一间同鸟笼似的永也没有太阳晒着的自由的监房里。这些自由的监房的住民,除了几个同强盗小窃一样的凶恶裁缝之外,都是些可怜的无名文士,我当时所以送了那地方一个 YellowGrabStreet 的称号。在这 GrubStreet 里住了一个月,房租忽涨了价,我就不得不拖了几本破书,搬上跑马厅附近一家相识的栈房里去。后来在这栈房里又受了种种逼迫,不得不搬了,我便在外白渡桥北岸的邓脱路中间,日新里对面的贫民窟里,寻了一间小小的房间,迁移了过去。

邓脱路的这几排房子,从地上量到屋顶,只有一丈几尺高。我住的楼上的那间房间,更是矮小得不堪。若站在楼板上伸一伸懒腰,两只手就要把灰黑的屋顶穿通的。从前面的衖里蹑进了那房子的门，便是房主的住房。在破布洋铁罐玻璃瓶旧铁器堆满的中间，侧着身子走进两步，就有一张中间有几根横档跌落的梯子靠墙摆在那里。用了这张梯子往上面的黑黝黝的一个二尺宽的洞里一接，即能走上楼去。黑沉沉的这层楼上，本来只有猫额那样大，房主人却把它隔成了两间小房，外面一间是一个 N 烟公司的女工住在那里，我所租的是梯子口头的那间小房，因为外间的住者要从我的房里出入，所以我的每月的房租要比外间的便宜几角小洋。

我的房主，是一个五十来岁的弯腰老人。他的脸上的青黄色里，映射着一层暗黑的油光。两只眼睛是一只大一只小，颧骨很高，额上颊上的几条皱纹里满砌着煤灰，好像每天早晨洗也洗不掉的样子。他每日于八九点钟的时候起来，咳嗽一阵，便挑了一双竹篮出去，到午后的三四点钟总仍旧是挑了一双空篮回来的，有时挑了满担回来的时候，他的竹篮里便是那些破布破铁器玻璃瓶之类。像这样的晚上，他必要去买些酒来喝喝，一个人坐在床沿上瞎骂出许多不可捉摸的话来。

我与间壁的同寓者的第一次相遇，是在搬来的那天午后。春天的急景已经快晚了的五点钟的时候，我点了一枝蜡烛，在那里安放几本刚从栈房里搬过来的破书。先把它们叠成了两方堆，一堆小些，一堆大些，然后把两个二尺长的装画的画架覆在大一点的那堆书上。因为我的器具都卖完了，这一堆书和画架白天要当写字台，晚上可当床睡的。摆好了画架的板，我就朝着了这张由书叠成的桌子，坐在小一点的那堆书上吸烟，我的背系朝着梯子的接口的。我一边吸烟，一边在那里呆看放在桌上的蜡烛火，忽而听见梯子口上起了响动。回头一看，我只见了一个自家的扩大的投射影子，此外什么也辨不出来，但我的听觉分明告诉我说："有人上来了。"我向暗中凝视了几秒钟，一个圆形灰白的面貌，半截纤细的女人的身体，方才映到我的眼帘上来。一见了她的容貌我就知道她是我的间壁的同居者了。因为我来找房子的时候，那房主的老人便告诉我说，这屋里除了他一个人外，楼上只住着一个女工。我一则喜欢房价的便宜，二则喜欢这屋里没有别的女人小孩，所以立刻就租定了的。等她走上了梯子，我才站起来对她点了点头说：

"对不起，我是今朝才搬来的，以后要请你照应。"

她听了我这话，也并不回答，放了一双漆黑的大眼，对我深深的看了一眼，就走上她的门口去开了锁，进房去了。我与她不过这样的见了一面，不晓是什么原因，我只觉得她是一个可怜的女子。她的高高的鼻梁，灰白长圆的面貌，清瘦不高的身体，好像都是表明她是可怜的特征，但是当时正为了生活问题在那里操心的我，也无暇去怜惜这还未曾失业的女工，过了几分钟我又动也不动的坐在那一小堆书上看蜡烛光了。

在这贫民窟里过了一个多礼拜，她每天早晨七点钟去上工和午后六点多钟下工回来，总只见我呆呆的对着了蜡烛或油灯坐在那堆书上。大约她的好奇心被我那痴不痴呆不呆的态度挑动了罢。有一天她下了工走上楼来的时候，我依旧和第一天一样的站起来让她过去。她走到我的身边忽而停住了脚。看了我一眼，吞吞吐吐好像怕什么似的问我说：

"你天天在这里看的是什么书？"

（她操的是柔和的苏州音，听了这一种声音以后的感觉，是怎么也写不出来的，所以我只能把她的言语译成普通的白话。）

我听了她的话，反而脸上涨红了。因为我天天呆坐在那里，面前虽则有几本外国书摊着，其实我的脑筋昏乱得很，就是一行一句也看不进去。有时候我只用了想像在书的上一行与下一行中间的空白里，填些奇异的模型进去。有时候我只把书里边的插画翻开来看，就了那些插画演绎些不近人情的幻想出来。我那时候的身体因为失眠与营养不良的结果，实际上已经成了病的状态了。况且又因为我的惟一的财产的一件棉袍子已经破得不堪，白天不能走出外面去散步和房里全没有光线进来，不论白天晚上，都要点着油灯或蜡烛的缘故，非但我的全部健康不如常人，就是我的眼睛和脚力，也局部的非常萎缩了。在这样状态下的我，听了她这一问，如何能够不红起脸来呢？所以我只是含含糊糊的回答说：

"我并不在看书，不过什么也不做呆坐在这里，样子一定不好看，所以把这几本书摊放着的。"

她听了这话，又深深的看了我一眼，作了一种不解的形容，依旧的走到她的房里去了。

那几天里，若说我完全什么事情也不去找什么事情也不曾干，却是假的。有时候，我的脑筋稍微清新一点，也曾译过几首英法的小诗，和几篇不满四千字的德国的短篇小说，于晚上大家睡熟的时候，不声不响的出去投邮，寄投给各新开的书局。因为当时我的各方面就职的希望，早已经完全断绝了，只有这一方面，还能靠了我的枯燥的脑筋，想想法子看。万一中了他们编辑先生的意，把我译的东西登了出来，也不难得着几块钱的酬报。所以我自迁移到邓脱路以后，当她第一次同我讲话的时候，这样的译稿已经发出了三四次了。

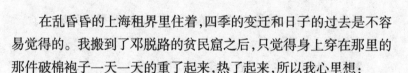

二

在乱昏昏的上海租界里住着，四季的变迁和日子的过去是不容易觉得的。我搬到了邓脱路的贫民窟之后，只觉得身上穿在那里的那件破棉袍子一天一天的重了起来，热了起来，所以我心里想：

"大约春光也已经老透了罢！"

但是囊中很羞涩的我，也不能上什么地方去旅行一次，日夜只是在那暗室的灯光下呆坐。在一天大约是午后了，我也是这样的坐在那里，间壁的同住者忽而手里拿了两包用纸包好的物件走了上来，我站起来让她走的时候，她把手里的纸包放了一包在我的书桌上说：

"这一包是葡萄浆的面包，请你收藏着，明天好吃的。另外我还有一包香蕉买在这里，请你到我房里来一道吃罢！"

我替她拿住了纸包，她就开了门邀我进她的房里去，共住了这十几天，她好像已经信用我是一个忠厚的人的样子。我见她初见我的时候脸上流露出来的那一种疑惧的形容完全没有了。我进了她的房里，才知道天还未暗，因为她的房里有一扇朝南的窗，太阳返射的光线从这窗里投射进来，照见了小小的一间房，由二条板铺成的一张床，一张黑漆的半桌，一只板箱，和一条圆凳。床上虽则没有帐子，但堆着有二条洁净的青布被褥。半桌上有一只小洋铁箱摆在那里，大约是她的梳头器具，洋铁箱上已经有许多油污的点子了。她一边把堆在圆凳上的几件半旧的洋布棉袄，粗布裤等收在床上，一边就让我坐下。我看了她那殷勤待我的样子，心里倒不好意思起来，所以就对她说：

"我们本来住在一处，何必这样的客气。"

"我并不客气，但是你每天当我回来的时候，总站起来让我，我却觉得对不起得很。"

这样的说着，她就把一包香蕉打开来让我吃。她自家也拿了一只，在床上坐下，一边吃一边问我说：

"你何以只住在家里，不出去找点事情做做？"

"我原是这样的想，但是找来找去总找不着事情。"

"你有朋友么？"

"朋友是有的，但是到了这样的时候，他们都不和我来往了。"

"你进过学堂么？"

"我在外国的学堂里曾经念过几年书。"

"你家在什么地方？何以不回家去？"

她问到了这里，我忽而感觉到我自己的现状了。因为自去年以来，我只是一日一日的萎靡下去，差不多把"我是什么人？""我现在所处的是怎么一种境遇？""我的心里还是悲还是喜？"这些观念都忘掉了。经她这一问，我重新把半年来困苦的情形一层一层的想了出来。所以听她的问话以后，我只是呆呆的看她，半晌说不出话来。她看了我这个样子，以为我也是一个无家可归的流浪人。脸上就立时起了一种孤寂的表情，微微的叹着说：

"唉！你也是同我一样的么？"

微微的叹了一声之后，她就不说话了。我看她的眼圈上有些

潮红起来,所以就想了一个另外的问题问她说:

"你在工厂里做的是什么工作?"

"是包纸烟的。"

"一天做几个钟头工?"

"早晨七点钟起,晚上六点钟止,中午休息一个钟头,每天一共要做十个钟头的工。少做一点钟就要扣钱的。"

"扣多少钱?"

"每月九块钱,所以是三块钱十天,三分大洋一个钟头。"

"饭钱多少?"

"四块钱一月。"

"这样算起来,每月一个钟点也不休息,除了饭钱,可省下五块钱来。够你付房钱买衣服的么?"

"哪里够呢!并且那管理人要……啊啊!我……我所以非常恨工厂的。你吃烟的么?"

"吃的。"

"我劝你顶好还是不吃。就吃也不要去吃我们工厂的烟。我真恨死它在这里。"

我看看她那一种切齿怨恨的样子,就不愿意再说下去。把手里捏着的半个吃剩的香蕉咬了几口,向四边一看,觉得她的房里也有些灰黑了,我站起来道了谢,就走回到了我自己的房里。她大约做工倦了的缘故,每天回来大概是马上就入睡的,只有这一晚上,她在房里好像是直到半夜还没有就寝。从这一回之后,她每天回来,总和我说几句话。我从她自家的口里听得,知道她姓陈,名叫二妹,是苏州东乡人,从小系在上海乡下长大的,她父亲也是纸烟工厂的工人,但是去年秋天死了。她本来和她父亲同住在那间房里,每天同上工厂去的,现在却只剩了她一个人了。她父亲死后的一个多月,她早晨上工厂去也一路哭了去,晚上回来也一路哭了回来的。她今年十七岁,也无兄弟姊妹,也无近亲的亲戚。她父亲死后的葬殓等事,是他于未死之前把十五块钱交给楼下的老人,托这老人包办的。她说:

"楼下的老人倒是一个好人,对我从来没有起过坏心,所以我得同父亲在日一样的去做工,不过工厂的一个姓李的管理人却坏得很,知道我父亲死了,就天天的想戏弄我。"

　　她自家和她父亲的身世,我差不多全知道了,但她母亲是如何的一个人? 死了呢还是活在哪里? 假使还活着,住在什么地方? 等等,她却从来还没有说及过。

三

　　天气好像变了。几日来我那独有的世界,黑暗的小房里的腐浊的空气,同蒸笼里的蒸气一样,蒸得人头昏欲晕,我每年在春夏之交要发的神经衰弱的重症,遇了这样的气候,就要使我变成半狂。所以我这几天来到了晚上,等马路上人静之后,也常常想出去散步去。一个人在马路上从狭隘的深蓝天空里看看群星,慢慢的向前行走,一边做些漫无涯涘的空想,倒是于我的身体很有利益。当这样的无可奈何,春风沉醉的晚上,我每要在各处乱走,走到天将明的时候才回家里。我这样的走倦了回去就睡,一睡直可睡到第二天的日中,有几次竟要睡到二妹下工回来的前后方才起来,睡眠一足,我的健康状态也渐渐的回复起来了。平时只能消化半磅面包的我的胃部,自从我的深夜游行的练习开始之后,进步得几乎能容纳面包一磅了。这事在经济上虽则是一大打击,但我的脑筋,受了这些滋养,似乎比从前稍能统一。我于游行回来之后,就睡之前,却做成了几篇 Allan Poe 式的短篇小说,自家看看,也不很坏。我改了几次,抄了几次,——投邮寄出之后,心里虽然起了些微细的希望,但是想想前几回的译稿的绝无消息,过了几天,也便把它们忘了。

　　邻住者的二妹,这几天来,当她早晨出去上工的时候,我总在那里酣睡,只有午后下工回来的时候,有几次有见面的机会,但是不晓是什么原因,我觉得她对我的态度,又回到从前初见面的时候的疑惧状态去了。有时候她深深的看我一眼,她的黑晶晶,水

44

青少年文学读本

汪汪的眼睛里,似乎是满含着责备我规劝我的意思。

我搬到这贫民窟里住后,约莫已经有二十多天的样子,一天午后我正点上蜡烛,在那里看一本从旧书铺里买来的小说的时候,二妹却急急忙忙的走上楼来对我说:

"楼下有一个送信的在那里,要你拿了印子去拿信。"

她对我讲这话的时候,她的疑惧我的态度更表示得明显,她好像在那里说:"呵呵!你的事件是发觉了啊!"我对她这种态度,心里非常痛恨,所以就气急了一点,回答她说:

"我有什么信?不是我的!"

她听了我这气愤愤的回答,更好像是得了胜利似的,脸上忽涌出了一种冷笑说:

"你自家去看罢!你的事情,只有你自家知道的!"

同时我听见楼底下门口果真有一个邮差似的人在催着说:

"挂号信!"

我把信取来一看,心里就突突的跳了几跳,原来我前回寄去的一篇德文短篇的译稿,已经在某杂志上发表了,信中寄来的是五圆钱的一张汇票。我囊里正是将空的时候,有了这五圆钱,非但月底要预付的来月的房金可以无忧,并且付过房金以后,还可以维持几天食料,当时这五圆钱对我的效用的扩大,是谁也能推想得出来的。

第二天午后,我上邮局去取了钱,在太阳晒着的大街上走了一会,忽而觉得身上就淋出了许多汗来。我向我前后左右的行人一看,复向我自家的身上一看,就不知不觉的把头低俯了下去。我颈上头上的汗珠,更同盛雨似的,一颗一颗的钻出来了。因为当我在深夜游行的时候,天上并没有太阳,并且料峭的春寒,于东方微白的残夜,老在静寂的街巷中留着,所以我穿的那件破棉袍子,还觉得不十分与节季违异。如今到了阳和的春日晒着的这日中,我还不能自觉,依旧穿了这件夜游的敞袍,在大街上阔步,与前后左右的和节季同时进行的我的同类一比,我哪得不自惭形秽呢?我一时竟忘了几日后不得不付的房金,忘了囊中本来将尽的些微的积聚，便慢慢的走上了闸路的估衣铺去。好久不在天日之下行走的我，看看街上来往的汽车人力车，车中坐着的华美的少年男女，和马路两边的绸缎铺金银铺窗里的丰丽的陈设，听听四面的同蜂衙似的嘈杂的人声，脚步声，车铃声，一时倒也觉得是身到了大罗天上的样子。我忘记了我自家的存在，也想和我的同胞一样的欢歌欣舞起来，我的嘴里便不知不觉的唱起几句久忘了的京调来了。这一时的涅槃幻境，当我想横越过马路，转入闸路去的时候，忽而被一阵铃声惊破了。我抬起头来一看，我的面前正冲来了一乘无轨电车，车头上站着的那肥胖的机器手，伏出了半身，怒目的大声骂我说：

"猪头三！侬（你）艾（眼）睛勿散（生）咯！跌杀时，叫旺（黄）够（狗）来抵侬（你）命噢！"

我呆呆的站住了脚，目送那无轨电车尾后卷起了一道灰尘，向北过去之后，不知是从何处发出来的感情，忽而竟禁不住哈哈哈哈地笑了几声。等得四面的人注视我的时候，我才红了脸慢慢的走向了闸路里去。

我在几家估衣铺里，问了些夹衫的价线，还了他们一个我所能出的数目，几个估衣铺的店员，好像是一个师父教出的样子，都摆下了脸面，嘲弄着说：

"侬（你）寻萨咯（什么）凯（开心）！马（买）勿起好勿要马（买）咯！"

一直问到五马路边上的一家小铺子里，我看看夹衫是怎么也买不成了，才买定了一件竹布单衫，马上就把它换上。手里拿了一包换下的棉袍子，默默的走回家来。一边我心里却在打算：

"横竖是不够用了，我索性来痛快的用它一下罢。"同时我又想起了那天二妹送我的面包香蕉等物。不等第二次的回想我就寻着了一家卖糖食的店，进去买了一块钱巧格力香蕉糖鸡蛋糕等杂食。站在那店里，等店员在那里替我包好来的时候，我忽而想起我有一月多不洗澡了，今天不如顺便也去洗一个澡罢。

洗好了澡，拿了一包棉袍子和一包糖食，回到邓脱路的时候，马路两旁的店家,已经上电灯了。街上来往的行人也很稀少,一阵从黄浦江上吹来的日暮的凉风,吹得我打了几个冷噤。我回到了我的房里,把蜡烛点上。向二妹的房门一照,知道她还没有回来。那时候我腹中虽则饥饿得很,但我刚买来的那包糖食怎么也不愿意打开来。因为我想等二妹回来同她一道吃。我一边拿出书来看,一边口里尽在咽唾液下去。等了许多时候,二妹终不回来,我的疲倦不知什么时候出来战胜了我,就靠在书堆上睡着了。

<h1 style="text-align:center">四</h1>

二妹回来的响动把我惊醒的时候,我见我面前的一枝十二盎司一包的洋蜡烛已经点去了二寸的样子,我问她是什么时候了?她说:

"十点的汽管刚刚放过。"

"你何以今天回来得这样迟?"

"厂里因为销路大了,要我们做夜工。工钱是增加的,不过人太累了。"

"那你可以不去做的。"

"但是工人不够,不做是不行的。"

她讲到这里,忽而滚了两粒眼泪出来,我以为她是做工做得倦了,故而动了伤感,一边心里虽在可怜她,但一边看她这同小孩似的脾气,却也感着了些儿快乐。把糖食包打开,请她吃了几颗之后,我就劝她说:

"初做夜工的时候不惯,所以觉得困倦,做惯了以后,也没有什么的。"

她默默的坐在我的半高的由书叠成的桌上,吃了几颗巧格力,对我看了几眼,好像是有话说不出来的样子。我就催她说:

"你有什么话说?"

她又沉默了一会儿,便断断续续的问我说:

"我……我……早想问你了,这几天晚上,你每晚在外边,可在与坏人做伙友吗?"

我听了她这话,倒吃了一惊,她好像在疑我天天晚上在外面与小窃恶棍混在一块。她看我呆了不答,便以为我的行为真的被她看破了,所以就柔柔和和的连续着说:

"你何苦要吃这样好的东西,要穿这样好的衣服。你可知道这事情是靠不住的。万一被人家捉了去,你还有什么面目做人。过去的事情不必去说它,以后我请你改过了罢。……"

我尽是张大了眼睛张大了嘴呆呆的在看她,因为她的思想太奇怪了,使我无从辩解起。她沉默了数秒钟,又接着说:

"就以你吸的烟而论,每天若戒绝了不吸,岂不可省几个铜子。我早就劝你不要吸烟,尤其是不要吸那我所痛恨的 N 工厂的烟,你总是不听。"

青少年文学读本

她讲到了这里,又忽而落了几滴眼泪。我知道这是她为怨恨 N 工厂而滴的眼泪,但我的心里,怎么也不许我这样的想,我总要把它们当作因规劝我而洒的。我静静儿的想了一回,等她的神经镇静下去之后,就把昨天的那封挂号信的来由说给她听,又把今天的取钱买物的事情说了一遍。最后更将我的神经衰弱症和每晚何以必要出去散步的原因说了。她听了我这一番辩解,就信用了我,等我说完之后,她颊上忽而起了两点红晕,把眼睛低下去看看桌上,好像是怕羞似的说:

"噢,我错怪了你,我错怪了你。请你不要多心,我本来是没有歹意的。因为你的行为太奇怪了,所以我想到了邪路里去。你若能好好儿的用功,岂不是很好么? 你刚才说的那——叫什么的——东西,能够卖五块钱,要是每天能做一个,多么好呢?"

我看了她这种单纯的态度,心里忽然起了一种不可思议的感情,我想把两只手伸出去拥抱她一回,但是我的理性却命令我说:

"你莫再作孽了! 你可知道你现在处的是什么境遇,你想把这纯洁的处女毒杀了么? 恶魔,恶魔,你现在是没有爱人的资格的呀!"

我当那种感情起来的时候,曾把眼睛闭上了几秒钟,等听了理性的命令以后，我的眼睛又开了开来，我觉得我的周围，忽而比前几秒钟更光明了。对她微微的笑了一笑，我就催她说：

"夜也深了，你该去睡了吧！明天你还要上工去的呢！我从今天起，就答应你把纸烟戒下来吧。"

她听了我这话，就站了起来，很喜欢的回到她的房里去睡了。

她去之后，我又换上一枝洋蜡烛，静静儿的想了许多事情：

"我的劳动的结果，第一次得来的这五块钱已经用去了三块了。连我原有的一块多钱合起来，付房钱之后，只能省下二三角小洋来，如何是好呢！"

"就把这破棉袍子去当吧！但是当铺里恐怕不要。"

"这女孩子真是可怜，但我现在的境遇，可是还赶她不上，她是不想做工而工作要强迫她做，我是想找一点工作，终于找不到。就去做筋肉的劳动吧！啊啊，但是我这一双弱腕，怕吃不下一部黄包车的重力。

"自杀！我有勇气，早就干了。现在还能想到这两个字，足证我的志气还没有完全消磨尽哩！"

"哈哈哈哈！今天的那无轨电车的机器手！他骂我什么来？"黄狗，黄狗倒是一个好名词。

"……"

我想了许多零乱断续的思想，终究没有一个好法子，可以救我出目下的穷状来。听见工厂的汽笛，好像在报十二点钟了，我就站了起来，换上了白天那件破棉袍子，仍复吹熄了蜡烛，走出外面去散步去。

贫民窟里的人已经睡眠静了。对面日新里的一排临邓脱路的洋楼里，还有几家点着了红绿的电灯，在那里弹罢拉拉衣加。一声二声清脆的歌音，带着哀调，从静寂的深夜的冷空气里传到我的耳膜上来，这大约是俄国的飘泊的少女，在那里卖钱的歌唱。天上罩满了灰白的薄云，同腐烂的尸体似的沉沉地盖在那里。云层破处也能看得出一点两点星来，但星的近处，黝黝看得出来的天色，好像有无限的哀愁蕴藏着的样子。

萧　萧

沈从文

沈从文（1902～1988），湘西凤凰县人，有苗汉土家族的血统。14岁高小毕业，他于1923年寻至北京，欲入大学而不成，窘困中开始进行创作。至三十年代起他开始用小说构造他心中的"湘西世界"，完成一系列代表作，如《边城》、《长河》等。他以"乡下人"的主体视角审视当时城乡对峙的现状，批判现代文明在进入中国的过程中所显露出的丑陋，沈从文一生创作的结集约有80多部。早期的小说集有《蜜柑》、《雨后及其他》、《神巫之爱》等。30年代后，主要成集的小说有《龙朱》、《旅店及其他》、《石子船》等，中长篇《阿丽思中国游记》、《边城》、《长河》，散文《从文自传》、《记丁玲》、《湘行散记》、《湘西》等。

　　乡下人吹唢呐接媳妇，到了十二月是成天会有的事情。

　　唢呐后面一顶花轿，两个夫子平平稳稳的抬着。轿中人被铜锁锁在里面，虽穿了平时没上过身的体面红绿衣裳，也仍然得呵呵大哭。在这些小女人心中，做新娘子，从母亲身边离开，且准备做他人的母亲，从此必然有许多新事情等待发生。像做梦一样，将同一个陌生男子汉在一个床上睡觉，做这承宗接祖的事情。这些事想起来，当然有些害怕，所以照例觉得要哭哭，于是就哭了。

　　也有做媳妇不哭的人，萧萧做媳妇就不哭。这小女子没有母亲,从小寄养到伯父种田的庄子上,终日提着个小竹兜萝,在路旁田坎捡狗屎挑野菜。出嫁只是从这家转到那家。因此到那一天,这女人还只是笑。她又不害羞,又不怕。她是什么事也不知道,就做了人家的新媳妇了。

萧萧做媳妇时年纪十二岁,有一个小丈夫,年纪还不到三岁。丈夫比她年少九岁,断奶还不多久。按地方规矩,过了门,她喊他作弟弟。她每天应做的事是抱弟弟到村前柳树下去玩,到溪边去玩,饿了,喂东西吃,哭了,就哄他,摘南瓜花或狗尾草戴到小丈夫头上,或者亲嘴,一面说:"弟弟,哪,啵再来,啵。"在那肮脏的小脸上亲了又亲,孩子于是便笑了。孩子一欢喜兴奋,行动粗野起来,会用短短的小手乱抓萧萧的头发。那是平时不太能收拾蓬蓬松松在头上的黄发。有时候,垂到脑后那条小辫儿被拉得太久,把红绒线结也弄松了,生了气,就打那弟弟几下,弟弟自然哇的哭出声来。萧萧于是也装成要哭的样子,用手指这弟弟的哭脸,说:"哪,人不讲理,可不行! 哪能这样动手动脚,长大了不是要杀人放火!"

天晴落雨日子混下去,每日抱抱丈夫,也帮家中做点杂事,能动手就动手,又时常到溪沟里去洗衣,搓尿片,一面还捡拾有花纹的田螺给坐在身边的小丈夫玩。到了夜里睡觉,便常常做这种年龄的人做的梦,梦到后门角落或别的什么地方捡得大把大把铜钱,吃好东西,爬树,自己变成鱼到水中各处溜。或一时仿佛身子很轻,飞到天上众星中,没有一个人,只是一片白,一片金光,于是大喊"妈!"人就吓醒了。醒来心还只是跳。吵了隔壁的人,不免骂这:"疯子,你想什么! 白天玩得疯,晚上就做梦!"萧萧听着不作声,只是咕咕的笑。也有很好很爽快的梦,为丈夫哭醒的事情。那丈夫本来晚上在自己母亲身边睡,有时吃多了,或因另外情形,半夜大哭,起来放水拉稀是常有的事。丈夫哭得婆婆无可奈何,于是萧萧轻手轻脚爬起床来,睡眼朦胧走到床边,把人抱起,给他看月亮,看星光;或者互相觑着,孩子气的"嗨,嗨,看猫呵"那样喊着哄着,于是丈夫笑了。玩一会会儿,困倦起来,慢慢的合上眼。

人睡定后,放上床,站在床边看着,听远处一传一递的鸡叫,知道天快到什么时候了,于是仍蜷到小床上睡去。天亮后,虽不做梦,却可以无意中闭言开眼,看一阵在面前空中变幻无端的黄边紫心葵花,那是一种真正的享受。

萧萧嫁过了门,做了拳头大丈夫的小媳妇,一切并不比先前受苦,这只看她一年来身体的发育就可明白。风里雨里过日子,像一株长在园角落不为人注意的蓖麻,大叶大枝,日增茂盛。这小女人简直是全不为丈夫设想似的,一天比一天长大起来了。

夏夜光景说来入梦。大家饭后坐到院中心歇凉,挥摇蒲扇,看天上的星同屋角的萤,听南瓜棚上纺织娘咯咯咯拖长声音纺车,远近声音繁密如落雨。禾花风悠悠吹到脸上,正是让人在各种方便中说笑话的时候。

萧萧好高,一个人常常爬到草料堆上去,抱了已经熟睡的丈夫在怀里,轻轻的轻轻的随意唱着自编的四句头山歌。唱来唱去却把自己也催眠起来,快要睡去了。

在院坝中,公公婆婆,祖父祖母,另外还有帮工汉子两个,散乱地坐在小板凳上,摆龙门阵学古,轮流下去打发上半夜。

祖父身边有个烟包,在黑暗中放光。用艾篙做成的烟包,是驱逐长脚蚊得力东西,蜷在祖父脚边,犹如一条乌梢蛇。间或又拿起来晃那么几下。

想起白天场上的事情,祖父开口说话:

“我听三金说,前天又有女学生过身。”

大家就哄然大笑了。

这笑的意义何在? 只因为大家印象中,都知道女学生没有辫子,留个鹌鹑尾巴,像个尼姑,又不完全象。穿的衣服像洋人,又不是洋人。吃的,用的……总而言之,事事不同,一想起来就觉得怪可笑!

萧萧不大明白,她不笑。所以老祖父又说话了。他说:

“萧萧,你长大了,将来也会做女学生!”

大家于是更哄然大笑起来。

萧萧为人并不愚蠢,觉得这一定是不利于己的一件事,所以借口便说:

"爷爷,我不做女学生。"

"你像个女学生,不做可不行。"

"我不做。"

众人有意取笑,异口同声说:"萧萧,爷爷说得对,你非做女学生不行!"

萧萧急得无可如何,"做就做,我不怕。"其实做女学生有什么不好,萧萧全不知道。

女学生这东西,在乡下的确永远是奇闻。每年一到六月天,据说放"水假"日子一到,照例便有三三五五女学生,由一个荒谬不经的热闹地方来,到另一个远地方去,取道从本地过身。从乡下人眼中看来,这些人都近于另一世界中活下的人,装扮奇奇怪怪,兴味更不可思议。这种女学生过身时,使一村人都可以说一整天的笑话。

祖父是当地一个人物,因为想起所知道的女学生在大城中的生活情形,所以说笑话要萧萧去做女学生。一面听到这话,就感觉一种打哈哈的趣味,一面还有那被说的萧萧感觉一种惶恐,说这话的不为无意义了。

女学生由祖父方面所知道的是这样的一种人:她们穿衣服不管天气冷热,吃东西不问饥饱,晚上玩到子时才睡觉,白天正经事全不做,只知唱歌打球,读洋书。她们会花钱,翌年用的钱可以买十六只水牛。她们在省里京里想往什么地方去时,不用走路,只要钻进一个大匣子中,那匣子就可以带她到地。城市中还有各种各样大小不同匣子,都用机器开动。她们在学校,男女在一处上课读书,人熟了,就随意同那男子睡觉,也不要媒人,也不要财礼,名叫"自由"。她们也做做州县官,带家眷上任,男子仍喊作"老爷"。小孩子叫"少爷"。她们自己不养牛,却吃牛奶羊奶,如小牛小羊;买那奶时是用铁罐子盛的。她们无事时到一个唱戏地方去,那地方完全像个大庙,从衣袋中取出一块洋钱来(那洋钱在乡下可买五只母鸡),买了一小方纸儿,拿了那片纸到里面去,就可以坐下看洋人扮演影子戏。她们被冤了,不赌咒,不哭。她们年纪有老到二十四岁还不肯嫁人的,有老到三十四十居然还好意思嫁人的。她们不怕男子,男子不能使她们受委屈,一受委屈就上衙门打官司,要官罚男子的款,这笔钱她有时独占自己花用,有时和官平分。她们不洗衣煮饭,也不养猪喂鸡;有了小孩子,也只花五块钱或十块钱一月,雇个人专管小孩,自己仍然整天看戏打牌,或者读那些没有用处的闲书。……

　　总而言之,说来事事都稀奇古怪,和庄稼人不同,有的简直还可说岂有此理。这时经祖父一说明,听过这话的萧萧,心中却忽然有了一种模模糊糊的愿望,以为倘若她也是个女学生,她是不是照祖父说的女学生一个样子去做那些事情? 不管好歹,女学生并不可怕,因此一来却已为这乡下姑娘初次体会到了。

　　因为听祖父说起女学生是怎样的人物,到后萧萧肚子笑得特别久。笑够了时,她说:

　　"爷爷,明天有女学生过路,你喊我,我要看看。"

　　"你看,她们捉你去做丫头。"

　　"我不怕她们。"

　　"她们读洋书念经你也不怕?"

　　"念观音菩萨消灾经,念紧箍咒,我都不怕。"

　　"她们咬人,和做官的一样,专吃乡下人,吃人骨头渣渣也不吐,你不怕吗?"

　　萧萧肯定的回答说:"也不怕。"

　　可是这世界萧萧手上所抱的丈夫,不知为什么,在睡梦中哭了,媳妇于是用做母亲的声势,半哄半吓的说:

　　"弟弟,弟弟,不许哭,女学生咬人来了。"

　　丈夫仍然哭着,得抱起到处走走。萧萧抱着丈夫离开了祖父,祖父同别人说另外一样古话去了。

　　萧萧从此以后心中有个"女学生"。做梦也便常常梦到女学生,且梦到同这些人并排走路。仿佛也坐过会走路的匣子,她又觉得这匣子不比自己跑路更快。在梦中那匣子的形体同谷仓差不多，里面有小小灰灰的老鼠，眼珠红红的，各处乱跑，有时钻到门缝里去，把个尾巴露在外边。

因为有这样一段经过，祖父从此喊萧萧不喊"小丫头"，不喊"萧萧"，却唤作"女学生"。在不经意中萧萧答应得很好。

乡下的日子也如世界上一般日子，时时不同。世界上的人把日子糟蹋，和萧萧一类人家把日子吝惜是同样的，各有所得，各属分定。许多城市中文明人，把一个夏天完全消磨到软绸衣服、精美饮料以及种种好事情上面。萧萧的一家，因为一个夏天的劳作，却得了十多斤细麻，二三十担瓜。

做小媳妇的萧萧，一个夏天中，一面照料丈夫，一面还绩了细麻四斤。到秋八月工人摘瓜，在瓜间玩，看硕大如盆、上面满是灰粉的大南瓜，成排摆在地上，很有趣味。时间到摘瓜，秋天真的已来了，院子中各处有从屋后林子里树上吹来的大红大黄木叶。萧萧在瓜旁站定，手拿木叶一束，为丈夫编小小笠帽玩。

工人中有个名叫花狗，年纪二十三岁，抱了萧萧的丈夫到枣树下去打枣子。小小竹竿打在枣树上，落枣满地。

"花狗大，莫打了，太多了吃不完。"

虽听到这样喊，还不歇手。到后，仿佛完全因为丈夫要枣子，花狗才不听话。萧萧于是又警告她那小丈夫：

"弟弟，弟弟，来，不许捡了。吃多了生东西肚子痛！"

丈夫听话，兜了大堆枣子向萧萧身边走来，请萧萧吃枣子。

"姐姐吃，这是大的。"

"我不吃。"

"要吃一颗！"

她两手哪里有空！木叶帽正在制边，工夫要紧，还正要个人帮忙！

"弟弟，把枣子喂我口里。"

丈夫照她的命令做事，做完了觉得有趣，哈哈大笑。

她要他放下枣子帮忙捏紧帽边，便于添新木叶。

丈夫照她吩咐做事，但老是顽皮的摇动，口中唱歌。这孩子原来像一只猫，欢喜时就得捣乱。

"弟弟，你唱的是什么？"

"我唱花狗大告我的山歌。"

"好好的唱一个给我听。"

丈夫于是帮忙拉着帽边，一面就唱下去，照所记到的歌唱：

> 天上起云云起花，包谷林里种豆荚，豆荚缠坏包谷树，娇妹缠坏后生家。天上起云云重云，地下埋坟坟冲坟，娇妹洗碗碗重碗，娇妹床上人重人。

歌中的意义丈夫全不明白，唱完了就问萧萧好不好。萧萧说好，并且问跟谁学来的。她知道是花狗教他的，却故意盘问他。

"花狗大告我，他说还有好多歌，长大了再教我唱。"

听说花狗会唱歌，萧萧说：

"花狗大，花狗大，你唱一个好听的歌我听听。"

那花狗，面如其心，生长得不很整齐，知道萧萧要听歌，人也快到听歌的年龄了，就给她唱"十岁娘子一岁夫"。那故事说的是妻年岁大，可以随便到外面做一点不规矩的事；丈夫年纪小，只知吃奶，让它吃奶。这歌丈夫完全不懂，懂到一点儿的是萧萧。把歌听过后，萧萧装成"我全明白"那种神气，她用生气的样子，对花狗说：

"花狗大，这个不行，这是骂人的歌！"

花狗分辩说："不是骂人的歌。"

"我明白，是骂人的歌。"

花狗难得说多话，歌已经唱过了，错了赔礼，只有不再唱。他看她已经有点懂事了，怕她回头告祖父，会挨顿臭骂，就把话支吾开，扯到"女学生"上头去。他问萧萧，看没看女学生习体操唱洋歌的事情。

若不是花狗提起，萧萧几乎忘却了这事情。这时又提到女学生,她问花狗近来有没有女学生过路,她想看看。

花狗一面把南瓜从棚架边抱到墙角去,告她女学生唱歌的事,这些事的来源还是萧萧的那个祖父,他在萧萧面前说了点大话,说他曾经到官路上见过四个女学生,她们都拿得有旗子,走长路流汗喘气中仍然唱歌,同军人所唱的一模一样。不消说,这自然完全是胡诌的。可是那故事把萧萧可坏了。因为花狗说这个就叫作"自由"。

花狗是起眼动眉毛,一打两头翘,会说会笑的一个人。听萧萧带着羡慕口气说:"花狗大,你膀子真大。"他就说:

"我不止膀子大。"

"你身个子也大。"

"我全身无处不大。"

萧萧还不大懂得这个话的意思,只觉得憨而好笑。

到萧萧抱了她丈夫走去以后,同花狗一起摘瓜,取名字叫哑巴的,开了平时不常开的口。

"花狗,你少坏点。人家是十三岁黄花女,还要等十年才圆房!"

花狗不作声,打了那伙计一巴掌,走到枣树下捡落地枣去了。

到摘瓜的秋天,日子计算起来,萧萧过夫家有一年半了。

几次降雪落雪,几次清明谷雨,一家中人都说萧萧是大人了。天保佑,喝冷水,吃粗粝饭,四季无疾病,倒发育得这样快。婆婆虽生来像一把剪子,把凡是给萧萧暴长的机会都剪去了,但乡下的日头同空气都帮助人长大,却不是折磨可以阻拦得住。

萧萧十五岁时已高如成人,心却还是糊糊涂涂的心。

人大了一点,家中做的事也多了一点。绩麻、纺车、洗衣、照料丈夫以外,打猪草推磨一些事情也要做,还有浆纱织布。凡事都学,学学就会了。乡下习惯凡是行有余力的都可以从劳作中攒点本分私房,两三年来仅仅萧萧个人份上所聚集的粗细麻和纺就的棉纱,也够萧萧坐到土机上抛三个月的梭子了。

丈夫早断了奶。婆婆有了新儿子,这五岁的儿子就像归萧萧独有了。不论做什么，走到什么地方去，丈夫总跟在身边。丈夫有些方面很怕她，当她如面前，不敢多事。他们俩实在感情不坏。

地方稍有进步，祖父的笑话转到"萧萧你也把辫子剪去好自由"那一类事上去了。听着这话的萧萧，某个夏天也看过一次女学生，虽不把祖父笑话认真，可是每一次在祖父说过这个笑话以后，她到水边去，必不自觉的用手捏着辫子末梢，设想着没有辫子的人的那种神气，那点趣味。

打猪草，带丈夫上螺狮山的山阴是常有的事。

小孩子不知事，听别人唱歌也唱歌。一开腔唱歌，就把花狗引来了。

花狗对萧萧生了另外一种心，萧萧有点明白了，常常觉得惶恐不安。但花狗是男子，凡是男子的美德恶德都不缺少，劳动力强，手脚勤快，又会玩会说，所以一面使萧萧的丈夫非常喜欢同他玩，一面一有机会即缠在萧萧身边，且总是想方设法把萧萧那点惶恐减去。

山大人小，到处是树林蒙茸，平时不知道萧萧所在，花狗就站在高处唱歌逗萧萧身边的丈夫；丈夫小口一开，花狗穿山越岭就来到萧萧面前了。

见了花狗，小孩子只有欢喜，不知其他。他原要花狗为他编草虫玩，做竹哨子玩，花狗想方法支使他到一个远处去找材料，便坐到萧萧身边来，要萧萧听他唱那使人开心脸红的歌。她有时觉得害怕，不许丈夫走开；有时又像有了花狗在身边，打发丈夫走去反倒好一点。终于有一天，萧萧就这样给花狗把心窍子唱开，变成妇人了。

那时节，丈夫走到山下采刺莓去了，花狗唱了许多歌，到后却像萧萧唱：

　　　　娇家门前一冲坡，别人走少郎走多，铁打草鞋穿烂了，不是为你为哪个？

末了却向萧萧说："我为你睡不着觉。"他又说他赌咒不把这事情告给人。听了这些话仍然不懂什么的萧萧,眼睛只注意到他那一对粗粗的手膀子,耳朵只注意到他最后一句话。末了花狗大便又唱了许多歌给她听。她心里乱了。她要他当真对天赌咒,赌过了咒,一切好像有了保障,她就一切尽了他。到丈夫返身时。手被毛毛虫螫伤,肿了一大片,走到萧萧身边。萧萧捏紧这一只小手,且用口去呵它,想到刚才的糊涂,才仿佛明白自己做了一点不大好的糊涂事。

　　花狗诱她做坏事是麦黄四月,到六月,李子熟了,她欢喜吃生李子。她觉得身体有点特别,在山上碰到花狗,就将这事情告给他,问他怎么办。

　　讨论了多久,花狗全无主意。虽以前自己当天赌得有咒,也仍然无主意。原来这家伙子个子大,胆子小。个子大容易做错事,胆量小做错了事就想不出办法。

　　到后,萧萧捏着自己那条乌梢蛇似的大辫子,想起城里了,她说:

　　"花狗大,外面到城里去自由,帮帮人过日子,不好么?"

　　"那怎么行? 到城里去做什么?"

　　"我肚子大了。"

　　"我们找药去。场上有郎中卖药。"

　　"你赶快找药来,我想……"

　　"你想逃到城里去自由,不成的。人生面不熟,讨饭也有规矩,不能随便!"

　　"你这没有良心的,你害了我,我想死!"

　　"我赌咒不辜负你。"

　　"负不负我有什么用,帮我个忙,赶快拿去肚子里这块肉吧。我害怕!"

　　花狗不再作声,过了一会,便走开了。不久丈夫从他处拿了大把山里红果子回来,见萧萧一个人坐在草地上眼睛红红的。丈夫心中纳罕。看了一会,问萧萧:

　　"姐姐,为什么哭?"

"不为什么，灰尘落到眼睛窝里，痛。"

"我吹吹吧。"

"不要吹。"

"你瞧我，得这些这些。"

他把手中拿的和从溪中捡来放在衣口袋里的小蚌、小石头全部陈列到萧萧面前，萧萧眼泪婆娑看了一会，勉强笑着说："弟弟，我们要好，我哭你莫告家中。告家中我可要生气！"到后这事情家中当真就无人知道。

过了半个月，花狗不辞而行，把自己所有的衣裤都拿去了。祖父问同住的长工哑巴，知不知道他为什么走路，走哪儿去？是上山落草，还是做薛仁贵投军？哑巴只是摇头，说花狗还欠了他两百钱，临走时话都不留一句，为人少良心。哑巴说他自己的话，并没有把花狗走的理由说明。因此这一家稀奇一整天，谈论一整天。不过这工人既不偷走物件，又不拐带别的，这事情过后不久，自然也就把他忘掉了。

萧萧仍然是往日的萧萧。她能够忘记花狗就好了。但是肚子真有些不同了，肚子中有东西总在动，使她常常一个人干着急，尽做怪梦。

她脾气坏了一点，这坏处只有丈夫知道，因为她对丈夫似乎严厉苛刻了好些。

仍然每天同丈夫在一处，她的心，想到的事自己也不十分明白。她常想，我现在死了，说明都好了。可是为什么要死？她还很高兴活下去，愿意活下去。

家中不拘谁在无意中提起关于丈夫弟弟的话，提起小孩子，提起花狗，都像使这话如拳头，在萧萧胸口上重重一击。

到九月，她担心人知道更多了，引丈夫庙里去玩，就私自许愿，吃了一大把香灰。吃香灰被她丈夫看见了，丈夫问这是做什么，萧萧就说肚子痛，应当吃这个。虽说菩萨保佑，菩萨当然没有如她的愿望，肚子中的担心依旧在慢慢地长大。

她又常常往溪里去喝冷水，给丈夫看见时，丈夫问她，她就说口渴。

一切她所想到的方法都没有能够使她同自己不喜欢的担心分开。大肚子只有丈夫一人知道，他却不敢告这件事给父母晓得。因为时间长久，年龄不同，丈夫有些时候对于萧萧的怕同爱，比对父母还深切。

她还记得花狗当真那一天里的事情，如同记着其他事情一样。到秋天，屋前屋后的毛毛虫都结茧，成了各种好看蝶蛾。丈夫像故意折磨她一样，常常提起几个月前被毛毛虫螫手的旧话，使萧萧心里难过。她因此恨毛毛虫，见了那小虫就用脚去揣。

有一天，又听人说有好些女学生过路，听过这话的萧萧，睁了眼做过一阵梦，愣愣的对日头出处痴了半天。

萧萧步花狗后尘，也想逃走，收拾一点东西预备跟了女学生走的那条路上城。但没有动身，就被家里人发觉了。这种打算照乡下人来说是一件大事，于是把她两手捆了起来，丢在灶屋边，饿了一天。

家中追究这逃走的根源，才明白这个十年后预备给小丈夫生儿子继香火的萧萧肚子已经被另一个人抢先下了种。这在一家人生活中真是了不得的一件大事！一家人平静的生活，为这件新事全弄乱了。生气的生气，流泪的流泪，骂人的骂人，各按本分乱下去。悬梁、投水、吃毒药，被困着的萧萧，诸事漫无边际的全想到了，究竟是年纪太小，舍不得死，却不曾做。于是祖父从现实出发，想出个聪明主意，把萧萧关在房里，派人好好看守着，请萧萧本族的人来说话，照规矩是"沉潭"还是"发卖"？萧萧家中人要面子，就沉潭淹死了她；舍不得就发卖。萧萧只有一个伯父，在近处庄子里为人种田，去请他时先还以为是吃酒，到了才知是这样丢脸的事，弄得这老实忠厚的家长手足无措。

大肚子作证，说明也没有可说。照习惯，沉潭多是读过"子曰"的族长爱面子才做出的蠢事。伯父不读"子曰"，不忍把萧萧当牺牲品，萧萧当然应当嫁人做"二路亲"了。

这是一种出发，好像极其自然，照习惯受损失的是丈夫家里，然而却可以在发卖上收回一笔钱,作为损失赔偿。那伯父把这事情告给了萧萧,就要走路。萧萧拉着伯父衣角不放,只是幽幽的哭。伯父摇了一会头,一句话不说,仍然走了。

一时没有相当的人家来要萧萧,送到远处自然也得有人,因此暂时就仍然在丈夫家中住下。这件事既经说明白,着乡下规矩,倒又像不甚么要紧,只等待处分,大家反而释然了。先是小丈夫不能再同萧萧在一处,到后又仍然如月前情形,姐弟一般有说有笑的过日子了。

丈夫知道了萧萧肚子中有儿子的事情,又知道因为这样萧萧才应当嫁到远处去。但是丈夫并不愿意萧萧去,萧萧自己也不愿意去。大家莫名其妙,只是照规矩像逼到要这样做,不得不做。究竟是谁定的规矩,是周公还是周婆,也没有人说得清楚。

在等候主顾来看人,等到十二月,还没有人来,萧萧只好在这家过年。

萧萧次年二月间,十月满足,坐草生了一个儿子,团头大眼,声响洪壮。大家把母子二人,照料得好好的,照规矩吃蒸鸡同江米酒补血,烧纸谢神。一家人都喜欢那儿子。生下的既是儿子,萧萧就不嫁别处了。

到萧萧正式同丈夫拜堂圆房时,儿子已经年纪十岁,有了半劳动力,能看牛割草,成为家中生产者的一员了。平时喊萧萧丈夫作大叔,大叔也答应,从不生气。

这儿子名叫牛儿,牛儿十二岁时也接了亲,媳妇年长六岁。媳妇年纪大,方能诸事做帮手,对家中有帮助。唢呐到门前时,新娘在轿中呜呜的哭着,忙坏了那个祖父,曾祖父。

这一天,萧萧刚坐月子不久,孩子才满三月,抱了自己新生的毛毛,在屋前榆蜡树篱笆间看热闹,同十年前抱丈夫一个样子。小毛毛哭了,唱歌一般地哄着他:

"哪,毛毛,看,花轿来了。看,新娘子穿花衣,好体面!不许闹,不讲道理不成的!不讲理我要生气的!看看,女学生也来了!明天长大了,我们也讨个女学生媳妇!"

受　戒

汪曾祺

汪曾祺(1920～1997)，江苏高邮人。毕业于西南联大中国文学系。曾任中学教员。历史博物馆职员，1949年后历任北京市文联、中国民间文艺研究会干部，《北京文艺》、《说说唱唱》、《民间文学》编辑，北京京剧院编剧。1940年开始发表作品。著有短篇小说集《邂逅集》、《羊舍的夜晚》、《汪曾祺短篇小说选》、《晚饭花集》，戏剧剧本《沙家浜》(已拍摄成电影并发行)、《大劈棺》，台湾版作品集《茱萸集》、《寂寞与温暖》，文论集《晚翠文谈》，散文集《蒲桥集》、《汪曾祺选集》等。

　　明海出家已经四年了。

　　他是十三岁来的。

　　这个地方的地名有点怪，叫庵赵庄。赵，是因为庄上大都姓赵。叫做庄，可是人家住得很分散，这里两三家，那里两三家。一出门，远远可以看到，走起来得走一会，因为没有大路，都是弯弯曲曲的田埂。庵，是因为有一个庵。庵叫菩提庵，可是大家叫讹了，叫成荸荠庵。连庵里的和尚也这样叫。"宝刹何处?"——"荸荠庵。"庵本来是住尼姑的。"和尚庙"、"尼姑庵"嘛。可是荸荠庵住的是和尚。也许因为荸荠庵不大，大者为庙，小者为庵。

　　明海在家叫小明子。他是从小就确定要出家的。他的家乡不叫"出家",叫"当和尚"。他的家乡出和尚。就像有的地方出劁猪的,有的地方出织席子的,有的地方出箍桶的,有的地方出弹棉花的,有的地方出画匠,有的地方出婊子,他的家乡出和尚。人家弟兄多,就派一个出去当和尚。当和尚也要通过关系,也有帮。这地方的和尚有的走得很远。有到杭州灵隐寺的、上海静安寺的、镇江金山寺的、扬州天宁寺的。一般的就在本县的寺庙。明海家田少,老大、老二、老三,就足够种的了。他是老四。他七岁那年,他当和尚的舅舅回家,他爹、他娘就和舅舅商议,决定叫他当和尚。他当时在旁边,觉得这实在是在情在理,没有理由反对。当和尚有很多好处。一是可以吃现成饭。哪个庙里都是管饭的。二是可以攒钱。只要学会了放瑜伽焰口,拜梁皇忏,可以按例分到辛苦钱。积攒起来,将来还俗娶亲也可以;不想还俗,买几亩田也可以。当和尚也不容易,一要面如朗月,二要声如钟磬,三要聪明记性好。他舅舅给他相了相面,叫他前走几步,后走几步,又叫他喊了一声赶牛打场的号子:"格当 * N——",说是"明子准能当个好和尚,我包了!"要当和尚,得下点本——念几年书。哪有不认字的和尚呢!于是明子就开蒙入学,读了《三字经》、《百家姓》、《四言杂字》、《幼学琼林》、《上论、下论》、《上孟、下孟》,每天还写一张仿。村里都夸他字写得好,很黑。

舅舅按照约定的日期又回了家,带了一件他自己穿的和尚领的短衫,叫明子娘改小一点,给明子穿上。明子穿了这件和尚短衫,下身还是在家穿的紫花裤子,赤脚穿了一双新布鞋,跟他爹、他娘磕了一个头,就随舅舅走了。

他上学时起了个学名,叫明海。舅舅说,不用改了。于是"明海"就从学名变成了法名。

过了一个湖。好大一个湖!穿过一个县城。县城真热闹:官盐店,税务局,肉铺里挂着成边的猪,一个驴子在磨芝麻,满街都是小磨香油的香味,布店,卖茉莉粉、梳头油的什么斋,卖绒花的,卖丝线的,打把式卖膏药的,吹糖人的,耍蛇的,……他什么都想看看。舅舅一劲地推他:"快走!快走!"

到了一个河边，有一只船在等着他们。船上有一个五十来岁的瘦长瘦长的大伯，船头蹲着一个跟明子差不多大的女孩子，在剥一个莲蓬吃。明子和舅舅坐到舱里，船就开了。明子听见有人跟他说话，是那个女孩子。

"是你要到荸荠庵当和尚吗？"

明子点点头。

"当和尚要烧戒疤呕！你不怕？"

明子不知道怎么回答，就含含糊糊地摇了摇头。

"你叫什么？"

"明海。"

"在家的时候？"

"叫明子。"

"明子！我叫小英子！我们是邻居。我家挨着荸荠庵。——给你！"

小英子把吃剩的半个莲蓬扔给明海，小明子就剥开莲蓬壳，一颗一颗吃起来。

大伯一桨一桨地划着，只听见船桨拨水的声音："哗——许！哗——许！"

……

荸荠庵的地势很好，在一片高地上。这一带就数这片地势高，当初建庵的人很会选地方。门前是一条河。门外是一片很大的打谷场。三面都是高大的柳树。山门里是一个穿堂。迎门供着弥勒佛。不知是哪一位名士撰写了一副对联：

> 大肚能容容天下难容之事，
> 开颜一笑笑世间可笑之人。

弥勒佛背后，是韦驮。过穿堂，是一个不小的天井，种着两棵白果树。天井两边各有三间厢房。走过天井，便是大殿，供着三世佛。佛像连龛才四尺来高。大殿东边是方丈，西边是库房。大殿东侧，有一个小小的六角门，白门绿字，刻着一副对联：

一花一世界
三藐三菩提

进门有一个狭长的天井，几块假山石，几盆花，有三间小房。

小和尚的日子清闲得很。一早起来，开山门，扫地。庵里的地铺的都是箩底方砖，好扫得很，给弥勒佛、韦驮烧一炷香，正殿的三世佛面前也烧一炷香、磕三个头、念三声"南无阿弥陀佛"，敲三声磬。这庵里的和尚不兴做什么早课、晚课，明子这三声磬就全都代替了。然后，挑水，喂猪。然后，等当家和尚，即明子的舅舅起来，教他念经。

教念经也跟教书一样，师父面前一本经，徒弟面前一本经，师父唱一句，徒弟跟着唱一句。是唱哎。舅舅一边唱，一边还用手在桌上拍板。一板一眼，拍得很响，就跟教唱戏一样。是跟教唱戏一样，完全一样哎。连用的名词都一样。舅舅说，念经：一要板眼准，二要合工尺。说：当一个好和尚，得有条好嗓子。说：民国二十年闹大水，运河倒了堤，最后在清水潭合龙，因为大水淹死的人很多，放了一台大焰口，十三大师——十三个正座和尚——和各大庙的方丈都来了，下面的和尚上百。谁当这个首座？推来推去，还是石桥——善因寺的方丈！他往上一坐，就跟地藏王菩萨一样，这就不用说了；那一声"开香赞"，围看的上千人立时鸦雀无音。说：嗓子要练，夏练三伏，冬练三九，要练丹田气！说：要吃得苦中苦，方为人上人！说：和尚里也有状元、榜眼、探花！要用心，不要贪玩！舅舅这一番大法要说得明海和尚实在是五体投地，于是就一板一眼地跟着舅舅唱起来：

"炉香乍爇——"
"炉香乍爇——"
"法界蒙薰——"

“法界蒙薰——”

“诸佛现金身……”

“诸佛现金身……”

……

等明海学完了早经，——他晚上临睡前还要学一段，叫做晚经，——荸荠庵的师父们就都陆续起床了。

这庵里人口简单，一共六个人。连明海在内，五个和尚。

有一个老和尚，六十几了，是舅舅的师叔，法名普照，但是知道的人很少，因为很少人叫他法名，都称之为老和尚或老师父，明海叫他师爷爷。这是个很枯寂的人，一天关在房里，就是那"一花一世界"里。也看不见他念佛，只是那么一声不响地坐着。他是吃斋的，过年时除外。

下面就是师兄弟三个，仁字排行：仁山、仁海、仁渡。庵里庵外，有的称他们为大师父、二师父；有的称之为山师父、海师父。只有仁渡，没有叫他"渡师父"的，因为听起来不像话，大都直呼之为仁渡。他也只配如此，因为他还年轻，才二十多岁。

仁山，即明子的舅舅，是当家的。不叫"方丈"，也不叫"住持"，却叫"当家的"，是很有道理的，因为他确确实实干的是当家的职务。他屋里摆的是一张账桌，桌子上放的是账簿和算盘。账簿共有三本。一本是经账，一本是租账，一本是债账。和尚要做法事，做法事要收钱，——要不，当和尚干什么？常做的法事是放焰口。正规的焰口是十个人。一个正座，一个敲鼓的，两边一边四个。人少了，八个，一边三个，也凑合了。荸荠庵只有四个和尚，要放整焰口就得和别的庙里合伙。这样的时候也有过。通常只是放半台焰口。一个正座，一个敲鼓，另外一边一个。一来找别的庙里合伙费事；二来这一带放得起整焰口的人家也不多。有的时候，谁家死了人，就只请两个，甚至一个和尚咕噜咕噜念一通经，敲打几声法器就算完事。很多人家的经钱不是当时就给，往往要等秋后才还，这就得记账。另外，和尚放焰口的辛苦钱不是一样的。就像唱戏一样，有份子。正座第一份。因为他要领唱，而且还要独唱。当中有一大段"叹骷髅"，别的和尚都放下法器休息，只有首座一个人有板有眼地慢声吟唱。第二份是敲鼓的。你以为这容易呀？哼，单是一开头的"发擂"，手上没功夫就敲不出疾迟顿挫！其余的，就一样了。这也得记上：某月某日、谁家焰口半台，谁正座，谁敲鼓……省得到年底结账时赌咒骂娘。……这庵里有几十亩庙产，租给人种，到时候要收租。庵里还放债。租、债一向倒很少亏欠，因为租佃借钱的人怕菩萨不高兴。这三本账就够仁山忙的了。另外香烛、灯火、油盐"福食"，这也得随时记记账呀。除了账簿之外，山师父的方丈的墙上还挂着一块水牌，上漆四个红字："勤笔免思"。

仁山所说当一个好和尚的三个条件，他自己其实一条也不具备。他的相貌只要用两个字就说清楚了：黄，胖。声音也不像钟磬，倒像母猪。聪明吗？难说，打牌老输。他在庵里从不穿袈裟，连海青直裰也免了。经常是披着件短僧衣，袒露着一个黄色的肚子。下面是光脚趿拉着一对僧鞋，——新鞋他也是趿拉着。他一天就是这样不衫不履地这里走走，那里走走，发出母猪一样的声音："哼——哼——"。

二师父仁海。他是有老婆的。他老婆每年夏秋之间来住几个月，因为庵里凉快。庵里有六个人，其中之一，就是这位和尚的家眷。仁山、仁渡叫她嫂子，明海叫她师娘。这两口子都很爱干净，整天的洗涮。傍晚的时候，坐在天井里乘凉。白天，闷在屋里不出来。

三师父是个很聪明精干的人。有时一笔账大师兄扒了半天算盘也算不清，他眼珠子转两转，早算得一清二楚。他打牌赢的时候多，二三十张牌落地，上下家手里有些什么牌，他就差不多都知道了。他打牌时，总有人爱在他后面看"歪头和"。谁家约他打牌，就说"想送两个钱给你。"他不但经忏俱通（小庙的和尚能够拜忏的不多），而且身怀绝技，会"飞铙"。七月间有些地方做盂兰会，在旷地上放大焰口，几十个和尚，穿绣花袈裟，飞铙。飞铙就是把十多斤重的大铙钹飞起来。到了一定的时候，全部法器皆停，只几十副大铙紧张急促地敲起来。忽然起手，大铙向半空中飞去，一面飞，一面旋转。然后，又落下来，接住。接住不是平平常常地接住，有各种架势，"犀牛望月"、"苏秦背剑"……这哪是念经，这是耍杂技。也许是地藏王菩萨爱看这个，但真正因此快乐起来的是人，尤其是妇女和孩子。这是年轻漂亮的和尚出风头的机会。一场大焰口过后，也像一个好戏班子过后一样，会有一个两个大姑娘、小媳妇失踪，——跟和尚跑了。他还会放"花焰口"。有的人家，亲戚中多风流子弟，在不是很哀伤的佛事——如做冥寿时，就会提出放花焰口。所谓"花焰口"就是在正焰口之后，叫和尚唱小调，拉丝弦，吹管笛，敲鼓板，而且可以点唱。仁渡一个人可以唱一夜不重头。仁渡前几年一直在外面，近二年才常住在庵里。据说他有相好的，而且不止一个。他平常可是很规矩，看到姑娘媳妇总是老老实实的，连一句玩笑话都不说，一句小调山歌都不唱。有一回，在打谷场上乘凉的时候，一伙人把他围起来，非叫他唱两个不可。他却情不过，说："好，唱一个。不唱家乡的。家乡的你们都熟，唱个安徽的。"

> 姐和小郎打大麦，
> 一转子讲得听不得。
> 听不得就听不得，
> 打完了大麦打小麦。

唱完了，大家还嫌不够，他就又唱了一个：

> 姐儿生得漂漂的，
> 两个奶子翘翘的。
> 有心上去摸一把，
> 心里有点跳跳的。
> ……

这个庵里无所谓清规，连这两个字也没人提起。

仁山吃水烟，连出门做法事也带着他的水烟袋。

他们经常打牌。这是个打牌的好地方。把大殿上吃饭的方桌往门口一搭，斜放着，就是牌桌。桌子一放好，仁山就从他的方丈里把筹码拿出来，哗啦一声倒在桌上。斗纸牌的时候多，搓麻将的时候少。牌客除了师兄弟三人，常来的是一个收鸭毛的，一个打兔子兼偷鸡的，都是正经人。收鸭毛的担一副竹筐，串乡串镇，拉长了沙哑的声音喊叫：

"鸭毛卖钱——！"

偷鸡的有一件家什——铜蜻蜓。看准了一只老母鸡，把铜蜻蜓一丢，鸡婆子上去就是一口。这一啄，铜蜻蜓的硬簧绷开，鸡嘴撑住了，叫不出来了。正在这鸡十分纳闷的时候，上去一把薅住。

明子曾经跟这位正经人要过铜蜻蜓看看。他拿到小英子家门前试了一试，果然！小英的娘知道了，骂明子：

"要死了！儿子！你怎么到我家来玩铜蜻蜓了！"

小英子跑过来：

"给我！给我！"

她也试了试，真灵，一个黑母鸡一下子就把嘴撑住，傻了眼了！

下雨阴天，这二位就光临荸荠庵，消磨一天。

有时没有外客，就把老师叔也拉出来，打牌的结局，大都是当家和尚气得鼓鼓的："×妈妈的！又输了！下回不来了！"

他们吃肉不瞒人。年下也杀猪。杀猪就在大殿上。一切都和在家人一样，开水、木桶、尖刀。捆猪的时候，猪也是没命地叫。跟在家人不同的，是多一道仪式，要给即将升天的猪念一道"往生咒"，并且总是老师叔念，神情很庄重：

"……一切胎生、卵生、息生，来从虚空来，还归虚空去。往生再世，皆当欢喜。南无阿弥陀佛！"

三师父仁渡一刀子下去，鲜红的猪血就带着很多沫子喷出来。

……

明子老往小英子家里跑。

小英子的家像一个小岛，三面都是河，西面有一条小路通到荸荠庵。独门独户，岛上只有这一家。岛上有六棵大桑树，夏天都结大桑椹，三棵结白的，三棵结紫的；一个菜园子，瓜豆蔬菜，四时不缺。院墙下半截是砖砌的，上半截是泥夯的。大门是桐油油过的，贴着一副万年红的春联：

向阳门第春常在
积善人家庆有余

门里是一个很宽的院子。院子里一边是牛屋、碓棚；一边是猪圈、鸡窠，还有个关鸭子的栅栏。露天地放着一具石磨。正北面是住房，也是砖基土筑，上面盖的一半是瓦，一半是草。房子翻修了才三年，木料还露着白茬。正中是堂屋，家神菩萨的画像上贴的金还没有发黑。两边是卧房。隔扇窗上各嵌了一块一尺见方的玻璃，明亮亮的，——这在乡下是不多见的。房檐下一边种着一棵石榴树，一边种着一棵栀子花，都齐房檐高了。夏天开了花，一红一白，好看得很。栀子花香得冲鼻子。顶风的时候，在荸荠庵都闻得见。

这家人口不多，他家当然是姓赵。一共四口人：赵大伯、赵大妈，两个女儿——大英子、小英子。老两口没得儿子。因为这些年人不得病，牛不生灾，也没有大旱大水闹蝗虫，日子过得兴旺。他们家自己有田，本来够吃的了，又租种了庵上的十亩田。自己的田里，一亩种了荸荠，——这一半是小英子的主意，她爱吃荸荠，一亩种了茨菰。家里喂了一大群鸡鸭，单是鸡蛋鸭毛就够一年的油盐了。赵大伯是个能干人。他是一个"全把式"，不但田里场上样样精通，还会罩鱼、洗磨、凿砻、修水车、修船、砌墙、烧砖、箍桶、劈篾、绞麻绳。他不咳嗽，不腰疼，结结实实，像一棵榆树。人很和气，一天不声不响。赵大伯是一棵摇钱树，赵大娘就是个聚宝盆。大娘精神得出奇。五十岁了，两个眼睛还是清亮亮的。不论什么时候，头都是梳得滑溜溜的，身上衣服都是格铮铮的。像老头子一样，她一天不闲着。煮猪食，喂猪，腌咸菜，——她腌的咸萝卜干非常好吃，舂粉子，磨小豆腐，编蓑衣，织芦筐。她还会剪花样子。这里嫁闺女，陪嫁妆，瓷坛子、锡罐子，都要用梅红纸剪出吉祥花样，贴在上面，讨个吉利，也才好看："丹凤朝阳"呀、"白头到老"呀、"子孙万代"呀、"福寿绵长"呀。二三十里的人家都来请她："大娘，好日子是十六，你哪天去呀?"——"十五，我一大清早就来!"

"一定呀!"——"一定! 一定!"

两个女儿，长得跟她娘像一个模子里脱出来的。眼睛长得尤其像，白眼珠鸭蛋青，黑眼珠棋子黑，定神时如清水，闪动时像星星。浑身上下，头是头，脚是脚。头发滑溜溜的，衣服格铮铮的。——这里的风俗，十五六岁的姑娘就都梳上头了。这两上丫头，这一头的好头发! 通红的发根，雪白的簪子! 娘女三个去赶集，一集的人都朝她们望。

姐妹俩长得很像，性格不同。大姑娘很文静，话很少，像父亲。小英子比她娘还会说，一天咭咭呱呱地不停。大姐说："你一天到晚咭咭呱呱——"

"像个喜鹊!"

"你自己说的! ——吵得人心乱!"

"心乱?"

"心乱!"

"你心乱怪我呀!"

二姑娘话里有话。大英子已经有了人家。小人她偷偷地看过，人很敦厚，也不难看，家道也殷实，她满意。已经下过小定，日子还没有定下来。她这二年，很少出房门，整天赶她的嫁妆。大裁大剪，她都会。挑花绣花，不如娘。她可又嫌娘出的样子太老了。她到城里看过新娘子，说人家现在绣的都是活花活草。这可把娘难住了。最后是喜鹊忽然一拍屁股："我给你保举一个人！"

这人是谁？是明子。明子念"上孟、下孟"的时候，不知怎么得了半套《芥子园》，他喜欢得很。到了荸荠庵，他还常翻出来看，有时还把旧账簿子翻过来，照着描。小英子说：

"他会画！画得跟活的一样！"

小英子把明海请到家里来，给他磨墨铺纸，小和尚画了几张，大英子喜欢得了不得：

"就是这样！就是这样！这就可以乱孱！"——所谓"乱孱"是绣花的一种针法：绣了第一层，第二层的针脚插进第一层的针缝，这样颜色就可由深到淡，不露痕迹，不像娘那一代绣的花是平针，深浅之间，界限分明，一道一道的。小英子就像个书童，又像个参谋：

"画一朵石榴花！"

"画一朵栀子花！"

她把花掐来，明海就照着画。

到后来，凤仙花、石竹子、水蓼、淡竹叶，天竺果子、腊梅花，他都能画。

大娘看着也喜欢，搂住明海的和尚头："你真聪明！你给我当一个干儿子吧！"

小英子捺住他的肩膀，说：

"快叫！快叫！"

小明子跪在地下磕了一个头，从此就叫小英子的娘做干娘。

大英子绣的三双鞋，三十里方圆都传遍了。很多姑娘都走路坐船来看。看完了，就说："啧啧啧，真好看！这哪是绣的，这是一朵鲜花！"她们就拿了纸来央大娘求了小和尚来画。有求画帐檐的，有求画门帘飘带的，有求画鞋头花的。每回明子来画花，小英子就给他做点好吃的，煮两个鸡蛋，蒸一碗芋头，煎几个藕团子。

因为照顾姐姐赶嫁妆，田里的零碎生活小英子就全包了。她的帮手，是明子。

这地方的忙活是栽秧、车高田水，薅头遍草，再就是割稻子、打场子。这几荐重活，自己一家是忙不过来的。这地方兴换工。排好了日期，几家顾一家，轮流转。不收工钱，但是吃好的。一天吃六顿，两头见肉，顿顿有酒。干活时，敲着锣鼓，唱着歌，热闹得很。其余的时候，各顾各，不显得紧张。

薅三遍草的时候，秧已经很高了，低下头看不见人。一听见非常脆亮的嗓子在一片浓绿里唱："栀子哎开花哎六瓣头哎……姐家哎门前哎一道桥哎……"明海就知道小英子在哪里，三步两步就赶到，赶到就低头薅起草来，傍晚牵牛"打汪"，是明子的事。——水牛怕蚊子。这里的习惯，牛卸了轭，饮了水，就牵到一口和好泥水的"汪"里，由它自己打滚扑腾，弄得全身都是泥浆，这样蚊子就咬不透了。低田上水，只要一挂十四轧的水车，两个人车半天就够了。明子和小英子就伏在车杠上，不紧不慢地踩着车轴上的拐子，轻轻地唱着明海向三师父学来的各处山歌。打场的时候，明子能替赵大伯一会，让他回家吃饭。——赵家自己没有场，每年都在荸荠庵外面的场上打谷子。他一扬鞭子，喊起了打场号子：

"格当得——"

这打场号子有音无字，可是九转十三弯，比什么山歌号子都好听。赵大娘在家，听见明子的号子，就侧起耳朵：

"这孩子这条嗓子！"

连大英子也停下针线：

"真好听！"

小英子非常骄傲地说：

"一十三省数第一！"

晚上，他们一起看场。——荸荠庵收来的租稻也晒在场上。他们并肩坐在一个石磙子上，听青蛙打鼓，听寒蛇唱歌，——这个地方以为蝼蛄叫是蚯蚓叫，而且叫蚯蚓叫"寒蛇"，——听纺纱婆子不停地纺纱"沙沙——"，看萤火虫飞来飞去，看天上的流星。

"呀！我忘了在裤带上打一个结！"小英子说。

这里的人相信，在流星掉下来的时候在裤带上打一个结，心里想什么好事,就能如愿。

……

荸荠,这是小英最爱干的生活。秋天过去了,地净场光,荸荠的叶子枯了,——荸荠的笔直的小葱一样的圆叶子里是一格一格的,用手一捋,哗哗地响,小英子最爱捋着玩,——荸荠藏在烂泥里。赤了脚,在凉浸浸滑溜溜的泥里踩着,——哎,一个硬疙瘩!伸手下去,一个红紫红紫的荸荠。她自己爱干这生活,还拉了明子一起去。她老是故意用自己的光脚去踩明子的脚。

她挎着一篮子荸荠回去了,在柔软的田埂上留了一串脚印。明海看着她的脚印,傻了。五个小小的趾头,脚掌平平的,脚跟细细的,脚弓部分缺了一块。明海身上有一种从来没有过的感觉,他觉得心里痒痒的。这一串美丽的脚印把小和尚的心搞乱了。

……

明子常搭赵家的船进城,给庵里买香烛,买油盐。闲时是赵大伯划船;忙时是小英子去,划船的是明子。

从庵赵庄到县城,当中要经过一片很大的芦花荡子。芦苇长得密密的,当中一条水路,四边不见人。划到这里,明子总是无端端地觉得心里很紧张,他就使劲地划桨。

小英子喊起来:

"明子!明子!你怎么啦?你发疯啦?为什么划得这么快?"……

明海到善因寺去受戒。

"你真的要去烧戒疤呀?"

"真的。"

"好好的头皮上烧十二个洞,那不疼死啦?"

"咬咬牙。舅舅说这是当和尚的一大关,总要过的。"

"不受戒不行吗?"

"不受戒的是野和尚。"

"受了戒有啥好处?"

"受了戒就可以到处云游,逢寺挂褡。"

"什么叫'挂褡'?"

"就是在庙里住。有斋就吃。"

"不把钱?"

"不把钱。有法事,还得先尽外来的师父。"

"怪不得都说'远来的和尚会念经'。就凭头上这几个戒疤?"

"还要有一份戒牒。"

"闹半天,受戒就是领一张和尚的合格文凭呀!"

"就是!"

"我划船送你去。"

"好。"

小英子早早就把船划到荸荠庵门前。不知是什么道理,她兴奋得很。她充满了好奇心,想去看看善因寺这座大庙,看看受戒是个啥样子。

善因寺是全县第一大庙,在东门外,面临一条水很深的护城河,三面都是大树,寺在树林子里,远处只能隐隐约约看到一点金碧辉煌的屋顶,不知道有多大。树上到处挂着"谨防恶犬"的牌子。这寺里的狗出名的厉害。平常不大有人进去。放戒期间,任人游看,恶狗都锁起来了。

好大一座庙! 庙门的门坎比小英子的胳膝都高。迎门蠹着两块大牌,一边一块,一块写着斗大两个大字:"放戒",一块是:"禁止喧哗"。这庙里果然是气象庄严,到了这里谁也不敢大声咳嗽。明海自去报名办事,小英子就到处看看。好家伙,这哼哈二将、四大天王,有三丈多高,都是簇新的,才装修了不久。天井有二亩地大,铺着青石,种着苍松翠柏。"大雄宝殿",这才真是个"大殿"! 一进去,凉飕飕的。到处都是金光耀眼。释迦牟尼佛坐在一个莲花座上,单是莲座,就比小英子还高。抬起头来也看不全他的脸,只看到一个微微闭着的嘴唇和胖敦敦的下巴。两边的两根大红蜡烛,一搂多粗。佛像前的大供桌上供着鲜花、绒花、绢花,还有珊瑚树,玉如意、整根的大象牙。香炉里烧着檀香。小英子出了庙,闻着自己的衣服都是香的。挂了好些幡。这些幡不知是什么缎子的,那么厚重,绣的花真细。这么大一口磬,里头能装五担水!这么大一个木鱼,有一头牛大,漆得通红的。她又去转了转罗汉堂,爬到千佛楼上看了看。真有一千个小佛!她还跟着一些人去看了看藏经楼。藏经楼没有什么看头,都是经书!妈吧!逛了这么一圈,腿都酸了。小英子想起还要给家里打油,替姐姐配丝线,给娘买鞋面布,给自己买两个坠围裙飘带的银蝴蝶,给爹买旱烟,就出庙了。

等把事情办齐,晌午了。她又到庙里看了看,和尚正在吃粥。好大一个"膳堂",坐得下八百个和尚。吃粥也有这样多讲究:正面法座上摆着两个锡胆瓶,里面插着红绒花,后面盘膝坐着一个穿了大红满金绣袈裟的和尚,手里拿了戒尺。这戒尺是要打人的。哪个和尚吃粥吃出了声音,他下来就是一戒尺。不过他并不真的打人,只是做个样子。真稀奇,那么多的和尚吃粥,竟然不出一点声音!他看见明子也坐在里面,想跟他打个招呼又不好打。想了想,管他禁止不禁止喧哗,就大声喊了一句:"我走啦!"她看见明子目不斜视地微微点了点头,就不管很多人都朝自己看,大摇大摆地走了。

第四天一大清早小英子就去看明子。她知道明子受戒是第三天半夜,——烧戒疤是不许人看的。她知道要请老剃头师傅剃头,要剃得横摸顺摸都摸不出头发茬子,要不然一烧,就会"走"了戒,烧成了一片。她知道是用枣泥子先点在头皮上,然后用香头子点着。她知道烧了戒疤就喝一碗蘑菇汤,让它"发",还不能躺下,要不停地走动,叫做"散戒"。这些都是明子告诉她的。明子是听舅舅说的。

她一看,和尚真在那里"散戒",在城墙根底下的荒地里。

一个一个,穿了新海青,光光的头皮上都有十二个黑点子。——这黑疤掉了,才会露出白白的、圆圆的"戒疤"。和尚都笑嘻嘻的,好像很高兴。她一眼就看见了明子。隔着一条护城河,就喊他:

"明子!"

"小英子！"

"你受了戒啦？"

"受了。"

"疼吗？"

"疼。"

"现在还疼吗？"

"现在疼过去了。"

"你哪天回去？"

"后天。"

"上午？下午？"

"下午。"

"我来接你！"

"好！"

······

青少年文学读本

小英子把明海接上船。

小英子这天穿了一件细白夏布上衣，下边是黑洋纱的裤子，赤脚穿了一双龙须草的细草鞋，头上一边插着一朵栀子花，一边插着一朵石榴花。她看见明子穿了新海青，里面露出短褂子的白领子，就说："把你那外面的一件脱了，你不热呀！"

他们一人一把桨。小英子在中舱，明子扳艄，在船尾。

她一路问了明子很多话，好像一年没有看见了。

她问，烧戒疤的时候，有人哭吗？喊吗？

明子说，没有人哭，只是不住地念佛。有个山东和尚骂人："俺日你奶奶！俺不烧了！"

她问善因寺的方丈石桥是相貌和声音都很出众吗？

"是的。"

"说他的方丈比小姐的绣房还讲究？"

"讲究。什么东西都是绣花的。"

"他屋里很香？"

"很香。他烧的是伽楠香，贵得很。"

"听说他会做诗,会画画,会写字?"

"会。庙里走廊两头的砖额上,都刻着他写的大字。"

"他是有个小老婆吗?"

"有一个。"

"才十几岁?"

"听说。"

"好看吗?"

"都说好看。"

"你没看见?"

"我怎么会看见? 我关在庙里。"

明子告诉她,善因寺一个老和尚告诉他,寺里有意选他当沙弥尾,不过还没有定,要等主事的和尚商议。

"什么叫'沙弥尾'?"

"放一堂戒,要选出一个沙弥头,一个沙弥尾。沙弥头要老成,要会念很多经。沙弥尾要年轻,聪明,相貌好。"

"当了沙弥尾跟别的和尚有什么不同?"

"沙弥头,沙弥尾,将来都能当方丈。现在的方丈退居了,就当。石桥原来就是沙弥尾。"

"你当沙弥尾吗?"

"还不一定哪。"

"你当方丈,管善因寺? 管这么大一个庙?!"

"还早呐!"

划了一气,小英子说:"你不要当方丈!"

"好,不当。"

"你也不要当沙弥尾!"

"好,不当。"

又划了一气,看见那一片芦花荡子了。

小英子忽然把桨放下,走到船尾,趴在明子的耳朵旁边,小声地说:

"我给你当老婆,你要不要?"

明子眼睛鼓得大大的。

"你说话呀!"

明子说:"嗯。"

"什么叫'嗯'呀!要不要,要不要?"

明子大声地说:"要!"

"你喊什么!"

明子小小声说:"要——!"

"快点划!"

英子跳到中舱,两只桨飞快地划起来,划进了芦花荡。芦花才吐新穗。紫灰色的芦穗,发着银光,软软的,滑溜溜的,像一串丝线。有的地方结了蒲棒,通红的,像一枝一枝小蜡烛。青浮萍,紫浮萍。长脚蚊子,水蜘蛛。野菱角开着四瓣的小白花。惊起一只青桩(一种水鸟),擦着芦穗,扑鲁鲁飞远了。

青少年文学读本

风筝飘带

王 蒙

王蒙，1934 生于北平。上中学时参加中共领导的城市地下工作。1950 年从事青年团的区委会工作。1953 年创作长篇小说《青春万岁》。1956 年发表短篇小说《组织部新来的年轻人》，由此被错划为右派。1962 年调北京师范学院任教。1963 年起赴新疆生活、工作了 10 多年。1978 年调北京市作协工作。后任《人民文学》主编、中国作协副主席、文化部长、国际笔会中心中国分会副会长等职。著有长篇小说《活动变人形》、《暗杀—3322》、《季节三部曲》(《恋爱的季节》、《失态的季节》、《踌躇的季节》)，中篇小说《布礼》、《蝴蝶》、《杂色》、《相见时难》以及 10 卷本《王蒙文集》等。

在红地白字的"伟大的中华人民共和国万岁"和挨得很挤的惊叹号旁边，矗立着两层楼那么高的西餐汤匙与刀、叉、三角牌餐具和她的邻居星海牌钢琴、长城牌旅行箱、雪莲牌羊毛衫、金鱼牌铅笔……一道，接受着那各自彬彬有礼地俯身吻向她们的忠顺的灯光，露出了光泽的、物质的微笑。瘦骨伶仃的有气节的杨树和一大一小的讲友谊的柏树，用零乱而又淡雅的影子抚慰着被西风夺去了青春的绿色的草坪。在寂寥的草坪和阔绰的广告牌之间，在初冬的尖刻薄情的夜风之中，站立着她——范素素。她穿着杏黄色的短呢外衣,直缝如注的灰色毛涤裤子和一双小巧的半高跟黑皮鞋。脖子上围着一条雪白的纱巾,叫人想起燕子胸前的羽毛,衬托着比夜还黑的眼睛和头发。

"让我们到那一群暴发户那里会面吧!"电话里,她对佳原那么说。她总是把这一片广告牌叫作"暴发户",对于这些突然破土而出的新偶像既亲且妒。"多看两眼就觉得自己也有钢琴了。"佳原这样说过。"当然,老是念'不是你吃掉我,就是我吃掉你',自己也会变成狼。"她说。

过了 20 多分钟了,佳原还没有来。他总是迟到。傻子,该不是又让人讹上了吧?冬天清晨,他骑着车去图书馆,路过三王坟,看到一个被撞倒在路旁、哼哼唧唧的老太婆。撞人的人已经逃之夭夭。他便把秃顶的老太太扶起,问清住址,把自己的自行车放在路边锁上,搀着老太太回家。结果,老太太的家属和四邻把他包围了,把他当作肇事者。而老眼昏花的老太太,在周围人们的鼓励和追问下,竟然也一口咬定就是他撞的。是老年人的错乱吗?是一种视生人为仇的丑恶心理吗?当他说明这一切,说明自己只是一个助人的人的时候,有一位嗓音尖厉的妇人大喊:"这么说,你不成了雷锋了么?"全场哄然,笑出了眼泪。那是 1975 年,全民已经学过一段荀子,大家信仰性恶论。

他总是不按时赴约,总是那么忙。连眼镜框上的积垢和眼镜片上的灰尘都没有时间擦拭。在认识他以前,素素可从来不忙。她的外衣一枚扣子松了,滴拉耷拉,她不缝。主要是除了她的奶奶,这个城市对于她是冷淡的,不欢迎的。城市轰她走,她才 16岁。然而说轰是不公正的。礼炮在头顶上轰鸣,铜号在原野上召唤。还有红旗、红书、红袖标、红心、红海洋。要建立一个红彤彤的世界。在这个世界里九亿人心齐得像一个人。从 80 岁到 8岁,大家围一个圈,一同背诵语录,一同"向左刺!""向右刺!""杀!杀!杀!"她渴望有这样一个世界胜过从前渴望有一个双铃大风筝。红彤彤的世界是什么样子她没有看到,她倒是看到了一个绿的世界:牧草,庄稼。她欢呼这个绿的世界。然后是黄的世界:枯叶、泥土、光秃秃的冬季。她想家。还有黑的世界,那是在和她一道插队的知识青年,陆续通过"门子"走掉之后。她得了维生素甲缺乏症,视力一度受损。

她把关于红彤彤的世界的梦丢在绿色的、黄色的和黑色的迭替里。从此她食欲不振,胃功能紊乱,面容消瘦。除了红的梦,她还丢失了、抛弃了、被大喊大叫地抢去了或者悄没声息地窃走了许多别的颜色的梦。白色的梦,是水兵服和浪花;是医学博士和装配工;是白雪公主。为什么每一颗雪花都是六角形而又变化无穷呢?大自然不也具有艺术家的性格吗?蓝色的梦,关于天空,关于海底,关于星光,关于钢,关于击剑冠军和定点跳伞,关于化学实验室、烧瓶和酒精灯。还有橙色的梦,对了,爱情。他在哪儿呢!高大,英俊,智慧、善良,他总是憨笑着……我在这儿呢?她向着天坛的回音壁呼喊。

爸爸和妈妈用尽了一切办法,使出了一切解数,调动了一切力量,她回到了这个曾经慷慨地赐予了她那么多梦的城市。终于,爸爸也知道这是不可避免的了。为了回城而过五关、斩六将的故事也是一个陌生的、荒唐的梦。她不留恋这些梦了,她也不再留恋牧马铁姑娘的称号和生活,她很少说起这种称号和生活的各个侧面的迥然不同的颜色。一个多面多棱旋转柱。

她回来了,失去了许多色彩,增加了一些力气,新添了许多气味。油烟、蒜泥、炸成金黄的葱花。酒呃、蒸气、羊头肉切得比纸还薄。她去一个清真食堂做服务员,虽然她并非回民。所有这一切——献花、祝贺、一百分、检阅、热泪、抢起皮带嘁嘁响、"最高指示"倒背如流、特大喜讯、火车、汽车、雪青马和栗色马、队长的脸色……都是为了涌向三两一盘的炒疙瘩么?有一次她翻到一张她小学一年级的照片。那是 1959 年的国庆节,她七岁,两个小辫,两只大蝴蝶带着她起飞。辅导员引着她,她飞上了天安门城楼,把一束鲜花献给了毛主席。毛主席和她握了手。她那么小,还没和任何人握过手呢。毛主席的手又大、又厚、又暖、又有劲。毛主席好像还对她说了一句话,她没听清。事后回想,好像有"娃娃"两个字。她怎么这么幸运呢？她是毛主席的"娃娃"，她永远是幸运的人。

　　但是后来，她认不出这张照片了。这是真的吗？她认不出自己，甚至七五年她回城的时候，她也认不出毛主席。从前，毛主席的腰板挺得多么直，动作多么有力量啊！可现在在新闻简报上，好像挪动一下双脚都很艰难，嘴巴张开，半天才合上。可报纸和电台又整天闹闹哄哄地宣传毛主席的叫人似懂非懂的最新指示。她真心酸，她真想去看看毛主席，给毛主席熬一碗山药汤。奶奶生病的时候，就是她给熬汤，白、滑、细的山药块，甜、麻、香的山药汤。补老年人的气虚。不，她不想把她的苦恼、她的委屈告诉毛主席，不应该打扰他老人家。如果她在毛主席跟前掉了泪，她一定转过脸去。

　　然而这是不可能的。她不再是幸运的了吗？莫非她的运气七岁时候一下子就用完了？她回城干什么呢？为了妈妈？可笑。为了奶奶？也不行。报上说是一切为了毛主席，可我见不着他呀！于是素素再也不做梦了，不做梦，却又不停地说梦话、咬牙、翻身、长出气。"素素，醒一醒！"妈妈叫她。她醒了，茫然，不记得什么梦，只是一头冷汗，一身酸懒，好像刚从传染病房抬出来。

　　那天她正在路边，她瞧见了佳原这个傻子被他救护的老妇人反咬，瞧见了他被围攻的场面。佳原个子不高，其貌不扬，但是脸上带着各种素素似乎早已熟悉的憨笑。后来派出所的人来了。派出所的人聪明得就像所罗门王。他说："你找出两个证人来证明你没有撞倒这位老太太吧。否则，就是你撞的。"你能找出两个证人证明你不是克格勃的间谍吗？否则，就该把你枪决。素素心里说，实际上她一声没吭。她只是在上班前看看热闹罢了。看热闹的人已经里三层外三层了，这种热闹免票，而且比舞台上和银幕上的表演更新鲜一些。舞台和银幕上除了"冲霄汉"就得"冲九天"，要不就得"能胜天"、"冲云天"。除了和"天"过不去以外，写不出什么新词儿来了。

　　"你们要干什么？难道做好事反倒要受惩罚不成？"熟悉的憨

笑变成睁大的、痛苦的眼睛。素素的心里扎进了一根刺，她想呕吐。她跌跌撞撞地离去，但愿所罗门王不要追上来。

真巧，晚上小傻子到她铺子吃炒疙瘩来了。又是笑容了。他只要二两。"二两您吃得饱吗？"素素不加思索地改变了从来不与顾客搭话的习惯。"噢，我就先吃二两吧。"小伙子抱歉地说。他把右手食指弯曲着，往上推推自己的眼镜，其实眼镜并没有出溜到鼻子尖下的意思。"如果您的钱或者粮票不够，"不知为什么，素素会这样想，而且会这样说，"那没关系。您先要上，明天再把欠缺的送来好了。""那制度呢？""我先垫上，这不碍制度的事。""谢谢您。那我就得多吃了。因为中午没有吃饱。""你吃一斤半吗？"不，六两。""行。"她又端来四两。厨师发现这位顾客是素素的相识，便在盛完以后又加了一勺羊肉丁。每一颗疙瘩都过过油。金光闪亮，像一盘金豆子。金豆子的光辉传播到脸上来了，小伙子的笑容也更加好看。素素第一次明白炒疙瘩是个绝妙的、威力无比的宝贝。"说我骑车撞了人，把我的钱和粮票全要了去了。""可是您没撞？是吗？""当然。""那您为什么给他们钱？一分也不该给，气死人！""可那老太太需要粮票和钱。再说，我没有时间生气。"那边的顾客在叫。"来了！"素素高声回答，拿起抹布走过去。

晚上回家以后，她想给奶奶讲一讲这个傻子。奶奶犯了心绞痛。爸爸妈妈拿不定主意是否立即送医院。"那个医院的急诊室臭气熏天，谁能在那个过道里躺五小时而不断气，就说明他的内脏器官是铁打的。"素素说。爸爸瞪了她一眼，那目光责备她这样说是对奶奶全无心肝。她一扭身，走了，回到她住的临时搭就的一个小棚子里。

这天夜里，素素做了梦。这是她许多年前最常做的梦之——放风筝。但是每次放的情景不同。从1966年，她已经有十年没有做过这样的梦了。而从1970年，她已经有六年没有做过任何的梦了。长久干涸的河床里又流水了，长久阻隔的公路又通车了，长久不做的梦又出现了。不是在绿草地上，不是在操场

85

中学生卷

上,而是在马背上放风筝。天和地非常之大。"农村是一个广阔的天地"。孩子们齐声朗诵,原来放风筝的并不是她,而是一位一顿吃了六两炒疙瘩的小伙子,风筝很简陋,寒伧得叫人掉泪!长方形的一片,俗名叫做"屁股帘儿"。但是风筝毕竟飞起来了,比东风饭店的新楼还高,比大青山上的松树还高,比草原上空的苍鹰还高。比吊着"无产阶级文化大革命胜利万岁"的气球还高。飞呀,飞呀,一道道的山,一道道的河,一行行的青松,一队队的红卫兵,一群群的马,一盘盘的炒疙瘩。这真有趣!她也跟着屁股帘儿飞起来了,原来她变成了风筝上面的一根长长的飘带儿。

梦醒了,天还没亮。她打开手电,找寻自己那张最幸福的照片。建国十周年,她给毛主席献过花。她确信自己是一个有福气的人。她哼着《社员都是向阳花》,缝紧了外衣上的那枚已经松脱了好久的滴拉奄拉的扣子。她自动祝愿毛主席身体健康。她给奶奶熬了山药汤。这种汤真是效验如神,奶奶喝过就好多了。这时天已大亮,家人和街坊都已起床。于是她尽情地刷牙漱口,她发出的声音非常之响,好像一列火车开进了她们的院子。而她洗脸的声音好像哪吒闹海。她吃了剩馒头和一片榨菜,喝了一碗白开水。只是在她怀疑《白开水最好喝》这篇文章是否攻击三面红旗的时候,她才从屁股帘儿上略略回到了现实世界,但她仍然系紧了鞋带,走起路来咯、咯、咯地响,好像后跟上缀着一块铁掌,好像正在用小锤锤打楔子,目的是打一个捷克式五斗柜。

"素素,你为什么这样高兴?"爸爸问。

"我要——当科长了。"素素答。爸爸高兴坏了。六岁的时候,素素在幼儿园当小组长,爸爸高兴得见人就说。九岁的时候,素素当少先队的中队长,爸爸也美得一颠一颠的。……在那个汽笛长鸣的时候,爸爸忽然哭了,他的脸孔扭曲得那么难看。火车上的孩子们也哭成一团。但是素素一滴眼泪也没有掉,看来她一心大有作为,比她爸爸坚决得多。"您来了?""您好!""今天用点什么?""我先跟您清账。这是四两粮票,两毛八分钱。""您真是小葱拌豆腐。""不,我不吃拌豆腐。还是来四两炒疙瘩吧。""您不换个样儿吗？有水饺，每两七个，一毛五分钱。包子，每两两个，一毛八分。芝麻酱烧饼就老豆腐，吃四两只要三毛。""什么快就吃什么。""您等等，那边又来人了。……那我去给您端包子，今天还要六两吗？……包子来了，您怎么这么忙？您是大学生吗？""我配吗？""您是技术员、拉手风琴的、还是新结合到班子里的头头？""我像吗？""那……""我还没有工作。""您等一等，那边又来了一位顾客。……没有工作您怎么这么忙？""没有工作的人也是人，有生活，有青春，有多得完不了的事。""您忙什么呢？""看书。""书？什么书？""优选法。古生物学。外语。""您考大学？""现在的大学是考的吗？我又不会交白卷。""可惜，张铁生的经验不好推广。""总要学点什么，总要学点有意思的东西。我们还年轻。是吗？"他吃完包子，匆匆走了，留下了一个谜。

　　他准时，又在同一个时间来了，这次是老豆腐。灰白色的老豆腐上撒满了绿色的韭菜花、土黄色的麻酱和鲜红的辣椒。为什么中外人士都知道秦始皇，却不知道发明老豆腐的天才科学家的名字呢？"您骗我。""没有啊！""您说您没有工作。""是的，三个月以前，我才从北大荒'困退'回来。但是，下个月我就上班了。""在哪个科研机关？""街道服务站。我的任务是学徒，学修理雨伞。""这回您可惨了。""不。您有坏了的雨伞吗？赶明儿拿给我。""可您的优选法，还有古生物学，外语什么的……""继续学。""用优选法修伞吗？还是用恐龙的骨架做一把伞？""哦，优选法对于伞也是有用处的。但问题还不在这里。您听我说……再来一碗老豆腐吧，辣椒不要那么多了，您瞧，我已经是一脑门子汗。谢谢……是这样，职业是谋生的手段，也是最起码的义务，但是人应该比职业强。职业不是一切也不是永久。人应该是世界的主人，职业的主人，首先要做知识的主人。您修伞我也修伞，您挣十八块我也挣十八块；但是您懂得恐龙，我不懂，您就比我更强大，更好也更富有。是吗？""我不懂。""不，您懂，您已经懂了。要不，您干嘛和我说话？那位山东顾客正在发脾气，他的煮花生米里有一块小石头，把他的牙床硌疼了。"再见。""再见。明天见。"

"明天"两个字使素素的脸发烧。明天就像屁股帘儿上的飘带，简陋，质朴，然而自由而且舒展。像竹，像云，像梦，像芭蕾，像G弦上的泛音，像秋天的树叶和春天的花瓣。然而它只是一个光屁股的赤贫的娃娃也能够玩得起的屁股帘儿。

明天他没有来。明天的明天他也没有来。为了寻找一匹马驹，素素迷了路。在山林里，她咳儿咳儿地叫着，她像一匹悲伤的牝马。她像被一下子吊销了户口、粮证和购货本子。"是您！您……还来！""我奶奶死了！"素素像掉到冰窟窿里，她靠在墙上，半天，她才想明白，这个戴眼镜的小傻子的奶奶并不是自己的奶奶。然而她仍然十分悲伤，身上发冷。"生命是短促的。所以，最宝贵的是时间。""而我的最宝贵的时间是用来端盘子的。"她忧郁地一笑，好像听到了遥远的小马驹的蹄声。"谢谢您给那么多人端过盘子。但不止是端盘子。""还有什么呢？就是端盘子也不见得那么需要我。为了在这里端盘子，我爸爸妈妈没少费劲。""一样的，"一个会心的笑，"我建议您学点阿拉伯语，你们是清真馆。""清真馆又怎么的？反正埃及大使不会到这里来吃炒疙瘩。""但是您可能担任驻埃及大使，您想过吗？""您可真会开心，"小马驹跑进清真馆，踏痛了她的脚，"简直是在做梦！""做做梦，开开心，又有什么不好？否则，生活不是太沉闷了吗？而且您应该坚信，您完全可以做到和驻埃及大使具有同样的智慧、品格、能力，甚至远远地把他甩在后面。您可以做不成大使，但是您应该比大使还强。关键在于学习。""这话有点野心家的味儿。""不，这只是起码的阿达姆的味儿。""什么？""阿达姆。""什么阿达姆？""这是我要教给您的第一个阿拉伯语词：阿达姆——人！这是一个最美的词。伊甸园里的亚当，就是阿达姆的另一种音译。而夏娃呢，发音是哈娃，就是天空。人需要天空，天空需要人。""所以我们从小就放风筝。""瞧，您是高材生。"

第一课：人。亚当需要夏娃，夏娃需要亚当，人需要天空，天空需要人。我们需要风筝、气球、飞机、火箭和宇航船。阿拉伯语就这样学起来了，这引起了周围许多人的不安。你应该安心端盘子。你应该注意影响。你有没有海外关系,如果再搞清队、查三怪——怪人、怪事、怪现象,就要为你设立专案。我没有砸一个盘子。我不想当科长。我知道穆罕默德、萨达特和阿拉法特。我一定欢迎你担任我的专案组长。

同时,她和佳原"好了"。情报立即传到爸爸耳朵里。对于少女,到处都有摄像和监听的自动化装置。"他的姓名、原名、曾用名? 家庭成分,个人出身? 土改前后的经济状况? 出生三个月至今的简历? 政历? 家庭成员和主要社会关系有无杀、关、管和地、富、反、坏、右? 戴帽和摘帽时间? 本人历次政治运动中的表现? 本人和家庭主要成员的经济收入和支出,账目和储蓄……"所有这些问题,素素都答不上来。妈妈吓得直掉泪。你才24岁零七个月,再过五个月才好搞对象。有坏人,到处都有坏人。爸爸决心去找该人所属街道、单位、派出所、人事科、档案处。为此,他准备请一桌涮羊肉,把他熟悉的有关人员发动起来。砰——噗,爸爸最心爱的宜兴陶壶被掼到了地上,粉碎了。"您用这种办法也许能找到反革命,但永远不能找到朋友!"素素大喊,完全是一个铁姑娘,然后她哭了。

饭馆的主任、委员、干事、组长、指导员也都向她提出了爸爸式的问题和妈妈式的忠告。无产阶级的爱情产生于共同的信仰、观点、政治思想上的一致。长期地、细致地互相了解。要严肃,慎重,认真。要绷紧弦,带着敌情观念。选择爱人要按照无产阶级革命接班人的五项条件。饭馆的茶壶不能摔。在少先队里,素素从小受到爱护公共财物的教育。

毛主席去世了。素素战栗着,哭得闭过气去。她早就想哭了,哭毛主席,也哭自己和别人。"中国完了!"爸爸说,但完了的是"四人帮",只是在瞻仰遗容的时候,素素才第二次走近了毛主席,"我给您献花来了"。她轻轻地、平静地说。

她知道一切都在变。她可以大胆地学阿拉伯语了,虽然打一夜扑克的人仍然比学一夜外语的人更容易入党和提干。她可以大胆地与佳原拉着手走路了。虽然有人一见到青年男女在一起就气得要发癫痫病。但是，他们仍然找不到谈话的地方。公园的椅子早就坐满了。好容易发现一个，原来脚底下一大摊呕吐物。换另一个开阔散漫的公园吧，那里每个长椅旁的电线杆上都挂着一个广播喇叭。"现在播送游客须知"。须知里净是些"罚款5角至15元"，"送交专政机关处理"，"自觉遵守，服从管理"之类的词儿。须知挺复杂，看来不经过一周学习班的培训，是无法学会逛公园的。能在这里坐下来谈情说爱吗？走。

到哪里去？护城河边倒是没有须知的喇叭，但是那里偏僻。听说有一次，一对情侣在那里喁喁地谈着情话，"不许动！"一个蒙面人出现在面前，手里拿着攮子，旁边还站着一个帮手。结果，手表抹（读妈）下来了，现金也被搜了腰包。爱情在暴力面前总是没有还手之力。后来公安部门破了案，抓到了坏人。有人为什么不喜欢公安局呢？没有公安局不行。

去饭馆。你先得站在别人的椅子后面，看着他如何一筷子一勺，一口汤一口饭地吃完，点上烟，伸懒腰。然后，你好不容易坐下了，你刚动筷子，新来的接班人为了不致被人抢班，早把一只脚踩到你坐的椅子衬儿上。他的腿一颤一颤，肉丁和肚片在你的喉咙里跳舞。去咖啡馆或者酒吧间，那是腐蚀人的地方。所以没有。溜大街或者串胡同。美国也正在提倡散步，免得发胖。冬天太冷。当然，他们也曾经在零下二十度的天气，穿着棉大衣和棉猴，戴着皮帽子和毛线围巾，戴着口罩谈恋爱。倒是卫生，不传染。再有，胡同里还有一些顽童，他们见到一对情侣就要哄、骂、扔石头。真不知道他们是怎样来到人世的。

佳原总是随遇而安。一段栏杆，一棵梧桐下，一道河边，佳原就满足了。他希望早一点坐下来，和素素依偎在一起，用阿拉伯语和英语交谈，素素总是挑剔、不满意、不称心。不，不，不。她不要代用品，就像山东顾客不容忍煮花生米里的石子。三年了，他们的周末几乎是在寻找中度过的。他们寻找坐的地方。找啊，找啊，一晚上也就完了。我们的辽阔广大的天空和土地啊，我们的宏伟的三度空间，让年轻人在你的哪个角落里谈情、拥抱和接吻呢? 我们只需要一片很小、很小的地方。而你,你容得下那么多顶天立地的英雄、翻天覆地的起义者、欺天毁地的害虫和昏天黑地的废物,你容得下那么多战场、爆破场、广场、会场、刑场……却容不下身高 1 米 6、体重 48 公斤和身高 1 米 7、体重 54 公斤的素素和佳原的热恋吗?

素素揉了一下眼睛,眼睛火辣辣的。是她的手指接触过辣椒吗? 是眼睛辣了才伸出手指,还是伸出手指,眼睛变辣了呢? 今天晚上我们有地方呆吗? 天在冷着,但还不用口罩。佳原说他要去房管局呢,有了房就结婚,他们再不用串胡同了。"我说同志姐,你能不能告夯(诉)我,这个大市街要往哪哈(下)里走呢?"一个有口音的、背着一个大包袱、被包袱压得直不起腰来的、新衣服上沾满了灰土的人说。那人其实比素素大许多。

"大市街? 这就是大市街呀!"素素向那正变化着红绿灯的十字路口一指。那儿,汽车、电车和自行车就像海潮一样地一个浪头又一个浪头地涌上去,又停了下来,停下来,又涌上去。

"这儿就是大市街?"压弯了腰的中年男人抬起头来,翻起了两枚乌黑的眸子。素素的脖子也跟着发酸。乌黑的眸子表示着诚实的不信任。素素重复强调:"这就是大市街。"她恨不得把百货大楼和中心烤鸭店放在手心上托给这位老实而又多疑的问路者。问路人犹犹疑疑地挪动了脚步,他横穿马路却没有走人行横道虚线。穿白衣服的交通民警拿起半导体扩音喇叭向他高声喊叫。被呵斥搞慌乱了的中年人干脆停在马路中心,停在汽车的漩涡里。他歪着脖子问交通警:"同志哥,大市街在哪哈里?"

"素素!"佳原来了,满头大汗,头发蓬乱,喘着气。"你从地底下钻出来的吗? 怎么等也等不着,忽然又冒出来了。""我会隐身术。我本来就一直跟着你呢。""如果我们都会隐身术就好了。""为什么?""在公园跳舞也没人看得见。""你喊什么? 让人家直看你。""有人一听跳舞就觉得下流,因为他们自己是猪八戒。""你的话愈来愈尖刻了。从前你不是这样的。""是秋风把我的话削尖了的。我们找不到避风的地方。"

佳原的眼光暗淡了,她低下头。他的眼镜片上反射出无数灯光、窗户、房屋。"没有吗?""没有。房管局不给。他们说,有些人已经结婚好几年了,已经有了孩子,然而没有房子。""那他们在哪里结的婚呢?在公园吗?在炒疙瘩的厨房?要不在交通民警的避风亭里,那倒不错,四下全是玻璃。还是到动物园的铁笼子里去?那么,门票可以涨钱。""你别激动。你……"他把右手食指弯曲着,推一推自己的眼镜,尽管眼镜并不会出溜下来,"你说的当然是了,但是,房子毕竟不会从天上掉下来。那么多人需要房子,确实有人比我们还困难啊!"

素素不言语了,她低下头,用脚尖踢着一块其实并不存在的石子。

"可是怎么样?你吃饭了吗?我还没吃晚饭呢。"佳原换了话题。"什么?我只记得我给很多人开了饭,却不记得自己吃过什么没有。""那就是没吃。我们到那个馄饨馆去吧。你排队,我占座,要不我占座,你排队。""说来说去还是一个样儿,你说话快赶上开大会时候的某些报告了。"

馄饨馆很拥挤。好像吃这里的馄饨不要钱。好像吃这里的馄饨会每碗倒找两毛钱。要不,要不我们甭吃馄饨了,买几个烧饼算了。买烧饼也得排队。要不,我们甭排队了。到对过那个铺子买两个面包吧。刚巧,到那边伸出手来的时候,售货员正把最后两个果料面包卖给一位已经穿起前清时候的貂皮袍子的小老头儿。要不,要不我们甭吃面包了,我们……

我们怎么样呢?

"要不我们甭生下来了,那有多好!"素素冷冷地说。"如果不是错误地批判了马寅初先生的新人口论,我们也许根本不会降临到人间。""何必那么怨气冲冲?而且我们出生在新人口论出生以前。""果料面包没有了。""来,两包饼干。我们有饼干,我们又端盘子又修伞。我们学习,我们做好事,帮助别人。好人并不嫌太多,而仍然是不够。""为了什么呢?为了把七块钱和二斤粮票拱手交给讹你的人吗?""讹去七百块也还要拉起受了伤的老太太……难道你不这样吗？素素！"打起雷来了。打起闪来了。电线和灯光抖动起来了。佳原突然喊起来了。"你尝尝我这一包吧。""一样的。""不，我这一包特别香。""怎么可能呢？""怎么不可能呢？连两滴水都不可能是完全一样的。""那你尝我的。""那我尝你的。""那我尝完了你的，你再尝我的。"他们交换了饼干，又一块一块地分着吃，吃完了，素素也笑了。饿的人比饱的人脾气要坏些。

天大变了。电线呜呜的。广告牌隆隆的。路灯蒙蒙的。耳边沙沙的。寒风驱赶着行人。大街一下子就变得空旷多了。交通民警也缩回到被素素看中可以作新房的亭子里去。

"我们要躲一躲！"冰冷的雪一样的雨和雨一样的雪给人以严峻的爱抚。雨雪斜扫着。他们拉紧了手。彼此听不见对方的话。对于自然，也像对于人生一样。他们是不设防的。然而大手和小手都很暖和。他们的财产和力量是自己的不熄的火。

"我们找个地方去！"他们嚼着沙子和雨雪，含混不清地互相说。于是他们奔跑起来了。不知道是佳原拉着素素，还是素素拉着佳原。还是风在推着他们俩。反正有一股力量连拉带搡。他们来到了一幢新落成的十四层高的居民楼前面。他们早就思恋这一排新出世的高层建筑物了。像一批陌生人。对陌生人的疑惑和反感，这是被撞倒的老太太和穿貂皮袍子的老头儿的特点。那个老头儿买面包的时候，用什么样的眼光看了他们俩一眼啊。好像他们随时会掏出攮子来似的。早就流传着对于这一排高层建筑的抨击。住在十四层的人家无法把大立柜运上去，便用绳子从窗口吊——蔚为奇观！结果绳子断了，大立柜跌得粉碎。新的天方夜谭。但是素素他们不这样想。他俩来到这座楼前，总有些羞怯，因为他们的眷恋是单相思。

风雪鼓起了他们的勇气。他们冲进去了，他们一层一层地爬着楼梯。楼道还很脏。楼道没有灯。安了灯口，没有灯泡。但路灯的光辉是一夜不断的，是够用的。他们拐了那么多弯还不到顶，那就再拐上去。他们终于走上了第14层的一个公共通道。

这一层大概还没住人。有浓厚的洋灰粉末和新鲜油漆的气味。这里很暖。这里没有风、雨、雪。这里没有广播须知的喇叭、蒙面人、行人、急不可耐地抖着大腿让你让位的人。这里没有瞧不起修伞工和服务员的父母。这里没有见了一对青年男女就怪叫，说下流话辱骂甚至扔石头的顽童。这里能看见东风饭店的 25 层楼的灯火。这里能听见火车站的悠扬的钟声。这里能看见海关大楼的电钟。把视线转到下面，是蓝绿的灯珠，橙黄的灯眼，银白的灯花。无轨电车的天弓打着闪亮的电火花。汽车开着和关着大灯、小灯和警戒性的红色尾灯。他们长出了一口气，好像上了天堂。"你累了么?""累什么?""我们爬了 14 层楼。""我还可以爬24 层。""我也是。""那人可真傻。""你说谁?""刚才有一个乡下人，他到了大市街口，却还满处里找大市街。你告诉他了，他还不信。"

他们开始用阿拉伯语交谈。结结巴巴，像他们的心跳一样热烈而又不规范。佳原准备明年去考研究生，他鼓励着并无信心的素素。"我们不一定成功，但是我们要努力。"佳原拿起素素的手，这只手温柔而又有力。素素靠近了佳原的肩，这个肩平凡而又坚强。素素把自己的脸靠在佳原的肩上。素素的头发像温暖的黑雨。灯火在闪烁、在摇曳、在转动，组成了一行行的诗。一支古老的德国民歌:有花名毋忘我，开满蓝色花朵。陕北绥德的民歌:有心说上几句话，又怕人笑话。蓝色的花在天空飞翔。海浪覆盖在他们的身上。怕什么笑话呢? 青春比火还热。是鸽铃，是鲜花，是素素和佳原的含泪的眼睛。叭啦……

"什么人。"一声断喝。佳原和素素发现，通道的两端已经全是人。而且许多人拿着家伙。人是会使用工具的动物。擀面杖、锅铲和铁锨。还以为是爆发了原始的市民起义呢。

于是开始了严厉的、充满敌意的审查。什么人? 干什么的? 找谁? 不找谁? 避风避到这里来了? 岂有此理? 两个人鬼鬼祟祟，搂搂抱抱，不会有好事情，现在的青年人简直没有办法，中国就要毁到你们的手里。你们是哪个单位的? 姓名、原名、曾用名……你们带着户口本、工作证、介绍信了吗？你们为什么不呆在家里，为什么不和父母在一起，不和领导在一起，也不和广大的人民群众在一起？你们不能走，不要以为没有人管你们。说，你们撬过谁家的门？公共的地方？公共地方并不是你们的地方而是我们的地方。随便走进来了，他们为什么这样随便？简直是不要脸，简直是流氓。简直是无耻……侮辱？什么叫侮辱？我们还推过阴阳头呢。我们还被打过耳光呢。我们还坐过喷气式呢。还不动弹吗？那我们就不客气了。拿绳子来……

素素和佳原都很镇静。因为一秒钟以前，他们还是那样的幸福。虽然他们俩加在一起懂几门外文。懂一点点也罢。但是他们听不懂这些亲爱的同胞的古怪的语言。如果恐龙会说话，那么恐龙的语言也未必更难懂。他们茫然。甚至相对一笑。

"我们要动手了！"一个"恐龙"壮着胆子说了一句，说完，赶紧躲在旁人后面。"我们可真要动手了！"更多的人应和着，更多的人向后退了，然而仍然包围着和封锁着。佳原和素素欲撤不能。

正僵持得不可开交的时候，突然，有一位手持半截废自来水管的勇士喊叫起来：

"这不是范素素吗？"

点点头，当然。

然后是一场误会的解除。对不起，请原谅，是小偷把我们给吓坏了。据说有的楼发生过窃案，我们不能不提高警惕。

有坏人，我们还以为你们是……真可笑。对不起。

素素依稀认出了那位长头发的男青年是她小学时候的同学，比她低两级。他现在倒白胖白胖的，像富强粉烤制的面包，一种应该推广的食品。小学同学热情地邀请他们到自己的房间去做客。"既然来到了我的门口。""那也好。"素素和佳原交换了一下目光。他们跟着小学同学走到日光灯耀眼的电梯间。他们在这幢楼里已经暂时取得了合法的身份。他们是某个住户的客人。电梯门关上了，嗡嗡地响了。他们的安全和尊严又开始受保障了，感谢这位热心的同学！电梯间上方的数字愈变愈快，从 14 到

4 的阿拉伯字都亮过了,现在是耳朵——3 亮了。电梯停了,门开了。他们走出来,左转一个弯,右转一个弯。多齿多沟的铜钥匙自信地插到锁孔里,它才是主宰。呱哒,再拧一下把手,吱喽。门开了,叭,叭,前厅和厨房的灯都亮了。雪白的墙,擦了过多的扑粉。吱喽,又拧开一间居室的门。屋里充满了街灯映照过来的青光。素素真想劝阻小学同学不要拉开电灯,然而电灯已经亮了。请坐。双人床,大立柜里变得细长了的影像,红色人造革全包沙发。五斗橱。铁听麦乳精和尚未开封的"十全大补酒"。小学同学滔滔不绝地介绍着自己的新居:面积、设备、布局。水、暖、煤气。采光,通风和隔音。防火和防震。

"就你一个人吗?"

"是啊,"小学同学更得意了,搓着自己的手,"我爸爸给我要了一个单元。老人急着让我结婚。我准备明年'五一'解决。到时候你们一定来。就这样说定了吧。我已找好了人。我的一个好友的舅舅过去给法国使馆做过饭。中西合璧,南北一炉。拔丝山药可以绕着筷子转五转而丝不断。你们可不要买东西。不要买家具,不要买台灯,不要买床上用品。所有这一切,我全有!"

"你爱人叫什么名字? 在哪儿工作?"

"噢,还没定下来。"

"等待分配吗?"

"不是。我是说,到底跟谁结婚还没定下来。明年'五一'前会有的,一准!"

素素顺手从茶几上拿起了一个玩具气球,把气球在沙发的人造革面子上使劲摩擦了几下,然后,她把气球向上一抛,吸在天花板上,不落下来了。她仰着头,欣赏着自己从小爱玩的这个游戏。

"天啊,它怎么不掉下来? 怎么还没有掉下来?"小学同学惊呆了,他张开了口。

"这是一种法术。"素素说,她瞟了佳原一眼,作了一个怪相。然后他们告辞。好客的主人送他们上电梯的时候还有点魂不守舍,他惦记着那个吸附在天花板上的绿气球。素素和佳原离开了这幢可爱的高楼。雪雨仍然在下着,风仍然在吹着。咂唧咂唧,好像在掀动一张大化学板。雨雪和他们真亲热,不仅落到脸上,手上,还往脖子里钻呢。

"这一切都怪我。"佳原心痛的说,"我没有本事弄到它,让你委屈……"素素捂住他的嘴。她咯咯地笑了。笑得真开心,一朵石榴花开放也没有那么舒展。

佳原明白了。佳原也笑起来。他们都懂得了自己的幸福。懂得了生活、世界是属于他们的。青年人的笑声使风、雨、雪都停止了,城市的上空是夜晚的太阳。

素素在前面跑,佳原在后面追。灯光里的雨丝,显得越发稠密而浓烈。"这儿就是大市街,大市街就在这里!"素素指着饭店大楼高声地说。"那当然了,我从来也不怀疑。""握个手,再见吧,我们过了一个多么愉快的夜晚。""再见,明天就不见了。我们还得用功,我们要一个又一个地考上研究生。""那很可能。而且我们总归会有房子,什么都有。""祝你好梦。""梦见什么呢?""梦见一个——风筝。"

什么? 风筝? 佳原怎么知道风筝?

"喂,你怎么也知道风筝? 你知道风筝的飘带吗?"

"噢,我当然知道啦! 我怎么能不知道呢?"

素素跑回来搂住佳原的脖子,亲了他一下,就在大街上。然后,他们各自回家去了,走了好远,还不断地回头张望,招一招手。

海边的雪

张炜

张炜,1956年11月生,山东龙口人,原籍栖霞。1980年开始创作,作品主要有长篇小说《古船》、《九月寓言》、《柏慧》、《家族》、《外省书》等,中篇小说《秋天的愤怒》、《蘑菇七种》等,短篇小说集、散文集《玉米》、《融入野地》、《夜思》和《张炜自选集》等。现为山东省作协专业作家。

青少年文学读本

一

海边的雪越积越厚。一个个渔铺子为了冬天暖和,都是半截儿埋在沙土里的。如今它们的尖顶儿也都是雪白雪白的了。赶海人剥下的蛤蜊皮堆成了小山,这小山也被雪蒙起来了。雪花儿还在从空中飘下来,飘下来。

海水很静。浪花一下下拍击着沙岸。海水的颜色渐渐变黑了,它迎接并融化了无数朵洁白的雪花。

有人从远处走过来。他背了一身的雪粉,摇摇晃晃地走着,那穿了大棉靴的脚一下下深深地扎到积雪里面,给海边留下了第一行脚印。海鸥"嘎咕、嘎咕"地叫着,样子有些焦躁。他仰脸望一眼海鸥,继续低头走着。老头子驼背很厉害了。他最后在一个大一些的铺子跟前停住,用脚踢了踢铺门,喊了一声什么,嘴里喷出了粗粗的一道白气。

渔铺子的小门紧紧地关着。他骂了起来，大声地喝着：

"金豹——你这头'豹子'！"

一个老头子在里面瓮声瓮气地应了一句："是老刚么？"接着"哐"地响了一声，门开了。门外的人钻了进去。

像所有渔铺子一样，它只在地面露着一人来高的尖顶儿，里面却很宽绰。铺子是用高粱秸和海草搭成的。隔成两间，外间有一个睡觉的土台子，上面垫了厚厚的麦草和半截苇席。台子下、二道门里，全是一团团的渔网和绳子。地上铺了草荐；露出沙土的地方，满是蟹腿和鱼骨什么的。油毡味儿、腥臭和湿气，一块往鼻子里涌……这就是渔铺子，自古以来看海的"铺老"就住这样的铺子。它能给打鱼人另一种温馨。在海上斗浪的人想得最多的是哪里？就是这卧到土中半截的渔铺子、这里面的气味！

那头"豹子"这时就在土台子上舒服地睡着。他的脚伸在被子外面，原来刚才他是用脚勾掉了顶门杠儿，并没有爬起来。

钻进门来的老刚两手攥住了他的脚，用力一拽。金豹只得起来穿衣服了。他光着身子，抖着沾了沙土的衣服说："不服不行，不服不行——夜里抬了一会儿舢板，这身上乏得不行！唉，快七十的人了……"

金豹仔细地抖着沙子，也不嫌冷。铺子里倒也不怎么冷，铺门的一侧生了一个小铁炉子。他的确老了，身上很瘦，多少根肋骨都看得出来。可是他的肌肉很有力气，手脚十分利落，他很快穿好了衣服。

老刚从铺边沙子里扒拉出半盒烟卷儿，凑近了火炉吸着说："昨夜下了一场大雪，还在下哩。"

"唔？"金豹也点了一支烟。穿上了鞋子，他问："雪挺大么？"

"挺大——我估计这会儿半尺深了。"

金豹特意探出身子望了一会儿，然后缩回来说："好！嘿，好！……"

他们都是留下来看冬铺的"铺老"。沿岸的一些渔铺大多家当很少,一入严寒就卷了行李回家去了,惟有老刚和金豹要留下来看冬铺。整日孤独得很,他们天天在一块儿说话,已经没有多少好说的了。老刚这会儿在想,金豹夸这场雪好是什么意思。

金豹不做声,只是吸着烟。炉子里的火苗儿映着他脸上那一道道黑色的皱纹,皱纹像要跳动起来。

铺子里面黑乎乎的。老刚丢了烟蒂,很费力地摸到了烟盒儿。他咕哝着:"也怪:渔铺子上就没有一个开窗户的,白天也像黑夜。"

"铺子黑好睡觉。"金豹使劲吸一口烟,望望铺门上那个小小的玻璃片,说:"好! 嘿,好!"

"怎么就好呢?"老刚忍不住问了一句。

金豹拨着炉里的火说:"雪天咱焖一条大鱼,关了铺门喝它一天酒,不好吗?"

老刚笑了:"好。"

"喝醉才好。天冷,寒气都攻到心里去了。寒气这东西怪,像小虫一样,能顺着脚杆和手腕往心窝里爬……"金豹说着回身从沙子里挖出一瓶酒,放在老刚眼前说:"怎么样? 这是来赶海的老伙计们送我的。你哩,那个戴眼镜的儿子什么也不给你……"

老刚的儿子就在附近的一个煤矿做助理工程师,差不多忘了还有个父亲。老刚从来羞于让别人提这个儿子,这会儿就大声咳嗽起来。

金豹又将酒瓶插到了一边的沙子里去了。

外边几乎没有了声音。两个人都在吸自己的烟。要说的话都说完了。像今天一大早就说了这么多话,似乎很久以来还是第一次。这完全是因为下了一场大雪的缘故。

又吸了一会儿烟,他们弓了腰钻出铺子。两个"铺老"都叼着烟卷儿,看着漫天飘舞的雪花。

哈嘿! 这可是这个冬天的第一场雪,崭新崭新,飘到海边上来了。往日朝前看去,看到的全是衰败的杂草,坑坑洼洼的沙滩——如今都是一片白了,干净漂亮得很。雪花笑着落到他们的脸上、手上，马上就融化了。脸上手上都痒痒的，怪舒服。

站了一会儿，老刚要回他的铺子了。金豹让他过一个时辰再来，那会儿他就把大鱼逮上来了。

二

雪花笑着落到金豹的脸上、手上，马上就融化了。脸上手上都痒痒的。他穿着高筒儿胶靴，将旋网搭在乌黑的手腕上，沿着浪印儿往前走。他觉得这面小旋网漂亮极了。他曾经用它逮过一条三尺长的胖鳜鱼呢，他至今记得那鱼发红的、恶狠狠的眼睛。

海水映着天空的颜色，阴沉沉的。没有什么鱼，这使金豹有些失望。他很想吃一条焖鱼，如今这条鱼就远远地躲起来不肯让他来焖。他生气地在水浪边缘上来回踏了一个时辰，最后只得回到铺子里，扔了旋网。

小火炉子燃得正旺，发出"噜噜"的声音；真像呆在自己的小屋里一样舒服——金豹曾经有过那样一座小屋，漂亮得使他常常想它，不过如今没有了……他想老刚该回来了。他钻出铺门，看着乱纷纷的雪花在半空里飞动，看着远处老刚那个渔铺子的尖顶。……海鸥烦躁地叫着，海里好像还传来什么人的喊叫——一辈子交给大海的"铺老"才有这样的耳朵：能从海的嘈杂中区分出细小的人语。他吃惊地往海里看了看，发现有两个人用力划着小舢板，离海岸已经几里远了。

金豹想，如今允许打鱼发财了，也就有了不怕死的人！不过他不明白这种天在海里能做什么。

金豹就站在雪地里看那小船、等老刚。铺子里不断传出炉子燃烧的声音，他想炉子上没有那条鱼，老刚来了会失望的。说来也怪，一个人呆在铺子里，总想找老刚说会儿话。老刚真的来了，又觉得没有什么可说的了。老刚真是个古怪东西，这儿离了老刚不行。

又等了一会儿，金豹骂着去找老刚了。

老刚的那个铺影儿越来越清晰。金豹想起有一次等他不来，闯进那铺门儿一看，他正一个人把蛤蜊皮堆成一座小塔，那全是小孩玩艺儿。

铺子里面有人说话。金豹惊奇地推了铺门钻进去，看到老刚正和两个猎人说话，其中一个是他的儿子"眼镜"！金豹是从放在一边的双筒猎枪知道他们是来打猎的。那两支猎枪真漂亮。

"雪真大，今天停不了啦……""眼镜"客气地朝进来的金豹点着头，说。

"停不了！"一边的黑瘦青年肯定地说。

老刚咳嗽着。

金豹觉得老刚的脸有些红涨。他想，怪不得老刚不到他的铺子去，原来儿子来了。有这么个倒霉儿子就忘了老朋友了！金豹有些气愤地瞥了他一眼。

"眼镜"搓起了手，越搓越快。

金豹盯着他那两只又白又嫩、很像鲅鱼肚皮似的手，觉得这手可真不多见。

"这鬼天气！死冷……有酒么？""眼镜"说。

老刚阴沉着脸："没有。有酒也没有菜。"

"有条鱼不就行么！""眼镜"冲一边的黑瘦青年挤了一下眼。

"没有鱼！没有！"老刚愤愤地说了一句，有些得意地看了金豹一眼，"再说你不嫌你爸的孬酒辣嘴吗？"

金豹讨厌这个"眼镜"，也讨厌他挤眼睛。金豹不明白海边上怎么出了这么个背着双筒猎枪、不管老父亲的人。他早就不耐烦，这时"哼"了一声，从铺子角落里站了起来，干瘦的脸上堆满了嘲弄的笑容。

助理工程师不解地看看他，叫了一声"豹伯"，往父亲一边挪动了一下。金豹笑着说："又白又胖，你长得好！手和鱼肚那么细，我们的手和老槐树皮差不多，上面还有血口儿。这是捉鱼捉的。你从来不管我们，只是冻疼了，才躲进这铺子要酒喝，嘿嘿！"

"眼镜"脸红了。他咬了咬嘴唇。

金豹继续说："看见你爸住的地方了么？进门时要使劲弓起腰，铺子里也全是沙子。不错，有酒喝，不过杯子砸了，用蛤蜊皮盛酒。你也该送个杯子来啊……"

黑瘦青年觉得有趣地笑了。"眼镜"有些恼怒地说："我跟我爸要，又不是跟你要！"

金豹笑容没了。他暴躁地说："你爸的事情我说了算！你是谁的儿子！你也进这铺子？你该滚到雪地里去。"

老刚慌慌张张地站起来，大声地咳嗽着，站在儿子和金豹中间。

助理工程师气得身上抖动起来。显然他很少有这样气愤的时候，这时用手推一推眼镜，执拗地说："我偏要……呆在这儿！……"

金豹扩了扩胸，又搓弄着手掌。他像在故意活动着筋骨。

他急促地说："我让你走！我让你走！"一边说，一边要用手推开挡在中间的老刚。他的脸像喝足了酒一样红，每一条皱纹都在可怕地活动。

黑瘦青年捡起猎枪，拉着"眼镜"的手出了铺门。"眼镜"回转身嚷着什么，往雪地里走去了。

老刚追出铺门，好像要说什么，但他吐出一口气，蹲了下来。

金豹愤愤地盯着远去的两个黑影："儿子这东西，没有也就算了。有，就让他像个儿子的样子！"

"逮到那鱼了吗？"老刚有气无力地问。

金豹摇摇头。他看看外边的天色，说："我身上筋骨老要疼。这都怨我们抬那条舢板抬的。和你儿子干一架，这会儿身上轻了点……"

老刚哭丧着脸笑了笑。

他们走出门来，向着金豹那个渔铺子走去。海是灰的，天是灰的，茫茫的一片灰黯阴沉。海边的雪积得更厚了，雪花儿落得差不多了，又开始飘细碎的冰凌。他们"吱吱"地踩着它。昏暗的海面上，隐隐约约看出一条小船。金豹说："看到了吗？这样天还有人出海。肯定是年轻人,年轻人才做这种险事情。"说到最后一句,他又想到了老刚的儿子,不由得大声骂了一句。老刚怪异地看看他问:"骂谁啊?"

金豹摇摇头:"我是说,年轻人欺负老头子,是以为老头子不敢跟他干架。老头子又怕什么! 老头子的筋骨才硬……"

老刚没有做声。

金豹先一步走到铺子跟前,掀开铺门说:"哎哎! 要是里面有条焖鱼多好啊,这么大雪的天……"

三

他们到了铺子里都喘息起来。金豹一边喘着一边从角落里端出一碗咸鱼,又从沙子里摸出了那瓶酒。

两个人默默地喝着酒。金豹捏酒盅的手有些颤抖,那酒老要泼出来。金豹说:"我们是老了,手也抖了。"

老刚说:"我的手不抖。"

咸鱼放得时间长了些,又硬又咸,两个人用力地嚼着。酒很醇厚,又是热透了的,喝得他们鼻尖上渗出了汗珠儿。老刚说:"就缺那条焖鱼了。如今人变灵活了,鱼也变精巧了。"

金豹点点头:"人是变精了。去年划分渔业承包组,年纪大的,人家不愿要哩。"老刚说:"你这把年纪了,还不是也进了承包组。"金豹喝了一大口酒,抹抹嘴巴说:"比我么? 我这样的老把式,他们争还争不到哩!"

外边有了一些风。两人听到风声,都放了盅子走出来。雪花舞得厉害了,它们想方设法钻到领子和袖口里。老刚说:

"你看云彩有多么低。"金豹眯着眼端量了一下,说:"雪停不了,再一刮风,海边上准会旋起一道道雪岭子。"

他们重新钻回铺子里喝酒了。

鱼又硬又咸,他们费力地嚼着,倒也一时忘了那条焖鱼。

……近午时分,承包组里有人冒雪送来烟酒、干粮,这使两个

青少年文学读本

老人很高兴。他们从来人嘴里得知:海上那条小船是小蜂兄弟在挖蛤蜊,蛤肉卖到龙口街上,一天能得半百……

老刚"吱吱"地吸着酒。金豹一直没有做声。他由拼命积钱的小蜂兄弟想起了别的事情。

他想起了自己那个"小屋"。

那个小屋是老婆得病时卖掉的。老婆死的时候,他才四十岁。他没有了小屋,村里要帮他盖,他摇摇头挡过了。他住到了海边上的渔铺里,似乎再用不着那个小屋了。可是人没有一幢小屋怎么行!他一时也没有忘掉那个小屋,做梦都梦见它。他默默地攒钱,攒呀攒呀,准备盖一幢漂亮结实、只有一门一窗的小屋……常和他在一起的老刚也不知道,他的钱就缝在这渔铺的枕头里。夜里睡觉时他想:我的头枕着一座小屋呢。

金豹这时不由自主地盯住了他的"小屋"。老刚瞧瞧他,他才把目光从土台的枕头上转到酒杯上。

两人都不说话。他们之间也用不着说多少话。老刚推一推杯子,金豹就知道他想吸一口烟,于是扔过一支烟。金豹撕下鱼脊背上那道黑皮儿肉,老刚知道他特意留下了多油、味美的尾巴。老刚满意地吃着鱼尾巴。两个人喝去了多半瓶。

风把渔铺子吹响了。老刚盯着铺门缝隙里旋进来的雪花,轻声咕哝着:"唉,呆会儿风搅起雪来,他们会在大海滩上迷路……"他说着,起身去拨炉里的火。

金豹放了杯子,他知道老刚牵挂着打猎的儿子。他看了看老刚生了白胡茬的脸,没有做声。这就是做父亲的啊,再不好的儿子还是儿子!

风的确慢慢大起来,小沙子奇妙地穿透铺子飞进酒杯里。

金豹记起该去看看舢板,就和老刚走出来。海里的浪多起来,岸边的浪花白得像雪,用力地往前扑着。他们给舢板的锚绳一个个加固了,又将无锚舢往上抬了抬。一切做完之后,金豹和老刚坐在一个反扣的小船上吸烟,看着海。哪年的冬天都下雪,今年这场雪却似乎太大了些。

有什么东西从东北方向漂移过来,渐渐大了、清晰了。金豹一直盯着,凑在老刚耳朵上说:"也许会发财的。"

这里的海边有个规矩:大海飘来的东西,谁先发现的,就属于谁。金豹和老刚慢慢都看清那是一粗一细两根圆木,粗的那根可以做屋梁。金豹又兴奋地想到了那个"小屋"。他跳下船来,又让老刚回铺子取绳索、长柄抓钩。

老刚跑开了。西北方驶来了小蜂兄弟的船。

金豹和老刚将圆木拉到了岸上。他们的半截裤子都湿了,冻得瑟瑟发抖。金豹却十分高兴,他大声喊了一句:"小屋有了大梁……"他的喊声使老刚莫名其妙。

小船也靠了岸,跳下了小蜂兄弟。小蜂见了圆木就嚷:

"金豹啊,你真会捡便宜! 我们从深海里就盯上了,随木头上来的,你倒伸出了抓钩。"

老刚慌促地瞅了金豹一眼。

金豹拧着裤脚的水。他坐下来吸着烟,吩咐老刚说:"歇会儿,喘匀了气,再往回拖。"

小蜂蹦到眼前来了:"你拖不走!"

金豹眯上眼睛:"哼哼,我睡了半辈子渔铺,眼里揉不进沙子。圆木从东北漂来,你的船从西北来,你看见了圆木?"

小蜂的脸血红血红,他眼盯着结了盐花的木头,发狠地喊着,凑了过来。金豹抛了手里的烟蒂,将两只硬硬的黑拳拉在了腰边。他咬着嘴唇,瞪起眼睛,前额的皱纹积起又厚又深的一层。老刚在他耳边嚷什么,他一句也没有听见。

小蜂对他的兄弟使了个眼色,接着弯腰抱起圆木的一端。

金豹的拳头只一下就让小蜂额上起个包。小蜂倒在地上,却巧妙地趁势用脚蹬倒了金豹,令人难以置信地一滚就翻身蹿起来,抓住圆木,两兄弟一起扛着跑起来。

金豹一声不吭,举起抓钩,弓着腰追去。

老刚看着金豹飞也似的跑势,惊呆了。他看到金豹紧追几步,狠狠地把抓钩抡了个圆弧抓下来,抓住了一根圆木……

两兄弟扛着那一根跑着。

抓下来的是那根细小的。

两兄弟在远处喊着："有一天渔铺子着了火,烧死你这根老骨头!……"

金豹浑身的肌肉都在颤抖。他用粗壮骇人的声音骂道:

"两个畜生,两个贪心贼! 我烧不死!"

四

两个老人一点一点地将圆木拖回来,放到了铺子的尖顶上。

"它能做条檩。"金豹声音细弱地说了一句,钻铺子里去了。

他躺在一团发黑的网线上,紧紧地闭着眼睛。老刚凑到身边,端量着这张布满深皱、生了黑斑的脸。他发现金豹的眼睫毛已经很稀了,有的断掉半截,硬硬地挺着。他喘得很急促,很用力,鼻孔张开老大。老刚想对这两个黑洞似的鼻孔议论几句、开几句玩笑,可他现在不敢。

"他倚仗着年轻,硬抢走我一根屋梁!"金豹愤恨地说。

老刚肯定地说:"是抢走的。"

"我是看海的人,倒被别人抢走了东西。这是欺负老人。你看,我一天干了两架,全是跟年轻人。"金豹站了起来,把那只又黑又硬的拳头举起来。

老刚看清了那只拳头。他发现有两根手指歪斜着,从根部起就歪斜。他料定那是过去的日子里打折的。那该有多疼啊! 老刚咬着牙想。

"嘿嘿! 血气方刚的年轻人! 让他们知道,老头子里面也有爱干架的。"金豹说着,又找出一条生咸鱼,放在炉口上烘着,拿出酒来倒满两个酒盅。

外面的风呼呼地吹着,有雪花从门缝里钻进来。铺子里很暖和,小炉子又"噜噜"地叫了。这使两个老人兴奋起来,你一盅我一盅地对饮。

烟气充满了铺子,他们不停地咳嗽。透过烟气,金豹看见老刚的脸色那么阴冷。他问:"老刚,你怎么了哩?"老刚轻声说:"我在想我这一辈子。"

金豹不做声了。

金豹知道老刚的一辈子都在海上,跟自己一样。不同的是他有一个儿子,自己没有。他这一辈子都在跟大风、跟山一样的浪涌斗,死过,但终于还是活过来了。可是后来,和自己一样,还是被大风和浪涌赶上岸来。他们只能趴在岸上看浪涌了。金豹长叹了一声。

老刚说:"我们都老了。老得真快啊!"

金豹说:"回头看看这一辈子吧,也该老了。我不记得使烂了几条船,让海浪打散了几条船;有的船还是崭新的,我就扔给大海了,一个人赤条条地往岸上爬。有一年冬天我靠一个浮篓游了二十里,奇怪的是没有冻死!"

"不知道这辈子打了多少鱼,"老刚抄着衣袖,头低着,下颏使劲抵住胸骨说着,"那时候鱼真多,堆到海边上,买鱼的扔下几个钱,就任他背。小时候听见上网了就往岸上跑,老父亲从渔铺里捧出一碗冒白汽的鲜鲅鱼,说:'小孩子,多吃鱼少吃干粮,反正也不下海!'那时候鱼真多……"

金豹点点头:"都是吃鱼长大的。那时节见了玉米饼子馋得流口水。嘿嘿,今天没人信这话……我第一次进海放钩子钓鱼,差点让一条带鱼咬断了大拇指。那时候全仗年轻啊,身上划条小口子,血流那么多,全不在乎。我冬天落进水里不止一次,海里的冰矾割我的肉,我就咬着牙,海水墨黑墨黑,大浪吼得吓人,也不知掉在哪片老洋里了,心里想,死是定了的。不过就那样死了还嫌太早,这时候可真难过。一个人不愿死硬要他死,这时候可真难过。"

老刚笑了几声。

"我这一辈子在风浪里钻,就想在没风没浪的地方盖一幢小屋子。"金豹苦笑一声:"我是生在渔铺子里的,老盼望有一幢结结实实的小屋子。直到解放才有了一座屋子,也有了媳妇。那几年的日子我下辈子也忘不了!媳妇是个好东西啊⋯⋯有一年她病了,馋一条鲈鱼,你知道鲈鱼可不好整。有个老头子不知从哪儿弄了一条,要我用一个旋网换,讨价还价,怎么说也不行,非要一个旋网不可!我气急了,夺下来就跑,随手扔下五块钱⋯⋯"

"这么说你也抢过别人的东西啊。"老刚插了一句。

金豹点点头:"不错,我那时候也年轻,也是抢一个老头子的东西,像小蜂他们一样。也许人年轻的时候都要抢点什么的。还有一次在桑岛,让我们用船运水抗旱。中午吃干粮渴得嗓子冒烟,驻村干部从提包里掏出小暖瓶喝起来,跟他要一口都不给。我那回夺下了他的小暖瓶。后来,你知道——你肯定听说了,那东西找碴儿,说我要破坏一条机帆船,在队部关了我一个星期!⋯⋯"

金豹笑起来,使劲用手捶打自己的腿:"事情也巧,后来有一次他坐我的船(他认不出我了),我好好调理了他一下,呕得他脸色蜡黄。这东西看来官也做得不小了,小口袋上光钢笔就有三支。我把他呕得脸色蜡黄。⋯⋯我这辈子,你看,抢过别人,也被别人抢过。可按住心窝问一问,伤天害理的事咱没做过。"

"你的媳妇也是抢的。"老刚闷声闷气地说。

金豹不认识似的盯着他,随手斟满了杯子,轻轻地吮着。

他直看得老刚笑了,这才说话:"我不抢走她,她要上吊哩。⋯⋯那晚上,也是大雪,我把她抱到船上,抢出岛子来。只可怜了老丈母娘,听说她哭闺女哭坏了眼⋯⋯"

金豹难过了起来,默默不语了。

铺子里面暗淡下来,他们在炉台上点了油灯。金豹吸着了烟盯着自己的脚,长长叹一口气说:"小蜂兄弟怎么成了这个样?你那宝贝儿子怎么就背起了两个筒子的猎枪?⋯⋯"老刚低下头,没有吭声⋯⋯坐在铺子里有些闷热,他们想到外面活动一下腿脚。昏蒙蒙的雪野,此刻滚动着千万条雪龙了!

风肆无忌惮地吼叫着,绞拧着地上的雪。天就要黑下来了。

他们差不多一刻也没有多站，就返身回铺子里了。

金豹重新坐到炉台跟前，烘着手说："这样的鬼天气只能喝酒。唉唉，到底是老了，没有血气了，简直碰不得风雪。"

"这场雪不知还停不停。等几天你看吧，满海都漂着冰矾。"老刚还在专心听着风雪的吼叫声。

"唉，老了，老了。"金豹把一双黑黑的手掌放在炉口上，像烤咸鱼一样，反反正正地翻动着。"就像雪一样，欢欢喜喜落下来，早晚要化的。"

老刚点点头，"像雪一样。"

金豹望着铺门上那块黑乎乎的玻璃："还是地上好，雪花打着旋儿从天上下来，积起老厚，让人踏，日头照，化成了水。它就这么过完一辈子。"

"人也一样。都是在地上被别人踏黑了的。"老刚的声音有些发颤，他的眼睛直盯住跳动的灯火，眼角上有什么东西在闪亮。

金豹慢慢地吸一支烟，把没有喝完的半瓶酒重新插到沙子里去。他活动着胳膊，畅快地伸着腰，嘴里发出"哎哟哎哟"的声音。他叫得很舒服。他说："我这名儿是老父亲给的。我这脾性也真像个'豹子'，我刚才还干了两架。我老了，不过是头'老豹子'，哈哈……"

金豹大笑起来。老刚觉得老伙伴是醉了。

青少年文学读本

五

由于风雪阻隔，老刚只得睡在金豹的铺子里了。两个老人挨在一起，闭着眼睛各自想心事。老刚想他的儿子——这时已经背上猎枪回那个家了。那个家他见过，很小，很漂亮，还有暖气。这样可以烤烤冻透的身子。儿媳妇是个很厉害的城里人，老刚只见过两面，不过他已经知道她很厉害。不知怎么，老刚突然想儿子是让她用城里的什么法儿给制住了的，所以他背上了双筒猎枪，不管老子了——外面什么东西"哎哟、哎哟"地响，老刚听了不安地坐起来。金豹躺着说："不知道哪里被风吹的，海滩上就这样。有一年人家告诉我：夜里老有个女人喊'腿呀，我的腿呀'——你在海滩上走一步，那喊声也远一步，可能是落水的鬼魂，在这儿折了腿。我就不信，后来一找，嘿！是浪推着船尾巴，船上两块木头磨出的声音，听起来尖尖的，可不就像个女人！……睡觉吧。"

老刚躺下了。金豹自己却睡不着了。那个"吱哟"声搅得他心里烦躁躁的，他侧身吸着烟，静静地听外边的声音。海浪声大得可怕，他知道拍到岸上的浪头卷起来，这时正恶狠狠地将靠岸的雪砣子吞进去。他惯于在骇人的海浪声里甜睡。

可是今晚却睡不着了。仿佛在这个雪夜里，有什么令人恐惧的东西正向他慢慢逼近过来。他怎么也睡不着。停了一会儿，他扔了烟蒂，披上破棉袄钻出了铺子。

刚一出门，一股旋转的雪柱就把他打倒了。他大骂起来——这股雪柱硬得真像根木柱。眼睛耳朵全塞了雪，头被撞得有些懵。金豹惊惧地"哼"了一声，望着四周，真不敢相信自己的眼睛。海浪和风雪一齐吼叫，像嘶哑的老熊。海底也许有一面巨大的鼓擂响了，震落了空中堆积一天的云彩，抖动了整个大海。金豹趴在雪粉里听着无处不在的"鼓点儿"，心里奇怪地也"咚咚"跳起来。他突然想起了白天搬动的舢板，加固的锚绳也不保险哪！他像被什么蜇了似地喊着老刚，翻身回铺子去了。

……凭借雪粉的滑润，他们将几个舢板又推离岸边好几丈远。彼此都看不见，只听见粗粗的喘息声。他们不敢去推稍远一些的小船，怕摸不回铺子。这老天和海真是发疯了啊，金豹说，"全仗着喝了一天酒啊。酒真是个好东西。"老刚喘得说不出话，用力拽着绳索，嘴里发出"唉、唉！"的声音，算是应和。有一次他拽得不妙，脚下一滑跌到了棉绒似的雪粉里，好长时间才挣扎出来……

他们的手脚冻得没有了知觉，终于不敢耽搁，开始摸索着回铺子了。金豹不断喊着老刚，听不到回应，就伸手去摸他、拉他。有一次脸碰到他的鼻子，看到他用手将耳朵拢住，好像在听什么。

老刚真的在倾听。他在听一种奇怪的声音、一种"铺老"才分辨得出的声音。听了一会儿，他的嘴巴颤抖起来，带着哭音喊了一句："妈呀，海里有人！"

金豹像他那样听了听。

"呜喔——哎——救救——呜……"

是绝望的哭泣和呼喊。金豹跳了起来，霹雳一般吼道：

"是小蜂兄弟俩！他们上不来了！"

"听声音不远！"老刚身上抖起来，牙齿碰得直响。

金豹跺着脚："让浪打昏了头，两个发横财的家伙！小蜂！——小蜂！——……"金豹在浪头跟前吼起来，浪头扑下来，他的身子立刻湿透了……老刚喊了一阵，最后绝望地说："不行了，他们听见也摸不上来，两兄弟不行了……"

金豹张开手臂，像要用他那对可怕的拳头威胁着什么一样。他奔跑着，呼喊着，不知跌了多少跤子，伸开手在雪地上乱摸——他想摸些柴草点一堆大火：被海浪打昏了头的人，只有迎着火光才能爬上来，金豹想按海上规矩，为小蜂兄弟点一堆救命的火。厚厚的大雪，哪里寻柴草去！最后他一声不吭地站在了老刚身边。这样站了有一分钟，突然他说了句：

"点铺子吧！"

他的大手紧紧抓住了老刚的肩膀。

老刚的骨头都被捏疼了。他知道只有这个法子了，往常也有人用过这个法子。可是金豹的铺子搭满了闲置不用的网具、杂什，是他们承包组的全部家当哪。老刚声音颤颤地点头说："快，快搬开铺子上的东西吧，你搬里边，我搬外边……"

老刚的两只大手在厚厚的雪粉里掏着网具，却被一团尼龙丝线套住了。他大骂着，挣脱着，手腕挣出来时被勒出了血。他还在拼命地挣着，嘴里还奇怪地叫着："金豹啊！金豹啊！"

金豹一丝声音没有，也没见他往外抱一件东西。老刚钻到铺门里一看，一下子呆住了：

金豹想从火炉里引火点铺子——火炉不知啥时熄灭了，他正用颤抖的手划着火柴……老刚一巴掌打落了金豹的火柴盒，吼道："跟我出去，你这头豹子！"金豹咬着嘴唇，抖着结了冰凌的胡子，睁开通红的眼睛看了看他的老伙计，猛然伸出那只钢硬的拳头，"噗哧"一声砸过去……

老刚被打出铺门，趴在雪地里差点昏过去……他是在一片"噼啪"的燃烧声里爬起来的。

大火燃起来了！风吹着，熊熊烈火四周容不得冰雪了。尼龙网具在火中爆出银亮的、油绿的光色。空中飞旋的雪花，都被映红了；雪地上，远远近近都是嫣红的火的颜色，狂暴的风雪比起这团大火好像已经是微不足道的了……老刚被大火烤得全身发疼，他奔跑着，喊着金豹。可是火边上没有金豹的影子了。

金豹早钻到了水浪里。他这时正盯着水里的那团黑影。黑影近了，是抱了一块木板的小蜂。金豹拖上小蜂，刚迈开一步，就被一巨浪打倒了，他爬起来时，看到老刚也拖着一个人……他们把两兄弟抱到了大火边上。

小蜂兄弟俩的衣服差不多被海浪全撕光了。他们的皮肤光滑得很，在火光下发红，冒着白汽。他们的脑壳儿上紧贴着油亮亮的头发，显得很圆，很好看。烤了一会儿，两个身体蠕动起来。

正在这时候，金豹和老刚听到了大火的另一边有一种奇怪的声音。他们跑去一看，惊得说不出话——从雪地里、从黑夜的深处滚来两个"雪球"！"雪球"滚到大火边上才展开，让他们看出原来是两个人。老刚低头瞅一瞅，惊慌地捏住其中一个的手说："这是我儿子！"

原来他们终于没能冲出茫茫原野，在漫天的雪尘中迷路了！像小蜂兄弟一样，他们左冲右突，终于知道自己注定要冻死在这个雪夜里了。可他们绝境中望到了奇迹——一团生命的大火在远方剧烈燃烧，爆出了耀眼的白光！他们流着眼泪，爬过去，滚过去……

火势渐渐弱下去，那一堆炭火却红得可爱。小蜂兄弟能够坐起来了，他们看看炭火，看看远处的黑夜，叫着金豹和老刚的名字,放声大哭起来。

两个年轻猎人的双筒猎枪早已不知抛在哪里了。他们的一身冰砣融化着,水流又渗进沙子里。助理工程师颤声叫着:

"爸!豹伯……"

他们和小蜂兄弟一块儿跪在了两个老人面前……

两个老人身披长长的雨衣和棉袄站着,一动不动。炭火把他们笔直的影子印在了雪地上。

六

他们将四个年轻人送到老刚的铺子里时,天已近明,风雪势头明显地弱下去了。就像被什么驱使着,两人很快又回到了烧掉的铺子那儿。

火完全熄灭了,余下一堆黑色的灰烬。

他们盯在灰烬上,眼睛都不眨一下。这是一个承包组流血流汗置起的全部家当啊!两个人不由得害怕起来。

金豹除此之外,还感到了揪心的疼痛。他简直不敢去想:慌促之中,他竟然忘掉了那个藏下一座"小屋"的枕头!他亲手烧掉了自己的一座"小屋"啊!

老刚嘴唇哆嗦着:"烧了,一把火烧得这么干净……"

金豹两手捧着脑袋,没有做声。他多想告诉老伙计这桩隐藏了多半辈子的秘密,告诉他亲手烧掉的这座"小屋"……

可是他终于忍住了。昏暗中,他一个人在无声地哭。

……雪慢慢停止了。风还在刮着。地上的雪片飞起来,想将那堆灰烬盖住,但终于也不能够。金豹蹲在那儿,突然想起了什么,他走到灰烬上,用力地扒着。他沾了一身灰土,终于扒到了:一个酒瓶,已经烧裂成了几片……

太阳出来后,天边的白雪耀眼的明亮。天蓝得真可爱啊!很多的人又踏着积雪到海边上来了。人们不可能一连几天把海忘掉,他们当中的好多人是在风雪之后,不由自主地走到海边上来的。积雪很厚，还横着一道道雪岭，人们艰难地、兴奋地走着。

大家都来看烧掉的渔铺，从一堆很大的灰烬上想象开去，极力想象出当时那一团白亮的大火。

承包小组很快来搭了新铺子。新铺子当然和老铺子搭得一样，只是上面没有了那些网具。事情再明白没有，似乎没有责备两个铺老。村领导调查之后，决定给这个承包组一些经济补助，并表彰了两个老人当机立断的精神。金豹感动地说："这有什么，我们不过是到时候划了一根火柴！"

以后有人赞扬他们的时候，老刚也说："这有什么，我们不过是划了一根火柴！"

金豹在心里问着："只是划根火柴吗？"他痛苦地摇着头："烧了那么多东西，烧了我一座屋啊！……"他清楚地记得从小蜂手里夺下的那支"檩子"也一起烧了——开始它只是冒烟，好像有些害羞的样子，后来便爆出红的火舌来，快乐地烧掉了……

这个夜晚，他特意留下老刚睡新铺子。他说要和老刚说话。但是躺下之后，他却什么话也没有了。他仰面躺着，听着大海的潮声，想了那么多往事。他闭着眼睛想着，突然觉得有好多话不是跟老刚，而是要跟自己交谈……一个低沉的声音在心底问着："你如今老了吗？"自己回答道："觉得是老了。筋骨常常疼。""你最近想起了死吗？""不想死。不过要死也不怕。""你的小屋呢？""烧了。""烧了？！""……不，已经盖起来了。它盖了一辈子，前几天夜里又加了一页瓦……"

……他跟自己谈着话，终于感到了疲倦，带着欣慰的笑容睡去了。

七

这一觉睡得很长很长。待醒来时，他们就兴奋地踏着积雪去捉鱼了。

鱼捉到了。金豹做焖鱼的手艺是很绝的。……两人喝了那么多酒！他们好长时间没有这样兴奋过。铺子里面有些热，他们后来走到了铺子外边的雪地上。

一片洁白的原野上，已留下了道道脚印。海边上，海风旋起的高高的雪岭上，被赶海的人踏出了几条通路。雪粉上留下了辛苦的渔人的脚泥，掺进了沙土。阳光下，大雪已经开始融化了……金豹看着雪地说："多少人都驾船进海了。你看赶海人的胆子。我老想进海试试，我不比年轻人差，前几天，我还一口气跟他们干了两架。我一拳就打倒了小蜂，这个你记得。"

老刚庄严地点点头。他这会儿突然发现脚下融化的雪地上，正生出一株嫩嫩的芽儿，就惊奇地指给金豹看。金豹也看到了：一株小草，很绿很绿的……

命若琴弦

史铁生

史铁生,1951年生于北京市,1967年在清华大学附属中学初中毕业,1969年赴陕西延安插队,三年后21岁时因病双腿瘫痪转回北京,后到街道工厂当工人,1981年因病情加重停薪留职回家。1979年发表第一篇小说《法学教授及其夫人》,代表作有小说《我的遥远的清平湾》、长篇小说《务虚笔记》等。还有散文集《爱情问题》《学习对话》等。

莽莽苍苍的群山之中走着两个瞎子,一老一少,一前一后,两顶发了黑的草帽起伏蹿动,匆匆忙忙,像是随着一条不安静的河水在漂流。无所谓从哪儿来,也无所谓到哪儿去,每人带一把三弦琴,说书为生。

方圆几百上千里的这片大山中,峰峦叠嶂,沟壑纵横,人烟稀疏,走一天才能见一片开阔地,有几个村落。荒草丛中随时会飞起一对山鸡,跳出一只野兔、狐狸、或者其它小野兽。山谷中常有鹞鹰盘旋。

寂静的群山没有一点阴影,太阳正热得凶。

"把三弦子抓在手里,"老瞎子喊,在山间震起回声。

"抓在手里呢。"小瞎子回答。

"操心身上的汗把三弦子弄湿了。弄湿了晚上弹你的肋条?"

"抓在手里呢。"

老少二人都赤着上身,各自拎了一条木棍探路。缠在腰间的粗布小褂已经被汗水洇湿了一大片。蹚起来的黄土干得呛人。这正是说书的旺季。天长,村子里的人吃罢晚饭都不呆在家里;有的人晚饭也不在家里吃,捧上碗到路边去,或者到场院里。老瞎子想赶着多说书,整个热季领着小瞎子一个村子一个村子紧走,一晚上一晚上紧说。老瞎子一天比一天紧张,激动,心里算定:弹断一千根琴弦的日子就在这个夏天了,说不定就在前面的野羊坳。

暴躁了一整天的太阳这会儿正平静下来,光线开始变得深沉。

远远近近的蝉鸣也舒缓了许多。

"小子! 你不能走快点吗?"老瞎子在前面喊,不回头也不放慢脚步。

青少年文学读本

小瞎子紧跑几步,吊在屁股上的一只大挎包叮啷哐啷地响,离老瞎子仍有几丈远。

"野鸽子都往窝里飞啦。"

"什么?"小瞎子又紧走几步。

"我说野鸽子都回窝了,你还不快走!"

"噢。"

"你又鼓捣我那电匣子呢。"

"噫——! 鬼动来。"

"那耳机子快让你鼓捣坏了。"

"鬼动来!"

老瞎子暗笑:你小子才活了几天?"蚂蚁打架我也听得着,"老瞎子说。

小瞎子不争辩了,悄悄把耳机子塞到挎包里去,跟在师父身后闷闷地走路。无尽无休的无聊的路。

走了一阵子,小瞎子听见有只獾在地里啃庄稼,就使劲学狗叫,那只獾连滚带爬地逃走了,他觉得有点开心,轻声哼了几句小调儿,哥哥呀妹妹的。师父不让他养狗,怕受村子里的狗欺负,也怕欺负了别人家的狗,误了生意。又走了一会,小瞎子又听见不远处有条蛇在游动,弯腰摸了块石头砍过去,"哗啦啦"一阵高粱叶子响。老瞎子有点可怜他了,停下来等他。

"除了獾就是蛇,"小瞎子赶忙说,担心师父骂他。

"有了庄稼地了,不远了。"老瞎子把一个水壶递给徒弟。

"干咱们这营生的,一辈子就是走,"老瞎子又说。"累不?"

小瞎子不回答,知道师父最讨厌他说累。

"我师父才冤呢。就是你师爷,才冤呢,东奔西走一辈子,到了没弹够一千根琴弦。"

小瞎子听出师父这会儿心绪好,就问:"什么是绿色的长乙(椅)?"

"什么? 噢,八成是一把椅子吧。"

"曲折的油狼(游廊)呢?"

"油狼? 什么油狼?"

"曲折的油狼。"

"不知道。"

"匣子里说的。"

"你就爱瞎听那些玩艺儿。听那些玩艺儿有什么用? 天底下的好东西多啦,跟咱们有什么关系?"

"我就没听您说过,什么跟咱们有关系。"小瞎子把"有"字说得重。

"琴! 三弦子! 你爹让你跟了我来,是为让你弹好三弦子,学会说书。"

小瞎子故意把水喝得咕噜噜响。

再上路时小瞎子走在前头。

大山的阴影在沟谷里铺开来。地势也渐渐的平缓,开阔。

接近村子的时候,老瞎子喊住小瞎子,在背阴的山脚下找到一个小泉眼。细细的泉水从石缝里往外冒,淌下来,积成脸盆大的小洼,周围的野草长得茂盛,水流出去几十米便被干渴的土地吸干。

"过来洗洗吧,洗洗你那身臭汗味。"

小瞎子拨开野草在水洼边蹲下,心里还在猜想着"曲折的油狼"。

"把浑身都洗洗。你那样儿准像个小叫花子。"

"那您不就是个老叫花子了?"小瞎子把手按在水里,嘻嘻地笑。

老瞎子也笑,双手捧起水往脸上泼。"可咱们不是叫花子,咱们有手艺。"

"这地方咱们好像来过。"小瞎子侧耳听着四周的动静。

"可你的心思总不在学艺上。你这小子心太野。老人的话你从来不用耳朵听。"

"咱们准是来过这儿。"

"别打岔!你那三弦子弹得还差着远呢。咱这命就在这几根琴弦上,我师父当年就这么跟我说。"

泉水清凉凉的。小瞎子又哥哥呀妹妹的哼起来。

老瞎子挺来气:"我说什么你听见了吗?"

"咱这命就在这几根琴弦上,您师父我师爷说的。我都听过八百遍了。您师父还给您留下一张药方,您得弹断一千根琴弦才能去抓那付药,吃了药您就能看见东西了。我听您说过一千遍了。"

"你不信?"

小瞎子不正面回答,说:"干嘛非得弹断一千根琴弦才能去抓那付药呢?"

"那是药引子。机灵鬼儿,吃药得有药引子!"

"一千根断了的琴弦还不好弄?"小瞎子忍不住嗤嗤地笑。

"笑什么笑!你以为你懂得多少事?得真正是一根一根断了的才成。"

小瞎子不敢吱声了,听出师父又要动气。每回都是这样,师父容不得对这件事有怀疑。

老瞎子也没再作声，显得有些激动，双手搭在膝盖上，两颗骨头一样的眼珠对着苍天，像是一根一根地回忆着那些弹断的琴弦。盼了多少年了呀，老瞎子想，盼了五十年了！五十年中翻了多少架山，走了多少里路哇，挨了多少回晒，挨了多少回冻，心里受了多少委屈呀。

一晚上一晚上地弹，心里总记着，得真正是一根一根尽心尽力地弹断的才成。现在快盼到了，绝出不了这个夏天了。老瞎子知道自己又没什么能要命的病，活过这个夏天一点不成问题。"我比我师父可运气多了，"他说，"我师父到了没能睁开眼睛看一回。"

"咳！我知道这地方是哪儿了！"小瞎子忽然喊起来。

老瞎子这才动了动，抓起自己的琴来摇了摇，叠好的纸片碰在蛇皮上发出细微的响声，那张药方就在琴槽里。

"师父，这儿不是野羊岭吗？"小瞎子问。

老瞎子没搭理他，听出这小子又不安稳了。

"前头就是野羊坳，是不是，师父？"

"小子，过来给我擦擦背，"老瞎子说，把弓一样的脊背弯给他。

"是不是野羊坳，师父？"

"是！干什么？你别又闹猫似的。"

小瞎子的心扑通扑通跳，老老实实地给师父擦背。老瞎子觉出他擦得很有劲。

"野羊坳怎么了？你别又叫驴似的会闻味儿。"

小瞎子心虚，不吭声，不让自己显出兴奋。

"又想什么呢？别当我不知道你那点心思。"

"又怎么了，我？"

"怎么了你？上回你在这儿疯得不够？那妮子是什么好货！"老瞎子心想，也许不该再带他到野羊坳来。可是野羊坳是个大村子，年年在这儿生意都好，能说上半个多月。老瞎子恨不能立刻弹断最后几根琴弦。

小瞎子嘴上嘟嘟囔囔的,心却飘飘的,想着野羊坳里那个尖声细气的小妮子。

"听我一句话,不害你,"老瞎子说,"那号事靠不住。"

"什么事?"

"少跟我贫嘴。你明白我说的什么事。"

"我就没听您说过,什么事靠得住。"小瞎子又偷偷地笑。

老瞎子没理他,骨头一样的眼珠又对着苍天。那儿,太阳正变成一汪血。

两面脊背和山是一样的黄褐色。一座已经老了,嶙峋瘦骨像是山根下裸露的基石。另一座正年青。老瞎子七十岁,小瞎子才十七。

小瞎子十四岁上父亲把他送到老瞎子这儿来,为的是让他学说书,这辈子好有个本事;将来可以独自在世上活下去。

老瞎子说书已经说了五十多年。这一片偏僻荒凉的大山里的人们都知道他:头发一天天变白,背一天天变驼,年年月月背一把三弦琴满世界走,逢上有愿意出钱的地方就拨动琴弦唱一晚上,给寂寞的山村带来欢乐。开头常是这么几句:"自从盘古分天地,三皇五帝到如今,有道君王安天下,无道君王害黎民。轻轻弹响三弦琴,慢慢稍停把歌论,歌有三千七百本,不知哪本动人心。"于是听书的众人喊起来,老的要听董永卖身葬父,小的要听武二郎夜走蜈蚣岭,女人们想听秦香莲。这是老瞎子最知足的一刻,身上的疲劳和心里的孤寂全忘却,不慌不忙地喝几口水,待众人的吵嚷声鼎沸,便把琴弦一阵紧拨,唱道:"今日不把别人唱,单表公子小罗成。"或者:"茶也喝来烟也吸,唱一回哭倒长城的孟姜女。"满场立刻鸦雀无声,老瞎子也全心沉到自己所说的书中去。

他会的老书数不尽。他还有一个电匣子,据说是花了大价钱从一个山外人手里买来,为的是学些新词儿,编些新曲儿。其实山里人倒不太在乎他说什么唱什么。人人都称赞他那三弦子弹得讲究,轻轻漫漫的,飘飘洒洒的,疯颠狂放的,那里头有天上的日月,有地上的生灵。老瞎子的嗓子能学出世上所有的声音,男人、女人、刮风下雨，兽啼禽鸣。不知道他脑子里能呈现出什么景象，他一落生就瞎了眼睛，从没见过这个世界。

小瞎子可以算见过世界，但只有三年，那时还不懂事。他对说书和弹琴并无多少兴趣，父亲把他送来的时候费尽了唇舌，好说歹说连哄带骗，最后不如说是那个电匣子把他留住。他抱着电匣子听得入神，甚至没发觉父亲什么时候离去。

这只神奇的匣子永远令他着迷，遥远的地方和稀奇古怪的事物使他幻想不绝，凭着三年朦胧的记忆，补充着万物的色彩和形象，譬如海，匣子里说蓝天就像大海，他记得蓝天，于是想象出海；匣子里说海是无边无际的水，他记得锅里的水，于是想象出满天排开的水锅。

再譬如漂亮的姑娘，匣子里说就像盛开的花朵，他实在不相信会是那样，母亲的灵柩被抬到远山上去的时候，路上正开遍着野花，他永远记得却永远不愿意去想。但他愿意想姑娘，越来越愿意想；尤其是野羊坳的那个尖声细气的小妮子，总让他心里荡起波澜。直到有一回匣子里唱道，"姑娘的眼睛就像太阳"，这下他才找到了一个贴切的形象，想起母亲在红透的夕阳中向他走来的样子，其实人人都是根据自己的所知猜测着无穷的未知，以自己的感情勾画出世界。每个人的世界就都不同。

也总有一些东西小瞎子无从想象，譬如"曲折的油狼"。

这天晚上，小瞎子跟着师父在野羊坳说书，又听见那小妮子站在离他不远处尖声细气地说笑。书正说到紧要处——"罗成回马再交战，大胆苏烈又兴兵。苏烈大刀如流水，罗成长枪似腾云，好似海中龙吊宝，犹如深山虎争林。又战七日并七夜，罗成清茶无点唇……"老瞎子把琴弹得如雨骤风疾，字字句句唱得铿锵。小瞎子却心猿意马，手底下早乱了套数……

野羊岭上有一座小庙，离野羊坳村二里地，师徒二人就在这里住下。石头砌的院墙已经残断不全，几间小殿堂也歪斜欲倾百孔千疮，唯正中一间尚可遮蔽风雨，大约是因为这一间中毕竟还供奉着神灵。

三尊泥像早脱尽了尘世的彩饰，还一身黄土本色返朴归真了;认不出是佛是道。院里院外、房顶墙头都长满荒藤野草，蓊蓊郁郁倒有生气。

　　老瞎子每回到野羊坳说书都住这儿，不出房钱又不惹是非。小瞎子是第二次住在这儿。

　　散了书已经不早，老瞎子在正殿里安顿行李，小瞎子在侧殿的檐下生火烧水。去年砌下的灶稍加修整就可以用。小瞎子蹶着屁股吹火，柴草不干，呛得他满院里转着圈咳嗽。

　　老瞎子在正殿里数叨他："我看你能干好什么。"

　　"柴湿嘛。"

　　"我没说这事。我说的是你的琴，今儿晚上的琴你弹成了什么。"

　　小瞎子不敢接这话茬，吸足了几口气又跪到灶火前去，鼓着腮帮子一通猛吹。"你要是不想干这行，就趁早给你爹捎信把你领回去。老这么闹猫闹狗的可不行，要闹回家闹去。"

　　小瞎子咳嗽着从灶火边跳开，几步蹿到院子另一头，呼噜呼噜大喘气，嘴里一边骂。

　　"说什么呢?"

　　"我骂这火。"

　　"有你那么吹火的?"

　　"那怎么吹?"

　　"怎么吹? 哼，"老瞎子顿了顿，又说:"你就当这灶火是那妮子的脸!"

　　小瞎子又不敢搭腔了，跪到灶火前去再吹，心想:真的，不知道兰秀儿的脸什么样。那个尖声细气的小妮子叫兰秀儿。

　　"那要是妮子的脸，我看你不用教也会吹。"老瞎子说。

　　小瞎子笑起来，越笑越咳嗽。

　　"笑什么笑!"

　　"您吹过妮子脸?"

　　老瞎子一时语塞。小瞎子笑得坐在地上。"日他妈。"老瞎子骂道,笑笑,然后变了脸色,再不言语。

灶膛里腾的一声,火旺起来。小瞎子再去添柴,一心想着兰秀儿。

才散了书的那会儿,兰秀儿挤到他跟前来小声说:"哎,上回你答应我什么来?"师父就在旁边,他没敢吭声。人群挤来挤去,一会儿又把兰秀儿挤到他身边。"噫,上回吃了人家的煮鸡蛋倒白吃了?"兰秀儿说,声音比上回大。这时候师父正忙着跟几个老汉拉话,他赶紧说:"嘘——,我记着呢。"兰秀儿又把声音压低:"你答应给我听电匣子你还没给我听。""嘘——,我记着呢。"幸亏那会儿人声嘈杂。

正殿里好半天没有动静。之后,琴声响了,老瞎子又上好了一根新弦。他本来应该高兴的,来野羊坳头一晚上就又弹断了一根琴弦。

可是那琴声却低沉、零乱。

小瞎子渐渐听出琴声不对,在院里喊:"水开了,师父。"

没有回答。琴声一阵紧似一阵了。

小瞎子端了一盆热水进来,放在师父跟前,故意嘻嘻笑着说:"您今儿晚还想弹断一根是怎么着?"

老瞎子没听见,这会儿他自己的往事都在心中,琴声烦躁不安,像是年年旷野里的风雨,像是日夜山谷中的流溪,像是奔奔忙忙不知所归的脚步声。小瞎子有点害怕了:师父很久不这样了,师父一这样就要犯病,头疼、心口疼、浑身疼,会几个月爬不起炕来。

"师父,您先洗脚吧。"

琴声不停。

"师父,您该洗脚了。"小瞎子的声音发抖。

琴声不停。

"师父!"

琴声嘎然而止,老瞎子叹了口气。小瞎子松了口气。

老瞎子洗脚,小瞎子乖乖地坐在他身边。

"睡去吧,"老瞎子说,"今儿格够累的了。"

"您呢?"

"你先睡,我得好好泡泡脚。人上了岁数毛病多。"老瞎子故意说得轻松。

"我等您一块儿睡。"

山深夜静。有了一点风,墙头的草叶子响。夜猫子在远处哀哀地叫。听得见野羊场里偶尔有几声狗吠,又引得孩子哭。月亮升起来,白光透过残损的窗棂进了殿堂,照见两个瞎子和三尊神像。

"等我干嘛,时候不早了。"

"你甭担心我,我怎么也不怎么。"老瞎子又说。

"听见没有,小子?"

小瞎子到底年轻,已经睡着。老瞎子推推他让他躺好,他嘴里咕囔了几句倒头睡去。老瞎子给他盖被时,从那身日渐发育的筋肉上觉出,这孩子到了要想那些事的年龄,非得有一段苦日子过不可了。唉,这事谁也替不了谁。

老瞎子再把琴抱在怀里,摩挲着根根绷紧的琴弦,心里使劲念叨:又断了一根了,又断了一根了。再摇摇琴槽、有轻微的纸和蛇皮的磨擦声。唯独这事能为他排忧解烦。一辈子的愿望。

小瞎子作了一个好梦,醒来吓了一跳,鸡已经叫了。他一骨碌爬起来听听,师父正睡得香,心说还好。他摸到那个大挎包,悄悄地掏出电匣子,蹑手蹑脚出了门。

往野羊坳方向走了一会儿,他才觉出不对头,鸡叫声渐渐停歇,野羊坳里还是静静的没有人声。他愣了一会儿,鸡才叫头遍吗?灵机一动扭开电匣子。电匣子里也是静悄悄。现在是半夜。他半夜里听过匣子,什么都没有。这匣子对他来说还是个表,只要扭开一听,便知道是几点钟,什么时候有什么节目都是一定的。

小瞎子回到庙里,老瞎子正翻身。

"干嘛哪?"

"撒尿去了。"小瞎子说。

一上午,师父逼着他练琴。直到晌午饭后,小瞎子才瞅机会溜出庙来,溜进野羊坳。鸡也在树荫下打盹,猪也在墙根下说着梦话,太阳又热得凶,村子里很安静。

小瞎子踩着磨盘,扒着兰秀儿家的墙头轻声喊:"兰秀儿——兰秀儿——"

屋里传出雷似的鼾声。

他犹豫了片刻,把声音稍稍抬高:"兰秀儿——! 兰秀儿——!"

狗叫起来。屋里的鼾声停了,一个闷声闷气的声音问:"谁呀?"

小瞎子不敢回答,把脑袋从墙头上缩下来。

屋里吧唧了一阵嘴,又响起鼾声。

他叹口气,从磨盘上下来,快快地往回走。忽听见身后嘎吱一声院门响,随即一阵细碎的脚步声向他跑来。

"猜是谁?"尖声细气。小瞎子的眼睛被一双柔软的小手捂上了。

——这才多余呢。兰秀儿不到十五岁,认真说还是个孩子。

"兰秀儿!"

"电匣子拿来没?"

小瞎子掀开衣襟,匣子挂在腰上。"嘘——,别在这儿,找个没人的地方听去。"

"咋啦?"

"回头招好些人。"

"咋啦?"

"那么多人听,费电。"

两个人东拐西弯,来到山背后那眼小泉边。小瞎子忽然想起件事,问兰秀儿:"你见过曲折的油狼吗?"

"啥?"

"曲折的油狼。"

"曲折的油狼?"

"知道吗?"

"你知道?"

"当然。还有绿色的长椅。就是一把椅子。"

"椅子谁不知道。"

"那曲折的油狼呢?"

兰秀儿摇摇头,有点崇拜小瞎子了。小瞎子这才郑重其事地扭开电匣子,一支欢快的乐曲在山沟里飘荡。

这地方又凉快又没有人来打扰。

"这是'步步高'。"小瞎子说,跟着哼。

一会儿又换了支曲子,叫"旱天雷",小瞎子还能跟着哼。兰秀儿觉得很惭愧。

"这曲子也叫'和尚思妻'。"

兰秀儿笑起来:"瞎骗人!"

"你不信?"

"不信。"

青少年文学读本

"爱信不信。这匣子里说的古怪事多啦。"小瞎子玩着凉凉的泉水,想了一会儿。"你知道什么叫接吻吗?"

"你说什么叫?"

这回轮到小瞎子笑,光笑不答。兰秀儿明白准不是好话,红着脸不再问。

音乐播完了,一个女人说,"现在是讲卫生节目。"

"啥?"兰秀儿没听清。

"讲卫生。"

"是什么?"

"嗯——,你头发上有虱子吗?"

"去——,别动!"

小瞎子赶忙缩回手来,赶忙解释:"要有就是不讲卫生。"

"我才没有。"兰秀儿抓抓头,觉得有些刺痒。"噫——,瞧你自个儿吧!"兰秀儿一把搬过小瞎子的头。"看我捉几个大的。"

这时候听见老瞎子在半山上喊："小子，还不给我回来！该做饭了，吃罢饭还得去说书！"他已经站在那儿听了好一会儿了。

野羊坳里已经昏暗，羊叫、驴叫、狗叫、孩子们叫，处处起了炊烟。野羊岭上还有一线残阳，小庙正在那淡薄的光中，没有声响。

小瞎子又蹶着屁股烧火。老瞎子坐在一旁淘米，凭着听觉他能把米中的砂子捡出来。

"今天的柴挺干。"小瞎子说。

"嗯。"

"还是焖饭？"

"嗯。"

小瞎子这会儿精神百倍，很想找些话说，但是知道师父的气还没消，心说还是少找骂。

两个人默默地干着自己的事，又默默地一块儿把饭做熟。岭上也没了阳光。

小瞎子盛了一碗小米饭，先给师父："您吃吧。"声音怯怯的，无比驯顺。

老瞎子终于开了腔："小子，你听我一句行不？"

"嗯。"小瞎子往嘴里扒拉饭，回答得含糊。

"你要是不愿意听，我就不说。"

"谁说不愿意听了？我说'嗯'！"

"我是过来人，总比你知道的多。"

小瞎子闷头扒拉饭。

"我经过那号事。"

"什么事？"

"又跟我贫嘴！"老瞎子把筷子往灶台上一摔。

"兰秀儿光是想听听电匣子。我们光是一块儿听电匣子来。"

"还有呢？"

"没有了。"

"没有了？"

"我还问她见没见过曲折的油狼。"

"我没问你这个!"

"后来,后来,"小瞎子不那么气壮了。"不知怎么一下就说起了虱子……"

"还有呢?"

"没了。真没了!"

两个人又默默地吃饭。老瞎子带了这徒弟好几年,知道这孩子不会撒谎,这孩子最让人放心的地方就是诚实,厚道。

"听我一句话,保准对你没坏处。以后离那妮子远点儿。"

"兰秀儿人不坏。"

"我知道她不坏,可你离她远点儿好。早年你师爷这么跟我说,我也不信……"

"师爷?说兰秀儿?"

"什么兰秀儿,那会儿还没她呢。那会儿还没有你们呢……"

老瞎子阴郁的脸又转向暮色浓重的天际,骨头一样白色的眼珠不住地转动,不知道在那儿他能"看"见什么。

许久,小瞎子说:"今儿晚上您多半又能弹断一根琴弦。"想让师父高兴些。

青少年文学读本

这天晚上师徒俩又在野羊坳说书。"上回唱到罗成死,三魂七魄赴幽冥,听歌君子莫喧嚷,列位听我道下文。罗成阴魂出地府,一阵旋风就起身,旋风一阵来得快,长安不远面前存……"老瞎子的琴声也乱,小瞎子的琴声也乱。小瞎子回忆着那双柔软的小手捂在自己脸上的感觉,还有自己的头被兰秀儿搬过去时的滋味。

老瞎子想起的事情更多……

夜里老瞎子翻来覆去睡不安稳,多少往事在他耳边喧嚣,在他心头动荡,身体里仿佛有什么东西要爆炸。坏了,要犯病,他想。头昏、胸口憋闷,浑身紧巴巴的难受。他坐起来,对自己叨咕:"可别犯病,一犯病今年就甭想弹够那些琴弦了。"他又摸到琴。要能叮叮当当随心所欲地疯弹一阵,心头的忧伤或许就能平息,耳边的往事或许就会消散。可是小瞎子正睡得香甜。

他只好再全力去想那张药方和琴弦：还剩下几根，还只剩最后几根了。那时就可以去抓药了，然后就能看见这个世界——他无数次爬过的山，无数次走过的路，无数次感到过的温暖和炽热的太阳，无数次梦想着的蓝天、月亮和星星……还有呢？突然间心里一阵空，空得深重。就只为了这些？还有什么？他朦胧中所盼望的东西似乎比这要多得多……

夜风在山里游荡。

猫头鹰又在凄哀地叫。

不过现在他老了，无论如何没几年活头了，失去的已经永远失去了，他像是刚刚意识到这一点。七十年中所受的全部辛苦就为了最后能看一眼世界，这值得吗？他问自己。

小瞎子在梦里笑，在梦里说："那是一把椅子，兰秀儿……"

老瞎子静静地坐着。静静地坐着的还有那三尊分不清是佛是道的泥像。

鸡叫头遍的时候老瞎子决定，天一亮就带这孩子离开野羊坳。

否则这孩子受不了，他自己也受不了。兰秀儿人不坏，可这事会怎么结局，老瞎子比谁都"看"得清楚。鸡叫二遍，老瞎子开始收拾行李。

可是一早起来小瞎子病了，肚子疼，随即又发烧。老瞎子只好把行期推迟。

一连好几天，老瞎子无论是烧火、淘米、捡柴，还是给小瞎子挖药、煎药，心里总在说："值得，当然值得。"要是不这么反反复复对自己说，身上的力气似乎就全要垮掉。"我非要最后看一眼不可。"

"要不怎么着？就这么死了去？""再说就只剩下最后几根了。"后面三句都是理由。老瞎子又冷静下来，天天晚上还到野羊坳去说书。

这一下小瞎子倒来了福气。每天晚上师父到岭下去了，兰秀儿就猫似的轻轻跳进庙里来听匣子。兰秀儿还带来熟的鸡蛋，条件是得让她亲手去扭那匣子的开关。"往哪边扭?""往右。""扭不动。"

"往右,笨货,不知道哪边是右哇?""咔哒"一下,无论是什么便响起来,无论是什么俩人都爱听。

又过了几天,老瞎子又弹断了三根琴弦。

这一晚,老瞎子在野羊坳里自弹自唱:"不表罗成投胎事,又唱秦王李世民。秦王一听双泪流,可怜爱卿丧残身,你死一身不打紧,缺少扶朝上将军……"

野羊岭上的小庙里这时更热闹。电匣子的音量开得挺大,又是孩子哭,又是大人喊,轰隆隆地又响炮,嘀嘀哒哒地又吹号。月光照进正殿,小瞎子躺着啃鸡蛋,兰秀儿坐在他旁边。两个人都听得兴奋,时而大笑,时而稀里糊涂莫名其妙。

"这匣子你师父哪买来?"

"从一个山外头的人手里。"

"你们到山外头去过?"兰秀儿问。

"没。我早晚要去一回就是,坐坐火车。"

"火车?"

"火车你也不知道? 笨货。"

"噢,知道知道,冒烟哩是不是?"

过了一会儿兰秀儿又说:"保不准我就得到山外头去。"语调有些恓惶。

"是吗?"小瞎子一挺坐起来:"那你到底瞧瞧曲折的油狼是什么。"

"你说是不是山外头的人都有电匣子?"

"谁知道。我说你听清楚没有? 曲、折、的、油、狼,这东西就在山外头。"

"那我得跟他们要一个电匣子。"兰秀儿自言自语地想心事。

"要一个?"小瞎子笑了两声,然后屏住气,然后大笑:"你干嘛不要俩? 你可真本事大。你知道这匣子几千块钱一个? 把你卖了吧,怕也换不来。"

兰秀儿心里正委屈，一把揪住小瞎子的耳朵使劲拧，骂道："好你个死瞎子。"

两个人在殿堂里扭打起来。三尊泥像袖手旁观帮不上忙。两个年青的正在发育的身体碰撞在一起，纠缠在一起，一个把一个压在身下，一会儿又颠倒过来，骂声变成笑声。匣子在一边唱。

打了好一阵子，两个人都累得住了手，心怦怦跳，面对面躺着喘气，不言声儿，谁却也不愿意再拉开距离。

兰秀儿呼出的气吹在小瞎子脸上，小瞎子感到了诱惑，并且想起那天吹火时师父说的话，就往兰秀儿脸上吹气。兰秀儿并不躲。

"嘿，"小瞎子小声说："你知道接吻是什么了吗？"

"是什么？"兰秀儿的声音也小。

小瞎子对着兰秀儿的耳朵告诉她。兰秀儿不说话。老瞎子回来之前，他们试着亲了嘴儿，滋味真不坏……

就是这天晚上，老瞎子弹断了最后两根琴弦。两根弦一齐断了。

他没料到。他几乎是连跑带爬地上了野羊岭，回到小庙里。

小瞎子吓了一跳："怎么了，师父？"

老瞎子喘吁吁地坐在那儿，说不出话。

小瞎子有些犯嘀咕：莫非是他和兰秀儿干的事让师父知道了？

老瞎子这才相信：一切都是值得的。一辈子的辛苦都是值得的。

能看一回，好好看一回，怎么都是值得的。

"小子，明天我就去抓药。"

"明天？"

"明天。"

"又断了一根了？"

"两根。两根都断了。"

老瞎子把那两根弦卸下来，放在手里揉搓了一会儿，然后把它们并到另外的九百九十八根中去，绑成一捆。

"明天就走？"

"天一亮就动身。"

小瞎子心里一阵发凉。老瞎子开始剥琴槽上的蛇皮。

"可我的病还没好利索，"小瞎子小声叨咕。

"噢，我想过了，你就先留在这儿，我用不了十天就回来。"

小瞎子喜出望外。

"你一个人行不？"

"行！"小瞎子紧忙说。

老瞎子早忘了兰秀儿的事。"吃的、喝的、烧的全有。你要是病好利索了，也该学着自个儿去说回书。行吗？"

"行。"小瞎子觉得有点对不住师父。

蛇皮剥开了，老瞎子从琴槽中取出一张叠得方方正正的纸条。

他想起这药方放进琴槽时，自己才二十岁，便觉得浑身上下都好像冷。

小瞎子也把那药方放在手里摸了一会儿，也有了几分肃穆。

"你师爷一辈子才冤呢。"

"他弹断了多少根？"

"他本来能弹够一千根，可他记成了八百。要不然他能弹断一千根。"

天不亮老瞎子就上路了。他说最多十天就回来，谁也没想到他竟去了那么久。

老瞎子回到野羊坳时已经是冬天。

漫天大雪，灰暗的天空连接着白色的群山。没有声息，处处也没有生气，空旷而沉寂。所以老瞎子那顶发了黑的草帽就尤其蹿动得显著。他蹒蹒跚跚地爬上野羊岭。庙院中衰草瑟瑟，蹿出一只狐狸，仓惶逃远。

村里人告诉他，小瞎子已经走了些日子。

"我告诉他我回来。"

"不知道他干嘛就走了。"

"他没说去哪儿？留下什么话没？"

"他说让您甭找他。"

"什么时候走的？"

我 与 地 坛

史铁生

一

我在好几篇小说中都提到过一座废弃的古园,实际就是地坛。

许多年前旅游业还没有开展,园子荒芜冷落得如同一片野地,很少被人记起。

地坛离我家很近。或者说我家离地坛很近。总之,只好认为这是缘分。地坛在我出生前四百多年就座落在那儿了,而自从我的祖母年轻时带着我父亲来到北京,就一直住在离它不远的地方——五十多年间搬过几次家,可搬来搬去总是在它周围,而且是越搬离它越近了。我常觉得这中间有着宿命的味道:仿佛这古园就是为了等我,而历尽沧桑在那儿等待了四百多年。

它等待我出生,然后又等待我活到最狂妄的年龄上忽地残废了双腿。四百多年里,它一面剥蚀了古殿檐头浮夸的琉璃,淡褪了门壁上炫耀的朱红,坍圮了一段段高墙又散落了玉砌雕栏,祭坛四周的老柏树愈见苍幽,到处的野草荒藤也都茂盛得自在坦荡。

这时候想必我是该来了。十五年前的一个下午,我摇着轮椅进入园中，它为一个失魂落魄的人把一切都准备好了。那时，太阳循着亘古不变的路途正越来越大，也越红。在满园弥漫的沉静光芒中，一个人更容易看到时间，并看见自己的身影。

自从那个下午我无意中进了这园子，就再没长久地离开过它。

我一下子就理解了它的意图。正如我在一篇小说中所说的："在人口密聚的城市里，有这样一个宁静的去处，像是上帝的苦心安排。"

两条腿残废后的最初几年，我找不到工作，找不到去路，忽然间几乎什么都找不到了，我就摇了轮椅总是到它那儿去，仅为着那儿是可以逃避一个世界的另一个世界。我在那篇小说中写道："没处可去我便一天到晚耗在这园子里。跟上班下班一样，别人去上班我就摇了轮椅到这儿来。园子无人看管，上下班时间有些抄近路的人们从园中穿过，园子里活跃一阵，过后便沉寂下来。"

"园墙在金晃晃的空气中斜切下一溜荫凉，我把轮椅开进去，把椅背放倒，坐着或是躺着，看书或者想事，撅一杈树枝左右拍打，驱赶那些和我一样不明白为什么要来这世上的小昆虫。""蜂儿如一朵小雾稳稳地停在半空；蚂蚁摇头晃脑捋着触须，猛然间想透了什么，转身疾行而去；瓢虫爬得不耐烦了，累了祈祷一回便支开翅膀，忽悠一下升空了；树干上留着一只蝉蜕，寂寞如一间空屋；露水在草叶上滚动，聚集，压弯了草叶轰然坠地摔开万道金光。"

"满园子都是草木竞相生长弄出的响动，悉悉碎碎片刻不息。"这都是真实的记录，园子荒芜但并不衰败。

除去几座殿堂我无法进去，除去那座祭坛我不能上去而只能从各个角度张望它，地坛的每一棵树下我都去过，差不多它的每一米草地上都有过我的车轮印。无论是什么季节，什么天气，什么时间，我都在这园子里呆过。有时候呆一会儿就回家，有时候就呆到满地上都亮起月光。记不清都是在它的哪些角落里了。我一连几小时专心致志地想关于死的事，也以同样的耐心和方式想过我为什么要出生。这样想了好几年，最后事情终于弄明白了：一个人，出生了，这就不再是一个可以辩论的问题，而只是上帝交给他的一个事实；上帝在交给我们这件事实的时候，已经顺便保证了它的结果，所以死是一件不必急于求成的事，死是一个必然会降临的节日。这样想过之后我安心多了，眼前的一切不再那么可怕。比如你起早熬夜准备考试的时候，忽然想起有一个长长的假期在前面等待你，你会不会觉得轻松一点？并且庆幸并且感激这样的安排？剩下的就是怎样活的问题了，这却不是在某一个瞬间就能完全想透的、不是一次性能够解决的事，怕是活多久就要想它多久了，就像是伴你终生的魔鬼或恋人。所以，十五年了，我还是总得到那古园里去，去它的老树下或荒草边或颓墙旁，去默坐，去呆想，去推开耳边的嘈杂理一理纷乱的思绪，去窥看自己的心魂。

十五年中，这古园的形体被不能理解它的人肆意雕琢，幸好有些东西是任谁也不能改变它的。譬如祭坛石门中的落日，寂静的光辉平铺的一刻，地上的每一个坎坷都被映照得灿烂；譬如在园中最为落寞的时间，一群雨燕便出来高歌，把天地都叫喊得苍凉；譬如冬天雪地上孩子的脚印，总让人猜想他们是谁，曾在哪儿做过些什么、然后又都到哪儿去了；譬如那些苍黑的古柏，你忧郁的时候它们镇静地站在那儿，你欣喜的时候它们依然镇静地站在那儿，它们没日没夜地站在那儿从你没有出生一直站到这个世界上又没了你的时候；譬如暴雨骤临园中，激起一阵阵灼烈而清纯的草木和泥土的气味，让人想起无数个夏天的事件；譬如秋风忽至，再有——一场早霜，落叶或飘摇歌舞或坦然安卧，满园中播散着熨贴而微苦的味道。味道是最说不清楚的。味道不能写只能闻，要你身临其境去闻才能明了。味道甚至是难于记忆的，只有你又闻到它你才能记起它的全部情感和意蕴。所以我常常要到那园子里去。

二

　　现在我才想到，当年我总是独自跑到地坛去，曾经给母亲出了一个怎样的难题。

　　她不是那种光会疼爱儿子而不懂得理解儿子的母亲。她知道我心里的苦闷，知道不该阻止我出去走走，知道我要是老呆在家里结果会更糟，但她又担心我一个人在那荒僻的园子里整天都想些什么。我那时脾气坏到极点，经常是发了疯一样地离开家，从那园子里回来又中了魔似的什么话都不说。母亲知道有些事不宜问，便犹犹豫豫地想问而终于不敢问，因为她自己心里也没有答案。她料想我不会愿意她跟我一同去，所以她从未这样要求过，她知道得给我一点独处的时间，得有这样一段过程。她只是不知道这过程得要多久，和这过程的尽头究竟是什么。每次我要动身时，她便无言地帮我准备，帮助我上了轮椅车，看着我摇车拐出小院；这以后她会怎样，当年我不曾想过。

　　有一回我摇车出了小院；想起一件什么事又返身回来，看见母亲仍站在原地，还是送我走时的姿势，望着我拐出小院去的那处墙角，对我的回来竟一时没有反应。待她再次送我出门的时候，她说："出去活动活动，去地坛看看书，我说这挺好。"许多年以后我才渐渐听出，母亲这话实际上是自我安慰，是暗自的祷告，是给我的提示，是恳求与嘱咐。只是在她猝然去世之后，我才有余暇设想。当我不在家里的那些漫长的时间，她是怎样心神不定坐卧难宁，兼着痛苦与惊恐与一个母亲最低限度的祈求。现在我可以断定，以她的聪慧和坚忍，在那些空落的白天后的黑夜，在那不眠的黑夜后的白天，她思来想去最后准是对自己说："反正我不能不让他出去，未来的日子是他自己的，如果他真的要在那园子里出了什么事，这苦难也只好我来承担。"在那段日子里——那是好几年长的一段日子，我想我一定使母亲作过了最坏的准备了，但她从来没有对我说过："你为我想想"。事实上我也真的没为她想过。那时她的儿子，还太年轻，还来不及为母亲想，他被命运击昏了头，一心以为自己是世上最不幸的一个，不知道儿子的不幸在母亲那儿总是要加倍的。她有一个长到二十岁上忽然截瘫了的儿子，这是她唯一的儿子；她情愿截瘫的是自己而不是儿子，可这事无法代替；她想，只要儿子能活下去哪怕自己去死呢也行，可她又确信一个人不能仅仅是活着，儿子得有一条路走向自己的幸福；而这条路呢，没有谁能保证她的儿子终于能找到。——这样一个母亲，注定是活得最苦的母亲。

有一次与一个作家朋友聊天，我问他学写作的最初动机是什么？他想了一会说："为我母亲。为了让她骄傲。"我心里一惊，良久无言。回想自己最初写小说的动机，虽不似这位朋友的那般单纯，但如他一样的愿望我也有，且一经细想，发现这愿望也在全部动机中占了很大比重。这位朋友说："我的动机太低俗了吧？"我光是摇头，心想低俗并不见得低俗，只怕是这愿望过于天真了。他又说："我那时真就是想出名，出了名让别人羡慕我母亲。"我想，他比我坦率。我想，他又比我幸福，因为他的母亲还活着。而且我想，他的母亲也比我的母亲运气好，他的母亲没有一个双腿残废的儿子，否则事情就不这么简单。

在我的头一篇小说发表的时候，在我的小说第一次获奖的那些日子里，我真是多么希望我的母亲还活着。我便又不能在家里呆了，又整天整天独自跑到地坛去，心里是没头没尾的沉郁和哀怨，走遍整个园子却怎么也想不通：母亲为什么就不能再多活两年？为什么在她儿子就快要碰撞开一条路的时候，她却忽然熬不住了？莫非她来此世上只是为了替儿子担忧，却不该分享我的一点点快乐？她匆匆离我去时才只有四十九呀！有那么一会，我甚至对世界对上帝充满了仇恨和厌恶。后来我在一篇题为"合欢树"的文章中写道："我坐在小公园安静的树林里，闭上眼睛，想，上帝为什么早早地召母亲回去呢？很久很久，迷迷糊糊的我听见了回答：'她心里太苦了，上帝看她受不住了，就召她回去。'我似乎得了一点安慰，睁开眼睛，看见风正从树林里穿过。"小公园，指的也是地坛。

只是到了这时候，纷纭的往事才在我眼前幻现得清晰，母亲的苦难与伟大才在我心中渗透得深彻。上帝的考虑，也许是对的。

摇着轮椅在园中慢慢走，又是雾罩的清晨，又是骄阳高悬的白昼，我只想着一件事：母亲已经不在了。在老柏树旁停下，在草地上在颓墙边停下，又是处处虫鸣的午后，又是鸟儿归巢的傍晚，我心里只默念着一句话：可是母亲已经不在了。把椅背放倒，躺下，似睡非睡挨到日没，坐起来，心神恍惚，呆呆地直坐到古祭坛上落满黑暗然后再渐渐浮起月光，心里才有点明白，母亲不能再来这园中找我了。

曾有过好多回，我在这园子里呆得太久了，母亲就来找我。她来找我又不想让我发觉，只要见我还好好地在这园子里，她就悄悄转身回去，我看见过几次她的背影。我也看见过几回她四处张望的情景，她视力不好，端着眼镜像在寻找海上的一条船，她没看见我时我已经看见她了，待我看见她也看见我了我就不去看她，过一会我再抬头看她就又看见她缓缓离去的背影。我单是无法知道有多少回她没有找到我。有一回我坐在矮树丛中，树丛很密，我看见她没有找到我；她一个人在园子里走，走过我的身旁，走过我经常呆的一些地方，步履茫然又急迫。我不知道她已经找了多久还要找多久，我不知道为什么我决意不喊她——但这绝不是小时候的捉迷藏，这也许是出于长大了的男孩子的倔强或羞涩？但这倔强只留给我痛悔，丝毫也没有骄傲。我真想告诫所有长大了的男孩子，千万不要跟母亲来这套倔强，羞涩就更不必，我已经懂了可我已经来不及了。

儿子想使母亲骄傲，这心情毕竟是太真实了，以致使"想出名"这一声名狼藉的念头也多少改变了一点形象。这是个复杂的问题，且不去管它了罢。随着小说获奖的激动逐日暗淡，我开始相信，至少有一点我是想错了：我用纸笔在报刊上碰撞开的一条路，并不就是母亲盼望我找到的那条路。年年月月我都到这园子里来,年年月月我都要想,母亲盼望我找到的那条路到底是什么。

母亲生前没给我留下过什么隽永的哲言,或要我恪守的教诲,只是在她去世之后,她艰难的命运,坚忍的意志和毫不张扬的爱,随光阴流转,在我的印象中愈加鲜明深刻。

有一年,十月的风又翻动起安详的落叶,我在园中读书,听见两个散步的老人说:"没想到这园子有这么大。"我放下书,想,这么大一座园子,要在其中找到她的儿子,母亲走过了多少焦灼的路。多年来我头一次意识到,这园中不单是处处都有过我的车辙,有过我的车辙的地方也都有过母亲的脚印。

三

如果以一天中的时间来对应四季,当然春天是早晨,夏天是中午,秋天是黄昏,冬天是夜晚。如果以乐器来对应四季,我想春天应该是小号,夏天是定音鼓,秋天是大提琴,冬天是圆号和长笛。要是以这园子里的声响来对应四季呢? 那么,春天是祭坛上空漂浮着的鸽子的哨音,夏天是冗长的蝉歌和杨树叶子哗啦啦地对蝉歌的取笑,秋天是古殿檐头的风铃响,冬天是啄木鸟随意而空旷的啄木声。以园中的景物对应四季,春天是一径时而苍白时而黑润的小路,时而明朗时而阴晦的天上摇荡着串串杨花;夏天是一条条耀眼而灼人的石凳,或阴凉而爬满了青苔的石阶,阶下有果皮,阶上有半张被坐皱的报纸;秋天是一座青铜的大钟,在园子的西北角上曾丢弃着一座很大的铜钟,铜钟与这园子一般年纪,浑身挂满绿锈,文字已不清晰;冬天,是林中空地上几只羽毛蓬松的老麻雀。以心绪对应四季呢? 春天是卧病的季节,否则人们不易发觉春天的残忍与渴望;夏天,情人们应该在这个季节里失恋,不然就似乎对不起爱情;秋天是从外面买一棵盆花回家的时候,把花搁在阔别了的家中,并且打开窗户把阳光也放进屋里,慢慢回忆慢慢整理一些发过霉的东西;冬天伴着火炉和书,一遍遍坚定不死的决心,写一些并不发出的信。还可以用艺术形式对应四季,这样春天就是一幅画,夏天是一部长篇小说,秋天是一首短歌或诗,冬天是一群雕塑。以梦呢?以梦对应四季呢?春天是树尖上的呼喊,夏天是呼喊中的细雨,秋天是细雨中的土地,冬天是干净的土地上的一只孤零的烟斗。

因为这园子,我常感恩于自己的命运。

我甚至现在就能清楚地看见,一旦有一天我不得不长久地离开它,我会怎样想念它,我会怎样想念它并且梦见它,我会怎样因为不敢想念它而梦也梦不到它。

四

现在让我想想,十五年中坚持到这园子来的人都是谁呢?好像只剩了我和一对老人。

十五年前,这对老人还只能算是中年夫妇,我则货真价实还是个青年。他们总是在薄暮时分来园中散步,我不大弄得清他们是从哪边的园门进来,一般来说他们是逆时针绕这园子走。男人个子很高,肩宽腿长,走起路来目不斜视,胯以上直至脖颈挺直不动;他的妻子攀了他一条胳膊走,也不能使他的上身稍有松懈。

女人个子却矮,也不算漂亮,我无端地相信她必出身于家道中衰的名门富族;她攀在丈夫胳膊上像个娇弱的孩子,她向四周观望似总含着恐惧,她轻声与丈夫谈话,见有人走近就立刻怯怯地收住话头。我有时因为他们而想起冉阿让与柯赛特,但这想法并不巩固,他们一望即知是老夫老妻。两个人的穿着都算得上考究,但由于时代的演进,他们的服饰又可以称为古朴了。他们和我一样,到这园子里来几乎是风雨无阻,不过他们比我守时。我什么时间都可能来,他们则一定是在暮色初临的时候。刮风时他们穿了米色风衣,下雨时他们打了黑色的雨伞,夏天他们的衬衫是白色的裤子是黑色的或米色的,冬天他们的呢子大衣又都是黑色的,想必他们只喜欢这三种颜色。他们逆时针绕这园子一周,然后离去。

他们走过我身旁时只有男人的脚步响，女人像是贴在高大的丈夫身上跟着漂移。我相信他们一定对我有印象，但是我们没有说过话，我们互相都没有想要接近的表示。十五年中，他们或许注意到一个小伙子进入了中年，我则看着一对令人羡慕的中年情侣不觉中成了两个老人。

曾有过一个热爱唱歌的小伙子，他也是每天都到这园中来，来唱歌，唱了好多年，后来不见了。他的年纪与我相仿，他多半是早晨来，唱半小时或整整唱一个上午，估计在另外的时间里他还得上班。我们经常在祭坛东侧的小路上相遇，我知道他是到东南角的高墙下去唱歌，他一定猜想我去东北角的树林里做什么。我找到我的地方，抽几口烟，便听见他谨慎地整理歌喉了。他反反复复唱那么几首歌。文化革命没过去的时侯，他唱"蓝蓝的天上白云飘，白云下面马儿跑……"我老也记不住这歌的名字。文革后，他唱《货郎与小姐》中那首最为流传的咏叹调。"卖布——卖布嘞，卖布——卖布嘞！"我记得这开头的一句他唱得很有声势，在早晨清澈的空气中，货郎跑遍园中的每一个角落去恭维小姐。

"我交了好运气，我交了好运气，我为幸福唱歌曲……"然后他就一遍一遍地唱，不让货郎的激情稍减。依我听来，他的技术不算精到，在关键的地方常出差错，但他的嗓子是相当不坏的，而且唱一个上午也听不出一点疲惫。太阳也不疲惫，把大树的影子缩小成一团，把疏忽大意的蚯蚓晒干在小路上，将近中午，我们又在祭坛东侧相遇，他看一看我，我看一看他，他往北去，我往南去。日子久了，我感到我们都有结识的愿望，但似乎都不知如何开口，于是互相注视一下终又都移开目光擦身而过；这样的次数一多，便更不知如何开口了。终于有一天——一个丝毫没有特点的日子，我们互相点了一下头。他说："你好。"我说："你好。"他说："回去啦？"我说："是，你呢？"他说："我也该回去了。"我们都放慢脚步（其实我是放慢车速），想再多说几句，但仍然是不知从何说起，这样我们就都走过了对方，又都扭转身子面向对方。

他说："那就再见吧。"我说："好，再见。"便互相笑笑各走各的路了。但是我们没有再见,那以后,园中再没了他的歌声,我才想到,那天他或许是有意与我道别的,也许他考上了哪家专业文工团或歌舞团了吧?真希望他如他歌里所唱的那样,交了好运气。

还有一些人,我还能想起一些常到这园子里来的人。有一个老头,算得一个真正的饮者;他在腰间挂一个扁瓷瓶,瓶里当然装满了酒,常来这园中消磨午后的时光。他在园中四处游逛,如果你不注意你会以为园中有好几个这样的老头,等你看过了他卓尔不群的饮酒情状,你就会相信这是个独一无二的老头。他的衣着过分随便,走路的姿态也不慎重,走上五六十米路便选定一处地方,一只脚踏在石凳上或土埂上或树墩上,解下腰间的酒瓶,解酒瓶的当儿迷起眼睛把一百八十度视角内的景物细细看一遭,然后以迅雷不及掩耳之势倒一大口酒入肚,把酒瓶摇一摇再挂向腰间,平心静气地想一会什么,便走下一个五六十米去。还有一个捕鸟的汉子,那岁月园中人少,鸟却多,他在西北角的树丛中拉一张网,鸟撞在上面,羽毛钑在网眼里便不能自拔。他单等一种过去很多而现在非常罕见的鸟,其它的鸟撞在网上他就把它们摘下来放掉,他说已经有好多年没等到那种罕见的鸟,他说他再等一年看看到底还有没有那种鸟,结果他又等了好多年。早晨和傍晚,在这园子里可以看见一个中年女工程师;早晨她从北向南穿过这园子去上班,傍晚她从南向北穿过这园子回家。事实上我并不了解她的职业或者学历,但我以为她必是学理工的知识分子,别样的人很难有她那般的素朴并优雅。当她在园子穿行的时刻,四周的树林也仿佛更加幽静,清淡的日光中竟似有悠远的琴声,比如说是那曲《献给艾丽丝》才好。我没有见过她的丈夫,没有见过那个幸运的男人是什么样子,我想象过却想象不出,后来忽然懂了想象不出才好,那个男人最好不要出现。她走出北门回家去。

我竟有点担心,担心她会落入厨房,不过,也许她在厨房里劳作的情景更有另外的美吧,当然不能再是《献给艾丽丝》,是个什么曲子呢?还有一个人,是我的朋友,他是个最有天赋的长跑家,但他被埋没了。他因为在文革中出言不慎而坐了几年牢,出来后好不容易找了个拉板车的工作,样样待遇都不能与别人平等,苦闷极了便练习长跑。那时他总来这园子里跑,我用手表为他计时。他每跑一圈向我招下手,我就记下一个时间。每次他要环绕这园子跑二十圈,大约两万米。他盼望以他的长跑成绩来获得政治上真正的解放,他以为记者的镜头和文字可以帮他做到这一点。第一年他在春节环城赛上跑了第十五名,他看见前十名的照片都挂在了长安街的新闻橱窗里,于是有了信心。第二年他跑了第四名,可是新闻橱窗里只挂了前三名的照片,他没灰心。第三年他跑了第七名、橱窗里挂前六名的照片,他有点怨自己。第四年他跑了第三名,橱窗里却只挂了第一名的照片。第五年他跑了第一名——他几乎绝望了,橱窗里只有一幅环城赛群众场面的照片。那些年我们俩常一起在这园子里呆到天黑,开怀痛骂,骂完沉默着回家,分手时再互相叮嘱:先别去死,再试着活一活看。现在他已经不跑了,年岁太大了,跑不了那么快了。最后一次参加环城赛,他以三十八岁之龄又得了第一名并破了纪录,有一位专业队的教练对他说:"我要是十年前发现你就好了。"他苦笑一下什么也没说,只在傍晚又来这园中找到我,把这事平静地向我叙说一遍。不见他已有好几年了,现在他和妻子和儿子住在很远的地方。

这些人现在都不到园子里来了,园子里差不多完全换了一批新人。十五年前的旧人,现在就剩我和那对老夫老妻了。有那么一段时间,这老夫老妻中的一个也忽然不来,薄暮时分唯男人独自来散步,步态也明显迟缓了许多,我悬心了很久,怕是那女人出了什么事。幸好过了一个冬天那女人又来了,两个人仍是逆时针绕着园子走,一长一短两个身影恰似钟表的两支指针;女人的头发白了许多,但依旧攀着丈夫的胳膊走得像个孩子。"攀"这个字用得不恰当了,或许可以用"搀"吧,不知有没有兼具这两个意思的字。

五

我也没有忘记一个孩子——一个漂亮而不幸的小姑娘。十五年前的那个下午，我第一次到这园子里来就看见了她，那时她大约三岁，蹲在斋宫西边的小路上捡树上掉落的"小灯笼"。那儿有几棵大栾树，春天开一簇簇细小而稠密的黄花，花落了便结出无数如同三片叶子合抱的小灯笼，小灯笼先是绿色，继尔转白，再变黄，成熟了掉落得满地都是。小灯笼精巧得令人爱惜，成年人也不免捡了一个还要捡一个。小姑娘咿咿呀呀地跟自己说着话，一边捡小灯笼；她的嗓音很好，不是她那个年龄所常有的那般尖细，而是很圆润甚或是厚重，也许是因为那个下午园子里太安静了。我奇怪这么小的孩子怎么一个人跑来这园子里？我问她住在哪儿？她随便指一下，就喊她的哥哥，沿墙根一带的茂草之中便站起一个七八岁的男孩，朝我望望，看我不像坏人便对他的妹妹说："我在这儿呢。"又伏下身去，他在捉什么虫子。他捉到螳螂，蚂蚱，知了和蜻蜓，来取悦他的妹妹。有那么两三年，我经常在那几棵大栾树下见到他们，兄妹俩总是在一起玩，玩得和睦融洽，都渐渐长大了些。之后有很多年没见到他们。我想他们都在学校里吧，小姑娘也到了上学的年龄，必是告别了孩提时光，没有很多机会来这儿玩了。这事很正常，没理由太搁在心上，若不是有一年我又在园中见到他们，肯定就会慢慢把他们忘记。

那是个礼拜日的上午。那是个晴朗而令人心碎的上午，时隔多年，我竟发现那个漂亮的小姑娘原来是个弱智的孩子。我摇着车到那几棵大栾树下去，恰又是遍地落满了小灯笼的季节；当时我正为一篇小说的结尾所苦，既不知为什么要给它那样一个结尾，又不知何以忽然不想让它有那样一个结尾，于是从家里跑出来，想依靠着园中的镇静，看看是否应该把那篇小说放弃。我刚刚把车停下，就见前面不远处有几个人在戏耍一个少女，作出怪样子来吓她，又喊又笑地追逐她拦截她，少女在几棵大树间惊惶

147

中学生卷

地东跑西躲,却不松手揪卷在怀里的裙裾,两条腿裸露着也似毫无察觉。

我看出少女的智力是有些缺陷,却还没看出她是谁。我正要驱车上前为少女解围,就见远处飞快地骑车来了个小伙子,于是那几个戏耍少女的家伙望风而逃。小伙子把自行车支在少女近旁,怒目望着那几个四散逃窜的家伙,一声不吭喘着粗气。脸色如暴雨前的天空一样一会比一会苍白。这时我认出了他们,小伙子和少女就是当年那对小兄妹。我几乎是在心里惊叫了一声,或者是哀号。世上的事常常使上帝的居心变得可疑。小伙子向他的妹妹走去。少女松开了手,裙裾随之垂落了下来,很多很多她捡的小灯笼便洒落了一地,铺散在她脚下。她仍然算得漂亮,但双眸迟滞没有光彩。她呆呆地望那群跑散的家伙,望着极目之处的空寂,凭她的智力绝不可能把这个世界想明白吧?大树下,破碎的阳光星星点点,风把遍地的小灯笼吹得滚动,仿佛喑哑地响着无数小铃铛。哥哥把妹妹扶上自行车后座,带着她无言地回家去了。

无言是对的。要是上帝把漂亮和弱智这两样东西都给了这个小姑娘,就只有无言和回家去是对的。

谁又能把这世界想个明白呢?世上的很多事是不堪说的。你可以抱怨上帝何以要降诸多苦难给这人间,你也可以为消灭种种苦难而奋斗,并为此享有崇高与骄傲,但只要你再多想一步你就会坠入深深的迷茫了:假如世界上没有了苦难,世界还能够存在么?要是没有愚钝,机智还有什么光荣呢?要是没了丑陋,漂亮又怎么维系自己的幸运?要是没有了恶劣和卑下,善良与高尚又将如何界定自己又如何成为美德呢?要是没有了残疾,健全会否因其司空见惯而变得腻烦和乏味呢?我常梦想着在人间彻底消灭残疾,但可以相信,那时将由患病者代替残疾人去承担同样的苦难。如果能够把疾病也全数消灭,那么这份苦难又将由(比如说)相貌丑陋的人去承担了。就算我们连丑陋,连愚昧和卑鄙和一切我们所不喜欢的事物和行为,也都可以统统消灭掉,所有的人都一样健康、漂亮、聪慧、高尚,结果会怎样呢?怕是人间的剧目就全要收场了,一个失去差别的世界将是一条死水,是一块没有感觉没有肥力的沙漠。

看来差别永远是要有的。看来就只好接受苦难——人类的全部剧目需要它,存在的本身需要它。看来上帝又一次对了。

于是就有一个最令人绝望的结论等在这里:由谁去充任那些苦难的角色?又有谁去体现这世间的幸福,骄傲和快乐?只好听凭偶然,是没有道理好讲的。

就命运而言,休论公道。

那么,一切不幸命运的救赎之路在哪里呢?设若智慧的悟性可以引领我们去找到救赎之路,难道所有的人都能够获得这样的智慧和悟性吗?我常以为是丑女造就了美人。我常以为是愚氓举出了智者。我常以为是懦夫衬照了英雄。我常以为是众生度化了佛祖。

六

设若有一位园神,他一定早已注意到了,这么多年我在这园里坐着,有时候是轻松快乐的,有时候是沉郁苦闷的,有时候优哉游哉,有时候栖惶落寞,有时候平静而且自信,有时候又软弱,又迷茫。其实总共只有三个问题交替着来骚扰我,来陪伴我。第一个是要不要去死?第二个是为什么活?第三个,我干嘛要写作?现在让我看看,它们迄今都是怎样编织在一起的吧。

你说,你看穿了死是一件无需乎着急去做的事,是一件无论怎样耽搁也不会错过的事,便决定活下去试试?是的,至少这是很关键的因素。为什么要活下去试试呢?好像仅仅是因为不甘心,机会难得,不试白不试,腿反正是完了,一切仿佛都要完了,但死神很守信用,试一试不会额外再有什么损失。说不定倒有额外的好处呢是不是?我说过,这一来我轻松多了,自由多了。为什么要写作呢?作家是两个被人看重的字,这谁都知道。为了让那个躲在园子深处坐轮椅的人,有朝一日在别人眼里也稍微有点光彩,在众人眼里也能有个位置,哪怕那时再去死呢也就多少说得过去了,开始的时候就是这样想,这不用保密,这些现在不用保密了。

我带着本子和笔,到园中找一个最不为人打扰的角落,偷偷地写。那个爱唱歌的小伙子在不远的地方一直唱。要是有人走过来,我就把本子合上把笔叼在嘴里。我怕写不成反落得尴尬。我很要面子。可是你写成了,而且发表了。人家说我写的还不坏,他们甚至说:真没想到你写得这么好。我心说你们没想到的事还多着呢。我确实有整整一宿高兴得没合眼。我很想让那个唱歌的小伙子知道,因为他的歌也毕竟是唱得不错。我告诉我的长跑家朋友的时候,那个中年女工程师正优雅地在园中穿行;长跑家很激动,他说好吧,我玩命跑,你玩命写。这一来你中了魔了,整天都在想哪一件事可以写,哪一个人可以让你写成小说。是中了魔了,我走到哪儿想到哪儿,在人山人海里只寻找小说,要是有一种小说试剂就好了,见人就滴两滴看他是不是一篇小说,要是有一种小说显影液就好了,把它泼满全世界看看都是哪儿有小说,中了魔了,那时我完全是为了写作活着。结果你又发表了几篇,并且出了一点小名,可这时你越来越感到恐慌。我忽然觉得自己活得像个人质,刚刚有点像个人了却又过了头,像个人质,被一个什么阴谋抓了来当人质,不定哪天被处决,不定哪天就完蛋。你担心要不了多久你就会文思枯竭,那样你就又完了。凭什么我总能写出小说来呢?凭什么那些适合作小说的生活素材就总能送到一个截瘫者跟前来呢?人家满世界跑都有枯竭的危险,而我坐在这园子里凭什么可以一篇接一篇地写呢?你又想到死了。我想见好就收吧。当一名人质实在是太累了太紧张了,太朝不保夕了。我为写作而活下来,要是写作到底不是我应该干的事,我想我再活下去是不是太冒傻气了?你这么想着你却还在绞尽脑汁地想写。我好歹又拧出点水来,从一条快要晒干的毛巾上。恐慌日甚一日,随时可能完蛋的感觉比完蛋本身可怕多了,所谓不怕贼偷就怕贼惦记，我想人不如死了好，不如不出生的好，不如压根儿没有这个世界的好。可你并没有去死。我又想到那是一件不必着急的事。可是不必着急的事并不证明是一件必要拖延的事呀？你总是决定活下来，这说明什么？是的，我还是想活。人为什么活着？因为人想活着，说到底是这么回事，人真正的名字叫作：欲望。可我不怕死，有时候我真的不怕死。有时候，——说对了。不怕死和想去死是两回事，有时候不怕死的人是有的，一生下来就不怕死的人是没有的。我有时候倒是怕活。可是怕活不等于不想活呀？可我为什么还想活呢？因为你还想得到点什么、你觉得你还是可以得到点什么的，比如说爱情，比如说，价值之类，人真正的名字叫欲望。这不对吗？我不该得到点什么吗？没说不该。可我为什么活得恐慌，就像个人质？后来你明白了，你明白你错了，活着不是为了写作，而写作是为了活着。你明白了这一点是在一个挺滑稽的时刻。那天你又说你不如死了好，你的一个朋友劝你：你不能死，你还得写呢，还有好多好作品等着你去写呢。这时候你忽然明白了，你说：只是因为我活着，我才不得不写作。或者说只是因为你还想活下去，你才不得不写作。是的，这样说过之后我竟然不那么恐慌了。就像你看穿了死之后所得的那份轻松？一个人质报复一场阴谋的最有效的办法是把自己杀死。我看出我得先把我杀死在市场上，那样我就不用参加抢购题材的风潮了。你还写吗？还写。你真的不得不写吗？人都忍不住要为生存找一些牢靠的理由。你不担心你会枯竭了？我不知道，不过我想，活着的问题在死前是完不了的。

　　这下好了，您不再恐慌了不再是个人质了，您自由了。算了吧你，我怎么可能自由呢？别忘了人真正的名字是：欲望。所以您得知道，消灭恐慌的最有效的办法就是消灭欲望。可是我还知道，消灭人性的最有效的办法也是消灭欲望。那么，是消灭欲望同时也消灭恐慌呢？还是保留欲望同时也保留人生？我在这园子里坐着，我听见园神告诉我，每一个有激情的演员都难免是一个人质。每一个懂得欣赏的观众都巧妙地粉碎了一场阴谋。每一个乏味的演员都是因为他老以为这戏剧与自己无关。

每一个倒霉的观众都是因为他总是坐得离舞台太近了。

我在这园子里坐着,园神成年累月地对我说:孩子,这不是别的,这是你的罪孽和福祉。

七

要是有些事我没说,地坛,你别以为是我忘了,我什么也没忘,但是有些事只适合收藏。不能说,也不能想,却又不能忘。它们不能变成语言,它们无法变成语言,一旦变成语言就不再是它们了。它们是一片朦胧的温馨与寂寥,是一片成熟的希望与绝望,它们的领地只有两处:心与坟墓。比如说邮票,有些是用于寄信的,有些仅仅是为了收藏。

如今我摇着车在这园子里慢慢走,常常有一种感觉,觉得我一个人跑出来已经玩得太久了。有一天我整理我的旧像册,一张十几年前我在这园子里照的照片——那个年轻人坐在轮椅上,背后是一棵老柏树,再远处就是那座古祭坛。我便到园子里去找那棵树。我按着照片上的背景找很快就找到了它,按照片上它枝干的形状找,肯定那就是它。但是它已经死了,而且在它身上缠绕着一条碗口粗的藤萝。有一天我在这园子碰见一个老太太,她说:"哟,你还在这儿哪?"她问我:"你母亲还好吗?"

"您是谁?""你不记得我,我可记得你。有一回你母亲来这儿找你,她问我您看没看见一个摇轮椅的孩子?……"我忽然觉得,我一个人跑到这世界上来真是玩得太久了。有一天夜晚,我独自坐在祭坛边的路灯下看书,忽然从那漆黑的祭坛里传出一阵阵唢呐声;四周都是参天古树,方形祭坛占地几百平米空旷坦荡独对苍天,我看不见那个吹唢呐的人,唯唢呐声在星光寥寥的夜空里低吟高唱,时而悲怆时而欢快,时而缠绵时而苍凉,或许这几个词都不足以形容它,我清清醒醒地听出它响在过去,响在现在,响在未来,回旋飘转亘古不散。

必有一天，我会听见喊我回去。

那时您可以想象一个孩子，他玩累了可他还没玩够呢。心里好些新奇的念头甚至等不及到明天。也可以想象是一个老人，无可质疑地走向他的安息地，走得任劳任怨。还可以想象一对热恋中的情人，互相一次次说"我一刻也不想离开你"，又互相一次次说"时间已经不早了"，时间不早了可我一刻也不想离开你，一刻也不想离开你可时间毕竟是不早了。

我说不好我想不想回去。我说不好是想还是不想，还是无所谓。我说不好我是像那个孩子，还是像那个老人，还是像一个热恋中的情人。很可能是这样：我同时是他们三个。我来的时候是个孩子，他有那么多孩子气的念头所以才哭着喊着闹着要来，他一来一见到这个世界便立刻成了不要命的情人，而对一个情人来说，不管多么漫长的时光也是稍纵即逝，那时他便明白，每一步每一步，其实一步步都是走在回去的路上。当牵牛花初开的时节，葬礼的号角就已吹响。

但是太阳，他每时每刻都是夕阳也都是旭日。当他熄灭着走下山去收尽苍凉残照之际，正是他在另一面燃烧着爬上山巅布散烈烈朝辉之时。那一天，我也将沉静着走下山去，扶着我的拐杖。

有一天，在某一处山洼里，势必会跑上来一个欢蹦的孩子，抱着他的玩具。

当然，那不是我。

但是，那不是我吗？宇宙以其不息的欲望将一个歌舞炼为永恒。这欲望有怎样一个人间的姓名，大可忽略不计。

遍地白花

刘庆邦

刘庆邦,1951 年出生,河南沈丘人。1967 年毕业于河南沈丘第四中学。1970 年参加工作,历任河南新密煤矿工人、矿务局宣传部干事,《中国煤炭报》编辑、记者、副刊部主任。中国作家协会全国委员会委员,中国煤矿作家协会主席,《阳光》杂志主编。1978 年开始发表作品。现为北京市作家协会驻会作家。著有长篇小说《断层》、《高高的河堤》、《落英》,中短篇小说集《走窑汉》、《梅妞放羊》、《不定嫁给谁》等。

收秋之后,村里来了一个女画家。不知女画家是从哪里来的,她一来就找了一家房东住下了。地里没了庄稼,村里没了葫芦架,树上的果子也摘光了,背着箱子而来的女画家不会有什么可收获的。这让厚道的村民略感歉意,认为女画家来晚了,错过了好时候。女画家要么春天来,要么夏天来,最好是收秋之前来。这会儿场光地净的,要红没红,要绿没绿,要金黄没金黄,有什么可画的呢?人们估计,女画家住不了两天就得走。

好几天过去了,女画家没有走。她每天这儿转转,那儿瞅瞅,瞅准一个地方,就打开挺大的画夹子画起来。女画家画了什么,村里人当成彩物,很快就传开了。女画家画了张家古旧的门楼子,画了王家一棵老鬼柳子树,画了街口一座废弃的碾盘,又画了一辆风刮日晒快要散架的太平车,等等。这些东西都是有主儿的,女画家每画到谁家的东西,这家的人一开始稍稍有点紧张,不知外面来的女人用长尺一样的目光量来量去,究竟要把他们家的东西怎么样。女画家作画时,这家必有人在一旁守着,女画家画一笔,他们看一笔。待女画家把画作完了,他们把东西和画对照了一下,才知道女画家并不是原封不动把东西搬到画纸上,他们家的东西还存在着,一点儿都不少。这样他们才放心了,并渐渐露出了微笑。

村里人难免对女画家的画作出一些评价,他们评价什么画,只能拿所画的对象作参照物,进行比较。比如张家的门楼子,据说修建的年代已经很久远了,门楼子高大而坚固,下面还有长长的过道。门楼子上面的瓦是乌黑的,有的瓦片上起着梅花一样的斑点。瓦缝之间长着一株株发灰的瓦楞草。楼脊子两端高耸的蹲兽,被风雨剥蚀得少鼻子没毛,只剩下大致的轮廓。只有大门两侧的砖雕还算清晰。这一切女画家都画到了,但有人说画得很像,有人说画得不像;有人说把门楼子画高了,有人说画低了。还有人特别指出,瓦当上是有篆字的,女画家没有画出来,显见得是忽略了。

女画家不在乎人们的任何评价,该怎样画还怎样画。

太平车的主人是一位年迈的老汉。老汉苦挣苦攒,一辈子都巴望有一辆太平车。太平车还没挣到,一切都归公了,自家不兴有车了。等到公社解散,分田到户,各家可以买私车时,车都变成了胶皮轱辘,四平八稳的木制太平车用不着了。尽管如此,队里分东西那会儿,老汉还是把一辆太平车要下了。太平车就在老汉家的屋山头放着,夏天淋雨,冬天落雪,再也派不上什么用场。有人劝老汉把太平车砸了卖钉,拆掉当柴,老汉只是舍不得。老汉正不知怎样处置这辆太平车,女画家把太平车相中了,画下来了。老汉没有像别的人那样,在女画家后面站成木桩,看人家作画。老汉只往画面上看了一眼,就像得到最终结果似的,到一旁蹲着去了。老汉认定女画家是大地方来的人,说到天边,还是大地方的人识货啊！倘画家是个男的，老汉定要把画家请到家里，喝上两盅。画家是个女的，老汉只能用手巾包上几枚新鲜鸡蛋，给女画家送去。女画家夸老汉的鸡蛋好，要付给老汉钱。老汉当然不会收钱，老汉说他的鸡蛋不值钱，女画家的画是千金难买。

老汉的说法使全村人都对女画家高看起来，回到各家的院子里，他们转着圈儿东看西看，把石榴树、柴草垛、鸡窝、树身上的一块疤拉眼，墙上挂着的红辣椒串子，甚至连头顶的天空停着的一块云，都看到了。这些他们过去看似平常的东西，说不定经女画家一看，就成了好看的东西；经女画家用笔一点，就成了一幅画。凡是被女画家取过材的人家，都像中了彩一样，神情有些骄傲。还没有被女画家画过东西的人家，也希望着女画家能到他们家里画一回。

小扣子是热切盼望女画家到他们家作画的一个。

自从女画家来到这个村，小扣子天天跟着女画家转悠。女画家走到哪里，他也走到哪里。女画家看什么，他也看什么。女画家停下来作画，他就悄悄地凑过去，从第一笔看起，一直看到女画家把一幅画作完。可以说女画家到这个村所作的每一幅画，都是在小扣子的注视下完成的。谁要是问女画家哪天在哪里画了什么画，只要问小扣子就行了。不过没人问小扣子。就是有人问小扣子，他也不一定回答。小扣子是个不爱说话的孩子。

这天早上，小扣子一爬起来，就满村子追寻女画家去了。女画家是个勤快人，不睡懒觉，每天一早就开始作画。所以小扣子也不再睡懒觉。小扣子家有一只黄狗，黄狗本来正和几只鹅在一块儿呆着，见小扣子出门，它不和鹅们打一声招呼，马上随小扣子颠儿了。黄狗是小扣子的忠实伙伴，它跟小扣子总是跟得很紧。太阳还没出来，空气里有一层薄薄的霜意。公鸡在叫，雀子在叫，一些人家做早饭的风箱也在叫。村街上弥漫着浓浓的烟火味。这种烟火味是很香的，但你说不清是哪一种香。有人家烧麦秸，有人家烧豆叶，有人家烧芝麻秆，有人家烧苹果枝子，有人家或许烧的是甜瓜秧，等。每样柴火散发一种香，各种香汇集到村街上，就形成了这种混合型的醇厚绵长的人间烟火味。村里人原来并不觉得烟火味怎么香，而女画家一进村就闻出来了，她说，哎呀，真香！女画家这么一说，大家用鼻子吸了吸，是香。村里一共三条街，小扣子和黄狗在烟火味儿里穿行，三条街都走遍了，没看见女画家在哪里。小扣子有些挠头，女画家会到哪里去呢？他看黄狗，黄狗也是一脸的茫然。再看黄狗，黄狗就抱歉似地把头垂下去了。他想，女画家会不会到村外去画画呢？于是小扣子和黄狗到村子外头找女画家去了。他们走过一个打麦场，又走过一个菜园，然后登上高高的河堤，小扣子把手遮在眼上，往四下里打量。黄狗也把头昂成高瞻远瞩的样子，鼻子兴奋地直嗅。太阳已经出来了，阳光似乎还没化开，照在哪里都显得很稠，让小扣子想起女画家颜料盒里柿黄颜色。麦苗刚长出来，等于在大面积的黄土地上打下一道道浅绿色的格线，格子都空着，还没写什么东西。一只黑老雕在空中飞来飞去，把一群在打麦场觅食的母鸡吓得抱着头跑回村里去了。小扣子没看到女画家。他突然想到，难道女画家走了吗？想到这里，他有些急，飞奔着冲下河堤，向女画家所在的房东家跑去。黄狗大概以为小主人发现了兔子之类，不敢怠慢，遂杀下身子蹿到小主人前面，一气超出好远。黄狗这样干似乎是作出一个姿态，让小主人知道它的积极性还是很高的。前面没什么兔子可追，它就停下来等着小主人。小扣子连急带跑，身上头上都出了汗。

中学生卷

那家房东的一个闺女前不久刚出嫁了，家里正好空着一间房子，女画家就住在那间房子里。听说事先讲好是租住，女画家临走时是要按天数交房租的。可女画家住了几天之后，房东就把女画家当闺女看了，不许女画家再提交房租的话。是呀，闺女住娘家，哪有收房租的道理！

小扣子跑进房东家的院子里，一眼就把女画家看到了。女画家还没离开他们的村子，这下小扣子就放心了。女画家正在作画，她今天画的是房东家的祖父。和往常一样，女画家身后站了不少人，在看女画家作画，那些人当中有这家的儿子、儿媳、孙子、孙子媳妇,还有一些别的人。他们都不说话,静静地肃立着,连出气都尽量放轻。在他们看来,作画是很神的一件事,他们生怕一不小心弄出什么动静来,把神给惊动了。女画家当然也不说话,她眼里似乎只有老人和她的画,目光只在老人和画之间牵来牵去。她微微眯着眼,把老人看看,在画面上画几笔。再看看,再画几笔。她下笔很果断,也很有力量,能听见画笔在画纸上触动的声音。老人在墙根儿蹲着晒太阳。老人七八十岁了,身体不错,晒太阳的功夫很深,蹲半天都不带动地方的。这正好给女画家作画提供了机会。老人身后的背景很简单,几层砖根脚,上面是黄泥坯。老人头顶上方的墙楔着一根木头橛子,橛子上挂着一束干豆角,那是来年做种子用的。老人上身穿着一件黑粗布夹袄,头上戴着一顶黑线帽子。这种帽子当地叫作一把拧。阳光斜照下来,在老人帽子下面的脑际那儿留下一点阴影。老人的主要特点是脸上的皱纹多,多得数都数不清。老人的皱纹无处不到,连耳朵的高处都爬满了皱纹。这些皱纹的分布和走向没什么规则可言,像是大地上的河流和沟壑,弯弯曲曲,走到哪里算哪里。老人脖子里的皱纹也很多,纵横交错,把老人的脖子分割成许多田园一样的小方块。所有的皱纹都固定住了,都很深刻,一眼看不到底,里面仿佛蕴藏着许多内容。老人的神情十分平静,安详,他像是带有孩子般的笑意,又像是含有老人般的沉思,对外来的女画家为他作画,并有那么多人看着他,他似乎并不觉得。

趁女画家调颜料的时候,老人的儿媳提出为公公换上一件新衣服。女画家说不用。儿媳又提出让公公坐在椅子上。女画家仍说不用。围观的人都注意到了,女画家画的不是老人的全身像,也不是半身像,可着整张画纸,女画家只画了老人的头像。这样的画,任何服装和座位都用不上。

小扣子一看见女画家画的老人的头像,心上就震了一下,眼睛就不愿意离开画面了。这张画像比真人大得多,小扣子长这么大,还从没见过这么大幅的画像。画面上,老人面容黧黑,皱纹更黑。但仔细看上去,老人的面容黑得一点也不发乌,黧黑里透着

温暖的古铜色调。这种色调不全是阳光造成的,阳光的色彩一般
只照在表面,而老人脸上这种厚实的色调像是从皮肤下面闪射出
来的。更让小扣子感到亲切和动心的,是女画家所画的老人的眼
睛。由于眼皮加厚和下垂,老人的眼睛已不能完全睁开,显得有
些眯缝。就是这样的眼睛,平和得跟月光下的湖水一样,它什么
都不用看了,里面什么都有了。看着这样的画像,小扣子不由得
想起自己的祖父。祖父对小扣子是很好的,只要是小扣子一回
家,祖父就愿意一直看着他,不管他干什么,祖父都不干涉他。有
时祖父喊他过去。他过去后,祖父一点事也没有,一句话也不说,
只拉住他的手就完了。小扣子不愿接近祖父,他嫌祖父脸上的皱
纹太多了,嫌祖父的眼皮垂得太厉害了。他两手使劲往两边扒着
祖父的皱纹,想把祖父脸上的皱纹绷平。在他绷紧的时候,祖父
脸上的皱纹是平了,只剩下一道道灰线,可他刚松开手,祖父的皱
纹便很快聚拢,恢复原状。祖父松垂的眼皮也是一样,他把祖父
的眼皮揪起来,祖父的眼睛就显得大了,大得有些好笑。他把祖
父的眼皮一松下去,祖父的眼皮似乎比原来垂得还厉害,让人失
望。祖父从来不反对小扣子扒他的皱纹,揪他的眼皮。有时小扣
子以为他把祖父弄疼了,祖父不但从来不说疼,还鼓励他使劲,使
劲。祖父不在了,祖父死了。去年秋天,场里打豆子,小扣子早上
还没睡醒听见母亲哭,就知道祖父已经死了。祖父没有照过相,
也没画过像,他以为永远也看不到自己的祖父了。女画家画的头
像使他产生了错觉,他以为祖父又复活了。祖父正慈爱地看着
他,他也目不转睛地看着祖父。看着看着,小扣子的眼睛渐渐地
有些发湿,有些模糊,他差点对着画像喊一声爷爷。

有了女画家给房东家的祖父画的画像,人们对老人就有些刮
目相看。过去他们把老人的皱纹说成满脸褶子,现在就变成满脸
的画意,再看老人时使用的就是羡慕的目光。人们以为房东家的
人会把老人的画像高高地挂起来,去那家看过,才知道女画家已
把画像喷了胶,收起来了,准备日后带走,带到城里再挂起来。女
画家另外给房东家的儿媳画了一朵硕大的红莲花,让人家把红莲

花剪成花样子,绣在布门帘上面的遮幅上了。遮幅是黑的,莲花是红的,分明打眼得很。莲花光彩烁烁,仿佛是开在一潭清水上。这难免又引来许多爱花的人啧啧观赏,并把花样子一传十,十传百,全村很快就开遍了红莲花。

女画家开始到野地里作画去了。她背着画夹子提着画箱刚出村,小扣子就看见了。女画家在前面走,小扣子和黄狗远远地在后面跟着。女画家走多远,他们也走多远。女画家登上河堤,他们也登上河堤。不过他们跟女画家不是跟得很紧,而是保持着一定距离。女画家终于选准了一处风景,摆开架势作画了,小扣子仍没有马上走近。去野地里看女画家作画的人少一些,在目前只有小扣子一个人的情况下,他不敢凑过去,他怕女画家跟他说话。不管女画家跟他说什么话,他都会很慌乱。等陆续来了三四个男孩子和女孩子,他们才结伴慢慢地向女画家走去。

女画家这天所画的是一片茅草,茅草的叶和茎都枯黄了,只有穗子是银白的。茅草的穗子薄薄的,是一边倒,被茅草柔韧的细茎高高举着。每一根茅草的穗子单看都不起眼,把许多穗子连起来看,就是一片白,就有了些气势。田野里有风,茅草的穗子旗帜一样迎风招展。风大的一阵,茅草穗子被风抿下去了,抿得贴向地面。风一过去,穗子迅速弹起来,振臂欢呼一般高扬。茅草穗子的吸光和反光性能都很好,成片起伏不定的茅草穗子,把秋天的阳光吸进去,又反射出来,远看近看都白花花的,让人怀疑是走进了月光一样的梦境。茅草长在一片荒地上,面积并不大。可经女画家一画面积就大了,白茫茫的,好像一眼望不到边。在小扣子眼里,女画家画的画是有声音的,那声音是旷野里的长风吹在茅草穗子上发出来的,呼呼作响,一直向天边响去,好像整个世界只剩下这种声音了。在小扣子眼里,女画家画的画是有温度的,温度很低,让人感到一种萧萧的凉意,一看就想抱紧自己的身子,并想加一件衣服。在小扣子的眼里,女画家画的画是有气味的,这种气味当然不是颜料的气味,而是土地的气味,茅草穗子的气味,还有风的气味。这种气味不能用甜或者苦来表述,因为它不是用鼻子和味觉分辨,而是用眼睛和回忆唤起。有了声音、温度和气味,女画家画的画就不再是平面的,而是立体的和深远的,就像是一个神话般的世界,让人一看就不知不觉走进去了。小扣子看见,他家的黄狗突然跑到茅草丛里去了,在那里仰着脸瞎看。不懂事的家伙,这样会耽误人家画画的。小扣子刚要把黄狗赶开,女画家说,不要管它。结果女画家把黄狗也画进画里去了。小扣子心里一喜,女画家总算画了他家的一样东西,他总算为女画家作出了一点贡献。上了画,黄狗跟平常日子不大一样。在平常,黄狗是很调皮的,老是闲不住。画上的黄狗在张着耳朵听风,显得很成熟,很孤独,好像还有些发愁。这样的黄狗让小扣子顿生怜爱,他真想马上抱住黄狗,把脸贴在狗脸上亲一亲。

女画家画完了画,问:这是谁家的狗?

小扣子还没说话,几个孩子就往前推他,说是小扣子家的狗。

女画家对小扣子说:你们家的狗不错呀?

小扣子眼睛躲着,不知说什么好。小扣子的脸有些红。

女画家问:你们这儿种荞麦吗?

别的孩子你看我,我看你,回答不上来。这时候小扣子不说话不行了,小扣子说:种。既然只有小扣子能回答这个问题,女画家就只看着小扣子。女画家的眼可真亮啊,恐怕比太阳还亮,小扣子只看了女画家一眼就不敢看了。女画家还很年轻,除了眼睛很亮,她的头发也很亮,牙也很亮,嘴唇也很亮,照得小扣子不敢抬头。可是女画家对小扣子说:来,抬起头来看着我,我看你小子很知道害羞啊!

小扣子在肚子里鼓了鼓勇气,把头抬起来了。只有女孩子才害羞,他是个男孩子,不能害羞。可是不行,他刚把头抬起来,眼皮又低下去了。这时亏得他家的黄狗过来了,黄狗过来靠在他腿上,并撒娇似地往他腿上蹭,才使他有了点依靠。他蹲下身子,抱住了狗的脖子,一只手为黄狗顺毛。他发现,黄狗的眼睛虚着,好像也不敢看女画家。

女画家的问题还很多,他问小扣子,荞麦是不是红秆儿?绿叶？白花？荞麦花开起来是不是像下雪一样？女画家问什么，小扣子都说是。有一个问题小扣子吃不准，荞麦是什么时候种？女画家提了这个问题，他就得回答，不能让女画家失望。他先说春天种，又说不对，夏天种。他这样一会儿春天一会儿夏天的，别的孩子都笑了。那些孩子更是说不清荞麦是什么时候种，但小扣子说得不准确，人家就有权力发笑。女画家看出了小扣子的窘迫，说没关系没关系，不管什么时候种，只要种就行。

女画家的画箱也很别致，她把画笔和颜料从箱子里取出来，折巴折巴，画箱就变成了一只凳子。她就坐在凳子上画画。画完了画，她把凳子折巴折巴，凳子又变回箱子模样。小扣子觉得女画家的箱子像是传说中的宝物，他有个渴望，很想替女画家把画箱背一背。女画家像是看透了小扣子的心思，她说：谁替我背着画箱子，我给谁一块糖吃。

听女画家这么一说，孩子们一下子都抢过去了，抓住画箱子的背带，你争我夺，互不相让。看来想背画箱子的不止小扣子一个。

女画家说，不要争，不要争，我来看看让谁背。在决定让谁背之前，她把糖掏出来了，分给每人一块。当女画家分给小扣子糖时，小扣子说他不要糖。小扣子的意思是，他不是为了糖才背画箱的，他的意思跟别人的意思不一样。女画家把每个孩子都看了一遍，总算把目光落在小扣子身上了，说：我看你这小子挺有意思的，好吧，箱子由你来背。不过，糖还是要吃的。她拉过小扣子的手，一拍，把糖拍进小扣子的手里去了。小扣子一握，感到手里的糖不是一块，是两块，他的心口腾腾地跳起来。为了防止别的孩子看出女画家多给了他一块糖，他的手把两块糖紧紧攥着，一点儿也不敢松开。他仿佛觉得，两块糖在手心里也在腾腾地跳动。小扣子把画箱的背带斜挎在肩上，大步走到前面去了。小扣子听见女画家在后面问他的那些小伙伴：糖甜吗？小伙伴们答：甜！

当晚，小扣子让母亲去给女画家送鸡蛋。母亲问：你这孩子，难道要拜人家当老师，跟人家学画画吗？

小扣子说,女画家把我们家的黄狗画在画上了。

母亲一听,就在院子里找狗。狗在墙根卧着,见女主人找它,才到女主人身边去了。母亲说:我说狗怎么蔫蔫的,原来人家把它的魂抽走了。

小扣子不同意母亲的说法,说女画家没抽黄狗的魂。

母亲说:你不懂,狗靠魂活着,不抽狗的魂,她的画就画不活。人家说了,不管画啥东西,都得先抽魂。

小扣子有些惊奇,问:魂是啥东西?

母亲想了想,说魂嘛,跟血差不多,血是红的,魂大概是白的;血看得见,魂看不见。

小扣子问:那,茅草穗子有魂吗?

母亲说:有呀!

小扣子抬头看见了天上的月亮,问:那,月亮有魂吗?

母亲说:月亮不光有魂,月亮的魂还多呢,你看这地上,都是月亮撒下的魂。

小扣子想起女画家问的他们这里种不种荞麦的话,想必荞麦花也是有魂的了。要是荞麦花开满一地,那雪白的花魂不知有多少呢?

母亲见小扣子沉默下来,以为小扣子把抽魂的事想重了,遂笑了笑,要小扣子不用担心,人流点血不怕,血越流越旺;黄狗抽走点魂也不怕,抽去的是旧魂,补上的是新魂,补充了新魂的黄狗会比以前还精神百倍。于是母亲包上一些鸡蛋,带上小扣子和黄狗,给女画家送去了。

女画家坐在房东家院子的月亮地里,正跟房东一家人说闲话,好像说到的话题又是荞麦花。人一来,话题就暂时打住了。女画家不知道小扣子的母亲为何给她送鸡蛋。母亲把小扣子推到前面,说:你把我们家的狗画到画上去了,我儿子让我来感谢你。女画家笑了,说画了人家的狗,不但不给人家钱,还要白吃人家的鸡蛋,这样的便宜事上哪儿找去?女画家把鸡蛋收下,还有笑话,她说,这些鸡蛋她先不吃,一个一个画在画上,这样小扣子家的人还会给她送鸡蛋,送到后来,她就不画画了,成贩鸡蛋的了。

女画家的笑话把院子里的人都说笑了。

月光正好,母亲和小扣子没有马上回家,听到女画家接着刚才中断的话题,又说到了荞麦花。女画家说,她小时候,跟着下放的父母在农村住了一段时间,好像看见过荞麦花。荞麦地在村子西边,一大块地种的都是荞麦。在她印象里,荞麦花不是零零星星开的,似乎一夜之间全都开了。她早上起来,觉得西边的天怎么那么明呢,跑到村边往西地里一看,啊,啊,原来是荞麦花开了。荞麦花开遍地白,把半边天都映得明晃晃的。她跟着了迷一样,天天去看荞麦花,吃饭时父母都找不着她。荞麦花的花是不大,跟雪花差不多,但经不住荞麦花又多又密,白得成了阵势,成了海洋,看一眼就把人震住了。在没有看到荞麦花之前,她喜欢看那些一朵两朵的花,老是为那些孤独的花所感动。看到了大面积白茫茫的荞麦花,她才打开了眼界,才感到更让人激动不已和震撼的,是潮水般涌来的看不见花朵的花朵。她当时很想放声歌唱,或者对着遍地白花大声喊叫。可惜她那时不会唱什么歌,喊叫也喊叫不成,只能钻进密密匝匝的花地里,一呆就是半天。她记得荞麦地里蜜蜂和蝴蝶特别多,嘤嘤嗡嗡的,像是在花层上又起了一层花。她感到奇怪的是,到了荞麦花的花地里,连蜜蜂和蝴蝶似乎都变成了白的,蜜蜂成了银蝶子。她晚间也去看过荞麦花。晚间很黑,没有月亮。不过,她一点也不害怕,因为满地的白花老远就看见了。她看着前面的光明,不知不觉就走进了花地里。说到这里,女画家轻轻地笑了。她说时间太久了,记不清了,自己都不知道自己说得对不对。也许她说的是自己做的梦,相似的梦做多了,就跟真的荞麦花弄混了。反正那样的荞麦花如今是很难看到了。

院子里的人一时都没有说话,只有如霜的月光静静地洒落。

小扣子和母亲把女画家的话都记住了。

来年,在小扣子的一再要求下,母亲种了一块荞麦。小扣子看见,荞麦发芽了,荞麦长叶了,荞麦抽茎了,荞麦结花骨朵了……荞麦终于开花了！荞麦花开得跟女画家的回忆一样恍如仙境,把小扣子感动得都快要哭了。

从荞麦开花那一刻起,小扣子天天在花地里,并不时地向远方张望。母亲知道小扣子盼望什么,她帮着小扣子向远方张望。

冬天的聚会

王安忆

王安忆,女,1954年生于江苏南京。1955年随母茹志鹃迁居上海。1969年初中毕业。1970年赴安徽插队。1972年考入江苏徐州地区文工团。1978年回上海任《儿童时代》编辑,后任上海作协专业作家。1975年冬开始发表作品,1980年发表成名作《雨,沙沙沙》。著有小说集《雨,沙沙沙》、《王安忆中短篇小说集》、《尾声》、《流逝》、《小鲍庄》,长篇小说《69届初中生》、《黄河故道人》、《流水三十章》、《父系和母系的神话》、《长恨歌》,论著《心灵世界——王安忆小说讲稿》以及《乘火车去旅行》、《王安忆自选集》等。

那时候,冬天里,洗澡是件大事情。地处长江以南,按规定不供暖。可是,气温虽然大都在零上,却因湿度大感觉寒冷。许多北方人来到这里,都患上感冒和手足冻疮。比较起来,倒是这地方的人更耐寒一些。人们在阴冷的气候里,安度冬天。不过,洗澡真是个大事情。

我们家有一门特别要好的朋友。两家的父母原先是一个野战军的战友,后来又一起在军区工作。他们这四个人,互为入党介绍人,在差不多的时间里结婚,又先后陆续从军区转业到现在的城市。又很巧的,我们这里的妈妈和他们那里的妈妈又在同一个机关里共事。所以，我们这三个就又是在同一个机关幼儿园里生活和学习。他家的男孩与我家的姐姐年龄比较接近，同在一个班级，意趣也比较相投，擅长各类游戏。他俩在一起玩得热火朝天，剩下我在一边干着急。就这样，我们成了通家之好。

　　方才说的，我们两家四个大人中间的三个，来到了现在的城市，那剩下的一个是谁呢？是他家的爸爸。就他一个人还留在军区，冬天的聚会就要从他这里讲起。他其实经常回家，有时探亲，有时出公差，和我们大家团聚在一起，干什么都缺不了他似的。这一年的冬天，他家的爸爸又来了。这一次来，他在军内的招待所里定了一个房间。说是招待所，其实是宾馆，有着中央系统的供暖，温暖如春。客房呢，带洗澡间。于是，我们两家的大人，还有保姆，便一起去这房间里洗澡。补充一句，由于我们来往甚密，于是，两家的保姆也成了好朋友。时常是，大人和大人一起，孩子和孩子一起，保姆和保姆一起。就这样。

　　我们去洗澡是在一天晚上。全家的换洗衣服，毛巾，还有零食和我们的玩具，装成好几个包。然后要了两辆三轮车，往招待所去了。对，那时候，有三轮车，以及三轮车夫，并不给人文学作品中的贫寒和劳苦的印象。他们将三轮车收拾得干干净净，座垫上包着蓝布罩子。油布的车篷上了蜡，散发着酸唧唧的刺鼻的气味。这气味也不顶难闻，它有一种凌冽的爽洁的意思，一会儿便适应了。车座下的踏板是没有上漆的白松木，宽条，拼接处结实地钉着钉子。车胎可能是补的，可补得合缝，服贴，气充得鼓鼓的。车轴上了油，十分润滑，有一点轧轧声，也是悦耳的。车夫的棉背心也可能打了补丁，却被一双巧手补得细细密密。那通常是一双苏北女人的手，特别勤于洗涮缝缀。车夫们，其实也不是想象中那样年迈体衰的，只不过，他们的装束有些旧和闭塞，带着他们所来自的家乡的风范：对襟棉袄，缅裆棉裤，棉花絮铺得特别厚，又用线绗上道。裤腰上系着宽宽的布裤带，平平地围上几道，也为了撑腰好借力。裤腿上呢？系着布条，为防止车链子磨破裤管。这样一来，他们在这个新奇摩登的城市里，就显得老了。他们正在壮年,你看他们一脚踩在脚踏,另一脚轻轻点地,点着,点着,脚往前梁上一跨,就坐上了车垫。下来时,也一样。他们并不放慢速度。相反,还加快了,然后一跃而上,乘着惯性,随着车子奔跑到终点。这几步跑得呀! 真是矫健。他们脚上的手纳布鞋底,在柏油马路上一开一合,上面的盘龙花便一显一隐。

马路的路面,在路灯的映照下十分光滑,不过不是镜面那样的光滑,而是布着细细的柏油的颗粒,好像起着绒头,将光吸进去。所以很柔和。不知是不是因为地球形状的缘故,当然,更可能是为了雨天防止积水的缘故,路面呈现出弧度。在灯光下,看得最清,因为光顺着受光面的弧度,均匀地稀薄下来。行道树虽然落了叶,可因为悬铃木树干比较浑圆的形状,以及树干上图案式的花斑,所以并不显得肃杀,而是简洁和视野开阔。冬天的马路,也比较少人,但也并不因此寥落,反是安宁得很。我们这两辆三轮车驶过马路,三轮车上载得满满的。前面是爸爸和妈妈,带着一部分包裹。后面是保姆带着我们,和另一部分包裹。保姆抱着我,姐姐抱着她的娃娃。一看就知道这是一个家庭出行。路灯照耀着,大人和孩子的脸上都罩着暖色调的光和影,偏黄,对比柔和。风,自然有些料峭,可江南的风,究竟又能料峭到哪里去呢?倒是使空气干爽了,驱走了一部分的潮气。不过,我们孩子的表情,多少是严肃的,脸绷着。夜间出行,总使我们感到不太寻常。车夫稍稍压下的双肩,由于用力,一耸一耸的起伏。到拐弯的时候,便直起上身,伸出一只手臂示意着,慢慢地拐过去。这姿势有一种优雅。我们驶过了一些马路,在一座大院跟前停住了。

这是一座方形的建筑,样式有些接近北京的人民大会堂。它显然是在建国以后造的,和这座城市的殖民风格的建筑,还有那种生活气息浓厚的民居很不一致。在这些姿态旖旎的旧建筑中间,它显得格外严肃,难免有一些乏味,但也包含有一种北地风范,"质"的风范。它的院子大而且平坦,使得周围的路灯照耀不到中间,就变得暗了。这也是有一股威势的。我们这一伙携儿带女,大包裹小行李的人,在这里蹒行,看上去多么啰嗦和拖拉呀!

我们终于走过院子,走进大厅。大厅也是广阔的,却很明亮,而且非常暖和。周围都是军人,穿着军装,个个精神。不像我们,穿得那样臃肿,身后还跟着一个梳髻,穿斜襟棉袄的苏北女人,我们的保姆。人们都在说话,同时大声地笑。可是声音在高大的穹顶底下消散了。而到了新环境里的我们,又都有些发傻,回不过神来。人们就好像是在一部没有放映好的电影里,只有动作,没有声音。但画面却是如此清晰,人们的表情相当鲜明。他们笑起来,眼角处的褶子,还有嘴角一弯一弯荡开的笑纹,都丝丝可辨。有一个军人,走过我们,在我头顶上胡噜了一下,我都没有回过神来。转眼间,我们已经进了电梯。然后,在走廊中间的一扇门前停下了。

门开了,我们看见了我们熟悉的人。顿时,一切就都有了声音,活了起来。我们从方才一路陌生的窘境中摆脱出来,恢复了知觉,甚至比平时更要活跃。大人们也很兴奋,七嘴八舌的,顾不上管我们。那两个保姆呢,她们会心地不出声笑,互递眼色,一边却忘不了她们的职责,替我们脱衣服。房间里更热,简直成了一个蒸笼。因为内外冷暖相差,便积起雾状的水汽。人看上去,都有些模糊。我们很快就被脱得只剩一件衬里绒衫,可底下却还保守地穿着棉裤。这就使我们的样子十分奇怪,就像一只钻出蛹子一半的蛾子。可这已经够解放我们的了,我们身手矫健极了。我们捂了许多日子的身体上,散发出一种酸乳的腥甜的气味。小孩子的体味其实是比大人更重,他们的分泌系统还没有受损伤,所以很卖力地工作着,分泌出旺盛的腺液。同时,他们又是被捂得特别严实。那气味呀,简直翻江倒海。

这是一个套房,但并不大,我们就在外间活动。为了谈话方便,大人们将两张书桌在房间中央,拼成一个大桌子,放上吃的东西,喝的东西,玩的东西。地上铺着地毯,所以,我们孩子又在地上摆开一摊。我们在地毯上打滚,爬行,追逐,上蹿下跳。我姐姐和他家的男孩,由于是同班,就有了许多共同语言。他们甚至不用语言,也能互相了解,沆瀣一气。他们一对一地,具有暗示性地笑，很快就笑得倒抽气。而我被他们排除在外，心情变得激愤起来。于是，在他们笑得最热烈的时候，便哭了起来。这样，就招来了大人们。他们一致认为是那两个大的不好，分别斥责了他们，使他们转笑为哭，以泪还泪。如此这般，我们三个一人哭了一场，势态均衡，这才归于平静。

两个阿姨在洗澡间里擦洗澡缸，同时叽叽哝哝，不晓得有多少知心话。我们几个则伏在窗台，看外边的夜景。不远处的中苏友好大厦，顶上的那一颗红星，在夜空里发亮。大厦的轮廓就像童话里的宫殿，宽阔的底座上，一排罗马廊柱。第二层，收进去一周，壁上环着拱形的巨窗。再上去一层，再收小一周。逐渐形成巍峨的塔状。大厦底下，有喷泉，虽然在平常日子里不开，但喷泉周围宽大的大理石护栏，看上去就已经相当华丽。有了这座宫殿，四周都变得不平常了，有一股伟大而神奇的气息笼罩在上空。街道上，静静地驶过车辆，在方才说的、弧度的街面上，灯光聚集的带子里行驶，车身发亮。我们感受到静谧的气氛，也因为刚才都哭过，心底格外的安宁。这一刻，大人们没注意到我们，他们热烈地谈着他们的。这时候，他们要比我们吵闹得多，也挺放肆的。

楼下院子里有时会进来一辆车，缓缓停在大厅门前。其余大多是没有动静。院子门口那两个持枪的哨兵，好像两座雕像，一动不动。有两辆自行车从前边的马路上骑过，骑车人压低了身体，猛蹬车的样子，表示外面起着大风，气温相当寒冷。而我们这三个，热得涨红了脸蛋，汗把头发都濡湿了，一绺一绺粘在脑门上。大人们终于想起我们来了，于是，一个接着一个，被捉进去洗澡。每一个人被捉的时候，都尖声叫着，同时，疯狂地笑着。我们家的这个阿姨，是个对孩子有办法的女人，她一下子就逮住一个，三下五除二地剥去衣服，摁在澡缸里。她做什么都干净利落，且不动声色，很得我们父母的欢心。可我们都怕她，只有在父母跟前，晓得她不敢拿我们怎么样，才敢同她混闹一闹。她的名字叫葛素英，长了一张鹅蛋脸型，照理说是妩媚的，可她却不，而是有些凶相。她的男人有时从乡下上来看她，她也不给一个笑脸，尽是骂他，尤其在他吃饭的时候骂他。葛素英和我们一同吃，却不让他上桌，而是让他在灶间里吃。这个嗜赌的男人，坐一张小板凳，捧一个大碗，头埋在碗里，耳边是女人毒辣的骂声，匆匆地咽着。他住了几天，葛素英就骂了几天。最后，要走了，葛素英从贴身衣袋里摸出手绢包，打开，数出几张钱递给他。这时候，她的眼泪流下来了，可是，一点没有使她变得软弱。现在，澡缸里的蒸汽熏着她，她的脸也红了，用刨花水抿得又光又紧的头发起了毛，松下几丝散发，贴在脸颊上。而且，她笑着对付我们。这到底使她温柔了一点。

我们终于一个一个地洗了出来，好像剥了一层皮。经过肥皂水的浸泡，用力的揉搓和清水冲洗，全身发红。而我们的喉咙，也都因为尖叫和狂笑，变得嘶哑了。洗干净的我们，被大人揿在椅子上，再不许下地了。他们让出桌子的一角给我们，让我们玩些文雅的游戏。于是，我们便打牌。

这副扑克牌是事先就准备好的，是一副旧牌。纸牌的边上，都起了毛，但一张也不缺损。我们只会打一种牌，抽乌龟。这副牌，在我们手里抽来抽去，不知道抽了有几百遍，就是这么抽毛的。"抽乌龟"的玩法，是这样的：先要剔去大怪和小怪，这两张不成对的牌。再在桌底下抽走一张牌，倒压着，谁也不许看。如此，牌里就有了一张落单的牌，这就是"乌龟"。然后，发牌，各自理牌，成双的牌都扔掉，只剩单的。这样，游戏就开始了。打牌的人依时针方向，从对方牌中抽牌。抽到的牌倘若能与手中的某张牌对上，便扔掉，反之，则留下。周而复始，最终就剩下那张落单的牌。握住此牌的人，就做了乌龟。这是一种完全凭运气来决定胜负的游戏，可正因为此，就很刺激。我们一打上手，就打个没够。而且，越打越认真。

大人们也先后洗了澡，两个保姆再接着洗。她们很神秘地，把卧室通向外屋的门关上。于是，无论洗澡间里的水声，还是她们的私语声，全都听不见了。大人们的谈话也进入一个比较平静的阶段，轻声细语的。总之，这时候，房间里很静。中间来过一次服务员,送来开水,还问需要不需要什么别的。然后轻轻带上门走了。就这样,他们大人在那半张桌上说话,我们小孩子在这半张桌上抽乌龟。我们三个,每人都做过几轮乌龟。牌局渐渐有些紧张,便也沉默了。

现在,我姐姐又脱手了。比较起来,她当乌龟更少一些。也可能只是看起来这样,她比较不那么在乎当不当乌龟,就显得比我们轻松。她甩出最后一对牌,就走开去,又吃又喝,不再关心结局。于是,就剩我和男孩较着劲。我们一来一去地抽着牌,这时候,"乌龟"不是在他手上,就是在我手上。可是,这一回,我的运气很好,抽到的总是成双成对的牌。看起来,"乌龟"很可能在他手上。很快,事情就要见分晓了。轮到我抽牌了。我手上只剩下一张牌,他呢,有两张。谁做乌龟,就看这一抽了!两位保姆已经出了浴室,卧室的门重又打开。她们穿戴整齐,洗好的头发重又紧紧地盘了髻,双手相交地放在膝上,坐着,就像两个淑女。除了脸色更加红润,就和洗澡以前没什么两样。

这个男孩是个多病的家伙,他奇怪地对一切事物过敏。有一回,他吃了几口酒酿,竟也醉倒了,身体软得像面条。而我宁可相信这是他在装疯,因为他也是很会来事的。可是这时候,他变得严肃了。像他这样一个机敏的人,总是有办法化险为夷。这一次,却难说来了。事情就在眼前,也不由他做主,只能听凭命运的摆布。他的两只手握着这两张牌,毕恭毕正地端坐着,等着我抽牌。他全神贯注地看着牌,尽可能做到面无表情,让我很难猜测到左边的这张是乌龟,还是右边的那张是。这对我也是一个困难的时刻,非此即彼,我必须做出决定。大人们在柔声细语地说话,保姆们竖起耳朵听着,也不管听懂还是不懂。姐姐悠闲地坐在椅上。她的坐姿很不好,上半身完全瘫在椅面上,好像不是用屁股坐,而是用腰坐。可是没有人去管教她。

我的手伸向他去,试探地摸着其中的一张。这时候,他抬起眼睛看了我一眼。简直是神至心灵,我捏住那张牌就抽。可是,却抽不动,他双手紧紧地握住牌。我再抽,他还不放。他的眼睛始终看着牌,脸上做出若无其事的表情,可就是不松手。他握牌的手指关节微微发白。谁也没有看见这一幕,都在忙自己的事。我们相持了很久,这张牌终于禁不住了,拦腰断成两截。一截在他手里,一截在我手里。我"哇"一声大哭起来,惊动了大人。他们围拢过来,看见的是两截断牌,便以为我是因为犯过失才内疚和害怕地大哭。他们纷纷安慰我,没关系,不要紧,不怪你,诸如此类的话。而我又怎么能说得清个中原委?无尽的冤屈哽得我气也喘不上来,只有更大声地哭,踢腿,蹬脚。几个大人上来一起按我。而我竟还能透过泪眼,注意到就在这一片混乱之中,男孩将手中剩下的那张"乌龟"混入牌中,一下子无影无踪。

这一个晚上,是在睡眠中结束的。这场大哭之后,聚会达到高潮。洗澡,受热,疯玩,笑和哭,耗尽了最后一点力气。于是,我立即睡熟了,终于没能坚持到底。后来,他们又玩了些什么,玩到什么时候,又是如何回家,一概不知。至于那张牌,因为没有人提起,我便也没有机会辩解,事情不了了之。那时候,有很多次这样的聚会,都是在不知觉中结束了。

一个朋友在路上

苏 童

苏童,1963 年出生,江苏苏州人。1984 年毕业于北京师范大学中文系。历任南京艺术学院工艺系教师,《钟山》杂志编辑,江苏省作家协会专业作家。1983 年开始发表作品。著有《苏童文集》(7 卷),小说《第八个是铜像》、小说集《1934 年的逃亡》、《伤心的舞蹈》、《妻妾成群》等。

新年前夕我又收到了力钧寄来的贺年片。贺年片寄自陕北一个偏僻的小县,上面绘着早已过时的动物和花卉图案,边角已经在邮路上磨损得又皱又破,而且沾有些许莫名的灰黄色的污渍。这样的贺年片每年都从力钧手上寄出,邮戳上的地址每年都在变化,北京、昆明、海口、伊犁、哈尔滨,现在却是一个从未听说的旅行者足迹罕至的安塞县,它说明我的好朋友力钧还在路上。

在路上,这是力钧在数年前为自己订立的生活方式。我注意到贺年片上那句格言的风格较去年发生了些许变化。变向!只有简短响亮的一个词组,令人沉思却又不得其中之味。我联想到去年力钧赠我的格言——人类思考,上帝发笑——当时也使我感受到一种非凡的哲理的光辉。后来我曾把这句格言写在贺年片上转奇给别的同窗好友,再后来我就发现那句话原来出自一个声名鹊起的东欧流亡作家之口,那人叫昆德拉。我查了桌上的汉语词典,词典里居然没有变向这个词条。我不知道这是一种无意的遗漏,还是出于编撰者的孤陋寡闻。我也不知道力钩赠我这个词组(似乎是物理学名词?)包含着什么劝诚意义。但我知道作为力钩的朋友,必将受到他这种特殊的友情的滋润。变向是什么?管它是什么呢,用另外一些朋友的话来说,对于力钩你不必那么认真,就像你不必去探究他跑到陕北的安塞县去干什么一样。中国的各个角落几乎都有力钩的朋友,我只是其中的一个。回忆起与力钩最初的交往,至今令我感慨。那时候我们在北方的一所大学同窗共读,但平素很少看见他的人影,只是经常在哲学或政治经济学课堂上看见他突然举手站起来,向授课的教师提出一些深刻的质疑。他的声音带有明显的江浙口音,尖细而充满激情,每逢这时前排的女孩们都回过头来,用充满柔情的目光崇拜地望着他。力钩的头发是乱而蓬松的,力钩不苟言笑的仪态和锐利善辩的谈锋使人联想到康德、萨特这样的名人的青年时代。

中学生卷

力钩经常买书,也因此经常向别人借钱,借了钱往往无力偿还。所以力钩在大学里的形象是毁誉参半的,那些索债不得的人骂他是个骗子,而没有这种际遇的人仍然崇拜着力钩,终于有一次我也被力钩借去了二十元钱,他说书店里只有一本《存在与虚无》了,迟一步就会被别人买走了,于是我就觉得没有理由拒绝。但那些有前车之鉴的人的警告果然被印证,我手头极为拮据,却无法向力钩索取那二十元钱。更加令我气愤的是,有一次我发现力钩居然在校外的一家小餐馆独斟独饮。

那天我愤愤地坐在力钩对面,看着他微闭双目呷饮二锅头白酒。那本《存在与虚无》就放在酒瓶和油炸花生之间,我伸手去抢书的时候听见力钩发出一声鄙夷的冷笑。你想拿就拿去吧。他说,不过你读不懂它,世俗之人无法领略其中的真谛,你会一无所获的。

可是你得把钱还给我。我放还了书,恼恨自己在力钩面前为什么总是显得虚弱而委琐。

不要跟我谈钱,这个字最让我厌恶。力钩皱着眉头说,他把酒瓶推到我一侧，我请你喝酒，他说，别去想钱的事，别去想围墙里的学校和校规，想喝酒的时候就尽情地去喝，这样你的心里就会充实了。奇怪的是我竟然就此驯服了，我第一次喝了白酒，在酒意朦胧中听见力钧对我说，冲破围墙到外面去，去看真实的世界，去找寻你的自我。我像一个虔诚的教徒经受了力钧的洗礼，也就此成了力钧最为忠实的朋友。

在路上。在路上。

多年前力钧提出的这个口号在大学里风靡一时，激荡了许多人的青春激情。毕业分配前夕，正是这股激情驱使我的许多同窗学友报名去了遥远偏僻的新疆、青海或西藏工作。力钧选择了西藏，在毕业典礼上力钧的发言再次语惊四座，他说，不要表扬我，不要赞美我，我并非听从祖国的召唤，这是我自己的需要，我需要的是在路上，在路上——

在路上

毕业典礼上于是响起海潮般的回响。那种狂热的回响至今让我记忆犹新。几年以后我读到了一个美国作家写于六十年代的书，书名就叫《在路上》。我怀疑力钧当时的口号源于这部小说，但作这种考证已经没有什么意义了，力钧早就在路上了，追随力钧的那些同窗学友也早已在路上了。

力钧初到西藏那阶段经常给我写信，信封里还夹寄了他在布达拉宫、耗牛队或大昭寺前的留影。照片上的力钧神色疲惫，眼睛里却闪烁着一如既往的梦幻似的激情之光。其中一张照片上出现了一个短发圆脸的女孩，她似乎是被无意摄入镜头的，她蹲在照片的左下角，侧脸注视着骑耗牛的力钧，我觉得她的表情略含一丝嘲谑的意味。

那个女孩就是力钧的初恋。这是力钧后来在信中告诉我的，而且力钧还用含蓄的语言透露他们之间已经发生了那种关系。力钧说他们也许会像马克思和燕妮一样成为志同道合的伴侣。

最后力钧当然忘不了在信尾催促我去西藏和他会合。看看你的人欲横流铜臭市侩的城市，不要留恋它。力钧在信中这样写道，到我的西藏来，到我的西藏来呼吸纯净清新的空气。我曾经被力钧说动了心，曾经想收拾行装就此离开沉闷乏味的学校，但在动身前总是有各种各样的原因阻碍我挥手西行，我知道更主要的原因在于我的优柔寡断和瞻前思后，这恰恰也是我与力钧本质的区别。我因此只能在这个繁华而嘈杂的南方城市过浑浑噩噩的日子，力钧却像一只自由之鸟在广袤而高远的天空中飞翔。

一个微雪的初冬的夜晚，有人敲响了我单身宿舍的门。是一个陌生的穿着男式军大衣的女孩，那张圆脸那头乌黑的短发似曾相识，却想不起是谁。女孩摘下绒线帽晃动着头发，她说，我从力钧那里来，我是小米。我一下就想起面前的女孩就是力钧的那位恋人。我在游历南方，到这里来当然就投奔你了。小米朝我上下打量了一番，然后莞尔一笑，你是力钧的朋友，当然也算是我的朋友了。深夜来访的女孩从外面带来一股清冷的寒气，我正在为如何接待这位不速之客发愁的时候，小米已经蹬掉脚上溅满泥浆的皮靴，坐到了我的床上，我听见她用一种略带怨气的语调说，南方怎么也下雪呢？我又冷又饿，你能不能给我弄点吃的来？我找出了两包方便面，与此同时小米在后面发出了一声怪叫，又是方便面，她满面惊恐地盯着我的手，我看见方便面就想吐，难道没有别的东西了吗？然后她撇了撇嘴不满地说，你们南方人就是小气，哪能跟我们西藏人比？在西藏不管来什么客人，都要拿最好的东西出来招待。我被小米的话说得无地自容，急忙去邻居家里借鸡蛋。后来我就站在一边，看饥饿的女孩吞咽煮得半生不熟的鸡蛋。女孩在谈话中经常提及力钧的近况，说他正在研究西藏的宗教，但她说得更多的是一个叫老刚的人，我不知道老刚是什么人，根据女孩提及这个名字时的虔敬的表情分析，老刚才是她心目中的偶像，也是我们这个时代匮乏的哲人。大概在凌晨一点钟，高谈阔论的女孩终于打了一个呵欠，我就抱了一条被子准备去学生宿舍借宿。女孩惊异地说，你去哪里？我说。找地方睡觉去。女孩指了指地上，你可以打地铺睡，在西藏我们就是这样的。我摇了摇头，有点窘迫地去开门，这时候女孩在后面嗤地笑了一声，她说，你真封建，你这种人就应该让老刚来给你上上课。

我假装听不懂小米的话，但心里却为自己的古板和委琐感到羞愧。雪后初晴的早晨小米跳上南行的火车，以后我再也没见过她。但是由力钧介绍来的西藏朋友开始像潮汛一样涌到我这里来。有时是一个人，有时是三五成群地登门作客。整个冬天我至少接待了十来拨力钧的朋友，他们或者是力钧在拉萨新结识的朋友，或者是在旅行途中结识力钧的陌生路人，每人都带来了力钧亲笔写的便条。对于我来说那是一个灾难性的季节，我必须以好酒好菜和自己的床铺招待他们，可我平素一直经济拮据，于是我只能到处借钱，我借来的钱有时又被来客借去，我知道他们能否归还是一个悬而未决的问题，但我认为他们的事业比我重要，也比我更需要钱。那个叫老刚的人是在一个更冷的冬夜登门的。他的体格魁梧健壮，满脸灰黑色的络腮胡子，但说话的声音却柔韧而富有弹性，他像一个北方农民盘腿坐在我的床上，破烂的尼龙袜子散发着一股难闻的气味。萨特与海德格尔相比是肤浅的，只有力钧这样初出茅庐的人才会迷信萨特。老刚不停地用纸条卷起莫合烟抽，他的神态安详而自信，我记得他在说话过程中突然跳下地，走到宿舍窗前用双手摇撼着铁条窗栅，他说，为什么要钉这些铁条？你看看你自己，就像一个囚徒被关在牢笼里！我解释说宿舍的窗户都是这样的，老刚突然大吼一声，不，把它砸碎，把它砸碎你才可以获得自由。老刚眼睛里突然迸发的一道白光使我敬畏而惶惑。老刚来去匆匆，临走时他明确地要求我为他们的一份叫做《高原思想》的刊物捐资，我告诉他我一文不名，连菜票都要向学生要。老刚就笑着抓住了我的左手，他指着我腕上的手表说，你还有一只手表，我们许多朋友已经在为《高原思想》卖血了。我摸着手表犹豫的时候，老刚又说，不要留恋身外之物，你应该知道思想比手表更为重要。我终于无法抗拒，那只父亲送我的手表后来不知被老刚典卖到什么地方去了。我在学院的名声

青少年文学读本

渐渐变得很坏，力钧当年的悲剧在我身上重演，我欠了一屁股债。我躲着那些曾借钱给我的人，而另外一些人也像躲避瘟神一样躲着我，唯恐我一张嘴就要借钱。那段时期我情绪消沉，郁郁寡欢。我知道是力钧在千里迢迢之外将一张魔网罩住了我，我必须逃脱这张魔网了。我的工作调动原因就缘于力钧，说起来显得荒唐，事实上确实如此。到了秋天，我已经到另一所学院任教了，我的生活变得平静而美满，当然其中更主要的原因是我也恋爱了。有时我把力钧给我带来的厄运告诉女友小韦，小韦对这事愤愤不平，她说，什么好朋友？这样的朋友不如不要，等他什么时候自己跑来了，你看我怎么教训他？

但力钧自己终于没来这个城市，我想这是我将工作调动刻意隐瞒起了作用，或者是我的回信中充斥了大量牢骚和埋怨，使力钧感到有所不安了。秋天匆匆过去，冬天就来了。没想到冬天一到力钧的信也到了。我不知道力钧是怎么知道了我的新的通讯地址，在这封长信中力钧告诉我他的生活也发生了巨大的变化，他和小米已经互相厌倦直至分道扬镳，这个消息在我的意料之中。令我吃惊的是力钧说他对西藏已经找不到感觉，说他很快就要离开西藏去徒步考察黄河流域文化了。最后力钧兴味盎然地告诉我，他的一个诗人朋友将在元旦前夕来访，他以为与那个诗人朋友交谈将对我有所裨益，他还认为那个诗人目前虽然穷困潦倒，但未来也许会是诺贝尔文学奖的人选。力钧的朋友又要来了。我已经无法摆脱这种焦虑和恐慌。我如临大敌，元旦前夕和小韦一起匆匆到她祖母家住了几天，后来我回到学院宿舍，看见门口的水泥地上躺满了长短不一的烟蒂，想像那个诗人在我门前久久等待的情景，我说不清内心是一种什么样的滋味。后来我还在烟蒂堆里捡起了一些撕得粉碎的纸屑，似乎是那个诗人即兴创造的新作，可惜无法把它们拼凑起来，只有一块纸屑上的字是我所熟悉的，我情不自禁大声地念了出来：

在路上在路上

  关于力钧离开西藏的原因有种种传说。我的几个大学同学从西藏回来说，力钧在失去小米以后终日借酒消愁，有一天他在酒醒以后听到收音机里传来一支苍凉古朴的陕北民歌，力钧被深深地打动了，正是这支陕北民歌使力钧暂时忘却了失恋的痛苦，也正是这支陕北民歌使力钧最后踏上了浪游中国的漫漫长途。他们告诉我小米是个水性杨花的女孩，她抛弃力钧投向老刚的怀抱，半年后又被博学多思的老刚所抛弃，最后小米南下广东，彻底告别了以前的生活，据说小米在某个海滨城市从事一种难以启齿的职业。

  我想起那些遥远的朋友，他们像浮动的岛屿朝各个方向浮动，他们离我越来越遥远了。每当我收到力钧在浪游中国途中寄来的明信片，看到东南西北美丽的自然风光，看到那些不断变化的模糊或清晰的邮戳上的地名，看到力钧一如既往的充满激情的箴言赠语，我总是有一种若有所失的感觉。我觉得青春是一簇月季花，有的正在盛开，有的却在凋零和枯萎。大学毕业后的第五个年头，我与小韦结婚成家了。新婚之日恰逢又一个飘雪的冬夜。我和新婚的妻子围着火炉听萧邦的钢琴曲，有人敲响了小屋的门，小韦跑去开了门。门外是一个陌生的穿旧军大衣的青年，他的头发、眉毛和肩上的登山包都结满了一层白白的雪片，看上去他比我们要更加年轻。你找谁？小韦只把门打开了一半，她用一种警惕的目光审视着那个不速之客。我是力钧的朋友。门外的青年从大衣口袋里掏出一封信，他说，我从大兴安岭来，力钧让我来拜访你们。小韦没有去接那封信，她的手仍然牢牢地控制着小屋的门。然后我听见她冷淡地说，我们不认识力钧，你大概找错门了。小韦说完就做了一个准备关门的动作，我在后面看见那个青年惊讶而失望的脸部表情，他向后退了一步，然后小韦就果断地关上了门。我没想到小韦会这么做。小韦靠着门沉默了一

青少年文学读本

会儿说,只有这样了,这么小的屋子,这么晚了,这么冷的下雪天,我不想接待这种莫名其妙的客人。她抬起头看了看我的脸色,又说,他满腿泥浆,他会把地毯弄脏的。

　　我觉得她不该这样对待我的朋友,也不该这样对待我朋友的朋友。但我没有说什么。我知道在这些问题上,妻子自然有妻子的想法。

亲 亲 土 豆

迟子建

迟子建,女,1964 年出生,山东海阳人。1990 年毕业于北京师范大学。1984 年在西北大学作家班、北京师范大学研究生班学习,现任黑龙江省作家协会专业作家。1985 年开始发表作品。著有长篇小说《热鸟》,《伪满洲国》,散文集《伤怀之美》、《听时光飞舞》,小说集《逝川》、《白银那》等。

　　如果你在银河遥望七月的礼镇,会看到一片盛开着的花朵。那花朵呈穗状,金钟般垂吊着,在星月下泛出迷幻的银灰色。当你敛声屏气倾听风儿吹拂它的温存之声时,你的灵魂却首先闻到了来自大地的一股经久不衰的芳菲之气,一缕凡俗的土豆花的香气。你不由在灿烂的天庭中落泪了,泪珠敲打着金钟般的花朵,发出错落有致的悦耳的回响,你为自己的前世曾悉心培育过这种花朵而感到欣慰。

　　那永远离开了礼镇的人不止一次通过梦境将这样的乡愁捎给他亲人们,捎给热爱土豆的人们。于是,晨曦中两个刚刚脱离梦境到晨露摇曳的土豆地劳作的人的对话就司空见惯了:

　　"昨夜孩子他爷说在那边只想吃新土豆,你说花才开他急什么?"

　　"我们家老邢还不是一样?他嫌我今年土豆种得少,他闻不出我家土豆地的花香气。你说他的鼻子还那么灵啊?"

土豆花张开圆圆的耳朵,听着这天上人间的对话。

礼镇的家家户户都种着土豆。秦山夫妇是礼镇种土豆的大户,他们在南坡足足种了三亩。春天播种时要用许多袋土豆栽子,夏季土豆开花时,独有他家地里的花色最全,要紫有紫,要粉有粉,要白有白。到了秋天,也自然是他们收获最多了。他们在秋末时就进城卖土豆,卖出去的自然成了钱存起来,余下的除了再做种子外,就由人畜共同享用了。

秦山又黑又瘦,夏天时爱打赤脚。他媳妇比他高出半头,不漂亮,但很白净,叫李爱杰,温柔而贤惠。他们去土豆地干活时总是并着肩走,他们九岁的女儿粉萍跟在身后,一会儿去采花了,一会儿又去捉蚂蚱了,一会儿又用柳条棍去戏弄老实的牛了。秦山嗜烟如命,人们见他总是叼着烟眯缝着眼自在地吸着。他家的园子就种了很多烟叶,秋天时烟叶长成了,一把把蒲扇似的拴成捆吊在房檐下,像是古色古香的编钟,由着秋风来吹打。到了冬天,秦山天天坐在炕头吸烟,有时还招来一群烟友。他的牙齿和手指都被烟熏得焦黄焦黄的,嘴唇是猪肝色,秦山媳妇为此常常和他拌几句嘴。

秦山因为吸烟过量常常咳嗽,春秋尤甚,而春秋又尤以晚上为甚。李爱杰常常跟其他女人抱怨说她两三天就得洗一回头,不然那头发里的烟味就熏得她翻胃。女人们就打趣她,秦山天天搂着你吸烟不成?李爱杰便红了脸,说去你们的,秦山才没那么多的纠缠呢。

可是纠不纠缠谁能知道呢?

秦山和妻子爱吃土豆,女儿粉萍也爱吃。吃土豆的名堂在秦家大得很,蒸、煮、烤、炸、炒、调汤等等,花样繁杂得像新娘子袖口上的流苏。冬天的时候粉萍常用火炉的二层格烤囫囵土豆,一家人把它当成饭后点心来吃。

礼镇的人一到七月末便开始摸新土豆来吃了。小孩子们窜到南坡的土豆地里,见到垄台有拇指宽的裂缝了,便将手指顺着裂缝伸进去,保准能掏到一个圆鼓鼓的土豆,放到小篮里,回家用它炖豆角吃真是妙不可言。当然,当自家地的裂缝被一一企及、再无土豆露出早熟的迹象时,他们便猫着腰窜入秦山家的土豆地,像小狐狸一样灵敏地摸着土豆,生怕被下田的秦山看见。其实秦山是不在乎那点土豆的,所以这个时节来土豆地干活,他就先在地头大声咳嗽一番,给小孩子们一个逃脱的信号,以免吓着他们。偷了土豆的孩子还以为自己做贼做得高明,回去跟家长说:"秦山抽烟落下的咳嗽真不小,都咳嗽到土豆地去了。"

初秋的时令,秦山有一天吃着吃着土豆就咳嗽得受不住了,双肩抖得像被狂风拍打着的一只衣架,只觉得五脏六腑都错了位,没有一处舒服的地方。李爱杰一边给他捶背一边嗔怪:"抽吧,让你抽,明天我把你那些烟叶一把火都点着了。"

秦山本想反驳妻子几句,可他无论如何都没有那力气了。当天夜里,秦山又剧烈咳嗽起来,而且觉得恶心。他的咳嗽声把粉萍都惊醒了,粉萍隔着门童声童气地说:"爸,我给你拔个青萝卜压压咳吧?"

秦山拉着胸说:"不用了,粉萍,你睡吧。"

秦山咳嗽累了便迷迷糊糊睡着了。李爱杰担心秦山,第二天早早就醒了。她将头侧向秦山,便发现了秦山枕头上的一摊血。她吓了一跳,想推醒秦山让他看,又一想吐血不是好事,让秦山知道了,不是糟上加糟吗?所以她轻轻抬起秦山的头,将他的枕头撤下,将自己的枕头垫上去。秦山被扰得睁了一下眼睛,但捺不住咳嗽之后带给他的巨大疲乏,又睡去了。

李爱杰忧心忡忡地早早起来,洗了那个枕套。待秦山起来,她便一边给他盛粥一边说:"咳嗽得这么厉害,咱今天进城看看去。"

"少抽两天烟就好了。"秦山面如土灰地说,"不看了。"

李爱杰说:"不看怎么行,不能硬挺着。"

"咳嗽又死不了人。"秦山说,"谁要是进城给我捎回两斤梨来吃就好了。"

李爱杰心想："咳嗽死不了人，可人一吐血离死就近了。"这种不祥的想法使她在将粥碗递给秦山时哆嗦了一下，她甚至不敢看他的眼睛，只是无话找话地说："今天天真好，连个云彩丝儿都没有。"

秦山边喝粥边"唔"了一声。

"老周家的猪这几天不爱吃食，老周媳妇愁得到处找人给猪打针。你说都入秋了，猪怎么还会得病？"

"猪还不是跟人一样，得病哪分时辰。"秦山推开了粥碗。

"怎么就喝了半碗？"李爱杰颇为绝望地说，"这小米子我筛了三遍，一个谷皮都没有，多香啊。"

"不想吃。"秦山又咳嗽一声。秦山的咳嗽像余震一样使李爱杰战战兢兢。

早饭后李爱杰左劝右劝，秦山这才答应进城看病去。他们搭着费喜利家进城卖菜的马车，夫妇俩坐在车尾。由于落过一场雨，路面的坑坑洼洼还残着水，所以车轱辘碾过后就溅起来一串串泥浆，打在秦山夫妇的裤脚上。李爱杰便说："今年秋天可别像前年，天天下雨，起土豆时弄得跟个泥猴似的。"

费喜利甩了一下鞭子回过头说："就你们家怕秋天下连绵雨，谁让你们家种那么大的一片土豆了？你们家挣的钱够买五十匹马的了吧？"

秦山笑了一声："现在可是一匹不匹呢。"

费喜利"咦嘀"了一声，说："我又不上你家的马房牵马，你怕啥？说个实话。"

李爱杰插言道："您别逗引我们家秦山了，卖土豆那些钱要是能买回五十匹马来，他早就领回一个大姑娘填房了。"

费喜利嘀嘀地笑起来，马也愉快地小跑起来。马车颠簸着，马颈下的铃铛发出银子落在瓷盘中的那种脆响。

秦山气喘吁吁地说："咱可没有填房纳妾的念头，咱又不是地主。"

李爱杰追问道："真要是地主呢？"

"那也只娶你一个，咱喜欢正宫娘娘。"秦山吐了一口痰说，"等我哪天死了，你用卖土豆的钱招一个漂亮小伙入赘，保你享福。"李爱杰便因为这无端的玩笑灰了脸，差点落泪了。

医生给秦山拍了片子，告诉三天后再来。三天后秦山夫妇又搭着费喜利家进城卖菜的马车去了医院。医生悄悄对李爱杰说："你爱人的肺叶上有三个肿瘤，有一个已经相当大了。你们应该到哈尔滨做进一步检查。"

李爱杰小声而紧张地问："他这不会是癌吧？"

医生说："这只是怀疑，没准是良性肿瘤呢。咱这儿医疗条件有限，无法确诊，我看还是尽早去吧，他这么年轻。"

"他才三十七虚岁。"李爱杰落寞地说，"今年是他本命年。"

"本命年总不太顺利。"医生同情地安抚说。

夫妻俩回到礼镇时买了几斤梨，粉萍见父母回来都和颜悦色的，以为父亲的病已经好了，就和秦山抢梨吃。也许梨的清凉起到了很好的祛痰镇咳作用，当夜秦山不再咳了，还蛮有心情地向李爱杰求温存。李爱杰心里的滋味真比调味店的气味还复杂。答应他又怕耗他的气血使他情况恶化，可不答应又担心以后是否还有这样的机会。整个的人就像被马蜂给蜇了，没有一处自在的地方，所以就一副尴尬的应付相，弄得秦山直埋怨她："你今晚是怎么了？"

第二天李爱杰早早就醒来，借着一缕柔和的晨光去看秦山的枕头。枕头干干净净的，没有一丝血迹，这使她的心稍稍宽慰了一些。心想也许医生的话不必全都放在心上，医生也不可能万无一失吧。两口子该做啥还做啥，拔土豆地里的稗草、给秋白菜喷农药、将大蒜刨出来编成辫子挂在山墙上。然而好景不长，过了不到一周，秦山又开始剧烈咳嗽，这次他自己见到咯出的血了，他那表情麻木得像蜡像人。

"咱们到哈尔滨看看去吧。"李爱杰悲凉地说。

"人一吐血还有个好吗？"秦山说，"早晚都是个死，我可不想把那点钱花在治病上。"

"可有病总得治呀。"李爱杰说,"大城市没有治不好的病。况且咱又没去过哈尔滨,逛逛世面吧。"

秦山不语了。夫妻二人商量了半宿,这才决定去哈尔滨。李爱杰将家里的五千元积蓄全部带上,又关照邻居帮她照顾粉萍、猪和几只鸡。邻居问他们秋收时能回来吗?秦山咧嘴一笑说:"我就是有一口气,也要活着回来收最后一季土豆。"

李爱杰拍了一下秦山的肩膀,骂他:"胡说!"

两人又搭了费喜利家进城卖菜的马车。费喜利见泰山缩着头没精打采,就说:"你要信我的,就别看什么病去。你少抽两袋烟,多活动活动就好了。"

"我见天长在土豆地里干活,活动还算少吗?"秦山干涩地笑了一声,说,"看什么病,陪咱媳妇逛逛大城市去,买双牛皮鞋,再买个开长衩的旗袍。"

"我可不穿那东西给你丢人。"李爱杰低声说。

两个人在城里买了一斤烙饼和两袋咸菜,就直奔火车站了。火车票没有他们想象的那么贵,而且他们上车后又找到了挨在一起的座位,这使他们很愉快。所以火车开了一路李爱杰就发出一路的惊诧:

"秦山,你快看那片紫马莲花,绒嘟嘟的!"

"这十好几头牛都这么壮,这是谁家的?"

"这人家可真趁,瞧他家连大门都刷了蓝漆!"

"那个戴破草帽的人像不像咱礼镇的王富?王富好像比他瓷实点。"

秦山听着妻子恍若回到少女时代的声音,心里有种比晚霞还要浓烈的伤感。如果自己病得不重还可以继续听她的声音,如果病入膏肓,这声音将像闪电一样消失。谁会再来拥抱她温润光滑的身体?谁来帮她照看粉萍?谁来帮她伺候那一大片土豆地?

秦山不敢继续往下想了。

两人辗转到哈尔滨后并没心思浏览市容,先就近在站前的小吃部吃了豆腐脑和油条,然后打听如何去医院看病。一个扎白围

187

中学生卷

裙的胖厨子一下子向他们推荐了好几家大医院,并告诉他们如何乘车。

"你说这么多医院,哪家医院最便宜?"秦山问。

李爱杰瞪了秦山一眼,说:"我们要找看病最好的医院,贵不贵都不怕。"

厨子是个热心人,又不厌其烦地向他们介绍各个医院的条件,最后帮助他们敲定了一家。

他们费尽周折赶到这家医院,秦山当天就被收入院。李爱杰先缴了八百元的住院押金,然后上街买了饭盒、勺、水杯、毛巾、拖鞋等住院物品。秦山住的病房共有八人,有两个人在吸氧气。在垂危者那长一声短一声的呼吸声中有其他病人的咳嗽声、吐痰声和喝水声。李爱杰听主治医生讲要给秦山做 CT 检查,这又是一笔不小的开销。但李爱杰豁出去了。

秦山住院后脸色便开始发灰,尤其看着其他病人也是一副愁容惨淡的样子,他便觉得人生埋伏着的巨大陷阱被他踩中了。晚饭时李爱杰上街买回两个茶蛋和一个大面包。与秦山邻床的病人也是中年人,很胖,头枕着冰袋,他的妻子正给他喂饭。他得的好像是中风,嘴歪了,说话含混不清,吃东西也就格外费力;喂他吃东西的女人三十来岁,齐耳短发,满面憔悴。有一刻她不慎将一勺热汤撒在了他的脖子上,病人急躁地一把打掉那勺,吃力地骂:"婊子、妖精、破鞋——"女人撇下碗,跑到走廊伤心去了。

李爱杰和秦山吃喝完毕,便问其他病人家属如何订第二天的饭,又打听茶炉房该怎么走。大家很热心地一一告诉她。李爱杰提着暖水瓶走出病室的门时天已经黑了,昏暗的走廊里有一股阴冷而难闻的气味。李爱杰在茶炉房的煤堆旁碰到那个挨了丈夫骂的中年妇女,她正在吸烟。看见李爱杰,她便问:

"你男人得了什么病?"

"还没确诊呢。"李爱杰说,"明天做 CT。"

"他哪里有毛病?"

"说是肺。"李爱杰拧开茶炉的开关,听着水咕噜噜进入水瓶的声音。"他都咯血了。"

"哦。"那女人沉重地叹息一声。

"你爱人得了中风?"李爱杰关切地问。

"就是那个病吧,叫脑溢血,差点没死了。抢救过来后半边身子不能动,脾气也暴躁了,稍不如意就拿我撒气,你也看见了。"

"有病的人都心焦。"李爱杰打完水,盖严壶盖,直起身子劝慰道,"骂两句就骂两句吧。"

"唉,摊上个有病的男人,算咱们命苦。"女人将烟掐死,问:"你们从哪里来?"

"礼镇。"李爱杰说,"坐两天两夜的火车呢。"

"这么远。"女人说,"我们家在明水。"她看着李爱杰说,"你男人住的那张床,昨晚刚抬走一位。才四十二岁,是肝癌,留下两个孩子和一个快八十的老母亲,他老婆哭得抽过去了。"

李爱杰提水壶的胳膊就软了,她低声问:"你说真要得了肺癌还有救吗?"

"不是我嘴损,癌是没个治的。"那女人说,"有那治病的钱,还不如逛逛风景呢。不过,你也别担心,说不定他不是癌呢,又没确诊。"

李爱杰愈发觉得前程灰暗了,不但手没了力气,腿也有些飘,看东西有点眼花缭乱。

"你家在哈尔滨有亲戚吗?"

"没有。"李爱杰说。

"那你晚间住哪儿?"

"我就坐在俺男人身边陪着他。"

"你还不知道吧,家属夜间是不能呆在病房的,除非是重病号夜间才允许有陪护。看你的样子,家里也不是特别有钱的,旅店住不起,不如跟我去住,一个月一百块钱就够了。"

"那是什么地方?"李爱杰问。

"离医院不远,走二十分钟就到了。是一片要动迁的老房子,矮矮趴趴的。房东是老俩口,闲着间十平方米的屋子,原先我和那个得肝癌病的人的老婆一起住,她丈夫一死,她就收拾东西回乡下了。"

"太过意不去。"李爱杰说,"你真是好心人。"

"我叫王秋萍。"女人说,"你叫我萍姐好了。"

"萍姐。"李爱杰说,"我女儿也叫萍,是粉萍。"

两个女人出了茶炉房,通过一段煤渣遍地的市道回到住院处的走廊。她们一前一后走着,步履都很沉重。一些病人家属来来往往地打水和倒剩饭,卫生间的垃圾桶传出一股刺鼻的馊味儿。

秦山在李爱杰要离开他跟王秋萍去住的时候忽然拉住她的手说:"爱杰,要是确诊是癌,咱可不在这遭这份洋罪,我宁愿死在礼镇咱家的土豆地里。"

"瞎说。"李爱杰见王秋萍在看他们,连忙抽回手,并且有些脸红了。

"你别心疼钱,要吃好住好。"秦山嘱咐道。

"知道了。"李爱杰说。

房东见王秋萍又拉来新房客,当然喜不自禁。老太太麻利地烧了壶开水,还洗了两条嫩黄瓜让她们当水果吃。那间屋子很矮,两张床都是由砖和木板搭起来的,两床中央放着个油漆斑驳的条形矮桌,上面堆着牙具、镜子、茶杯、手纸等东西。墙壁上挂着几件旧衣裳,门后的旯儿里有个木盖马桶。这所有的景致都因为那盏低照度的灯泡而显得更加灰暗。

王秋萍和李爱杰洗过脚后便拉灭了灯,两人躺在黑暗中说着话。

"刚才看你男人拉你手的那股劲,真让我眼热。"王秋萍羡慕地说,"你们的感情真深哪。"

"所以他一病我比自己病还难受。"李爱杰轻声说。

"唉,我男人没病前我俩就没那么好的感情,两天不吵,三天早早的。他病了我还得尽义务,谁想这人脾气越来越随驴了。我伺候了他三个月了,他的病老是反复,家里的钱折腾空了,借了一屁股的债,愁得我都不想活了。两个孩子又都不立事,婆婆还好吃懒做,常对我指桑骂槐的。"

"你家也靠种地过日子?"李爱杰问。

"可不,咱也是农民嘛。前年他没病时跟人合开了一个榨油坊,挣了几千块钱,全给赌了。"

"那你的钱怎么还呢?"

"我现在就开始干两份活了。"王秋萍说,"每天早晨三点多钟我就到火车站的票房子排队买卧铺票,然后票贩子给我十五块钱。中午我给一家养猪厂到几家饭店去收剩饭剩菜,也能收入个十块八块的。一天下来,能有二十几块吧。"

"你男人知道你这么辛苦吗?"

"他不骂我就烧高香了,哪还敢指望他疼我。"王秋萍长长叹口气,"他将来恢复不好,真是偏瘫了,我后半辈子就全完了。有时候真巴不得他——"

李爱杰知道她想说什么,她在黑暗中吃惊地"啊"了一声。

中学生卷

"你要是摊上了就知道了。"王秋萍乏力地说,"要是你男人真得了癌,得需要一大笔钱,还治不出个好来。到时我帮你联系点活干,卖盒饭、给人看孩子、送牛奶……"

王秋萍的声音越来越细,沉重的疲惫终于遏止了她的声音,将她推入梦乡。李爱杰辗转反侧,一会儿想秦山在医院里能否休息好、夜里是否咳嗽,一会儿又想粉萍在邻居家住得习惯吗,一会儿又想礼镇南坡她家那片土豆地,想得又乏又累才昏昏沉沉睡去。等到醒来后天已经大亮了,房东正在扫地,有几只灰鸽子在窗台前咕咕叫,王秋萍的铺已经空了。

"夜里睡得踏实吗?"房东热情地问。

"挺香的。"李爱杰说,"一路折腾来的乏算是解了。"

房东一边忙活一边絮絮叨叨问李爱杰一些事。男人得的什么病呀,家里几口人呀,住几间房呀。她告诉李爱杰,王秋萍一大早就上火车站排队买卧铺票去了,让她早起后到街角买个煎饼果子吃。

李爱杰洗过脸,就沿着昨夜来时的路线去医院。街上无论是汽车还是行人都多得让她数不过来,她想,城里的马路才真正是苦命的路。天有些阴,但大多数的女人都穿着裙子,她们露着腿,背着精致考究的皮包,高跟鞋将人行道踩得咯噔咯噔响。她本想在街角买个煎饼果子吃,但因为惦记秦山,还是空着肚子先到医院去了。一进走廊,就见秦山住的病室的门被推开了,一下子涌出来五六个手忙脚乱的人,有医生,也有神色慌乱的陌生人。跟着推出了一个病人,吓得李爱杰腿都软了。直到看到那病人不是秦山,这才缓口气来,看着他们朝抢救室急急而去。

秦山帮助妻子订了一份小米粥,怕粥凉了,用饭盒扣得严严实实的,搁在自己的肚子上,半仰着身子用手捂着。李爱杰一来,他就笑着从被窝里拿出饭盒,说:"还温着呢,快吃吧。"

李爱杰鼻子一酸,轻声问:"夜里没咳嗽吧?"

秦山眨眨眼睛,摇摇头,轻声说:"你不在身边就是睡不踏实。"

李爱杰眼睛湿湿地看了眼秦山,然后垂头去吃那盒粥。病室窗外的树叶被风吹得飒飒响,像秦山年轻时用麦秸拨弄她耳朵逗她发痒的那股声音。李爱杰看了一眼王秋萍的丈夫,他四肢僵硬地躺在床上,歪着头,贪馋地看着邻床的病人吃烙饼。那表情完全像个不谙世事的小孩子。

秦山的检查结果很快出来了。当李爱杰被医生叫到办公室后她知道一切都完了。

医生说:"他已经是晚期肺癌了,已经扩散了。"

李爱杰没有吱声,她只觉得一下子掉进一口黑咕隆咚的井里,她感觉不出阳光的存在了。

"如果做手术,效果也不会太理想。"医生说,"你考虑吧,要么就先用药物维持。不过最好不要让病人知道真实情况,那样会增加他的心理负担。"

李爱杰慢吞吞地出了医生办公室,她在走廊碰到很多人,可她感觉这世界只有她一个人。她来到住院处大门前的花坛旁,很想对着那些无忧无虑的娇花倩草哭上一场。可她的眼泪已经被巨大的悲哀征服了,她这才明白绝望者是没有泪水的。

李爱杰去看秦山的时候为了掩饰自己内心的慌乱,特意从花坛上偷偷摘了一朵花掖在袖筒里。秦山正在喝水,雪亮的阳光投在他青黄瘦削的脸颊上,他的嘴唇干裂了。李爱杰趁他不备将花从袖筒掏出来:"闻闻,香不香?"她将花拈在他的鼻子下。

秦山深深闻了一下,说:"还没有土豆花香呢。"

"土豆花才没有香味呢。"李爱杰纠正说。

"谁说土豆花没香味?它那股香味才特别呢,一般时候闻不到,一经闻到就让人忘不掉。"秦山左顾右盼见其他病人和家属都没有注意听他们说话,才放心大胆地打趣道:"就像你身上的味儿一样。"

李爱杰凄楚地笑了。就着这股笑劲,她装做兴高采烈地说:"你知道我为什么偷花给你吗?咱得高兴一下了,你的病确诊了,就是普通的肺病,打几个月的点滴就能好。"

"医生跟你说了?"秦山问。

"医生刚才告诉我,不信你问问去。"李爱杰说。

"没有大病当然好,我还去问什么呢。"秦山说,"咱都来了一个多礼拜了,该是收土豆的时候了。"

"你放心,咱礼镇有那么多的好心人,不能让咱家的土豆烂到地里。"李爱杰说。

"自己种的地自己收才有意思。"秦山忽然说,"钱都让你把着,你就不能给我几百让我花花?"

"我才没那么抠门呢。"李爱杰抿嘴一乐,"你现在躺在医院里又不能出去逛,你要钱有什么用?"

"订点好饭呀,托人买点水果呀什么的。"秦山端起水杯喝了几口水,然后说:"身上有钱踏实。"

李爱杰就从腰包数出三百块钱给了秦山。

当天下午,护士便来给秦山输液了,是一种没贴药品标签的液体。李爱杰一边陪他输液一边和他说着温暖话。到了黄昏,输完液,送饭的来了。他们又一起吃了米饭和豆角。秦山吃得虽然少，但他看上去情绪不错，因为他一直在说话。

黄昏了。王秋萍来给丈夫送饭，她黑着眼圈，手上缠着绷带。她这两天特别倒霉，铁路打击票贩子，票贩子都不敢出现了。她想自己买票暗中高价卖掉，不料这一段天天起得迟，到了售票处只能排到队尾，自然毫无所获，而且手又不巧被铁栅栏给划破了。她丈夫虽然脾气不好，但食欲却比往日还要旺盛，整天指着名要鸡要鱼的，王秋萍只能硬捱着。

"秦山，你也喝点鸡汤吧。"王秋萍说。

"我和爱杰刚吃过。"秦山和悦地笑笑，"谢谢了。"

王秋萍的丈夫恨恨地瞪了王秋萍一眼，说："你看他比我年轻，让他喝我的鸡汤，你勾引人——"

王秋萍摇头叹口气，无可奈何地给丈夫一勺一勺地喂鸡汤。喂完丈夫，她和李爱杰一起上厕所，突然说："那么多不该进太平房的人都进了那里，他这该进的却天天活着磨人。有时候真想毒死他。"

李爱杰怔怔地看着王秋萍，失神地说："秦山确诊了。"她突然扑到王秋萍怀里哭起来，"我还不如你，想让他磨我也没这个日子了！"

两个中年女人相抱在一起哭成了泪人，将一些上厕所的人吓得大惊失色。

那一夜王秋萍和李爱杰几乎彻夜未眠。两个人买了瓶白酒，喝得酩酊大醉，将在厕所没有哭完的泪水又哭了出来。刚开始时两人都觉头昏沉沉的，奇怪的是哭得透彻了倒把酒给醒了，毫无睡意。两人便讲起各自的家世，说得天有晓色，才觉得眼睛发涩，便都酣然沉睡于蓓蕾般的黎明中。

李爱杰梦见自己和秦山去土豆地铲草，路过草甸子，秦山为她采一枝花，掉进了沼泽中。眼看着人越陷越深，急得李爱杰大喊起来，一个激灵从睡梦中坐了起来。揉揉太阳穴，看着矮桌上的空酒瓶和吃剩的香肠、豆腐干、花生米，她才忆起昨夜和王秋萍喝酒的事。王秋萍裹条薄绒毯子，睡得头发披散，鼻翼微微翕动，

青少年文学读本

面色也比白日里看上去好多了。李爱杰抓过手表,一看已经是正午时分了,吓得非同小可,连忙推醒王秋萍:"萍姐,中午了,咱们还没去医院呢。"

王秋萍也"哎哟"一声坐起来,用手背使劲揉了下眼睛,懊恼地自责:"唉,排不成车票,连猪食也收不成了。"她直了直腰,忽然又四仰八叉躺倒在床,一副听天由命的样子:"反正已经中午了,不如睡到晚上,还能省顿饭。"

李爱杰知道她在说气话。待她梳洗完毕回到小屋,王秋萍果然已经起床了。她对李爱杰说,过两天她要回明水一趟,夜里她梦见两个孩子让狗给咬了:"一个咬在胳膊上,一个咬在腿上,扑在我面前哭得起不来,孩子托生在我家真是可怜。"

"梦都是反着来解的。"李爱杰安慰她,"你梦见他们哭说明他们笑。"

"咳,我想孩子了。"王秋萍又是一声长长的叹息,"也该秋收了,总不能老指着我娘家人帮忙吧?"

"是该秋收了,我们家有好大一片土豆地呢。"李爱杰说这话的感觉就像没过足秋天双脚却踩在了初冻的薄冰上,有一种说不出的失落和凄楚。

两个人说着话来到街上,各自买了一个煎饼果子,倚着浮灰重重的栅栏吃起来。阳光很灿烂,她们眯缝着眼睛,百无聊赖地看着行人、车辆、广告牌,听着汽车喇叭声、磁带销售摊前录音机播放的流行歌曲声以及此起彼伏的叫卖声。

她们赶到医院时午饭已经过了。李爱杰一进病房就傻了眼。秦山不见了,病服堆在床上,床头柜上的饭盒等东西也不见了。

护士正在给患者扎针,见了李爱杰便态度生硬地说:"五号床的家属,你们家的病人怎么不见了?"

"昨晚我离开时他还好好地呆在这里,他怎么会出了医院?"李爱杰气急地说,"该问你们医院吧?"

"医院又不是托儿所。"护士没好气地说,"还住不住了?不住还有其他病人等着床呢。"

李爱杰掀开秦山的床单,见床下的拖鞋也不见了,她便害怕地坐在床头哭起来。邻床的一位患者说,晚上秦山还睡得好好的,凌晨四点左右,天才放亮,秦山就下床了,他以为他去解手了。

秦山会不会去死呢? 昨天她和王秋萍在厕所哭了一场,尽管回病房前洗了好几遍脸,又站在院子的风中平静了一番,可她红肿的眼睛也许让他抓到蛛丝马迹了。他没有告别就走了,看来是不想活了。

王秋萍顾不上自己的丈夫了,连忙陪同李爱杰去找秦山。她们去了松花江边、霁虹桥的铁路交叉口以及公园幽深的树林,一切可以自杀的场所几乎都让她们跑遍了,然而没有什么人投江、卧轨或是吊在公园的树下。天黑的时候,她们仍不见秦山的影子,有的只是源源不断的、形形色色的陌生的归家人。李爱杰趴在霁虹桥的绿铁栏前痛哭起来。

她们绞尽脑汁想秦山会去哪里,最后王秋萍说也许他去极乐寺出家了。李爱杰也觉得有些道理,也许秦山以为遁入佛门会使他的病和灵魂都得到拯救。于是她们又捱过一个不眠之夜后,一大早就去了极乐寺。她们找到住持,问昨天是否有人要来出家。住持双手合十念了声"阿弥陀佛",然后微微摇头。她们便又去了大直街上的天主堂和一处基督堂。她们为什么去教堂? 也许她们认为那是收留人灵魂的地方。转到下午,仍不见秦山的影子。她们又跑回住处看房东家的电视,看本市午间新闻是否有寻人启事或者是意外事故的发生,结果她们毫无所获。

一直到了下午两点,处于极度焦虑状态的李爱杰才突然意识到秦山一定是回礼镇了。一个要自杀的人怎么会带走饭盒、毛巾、拖鞋等东西呢? 她又联想起秦山那天朝她要钱的事,就更加坚定地认为秦山回了家乡了。李爱杰开始打点回家的行装。

"萍姐,一会儿跟我去办出院手续。"李爱杰头也不抬地说,"秦山一定是回了家了。"

"他不想治病了?"王秋萍大声叫道。

"他一定明白他的病是绝症了,治不好的病他是不会治的。"

李爱杰哽咽地说，"他是想把钱留下来给我和粉萍过日子，我知道他。"

"这么善良的人怎么让你摊上了?"王秋萍抽咽了一下，"他回家怎么不叫上你?"

"叫上我，我能让他走吗?"李爱杰说，"今天的火车已经赶不上了，明天我就往回返。"

一旦想明白了秦山的去处，李爱杰就沉静下来了。下午王秋萍陪她去办出院手续，院方开始不退住院押金，说病人已经住了一周多了，而且又用了不少药。李爱杰说不过他们，便去求助于秦山的主治医生。医生听明情况后，帮助她找回了应退还的钱。

晚间，李爱杰打开旅行袋，取出一条很新的银灰色毛料裤子，递给王秋萍："萍姐，这是我三年前的裤子，就上过两回身。城里人爱以貌取人，你去哪办事时就穿上它。你比我高一点，你可以把裤脚放一放。"

王秋萍捧着那条裤子，将它哭湿了好大一片。

李爱杰赶回礼镇时正是秋收的日子，家家户户都在南坡地里起土豆。是午后的时光，天空极其晴朗，没有一丝云，只有凉爽的风在巷子里东游西逛。李爱杰没有回家，她径直朝南坡的土豆地走去。一路上她看见许多人家的地头都放着手推车，人们刨的刨、捡的捡、装袋的装袋。邻家的狗也跟着主人来到地里，见到李爱杰，便摇着尾巴上来叼她的裤脚，仿佛在殷勤地问候她：你回来了?

李爱杰远远就看见秦山猫腰在自家的地里起土豆，粉萍跟在他身后正用一只土篮捡土豆。秦山穿着蓝布衣，午后的阳光沉甸甸地照耀着他，使他在明亮的阳光中闪闪发光，李爱杰从心底深深地呼唤了一声："秦山——"双颊便被自己的泪水给烫着了。

秦山一家人收完土豆后便安闲地过冬天。秦山消瘦得越来越快，几乎不能进食了。他常常痴迷地望着李爱杰一言不发。李爱杰仍然平静地为他做饭、洗衣、铺床、同枕共眠。有一天傍晚，天落了雪，粉萍在灶间的火炉上烤土豆片，秦山忽然对李爱杰说：

"我从哈尔滨回来给你买了件东西,你猜是啥?"

"我怎么猜得出来。"李爱杰的心咚咚地跳起来。

秦山下了炕,到柜子里拿出一个红纸包,一层层轻轻地打开,抖搂出一条宝石蓝色的软缎旗袍,那旗袍被灯光映得泛出一股动人的幽光。

"哦!"李爱杰吃惊地叫了一声。

"多亮堂啊。"秦山说,"明年夏天你穿上吧。"

"明年夏天——"李爱杰伤感地说,"到时我穿给你看。"

"穿给别人看也是一样的。"秦山说。

"这么长的衩,我才不穿给别人看呢。"李爱杰终于抑制不住地哭着扑倒在秦山怀里,"我不愿意让别人看我的腿……"

秦山在下雪的日子里挣扎了两天两夜终于停止了呼吸。礼镇的人都来帮助李爱杰料理后事,但守灵的事只有她一人承当。李爱杰在屋里穿着那条宝石蓝色的软缎旗袍,守着温暖的炉火和丈夫,由晨至昏,由夜半至黎明。直到了出殡的那一天,她才换下了那件旗袍。

由于天寒地冻,在这个季节死去的人的墓穴都不可能挖得太深,所以覆盖棺材光靠那点冻土是无济于事的。人们一般都去拉一马车煤渣来盖坟,待到春暖花开了再培新土。当葬礼主持差人去拉煤渣的时候,李爱杰突然阻拦道:"秦山不喜欢煤渣。"

葬礼主持以为她哀思深重,正要好言劝导,她忽然从仓房里拎出几条麻袋走向菜窖口,打开窖门,吩咐几个年轻力壮的人:"往麻袋里装土豆吧。"

大家都明白李爱杰的意图,于是就一齐动手捡土豆。不出一小时,五麻袋土豆就装满了。

礼镇人看到一个不同寻常的葬礼。秦山的棺材旁边坐着五麻袋敦敦实实的土豆,李爱杰头裹孝布跟在车后,虽然葬礼主持不让她跟到墓地,她还是坚持随着去了。秦山的棺材落入坑穴,人们用铁铲将微薄的冻土扬完后,棺材还露出星星点点的红色。李爱杰上前将土豆一袋袋倒在坟上,只见那些土豆咕噜噜地在坟堆上旋转,最后众志成城地挤靠在一起,使秦山的坟豁然丰满充盈起来。雪后疲惫的阳光挣扎着将触角伸向土豆的间隙,使整座坟洋溢着一股温馨的丰收气息。李爱杰欣慰地看着那座坟,想着银河灿烂的时分,秦山在那里会一眼认出他家的土豆地吗? 他还会闻到那股土豆花的特殊香气吗?

李爱杰最后一个离开秦山的坟。她刚走了两三步,忽然听见背后一阵簌簌的响动。原来坟顶上的一只又圆又胖的土豆从上面坠了下来,一直滚到李爱杰脚边,停在她的鞋前,仿佛一个受宠惯了的小孩子在乞求母亲那至爱的亲昵。李爱杰怜爱地看着那个土豆,轻轻嗔怪道:"还跟我的脚呀?"

我们看菊花去

白先勇

白先勇(1937～　)广西桂林人。1948年赴香港,于九龙矿小学和喇沙书院读书。后去台湾。1956年入成功大学水利系,后转攻文学。次年考入台湾大学外文系,并学习写作。1958年于《文学杂志》发表处女作《金大奶奶》。1963年到美国爱荷华大学作家工作室从事创作研究。1965年获硕士学位。遂族居美国,任加州大学圣塔巴巴拉分校教授,讲授中国语言文学,代表作有《游园惊梦》等。

青少年文学读本

早上有点阴寒,从被窝里伸出手来觉得冰浸的;纱窗外朦朦胧胧,是一片暗灰色,乍看起来辰光还早得很,我打了一个翻身,刚想闭上眼睛养会儿神,爸爸已经来叫我了。他说姐姐的住院手续全部办妥,林大夫跟他约好了十点钟在台大医院见面,但是他临时有个会要开,恐怕赶不回来,所以叫我先送姐姐去,他随后把姐姐的衣服送去,爸爸临出门的时候对我再三嘱咐,叫我送姐姐去的时候千万要小心。

我到姐姐房中时,妈一个人正在低着头替姐姐收拾衣服用具;她看见我走进来便问我道:

"爸爸跟你讲过了吧?"

"讲过了,妈。"

妈仍旧低下头继续收拾东西，我坐在床边没有说话，默默的看着她把姐姐的衣服一件一件从柜子里拿出来，然后叠得平平的放进姐姐的小皮箱中，房里很静，只有妈抖衣服的窸窣声。我偷偷地端详了妈的脸一下，她的脸色苍白，眼皮似乎还有些儿浮肿似的。妈一向就有失眠症，早上总是起不早的，可是今天天刚亮我就仿佛听到她在隔壁房里讲话了。

"妈，你今天起得那么早，这下子该有点累了，去歇歇好吧？"我看妈弯着腰的样子很疲倦，站起来想去代她叠衣服。妈朝我摆了摆手，仍然没有抬起头来；可是我却看见她手中拿着的那件红毛衣角上闪着两颗大大的泪珠。

"妈，你要不要再见姐姐一面？"我看妈快要收拾完毕时便问她道，妈的嘴皮动了几下想说什么话又吞了下去，过了半晌终于答道。

"好的，你去带你姐姐来吧。"可是我刚踏出房门，妈忽然制止我，"不——不——现在不要，我现在不能见她。"

二

我们院子里本来就寒伧，这十月天愈更萧条；几株扶桑枝条上东一个西一个尽挂着虫茧，有几朵花苞才伸头就给毛虫咬死了，紫浆都淌了出来，好像伤兵流的淤血。原来小径的两旁刚种了两排杜鹃，哪晓得上月一阵台风，全倒了——萎缩得如同发育不全的老姑娘，明年也未必能开花。姐姐坐在小径尽头的石头堆上，怀中抱着她那头胖猫咪，她的脸偎着猫咪的头，叽叽咕咕不知对猫咪讲些什么。当她看见我走过去的时候，瞪着眼睛向我凝视了一会儿，忽然咧开嘴笑得像个小孩似的：

"嘻嘻，弟弟，我才和咪咪说，叫它乖些，我等一下给它弄条鱼吃，喔！弟弟，昨晚好冷，吓得我要死！我把咪咪放到被窝里面来了，被窝里好暖和的，地板冷，咪咪要冻坏，嘻嘻——嘻嘻——咪咪不听话，在被窝里乱舔我的脸，后来又溜了出来。你看，咪咪，你打喷嚏了吧？听话，噢！等一下我给你鱼吃——"姐姐在猫咪的鼻尖上吻了一下，猫咪耸了一耸毛，舒舒服服的打了一个呼噜。

姐姐的大衣钮子扣错了，身上东扯西拉的，显得愈更臃肿，身上的肉箍得一节一节挤了出来；袖子也没有扯好，里面的毛衣袖口伸出一半来。头上的发夹忘记取下来了，有两三个吊在耳根子后面，一讲话就甩呀甩的，头发也是乱蓬蓬一束一束绞缠在一起。

"弟弟，咪咪好刁的，昨晚没得鱼，它连饭都不要吃了，把我气得要死——"姐姐讲到这，猫咪呜呜的叫了两下，姐姐连忙吻它一下，好像生怕得罪它似的，"哦，哦，你不要怕，噢，我又没骂你，又没有打你，你乖我就不说你了，弟弟，你看，你看，咪咪好可怜巴巴的样子。"

三轮车已经在门外等了很久了，我心中一直盘算着如何使姐姐上车而不起疑心，我忽然想到新公园这两天有菊花展览，新公园在台大医院对面。

青少年文学读本

"菊花展览？呃——呃——想是想去，不过咪咪还没吃饭，我想我还是不去吧。"

"不要紧，姐姐，我们一会就回来，回来给咪咪买两条鱼吃，好不好？"

"真的？弟弟。"姐姐喜得抓住我的衣角笑起来，"你答应了的啵，弟弟，两条鱼！咪咪，你听到没有？"姐姐在猫咪的鼻尖上吻了好几下。

我帮姐姐把衣服头发整了一下，才挽着她上车，姐姐本来想把猫咪一块儿带走的，我坚持不肯，姐姐很难过的样子放下猫咪对我说：

"不要这样嘛，弟弟，咪咪好可怜的，它没有我它要哭了的，你看，弟弟，它真的想哭了——咪咪，噢，我马上就回来，买鱼回来给你吃。"

车子走了，我看见妈站在大门背后，嘴上捂着一条手帕。

三

姐姐紧紧地挽着我,我握着姐姐胖胖的手臂,十分暖和,姐姐很久没有上街了,看见街上热闹的情形非常兴奋,睁大眼睛像个刚进城的小孩一般。

"弟弟,你记得以前我们在桂林上小学时也是坐三轮车去的。"姐姐对于小时候的事情记得最清楚。

"弟弟,你那时——呃,八岁吧?"

"七岁,姐。"

"哦,现在呢?"

"十八了。"

"喔!嘻嘻,弟弟,那时我们爱一道荡秋千,有一次,你跌了下来——"

"把下巴跌肿了,是不是,姐?"

"对啦!吓得我要死,你想哭——"

"你叫我不要哭,你说男孩子哭不得的是吗?"

"对啦!那时立立跟见见还在,他们也是两姐弟,噢。"

"嗯。"

"见见是给车压扁了,立立后来是怎么着——"

"是生肺炎死的,姐。"

"对啦,我哭了好久呢,后来我们帮他们在岩洞口挖了两个坟,还竖了碑的呢!从那时候起我再也不养狗了。"

姐姐想到立立与见见,脸上有点悲惨,沉默了一会,她又想到别的事情去了。

"弟弟,那时我们爱种南瓜,天天放学到别人家马棚里去偷马粪回来浇肥,噢,那一年我们的南瓜有一个好大好大,多少斤,弟?"

"三十多斤呢,姐。"

"喔,我记得,我们把那个大南瓜拿到乡下给奶奶时,奶奶笑得合不拢嘴来,赏了我们好多山楂饼和荸荠呢,奶奶最爱叫我什么来着,弟弟,你还记得不?"

我怎么不记得? 奶奶最爱叫姐姐"苹果妹"了,姐姐从小就长得周身浑圆,胖嘟嘟的两团腮红透了,两只眼睛活像小玩具的熊一样圆得俏皮,奶奶一看见她就揪住她的胖腮帮子吻个半天。

"哈哈,弟弟,'一二三,一二三,左转弯来右转弯——'"姐姐高兴得忘了形,忽然大声唱起我们小时候在学校里爱唱的歌来了,这时三轮车夫回头很古怪的朝姐姐看了一眼,我知道他的想法,我的脸发热起来了。姐姐没有觉得,她仍旧天真得跟小时候一样,所不同的是她以前那张红得透熟的苹果脸现在已经变得蜡黄了,好像给虫蛀过一样,有点浮肿,一戳就要瘪了下去一样;眼睛也变了,凝滞无光,像死了四五天的金鱼眼。

"嘘! 姐,别那么大声,人家要笑话你了。"

"哦,哦,'一二三——',哈,弟弟,奶奶后来怎么着了? 我好像很久很久没有看见她了,呃——"愈是后来的事情姐姐的记忆愈是模糊了。

"奇怪! 弟,奶奶后来到底怎么了?"

"奶奶不是老早过世了吗? 姐。"这个问题她已经问过我好多次了。

"奶奶过世了? 喔! 什么时候过世的? 我怎么不知道?"

"那时你还在外国念书,姐。"

姐姐的脸色突然变了,好像有什么东西刺了她一下,眼睛里显得有点惶恐,嘴唇颤动了一会儿,嗫嚅说道:

"弟——我怕,一个人在漆黑的宿舍里头,我溜了出来,后来——后来跌到沟里去,又给他们抓了回去,他们把我关到一个小房间里,说我是疯子,我说我不是疯子,他们不信,他们要关我,我怕极了,弟,我想你们得很,我没有办法,我只会哭——我天大要吵着回来,回家——我说家里不会关我的——"姐姐挽得我更紧了,好像非常依赖我似的。

我的脸又热了起来,手心有点发汗。

四

早上十点钟是台大医院最热闹的当儿,门口停满了三轮车,求诊的,出院的,进出不停,有的人头上裹了绷带,有的脚上缠着纱布,还有些什么也没有扎,却是愁眉苦脸,让别人搀着哼哼卿卿地扶进去。当车子停在医院门口时,姐姐悄悄地问我:

"弟弟,我们不是去看菊花吗? 来这里——"姐姐瞪着我,往医院里指了一指,我马上接着说道:

"哦,是的,姐姐,我们先去看一位朋友马上就去看菊花,噢。"

姐姐点了一点头没有做声,挽着我走了进去。里面比外面暖多了,有点燠闷,一股冲鼻的气味刺得人不太舒服,像是消毒品的药味,又似乎是痰盂里发出来的腥臭;小孩打针的哭声,急诊室里的呻吟,以及走廊架床上阵阵的颤抖,营营嗡嗡,在这个博物院似的大建筑物里互相交织着,走廊及候诊室全排满了病人,一个挨着一个在等待自己的号码,有的低头看报,有的瞪着眼睛发怔,一有人走过跟前,大家就不约而同地扫上一眼。我挽着姐姐走过这些走廊时恨不得三步当两步跨过去,因为每一道目光扫过来时,我就得低一下头;可是姐姐的步子却愈来愈迟缓了,她没有说什么,我从她的眼神却看出了她心中渐生的恐惧。外科诊室外面病人特别多,把过道塞住了,要过去就得把人群挤开,正当我急急忙忙用手拨路时,姐姐忽然紧紧抓住我的手臂停了下来。

"弟弟,我想我们还是回去吧。"

"为什么? 姐。"我的心怦然一跳。

"弟,这个地方不好,这些人——呃,我要回去了。"

我连忙放低了声音温和地对姐姐说:

"姐,你不是要去看菊花吗? 我们去看看朋友然后马上就——"

"不! 我要回去了。"姐姐咬住下唇执拗的说,这种情形姐姐小时候有时也会发生的,那时我总迁就她,可是今天我却不能了。

姐姐要往回走,我紧紧地挽着她不让她走。

"我要回去嘛!"姐姐忽然提高了声音,立刻所有的病人一齐朝我们看过来,几十道目光逼得我十分尴尬。

"姐——"我乞求地叫着她,姐姐不管,仍旧往回里挣扎,我愈用力拖住她,她愈挣得厉害,她胖胖的身躯左一扭右一扭,我几乎不能抓牢她了,走廊上的人全都围了过来,有几个人嘻嘻哈哈笑出了声音,有两个小孩跑到姐姐背后指指点点,我的脸如同烧铁烙下,突然热得有点发疼。

"姐姐——请你——姐——"姐姐猛一拉,我脚下没有站稳,整个人扑到她身上去了,即刻四周爆起了一阵哈哈,几乎就在同一刻,我急得不知怎的在姐姐的臂上狠劲捏了一把,姐姐痛苦的叫了一声"嗳哟!"就停止了挣扎,渐渐恢复了平静与温顺,可是她圆肿的脸上却扭曲得厉害。

"怎么啦,姐——"我嗳嗫的问她。

"弟——你把我捏痛了。"姐姐捞起袖子,圆圆的臂上露出了一块紫红的伤斑。

五

到林大夫的诊室要走很长一节路,约莫转三四个弯才看到一条与先前不同的过道,这条过道比较狭窄而且是往地下渐渐斜下去的,所以光线阴暗,大概很少人来这里面,地板上的积尘也较厚些,道口有一扇大铁栅,和监狱里的一样,地上全是一条条栏杆的阴影。守栅的人让我们进去以后马上又把栅架上了铁锁。我一面走一面装着十分轻松的样子,与姐姐谈些我们小时的趣事,她慢慢地又开心起来了,后来她想起了家里的猫咪,还跟我说:"弟,你答应了的啵,我们看完菊花买两条鱼回去给咪咪吃,咪咪好可怜的,我怕它要哭了。"过道的尽头另外又有一道铁栅,铁栅的上面有块牌子,写着"神经科"三个大字,里面是一连串病房,林大夫的诊室就在铁栅门口。

林大夫见我们来了,很和蔼地跟我们打了招呼说了几句话,姐姐笑嘻嘻地说道:"弟弟要带我来看菊花。"一会儿姐姐背后来了两个护士,我知道这是我们分手的时候了,我挽着姐姐走向里面那扇铁栅,两个护士跟在我们后面,姐姐挽得我紧紧的,脸上露着一丝微笑——就如同我们小时候放学手挽着手回家那样,姐姐的微笑总是那么温柔的。走到铁栅门口时,两个护士便上来把姐姐接了过去,姐姐喃喃的叫了我一声"弟弟"还没来得及讲别的话,铁栅已经"咔嚓"一声上了锁,把姐姐和我隔开了两边,姐姐这时才忽然明白了什么似的,马上转身一只手紧抓着铁栅,一只手伸出栏杆外想来挽我,同时还放声哭了起来。

"你说带我来看菊花的,怎么——弟——"

六

紫衣、飞仙、醉月,大白菊——唔,好香,我凑近那朵沾满了露水的大白菊猛吸了一口,一缕冷香,浸凉浸凉的,闻了心里头舒服多了,外面下雨了,新公园里的游人零零落落剩下了几个,我心中想:要是——要是姐姐此刻能够和我一道来看看这些碗大一朵的菊花,她不知该乐成什么样儿。我有点怕回去了——我怕姐姐的咪咪真的会哭起来。

一个陌生人的死

三 毛

青少年文学读本

三毛,女,浙江定海人,1943 年 3 月 26 日生于四川重庆。1964 年到台湾文化大学哲学系当旁听生。1967 年只身远赴西班牙。在三年之间,前后就读西班牙马德里大学、德国歌德书院,在美国伊利诺大学法学图书馆工作。1973 年,于西属撒哈拉沙漠的当地法院,与荷西公证结婚。在沙漠时期的生活,激发她潜藏的写作才华,作品源源不断。第一部作品《撒哈拉的故事》在 1976 年 5 月出版。1981 年,三毛结束流浪异国 14 年的生活,在国内定居。回来后写成《万水千山走遍》,1990 年从事剧本写作,完成她第一部中文剧本,也是她最后一部作品《滚滚红尘》。1991 年 1 月 4 日清晨去世,享年 48 岁。

"大概是他们来了。"我看见坟场外面的短墙扬起一片黄尘,接着一辆外交牌照的宾士牌汽车慢慢的停在铁门的入口处。

荷西和我都没有动,泥水工正在拌水泥,加里朴素得如一个长肥皂盒的棺木静静的放在墙边。

炎热的阳光下,只听见苍蝇成群的嗡嗡声在四周回响着,虽然这一道如同两层楼那么高的墙都被水泥封死了,但是砌在里面的棺木还是发出一阵阵令人不舒服的气味,要放入加里的那一个墙洞是在底层,正张着黑色的大嘴等着尸体去填满它。

那个瑞典领事的身后跟着一个全身穿黑色长袍的教士,年轻红润的脸孔,被一头如嬉皮似的金发罩到肩膀。

这两人下车时,正高声的说着一件有趣的事,高昂的笑声从门外就传了过来。

等他们看见等着的我们时,才突然收住了满脸的笑纹,他们走过来时,还抿着嘴,好似意犹未尽的样子。"啊! 你们已经来了。"领事走过来打招呼。

"日安!"我回答他。

"这是神父夏米叶,我们领事馆请来的。"

"您好!"我们彼此又握了握手。

四个人十分窘迫的站了一会,没有什么话说。

"好吧! 我们开始吧!"神父咳了一声就走近加里的棺木边去。

他拿出圣经来用瑞典文念了一段经文,然后又用瑞典文说了几句我们听不懂的话,不过两分钟的时间吧,他表示说完了,做了一个手势。

我们请坟园的泥水工将加里的棺木推到墙内的洞里去,大家看着棺木完全推进去了,神父这才拿出一个小瓶子来,里面装着一些水。

"这个,你来洒吧!"他一面用手很小心的摸着他的长发,一面将水瓶交给我。

"是家属要洒的?"

"是,也不是。"领事耸耸肩,一副无可奈何的表情。

我拿起瓶子来往加里的棺木上洒了几滴水,神父站在我旁边突然划了一个十字。

"好了! 可以封上了。"领事对泥水工说。

"等一下。"我将一把加里院子里的花丢到他的棺材上去,泥水工这才一块砖一块砖的封起墙来。

我们四个人再度沉默的木立着,不知说什么好。"请问你们替加里付了多少医药费?"

"账单在这里，不多，住院时先付了一大半。"荷西将账单拿出来。

"好，明后天请你们再来一次，我们弄好了文件就会结清给你们，好在加里自己的钱还有剩。"

"谢谢！"我们简短的说了一句。

这时坟场刮起了一阵风，神父将他的圣经夹在腋下，两只手不断地理他的头发，有礼的举止却盖不住他的不耐烦。"这样吧！我们很忙，先走了，这面墙——"

"没关系，我们等他砌好了再走，您们请便。"我很快的说。

"那好，加里的家属我们已经通知了，到现在没有回音，他的衣物——唉！"

"我们会理好送去领事馆的，这不重要了。"

"好，那么再见了。"

"再见！谢谢你们来。"等砌好了墙，我再看了一眼这面完全是死人居所的墙，给了泥水工他该得的费用，也大步的跟荷西一起走出去。

荷西与我离开了撒哈拉沙漠之后，就搬到了近西北非在大西洋海中的西属加纳利群岛暂时安居下来。

在我们租下新家的这个沿海的社区里，住着大约一百多户人家，这儿大半是白色的平房，沿着山坡往一个平静的小海湾里建筑下去。

虽说它是西班牙的属地，我们住的地方却完完全全是北欧人来度假、退休、居留的一块乐土，西班牙人反倒不多见。

这儿终年不雨，阳光普照，四季如春，尤其是我们选择的海湾，往往散步两三小时也碰不到一个人影。海滩就在家的下面，除了偶尔有一两个步伐蹒跚的老人拖着狗在晒太阳之外，这一片地方安详得近乎荒凉，望着一排排美丽的洋房和蕃茄田，我常常不相信这儿有那么多活着的人住着。"欢迎你们搬来这里，我们这个社区，太需要年轻人加入。这块美丽的山坡，唯一缺少的就是笑声和生命的气氛，这儿，树和花年年都在长，只有老人，一批批像苍蝇似的在死去,新的一代,再也不肯来这片死寂的地方了。"

社区的瑞典负责人与我们重重的握着手,诚恳的表示他对我们的接纳,又好似惋惜什么的叹了口气。

"这一点您不用愁,三毛是个和气友爱的太太,我,是个粗人,不会文文静静的说话,只要邻居不嫌吵,我们会把住的一整条街都弄活泼起来。"荷西半开玩笑的对这个负责人说,同时接下了一大串租来小屋的钥匙。

我们从车上搬东西进新家去的那一天,每一幢房子里都有人从窗口在张望,没有一个月左右,这条街上的邻居大部分都被我们认识了,早晚经过他们的家,我都叫着他们的名字,扬扬手,打个招呼,再问问他们要不要我们的车去市场买些什么东西带回来。偶尔荷西在海里捉到了鱼,我们也会拿蝇子串起来,挨家去送鱼给这些平均都算高龄的北欧人,把他们的门打得哐哐地响。

中学生卷

"其实这里埋伏着好多人,只是平时看不出来,我们可不能做坏事。"我对荷西说。

"这么安静的地方,要我做什么捣蛋的事也找不到对象,倒是你,老是跳进隔壁人家院子去采花,不要再去了。""隔壁没有人住。"我理直气壮的回答着他。

"我前几天还看到灯光。"

"真的? 奇怪。"我说着就往花园跑去。

"你去哪里? 三毛。"

他叫我的时候,我早已爬过短墙了。

这个像鬼屋一样的小院子里的花床一向开得好似一匹彩色的缎子,我总是挑白色的小菊花采,很少注意到那幢门窗紧闭,窗帘完全拉上的房子里是不是有人住,因为它那个气氛,不像是有生命的一幢住家,我几乎肯定它是空的。我绕了一圈房子,窗帘密密的对着大窗,实在看不进去,绕到前面,拿脸凑到钥匙洞里去看,还是看不到什么。"荷西,你弄错了,这里一个人也没有。"我往家的方向喊着。

再一回头,突然在我那么近的玻璃窗口,我看见了一张可怕的老脸,没有表情的注视着我,我被这意外吓得背脊都凉了,慢慢的转身对着他,口里很勉强的才吐出一句结结巴巴的"日安。"

我盯住这个老人看,他却缓缓的开了大玻璃门。"我不知道这里住着个人。对不起。"我用西班牙话对他说。

"啊!啊!"这个老人显然是跛着脚,他用手撑着门框费力地发出一些声音。

"你说西班牙话?"我试探地问他。

"不,不,西班牙,不会。"沙哑的声音,尽力的打着手势,脸上露出一丝丝微笑,不再那么怕人了。

"你是瑞典人?"我用德文问他。

"是,是,我,加里,加里。"他可能听得懂德文,却讲不成句。

"我,三毛,我讲德文你懂吗?"

"是,是,我,德国,会听,不会讲。"他好似站不住了似的,我连忙把他扶进去,放他在椅子上。

"我就住在隔壁,我先生荷西和我住那边,再见!"说完我跟他握握手,就爬墙回家了。

"荷西,隔壁住着一个可怕的瑞典人。"我向荷西说。

"几岁?"

"不知道,大概好几百岁了,皱纹好多,人很臭,家里乱七八糟,一双脚是跛的。"

"难怪从来不出门,连窗户都不打开。"

看见了隔壁的加里之后,我一直在想念着他,过了几天,我跟邻居谈天,顺口提到了他。

"啊!那是老加里,他住了快两年了,跟谁也不来往。""他没法子走路。"我轻轻的反驳这个中年的丹麦女人。"那是他的事,他可以弄一辆轮椅。"

"他的家那么多石阶,椅子也下不来。"

"三毛,那不是我们的事情,看见这种可怜的人,我心里就烦,你能把他怎么办?我们又不是慈善机关,何况,他可以在瑞典进养老院，偏偏住到这个举目无亲的岛上来。""这里天气不冷，他有他的理由。"我争辩的说着，也就走开了。

每天望着那一片繁花似锦的小院落里那一扇扇紧闭的门窗，它使我心理上负担很重，我恨不得看见这鬼魅似的老人爬出来晒太阳，但是，他完完全全安静得使自己消失，夜间，很少灯火，白天，死寂一片。他如何在维持着他的带病的生命，对我不止是一个谜，而是一片令我闷闷不乐的牵挂了，这个安静的老人每天如何度过他的岁月？

"荷西，我们每天做的菜都吃不下，我想——我想有时候不如分一点去给隔壁的那个加里吃。"

"随便你，我知道你的个性，不叫你去，你自己的饭也吃不下了。"

我拿着一盘菜爬过墙去，用力打了好久的门，加里才跛着脚来开。

"加里，是我，我拿菜来给你吃。"

他呆呆的望着我，好似又不认识了我似的。

"荷西，快过来，我们把加里抬出来吹吹风，我来替他开窗打扫。"

荷西跨过了矮墙，把老人放在他小院的椅子上，前面替他架了一个小桌子，给他叉子，老人好似吓坏了似的望着我们，接着看看盘子。

"吃，加里，吃，"荷西打着手势，我在他的屋内扫出堆积如山的空食物罐头，把窗户大开着透气，屋内令人作呕的气味一阵阵漫出来。

"天啊，这是人住的地方吗？"望着他没有床单的软垫子，上面黑漆漆的不知是干了的粪便还是什么东西糊了一大块，衣服内裤都像深灰色一碰就要破了似的抹布，床头一张发黄了的照片，里面有一对夫妇和五个小男孩很幸福的坐在草坪上，我看不出那个父亲是不是这个加里。

"荷西，他这样一个人住着不行，他有一大柜子罐头，大概天天吃这个。"

荷西呆望着这语言不通的老人，叹了口气，加里正坐在花园里像梦游似的吃着我煮的一盘鱼和生菜。

"荷西，你看这个，"我在加里的枕头下面掏出一大卷瑞典钱来，我们当他的面数了一下。

"加里，你听我说，我，他，都是你的邻居，你太老了，这样一个人住着不方便，你那么多钱，存到银行去，明天我们替你去开户头，你自己去签字，以后我常常带菜来给你吃，窗天天来替你打开，懂不懂？我们不会害你，请你相信我们，你懂吗？嗯！"

我慢慢的用德文说，加里啊啊的点着头，不知他懂了多少。

"三毛，你看他的脚趾。"荷西突然叫了起来，我的眼光很快的掠过老人，他的右脚，有两个脚趾已经烂掉了，只露出红红的脓血，整个脚都是黑紫色，肿胀得好似灌了水的象脚。

我蹲下去，把他的裤筒拉了起来，这片紫黑色的肉一直快烂到膝盖，臭不可当。

"麻疯吗？"我直着眼睛张着口望着荷西，不由得打了一个寒颤。

"不会，一定是坏疽，他的家人在哪里，要通知他们。""如果家人肯管他，他也不会在这里了，这个人马上要去看医生。"

苍蝇不知从哪里成群的飞了来，叮在加里脓血的残脚上，好似要吃掉一个渐渐在腐烂了的尸体。

"加里，我们把你抬进去，你的脚要看医生。"我轻轻的对他说，他听了我说的话，突然低下头去，眼泪静静的爬过他布满皱纹的脸，他只会说瑞典话，他不能回答我。

这个孤苦无依的老人不知多久没有跟外界接触了。"荷西，我想我们陷进这个麻烦里去了。"我叹了口气。"我们不能对这个人负责，明天去找瑞典领事，把他的家人叫来。"

黄昏的时候，我走到同一社区另外一家不认识的瑞典人家去打门，开门的女主人很讶异的、有礼的接待了我。"是这样的，我有一个瑞典邻居，很老了，在生病，他在这个岛上没有亲人，我想——我想请你们去问问他,他有没有医药保险,家人是不是可以来看顾他,我们语文不太通,弄不清楚。"

"哦!这不是我们的事,你最好去城里找领事,我不知道我能帮什么忙。"

说话时她微微一笑,把门轻轻带上了。

我又去找这社区的负责人,说明了加里的病。

"三毛,我只是大家公推出来做一个名誉负责人,我是不受薪的,这种事你还是去找领事馆吧!我可以给你领事的电话号码。"

"谢谢!"我拿了电话号码回来,马上去打电话。"太太,你的瑞典邻居又老又病,不是领事馆的事,只有他们死了,我们的职责是可以代办文件的,现在不能管他,因为这儿不是救济院。"

第二天我再爬墙过去看加里,他躺在床上,嘴唇干得裂开了,手里却紧紧的扯着他的钱和一本护照,看见我,马上把钱摇了摇,我给他喝了一些水,翻开他的护照来一看,不过是七十三岁的人,为何已经被他的家人丢弃到这个几千里外的海岛上来等死了。

我替他开了窗,喂他吃了一点稀饭又爬回家去。"其实,我一点也不想管这件事,我们不是他的谁,我们为什么要对他负责任?"荷西苦恼的说。

"荷西,我也不想管,可是大家都不管,这可怜的人会怎么样?他会慢慢的烂死,我不能眼看有一个人在我隔壁静静的死掉,而我,仍然过一样的日子。"

"为什么不能?你们太多管闲事了。"在我们家喝着咖啡,抽着烟的英国太太嘲笑的望着我们。

"因为我不是冷血动物。"我慢慢的盯着这个中年女人吐出这句话来。

"好吧!年轻人,你们还是孩子,等你们有一天五十多岁了,也会跟我一样想法。"

"永远不会,永远。"我几乎发起怒来。

那一阵邻居们看见我们,都漠然地转过身去,我知道,他们怕极了,怕我们为了加里的事,把他们也拖进去,彼此礼貌的打过招呼，就一言不发地走了。

我们突然成了不受欢迎又不懂事的邻居了。

"加里，我们带你去医院，来，荷西抱你去，起来。"我把加里穿穿好，把他的家锁了起来，荷西抱着他几乎干瘪的身体出门时，不小心把他的脚撞到了床角，脓血马上滴滴答答的流下来，臭得眼睛都张不开了。

"谢谢、谢谢！"加里只会喃喃地反复地说着这句话。"要锯掉，下午就锯，你们来签字。"国际医院的医生是一个月前替我开刀的，他是个仁慈的人，但手术费也是很可观的。

"我们能签吗？"

"是他的谁？"

"邻居。"

"那得问问他，三毛，你来问。"

"加里，医生要锯你的腿，锯了才能活，你懂我的意思吗？要不要打电报去瑞典，叫你家里人来，你有什么亲人？"加里呆呆的望着我，我再问："你懂我的德文吗？懂吗？"

他点点头，闭上了眼睛，眼角再度渗出丝丝的泪来。"我——太太没有，没有，分居了——孩子，不要我，给我死——给我死。"

我第一次听见他断断续续的说出这些句子来，竟然是要求自己死去，一个人必然是完完全全对生命已没有了盼望，才会说出这么令人震惊的愿望吧！

"他说没有亲人，他要死。"我对医生说。

"这是不可能的，他不锯，会烂死，已经臭到这个地步了，你再劝劝他。"

我望着加里，固执的不想再说一句话，对着这个一无所有的人，我能告诉他什么？

我能告诉他，他锯了脚，一切都会改变吗？他对这个已经不再盼望的世界，我用什么堂皇的理由留住他？

我不是他的谁，能给他什么补偿，他的寂寞和创伤不是我造成的，想来我也不会带给他生的意志，我呆呆的望着加里，这时荷西伏下身去,用西班牙文对他说:"加里,要活的,要活下去,下午锯脚,好吗?"

加里终于锯掉了脚,他的钱,我们先替他换成西币,付了手术费,剩下的送去了领事馆。

"快起床,我们去看看加里。"加里锯脚的第二天,我催着荷西开车进城。

走进他的病房,门一推开,一股腐尸般的臭味扑面而来,我忍住呼吸走进去看他,他没有什么知觉地醒着,床单上一大片殷红的脓血,有已经干了的,也有从纱布里新流出来的。"这些护士!我去叫她们来。"我看了马上跑出去。"那个老头子,臭得人烦透了,"护士满脸不耐烦的抱了床单跟进来,粗手粗脚的拉着加里刚刚动过大手术的身子。"小心一点!"荷西脱口说了一句。

"我们去走廊里坐着吧!"我拉了荷西坐在外面,一会儿医生走过来,我站了起来。

"加里还好吧? 请问。"我低声下气的问。

"不错! 不错!"

"怎么还是很臭? 不是锯掉了烂脚?"

"啊! 过几天会好的。"他漠然的走开了,不肯多说一句话。

那几日,我饮食无心,有空了就去加里的房子里看看,他除了一些陈旧的衣服和几条破皮带之外,几乎没有一点点值钱的东西,除了那一大柜子的罐头食品之外,只有重重的窗帘和几把破椅子,他的窗外小院里,反倒不相称的长满了纠缠不清、开得比哪一家都要灿烂的花朵。

最后一次看见加里,是在一个夜晚,荷西与我照例每天进城去医院看他,我甚至替他看中了一把用电可以走动的轮椅。

"荷西,三毛。"加里清楚的坐在床上叫着我俩的名字。"加里,你好啦!"我愉快的叫了起来。

"我,明天,回家,我,不痛,不痛了。"清楚的德文第一次从加里的嘴里说出来。

"好,明天回家,我们也在等你。"我说着跑到洗手间去,流下大滴的泪来。

"是可以回去了,他精神很好,今天吃了很多菜,一直笑嘻嘻的。"医生也这么说。

第二天我们替加里换了新床单,又把他的家洒了很多花露水,椅子排排整齐,又去花园里剪了一大把野花,弄到中午十二点多才去接他。

"这个老人到底是谁?"荷西满怀轻松的开着车,好笑的对我说。

"随便他是谁,在我都是一样。"我突然觉得车窗外的和风是如此的怡人和清新,空气里满满的都是希望。"你喜欢他吗?"

"谈不上,我没有想过,你呢?"

"我昨天听见他在吹口哨,吹的是——'大路'那张片子里的主题曲,奇怪的老人,居然会吹口哨。"

"他也有他的爱憎,荷西,老人不是行尸走肉啊!"

"奇怪的是怎么会在离家那么远的地方一个人住着。"

到了医院,走廊上没有护士,我们直接走进加里的房间去,推开门,加里不在了,绿色空床铺上了淡的床罩,整个病房清洁得好似一场梦。

我们待在那儿,定定的注视着那张已经没有加里了的床,不知做什么解释。

"加里今天清晨死了,我们正愁着如何通知你们。"护士不知什么时候来了,站在我们背后。

"你是说,他——死了?"我愣住了,轻轻的问着护士。

"是,请来结账,医生在开刀,不能见你们。"

"昨天他还吹着口哨,还吃了东西,还讲了话。"我不相信地追问。

"人死以前总会这个样子的,大约总会好一天,才死。"

我们跟着护士到了账房间,她走了,会计小姐交给我们一张账单。

"人呢?"

"在殡仪馆,一死就送去了,你们可以去看。""我们,不要看,谢谢你。"荷西付了钱慢慢地走出来。医院的大门外,阳光普照,天,蓝得好似一片平静的海,路上的汽车,无声的流过,红男绿女,打扮得花枝招展的一群群的走过,偶尔夹着高昂的笑声。

　　这是一个美丽动人的世界,一切的悲哀,离我们是那么的遥远而不着边际啊!

我用残损的手掌

戴望舒

戴望舒(1905～1950)，生于浙江杭州，是中国现代著名的诗人。1923年，考入上海大学文学系。1925年，转入震旦大学法文班。1929年4月，第一本诗集《我的记忆》出版，其中《雨巷》成为传诵一时的名作，他因此被称为"雨巷诗人"。抗战爆发后，在香港主编《大公报》文艺副刊，发起出版《耕耘》杂志。1941年底被捕入狱。在狱中写下了《狱中题壁》、《我用残损的手掌》、《心愿》、《等待》等诗篇。1949年6月，在北平出席了中华文学艺术工作者代表大会。建国后，在新闻总署从事编译工作。不久在北京病逝。

我用残损的手掌
摸索这广大的土地：
这一角已变成灰烬，
那一角只是血和泥；
这一片湖该是我的家乡，
（春天，堤上繁花如锦障，
嫩柳枝折断有奇异的芬芳）
我触到荇藻和水的微凉；
这长白山的雪峰冷到彻骨，

这黄河的水夹泥沙在指间滑出；
江南的水田，你当年新生的禾草
是那么细，那么软……现在只有蓬蒿；
岭南的荔枝花寂寞地憔悴，尽那边，
我蘸着南海没有渔船的苦水……
无形的手掌掠过无限的江山，
手指沾了血和灰，手掌粘了阴暗，
只有那辽远的一角依然完整，
温暖，明朗，坚固而蓬勃生春。
在那上面，我用残损的手掌轻抚，
像恋人的柔发，婴孩手中乳。
我把全部的力量运在手掌贴在上面，
寄与爱和一切希望，
因为只有那里是太阳，是春，
将驱逐阴暗，带来苏生，
因为只有那里我们不像牲口一样活，
蝼蚁一样死……那里，永恒的中国！

我为少男少女们歌唱

何其芳

何其芳(1912～1977),现代诗人、散文家、文学研究家。四川万县人。1929年到上海进中国公学预科,广泛阅读了中外文学作品。1931至1935年就读于北京大学哲学系,课余沉浸于文学书籍之中,发表了不少诗歌和散文。大学毕业后,到天津南开中学、山东莱阳乡村师范学校教书。抗日战争爆发后,回四川万县和成都教书,1938年赴延安,任鲁迅艺术学院文学系主任,结集出版的主要作品有:诗集《预言》、《夜歌》,作品集《刻意集》,散文集《还乡杂记》、《星火集》及其续编等。中华人民共和国成立后,何其芳以主要精力从事文学研究和评论,同时参加文艺界的领导工作,写有少量诗作。

我为少男少女们歌唱。
我歌唱早晨,
我歌唱希望,
我歌唱那些属于未来的事物
我歌唱正在生长的力量。

我的歌呵,
你飞吧,

飞到年轻人的心中
去找你停留的地方。

所有使我像草一样颤抖过的
快乐或者好的思想，
都变成声音飞到四方八面去吧，
不管它像一阵微风
或者一片阳光。

轻轻地从我琴弦上
失掉了成年的忧伤，
我重新变得年轻了，
我的血流得很快，
对于生活我又充满了梦想，充满了渴望。

总有一天我变成一棵树

纪 弦

纪弦(1913～)，原籍陕西周至，生于河北清苑。1924年定居扬州。1929年以路易士笔名开始写诗。1933年毕业于苏州美专。1948年由上海赴台湾，1974年自台北成功中学退休，1976年赴美定居。著有诗集《易士诗集》、《行过之生命》、《火灾的城》、《不朽的肖像》、诗论集《纪弦诗论》、《纪弦论现代诗》以及《纪弦自选集》等。

总有一天，我变成一棵树：

我的头发变成树叶；两腿变成树根；
两臂和十指成为枝条；十个足趾成为根须，
在泥土中伸延，吸收养料和水份。

总有一天，我变成一棵树。
我也许开一些特别香的、白白的、小小的花，
结几个红红的果子，那是吃了可以延年益寿的。
但是我是不繁殖的，不繁殖的，我是一种例外。

我也许徐徐地长高，比现在高些，和一般树差不多，

不是一棵侏儒般矮小的树，也不是一棵参天的古木。
我将永远不被移植到伊甸园里去，
因为我是一棵上帝所不喜欢的树。

土伯特艺术家的歌舞（外一篇）

昌　耀

昌耀，原名王昌耀。1936 年生。湖南桃源人。历任中国人民解放军某部文工队队员，河北省某军校学员。曾经很长时间受到不公正待遇。昌耀 1954 年开始发表作品，曾任青海省作家协会副主席。2000 年 3 月 23 日因病去世。昌耀出版的作品集有《昌耀抒情诗集》、《情感历程》、《噩的结构》以及《昌耀的诗》。

时近傍晚，土伯特朋友 W 带我去拜访一个来省城参加民间歌舞会演的土伯特人艺术团。我俩身轻如燕，纵身跳过一道道矮篱，又跳过了最后的一道矮篱，来到一处宽广的绿茵地。我俩停下来。我俩的视觉投向对面一端的小木屋。我知道 W 将开始召唤他的朋友了。

他的召唤方式很独特。我见他伸直两臂，将长可触膝的袖筒一阵抖动收拢到肘腕以上，挲开五指，然后双手朝前摊平，对着小木屋敞开的门扉躬身作出一个频频召请的手势：

"阿罗，你——快——来咿——呀！"

音容笑貌是那般娇滴滴的。我心里暗自发笑：他在扮演一个多情女子向情人含羞召唤了。随着这一声悠扬的话语，包括臀部在内的他的身段已如风荡细柳一般扭摆。是一种故作张扬的、戏耍的、嘲讪的……对女性的模仿。唤罢，他就势朝前迈出两小步，期待着。

奇迹出现了。我听见小木屋敞开的门扉里有一个青年女子发出银铃一般颤动的阵笑，仿佛那银质的笑声原就储藏在她心田，只待索取者一旦触碰到了那搔痒处就能立刻流淌如注。朋友W朝前迈出了两小步，又柔柔地摊平两臂，作出一个向情人频频召唤的手势：

"阿罗，你——快——来咿——呀！"

于是，从小木屋里又一遍地发出了那预想中的笑声。

我感觉那青年女子一排洁白的牙齿就在我前面的暮色里沉浮，像是风铃，像是散播着乐音的银贝壳，甚至西天渐熄的云彩都重临了一次回光返照。当W重操故技，从那间小木屋里传出的已是土伯特艺术家群体轻浊混声、顿挫雄健的阔笑了：——哈哈哈哈，哈哈哈哈。

于是男女艺术家们从惟一的门扉里彬彬有礼地列队走出，在门前的绿茵地绕场一周，边歌唱、边跳起踢踏舞，以此迎接佳宾。在歌舞与欢笑声中，我俩已穿越绿茵地来到了他们之间，朋友W立刻融入其中，而我则立在一旁，用心观看他们即兴的表演。

他们已开始表演各自的拿手好戏。离我不远，一个瘦削的中年男子饱经沧桑的面孔，让我觉得似曾相识。他抬起左手前臂，向上折转，让腕部屈曲抵在肩胛处，那掌骨蜷缩如团，恰如我在《俯首苍茫》一文中描述过的残疾者的手爪，耷拉如鸟头，他以右手五指弹叩其上，我听见有铮铮的旋律荡漾而出，那是真正自骨骼发出的拨弦声。他告诉我，昨夜的演出，他扮演了母亲角色，问我感受如何。我抱歉地告诉他，昨晚我不在场无缘一睹光辉。他点头表示理解。这是一场具有绅士风度的演出。后来，他们开始演唱一组庄严的合唱曲。只要看一看他们富于变化而又张合有度的口形，就可知艺术家们专业化程度之高了。我注意到队列中一个怀抱婴儿的女歌手，身材壮硕而高大，胸部裸裎，她那庞然膨起的乳房是最受我推崇的一种圆锥体类型，其状如侧身横出的冰山雪峰，泛起油脂似的柔光，这令我惊异而欣羡。我已从这组合唱曲感受到了音质与视觉造型的双重庄严效应。

我同时注意到,当在两次演出高潮迭起之间,他们总要相互抱颈狂吻,仿佛是以此种形式彼此从对方获取必要的能量补偿,好让情感充分燃烧。这是一种最无性别意识的亲吻。

是的,我注意到合唱队里一对萨克斯管演奏家父子正侧身探颈交互抱吻。很长久。很用功夫。他们的花领带悬空飘起。之后,他们恢复常态,重又投入一轮新的伴奏。他们的嘴缘留有一圈被口水喂湿的痕记。我已不能从他们的性别分辨出我的朋友W了。我仅能从他们共同的歌舞感受到他在此间的存在。我满足于做他们共同的朋友。我正生活在他们之间。我不觉叹息了一声,因为,我感到自己多少年来再没有这样无私地快乐过,而这里每一个人的行为又正是从普遍的人类之爱出发,以承认对方的存在为自我存在的前提,洒脱有度,张弛得体,恰到好处。

载运罐装液体化工原料的卡车司机

午后燠热。大片阴云从西北天际升起。随之风起,带起一阵雨点。后来是更大一些的雨点。然而,天却晴了。浅浅溅湿的地面别有一股土腥气。西移的太阳更显其灼人的光照。

此时,一辆载重卡车朝这边驶来。是液体化工原料公司的一部超大型载重卡车。仰之弥高的驾驶舱后部是钢制密封槽罐,整个儿以黄色荧光漆涂饰——一种予人安全感的色彩。卡车拐向厂区公路的大转弯时,司机突然来劲,手把方向盘一连完成了几个高难动作,准确、稳健、顿挫有力。他习惯性地透过舱门向后瞥视一眼,在他回过头去的一瞬,过路的人发现这位身穿T恤衫、蓄一圈络腮短须的小伙子在其脑后绾着一束麻雀尾似的短辫。那短辫竟弹跳了一下,略略向上翘着。

卡车开到老地点由人起吊卸载完毕,办好交接手续,由原路空车驶出厂区时,西移的太阳几乎还停留在原来的高度。但已凉爽了许多。司机显然也轻松了许多,将肘弯倚在驾驶舱门敞开的窗口，单手往指尖套戴一副细软轻薄的白手套。门警已适时提前为他打开两扇大铁门。当接近门口，他让车速处于一种近似休止的状态，就势朝门警豢养的一只狼狗打了一声口哨。那条狗从地上爬起，先伸了一个长长的懒腰——热情不足，而后望他摇摇尾巴，前倨后恭。"嘿，哈罗！"卡车司机戴白手套的那只手下垂在驾驶舱车窗之外，拍拍车门，作了一个佯装扣击的手势，一脸的讪笑。其时，夕照亮丽如水，正涂染在他脸部、手臂。他微微翘起的短辫透出一种伶俐、聪明、秀美。后颈的肤色绯红而康健，像新浆洗晾晒的手织土布那么洁净，具有质感。

着装笔挺的门警对此熟视无睹，仍专心致志弯身擦拭自个儿皮靴尖上一处小小的污点。卡车准确无误地从两根方形柱础间驶出了门道，然后加足马力向远方驰去。每日里，这一切都已在不自觉中形成一种程序，配合默契。

一个老木匠

穆　旦

穆旦,原名查良铮,著名诗人和诗歌翻译家。祖籍浙江海宁,1918 年生于天津。中学时即开始诗歌创作,17 岁考入清华大学外文系。1940 年毕业于西南联大外文系,留校担任助教。1947 年参加后来被称为"九叶诗派"的创作活动。1953 年初回国,任南开大学外文系副教授,1977 年春节因病去世。主要著作有:诗集《探险队》(1945)、《穆旦诗集(1939 – 1945)》(1947)、《旗》(1948)、《穆旦诗选》(1986)等,及《欧根·奥涅金》(1957)、《唐璜》(1980)、《英国现代诗选》(1985)等大量译诗。

我见到那么一个老木匠
从街上一条破板门。
那老人,迅速地工作着,
全然弯曲而苍老了;
看他挥动沉重的板斧
像是不胜其疲劳。

孤独的,寂寞的
老人只是一个老人。
伴着木头,铁钉,和板斧

春,夏,秋,冬……一年地,两年地,
老人的一生过去了;
牛马般的饥劳与苦辛,
像是没有教给他怎样去表情。
也会见:老人偶尔吸着一支旱烟,
对着漆黑的屋角,默默地想
那是在感伤吧? 但有谁
知道。也许这就是老人最舒适的一刹那
看着喷着的青烟缕缕往上飘。

沉夜,摆出一条漆黑的街
振出老人的工作声音更为洪响。
从街头处吹过一阵严肃的夜风
卷起沙土。但却不曾摇曳过
那门板隙中透出来的微弱的烛影。

熟了麦子(外一首)

海 子

海子,原名查海生,1964 年生于安徽省安庆城外的高河查湾。在农村长大,1979 年 15 岁时考入北京大学法律系,大学期间开始诗创作。大学毕业后被分配到中国政法大学哲学教研室工作。1989 年 3 月 26 日在河北省山海关卧轨自杀。海子一生,凭着辉煌的天才,奇迹般的创造力和敏锐的直觉,在极端贫困、单调的生活环境里创作了包括诗歌、小说、剧本等大量的文学作品。海子的部分作品已被收入近 20 种诗歌选集,著有《海子诗全编》等。

青少年文学读本

那一年兰州一带的新麦
熟了

在回家的路上
在外面混了三十多年的父亲还家了

坐着羊皮筏子
回家来了

有人背着粮食
夜里推门进来

灯前
认清是三叔

老哥俩
一宵无言

半尺厚的黄土
麦子熟了

面朝大海,春暖花开

从明天起,做一个幸福的人
喂马,劈柴,周游世界
从明天起,关心粮食和蔬菜
我有一所房子,面朝大海,春暖花开

从明天起,和每一个亲人通信
告诉他们我的幸福
那幸福的闪电告诉我的
我将告诉每一个人

给每一条河每一座山取一个温暖的名字
陌生人,我也为你祝福
愿你有一个灿烂的前程
愿你有情人终成眷属
愿你在尘世获得幸福
我也愿面朝大海,春暖花开

静安庄（组诗选二）

翟永明

翟永明，1955年出生，当代女诗人，著有诗集《女人》(1987)、《在一切玫瑰之上》(1992)、《翟永明诗集》(1994)、《黑夜里的素歌》(1997)、《称之为一切》(1997)。

第一月

仿佛早已存在，仿佛早已就序
我走来，声音概不由己
它把我安顿在朝南的厢房

第一次来我就赶上漆黑的日子
到处都有脸型相像的小径
凉风吹得我苍白寂寞
玉米地在这种时刻精神抖擞
我来到这里，听到双鱼星的哞叫
又听见敏感的夜抖动不已

极小的草垛散布肃穆

脆弱唯一的云像孤独的野兽
蹑足走来,含有坏天气的味道

如同与我相逢成为值得理解的内心
鱼竿在水面滑动,忽明忽灭的油灯
热烈沙哑的狗吠使人默想
昨天巨大的风声似乎了解一切
不要容纳黑树
每个角落布置一次杀机
忍受布满人体的时刻
现在我可以无拘无束地成为月光

已婚夫妇梦中听见卯时雨水的声音
黑驴们靠着石磨商量明天
那里,阴阳混合的土地
对所有年月了如指掌

我听见公鸡打鸣
又听见辘轳打水的声音

第二月

从早到午,走遍整个村庄
我的脚听从地下的声音
让我到达沉默的深度
无论走到哪家门前,总有人站着
端着饭碗,有人摇着空空的摇篮
走过一堵又一堵墙,我的脚不着地
荒屋在那里穷凶极恶,积着薄薄红土
是什么挡住我如此温情的视线?

在蚂蚁的必死之路
脸上盖着树叶的人走来
向日葵被割掉头颅,粗糙糜烂的脖子
伸在天空下如同一排谎言
蓑衣装扮成神,夜里将作恶多端

寒食节出现的呼喊
村里人因抚慰死者而自我克制
我寻找,总带着未遂的笑容
内心伤口与他们的肉眼连成一线
怎样才能进入静安庄
尽管每天都有溺婴尸体和服毒的新娘

他们回来了,花朵列成纵队反抗
分娩的声音突然提高
感觉落日从里面崩溃
我在想:怎样才能进入
这时鸦雀无声的村庄

青少年文学读本

生命幻想曲（外一首）

顾　城

顾城(1956～1993)，北京人。初中毕业。1968 年开始从事诗歌创作，写现代新诗，也写新格律诗。1987 年应邀出访欧美国家，进行文化交流讲学活动，1988 年赴新西兰讲授中国古典文学，曾被聘为奥克兰大学亚语系研究员，后辞职隐居激流岛，1992 年重访欧美并从事创作，留下大量诗、文、书法、绘画等作品。1977 年开始发表作品。著有诗集《黑眼睛》、《城》、《水银》、《顾城诗集》、《顾城童话寓言诗选》、《顾城诗选》、《顾城新诗自选集》、《顾城散文选集》、《英儿》、《诗海守株》、《给少年的诗》，长诗《雪山恩仇记》，回忆录《我的希望》等。

把我的幻影和梦，
放在狭长的贝壳里。
柳枝编成的船篷，
还旋绕着夏蝉的长鸣。
拉紧桅绳
风吹起晨雾的帆，
我开航了。

没有目的，

在蓝天中荡漾。
让阳光的瀑布，
洗黑我的皮肤。

太阳是我的纤夫。
它拉着我，
用强光的绳索
一步步，
走完十二小时的路途。
我被风推着
向东向西，
太阳消失在暮色里。

黑夜来了，
我驶进银河的港湾。
几千个星星对我看着，
我抛下了
新月——黄金的锚。

天微明，
海洋挤满阴云的冰山，
碰击着，
"轰隆隆"——雷鸣电闪！
我到哪里去呵？
宇宙是这样的无边。

用金黄的麦秸，
织成摇篮，
把我的灵感和心
放在里边。

装好纽扣的车轮，
让时间拖着
去问候世界。

车轮滚过
百里香和野菊的草间。
蟋蟀欢迎我
抖动着琴弦。
我把希望溶进花香。
黑夜像山谷，
白昼像峰巅。
睡吧！合上双眼，
世界就与我无关。

时间的马，
累倒了。
黄尾的太平鸟，
在我的车中做窝。
我仍然要徒步走遍世界——
沙漠、森林的偏僻的角落。

太阳烘着地球，
像烤一块面包。
我行走着，
赤着双脚。
我把我的足迹
像图章印遍大地，
世界也就溶进了
我的生命。

我要唱
一支人类的歌曲，
千百年后
在宇宙中共鸣。

触 电（外一首）

北 岛

北岛，原名赵振开，祖籍浙江湖州，生于北京。1969年当建筑工人，后在某公司工作。80年代末移居国外。北岛的诗歌创作开始于十年动乱后期，反映了从迷惘到觉醒的一代青年的心声，十年动乱的荒诞现实，造成了诗人独特的"冷抒情"的方式——出奇的冷静和深刻的思辨性。他在冷静的观察中，发现了"那从蝇眼中分裂的世界"如何造成人的价值的全面崩溃、人性的扭曲和异化。著有诗集《太阳城札记》、《北岛诗选》、《北岛顾城诗选》等。

我曾和一个无形的人
握手，一声惨叫
我的手被烫伤
留下了烙印

当我和那些有形的人
握手，一声惨叫
它们的手被烫伤
留下了烙印

我不敢再和别人握手

总把手藏在背后
可当我祈祷
上苍,双手合十
一声惨叫
在我的内心深处
留下了烙印

北方闲置的田野（外一首）

多 多

多多（1951~ ），原名马为义，北京人，出版的诗集有《在风城》（1975）、《白马集》（1984）、《路》（1986）、《微雕世界》（1998）等。

有一张犁让我疼痛
北方闲置的田野有一张犁让我疼痛
当春天像一匹马倒下，从一辆
空荡荡的收尸的车上
一个石头做的头
聚集着死亡的风暴
被风暴的铁头发刷着
在一顶帽子底下
有一片空白——死后的时间
已经摘下他的脸：
一把棕红的胡子伸向前去
聚集着北方闲置已久的威严
春天，才像铃那样咬着他的心
类似孩子的头沉到井底的声音
类似滚开的火上煮着一个孩子

他的痛苦——类似一个巨人

在放倒的木材上锯着

好像锯着自己的腿

一丝比忧伤纺线还要细弱的声音

穿过停工的锯木场穿过

锯木场寂寞的仓房

那是播种者走到田野尽头的寂寞

亚麻色的农妇

没有脸孔却挥着手

向着扶犁者向前弯去的背影

一个生锈的母亲没有记忆

却挥着手——好像石头

来自遥远的祖先……

沉默的大多数

王小波

王小波，1952年出生于北京，先后当过知青、民办教师、工人、工科大学生。其后，王小波在美国匹兹堡大学取得文学硕士，再学计算机，于统计系当助教，回国后在中国人民大学任教。主要著作有小说《时代三部曲》。《时代三部曲》是由三部作品组成，分别是《黄金时代》、《白银时代》和《青铜时代》，及杂文随笔集《我的精神家园》等。1998年病逝。

君特·格拉斯在《铁皮鼓》里，写了一个不肯长大的人。小奥斯卡发现周围的世界太过荒诞，就暗下决心要永远做小孩子。在冥冥之中，有一种力量成全了他的决心，所以他就成了个侏儒。这个故事太过神奇，但很有意思。人要永远做小孩子虽办不到，但想要保持沉默是能办到的。在我周围，像我这种性格的人特多——在公众场合什么都不说，到了私下里则妙语连珠，换言之，对信得过的人什么都说，对信不过的人什么都不说。起初我以为这是因为经历了严酷的时期（文革），后来才发现，这是中国人的通病。龙应台女士就大发感慨，问中国人为什么不说话。她在国外住了很多年，几乎变成了个心直口快的外国人。她把保持沉默看做怯懦，但这是不对的。沉默是一种人类学意义上的文化，一种生活方式。它的价值观很简单：开口是银，沉默是金。一种文化之内,往往有一种交流信息的独特方式,甚至是特有的语言,有一些独有的信息,文化可以传播,等等。这才能叫作文化。

沉默有自己的语言。举个住楼的人都知道的例子:假设有人常把一辆自行车放在你门口的楼道上,挡了你的路,你可以开口去说:打电话给居委会;或者直接找到车主,说道:同志,五讲四美,请你注意。此后他会用什么样的语言来回答你,我就不敢保证。我估计他最起码要说你"事儿",假如你是女的,他还会说你"事儿妈",不管你有多大岁数,够不够做他妈。当然,你也可以选择沉默的方式来表达自己对这种行为的厌恶之情:把他车胎里的气放掉。干这件事时,当然要注意别被车主看见。

还有一种更损的方式,不值得推荐,那就是在车胎上按上个图钉。有人按了图钉再拔下来,这样车主找不到窟窿在哪儿,补胎时更困难。假如车子可以搬动,把它挪到难找的地方去,让车主找不着它,也是一种选择。这方面就说这么多,因为我不想编沉默的辞典

一种文化必有一些独有的信息,沉默也是有的。戈尔巴乔夫说过这样的话:有一件事是公开的秘密,假如你想给自己盖个小房子,就得给主管官员些贿赂,再到国家的工地上偷点建筑材料。这样的事干得说不得,属于沉默;再加上讲这些话时,戈氏是苏共总书记,所以当然语惊四座。还有一点要补充的,那就是:属于沉默的事用话讲了出来,总是这么怪怪的

沉默也可以传播。在某些年代里,所有的人都不说话了,沉默就像野火一样四下漫延着。把这叫作传播,多少有点过甚其辞,但也不离大谱。在沉默的年代里,人们也在传播小道消息,这件事破坏了沉默的完整性。好在这种话语我们只在一些特定的场合说,比方说,公共厕所。最起码在追查谣言时,我们是这样交待的:这话我是在厕所里听说的!这样小道消息就成了包含着排便艰巨的吓语,不值得认真对待。另外,公厕虽然也是公共场合,但我有种强烈的欲望,要把它排除在外,因为它太脏了

我属于沉默的大多数。从我懂事的年龄,就常听人们说:我

们这一代,生于一个神圣的时代,多么幸福;而且肩负着解放天下三分之二受苦人的神圣使命,等等;在甜蜜之余也有一点怀疑:这么多美事怎么都叫我赶上了。再说,含蓄是我们的家教

在三年困难时期,有一天开饭时,每人碗里有一小片腊肉。我弟弟见了以后,按捺不住心中的狂喜,冲上阳台,朝全世界放声高呼:我们家吃大鱼大肉了! 结果是被我爸爸拖回来臭揍了一顿。经过这样的教育,我一直比较深沉。所以听到别人说:我们多么幸福、多么神圣时,别人在受苦,我们没有受等等,心里老在想着:假如我们真遇上了这么多美事,不把它说出来会不会更好。当然,这不是说,我不想履行自己的神圣职责。对于天下三分之二的受苦人,我是这么想的:与其大呼小叫说要去解放他们、让人家苦等,倒不如一声不吭。忽然有一天把他们解放,给他们一个意外惊喜。总而言之,我总是从实际的方面去考虑,而且考虑得很周到。智者千虑尚且难免一失,何况当年我只是个小孩子。我就没想到这些奇妙的话语只是说给自己听的,而且不准备当真去解放谁。总而言之,家教和天性谨慎,是我变得沉默的起因

与沉默的大多数相反,任何年代都有人在公共场合喋喋不休。我觉得他们是少数人,可能有人会不同意。如福柯先生所言,话语即权力。当我的同龄人开始说话时,给我一种极恶劣的印象。有位朋友写了一本书,写的是自己在文革中的遭遇,书名为《血统》。可以想见,她出身不好。她要我给她的书写个序。这件事使我想起来自己在那些年的所见所闻。文革开始时,我十四岁,正上初中一年级。有一天,忽然发生了惊人的变化,班上的一部份同学忽然变成了红五类,另一部份则成了黑五类。我自己的情况特殊,还说不清是哪一类。当然,这红和黑的说法并不是我们发明出来,这个变化也不是由我们发起的。照我看来,红的同学忽然得到了很大的好处,这是值得祝贺。黑的同学忽然遇上了很大的不幸,也值得同情。我不等对他们一一表示祝贺和同情,一些红的同学就把脑袋刮光,束上了大皮带,站在校门口,问每一个想进来的人:你什么出身? 他们对同班同学问得格外仔

细，一听到他们报出不好的出身，就从牙缝里迸出三个字："狗崽子！"当然，我能理解他们突然变成了红五类的狂喜，但为此非要使自己的同学在大庭广众下变成狗崽子，未免也太过份。这使我以为，使用话语权是人前显贵，而且总都是为了好的目的。现在看来，我当年以为的未必对，但也未必全错。

话语有一个神圣的使命，就是想要证明说话者本身与众不同，是芸芸众生中的佼佼者。现在常听说的一种说法是：中国人拥有世界上最杰出的文化，在全世界一切人中最聪明。对此我不想唱任何一种反调，我也不想当人民公敌。我还持十几岁时的态度：假设这些都是实情，我们不妨把这些保藏在内心处不说，"闷兹蜜"。这些话讲出来是不好的，正如在文革时，你可以因自己是红五类而沾沾自喜，但不要到人前去显贵，更不要说别人是狗崽子。根除了此类话语，我们这里的话就会少很多，但也未尝不是好事。

现在我要说的是另一个题目：我上小学六年级时，暑期布置的读书作业是《南方来信》。那是一本记述越南人民抗美救国斗争的读物，其中充满了处决、拷打和虐杀。

看完以后，心里充满了怪怪的想法。那时正在青春期的前沿，差一点要变成个性变态了。总而言之，假如对我的那种教育完全成功，换言之，假如那些园丁、人类灵魂的工程师对我的期望得以实现，我就想像不出现在我怎能不嗜杀成性、怎能不残忍，或者说，在我身上，怎么还会保留了一些人性。好在人不光是在书本上学习，还会在沉默中学习。这是我人性尚存的主因。

现在我就在发掘沉默，但不是作为一个社会科学工作者来发掘。这篇东西大体属于文学的范畴，所谓文学就是：先把文章写到好看，别的就管他妈的。现在我来说明自己为什么人性尚存。文化革命刚开始时，我住在一所大学里。有一天，我从校外回来，遇上一大伙人，正在向校门口行进。走在前面的是一伙大学生，彼此争论不休，而且嗓门很大；当然是在用时髦话语争吵，除了毛主席的教导，还经常提到"十六条"。所谓十六条，是中央颁布的展开文化革命的十六条规定,其中有一条叫作"要文斗、不要武斗",制定出来就是供大家违反之用。在那些争论的人之中,有一个人居于中心地位。但他双唇紧闭,一声不吭,唇边似有血迹。在场的大学生有一半在追问他,要他开口说话,另一半则在维护他,不让他说话。文化革命里到处都有两派之争,这是个具体的例子。至于队伍的后半部分,是一帮像我这么大的男孩子,一个个也是双唇紧闭,一声不吭,但唇边没有血迹,阴魂不散地跟在后面。有几个大学生想把他们拦住,但是不成功,你把正面拦住,他们就从侧面绕过去,但保持着一声不吭的态度。这件事相当古怪,因为我们院里的孩子相当的厉害,不但敢吵敢骂,而且动起手来,大学生还未必是个儿,那天真是令人意外的老实。我立刻投身其中,问他们出了什么事,怪的是这些孩子都不理我,继续双唇紧闭,两眼发直,显出一种坚忍的态度,继续向前行进——这情形好像他们发了一种集体性的癔症。

有关癔症,我们知道,有一种一声不吭,只顾扬尘舞蹈;另一种喋喋不休,就不大扬尘舞蹈。不管哪一种,心里想的和表现出来的完全不是一回事。我在北方插队时,村里有几个妇女有癔症,其中有一位,假如你信她的说法,她其实是个死去多年的狐狸,成天和丈夫(假定此说成立,这位丈夫就是个兽奸犯)吵吵闹闹,以狐狸的名义要求吃肉。但肉割来以后,她要求把肉煮熟,并以大蒜佐餐。很显然,这不合乎狐狸的饮食习惯。所以,实际上是她,而不是它要吃肉。至于文化革命,有几分像场集体性的癔症,大家闹的和心里想的也不是一回事。但是我说的那些大学里的男孩子其实没有犯癔症。后来,我揪住了一个和我很熟的孩子,问出了这件事的始末:原来,在大学生宿舍的盥洗室里,有两个学生在洗脸时相遇,为各自不同的观点争辩起来。争着争着,就打了起来。其中一位受了伤,已被送到医院。另一位没受伤,理所当然地成了打人凶手,就是走在队伍前列的那一位。这一大伙人在理论上是前往某个机构(叫作校革委还是筹委会,我已经不记得了)讲理,实际上是在校园里做无目标的布朗运动。

这个故事还有另一个线索：被打伤的学生血肉模糊，有一只耳朵（是左耳还是右耳已经记不得，但我肯定是两者之一）的一部份不见了，在现场也没有找到。根据一种阿加莎·克里斯蒂式的推理，这块耳朵不会在别的地方，只能在打人的学生嘴里，假如他还没把它吃下去的话；因为此君不但脾气暴燥，急了的时候还会咬人，而且咬了不止一次。我急于交待这件事的要点，忽略了一些细节，比方说，受伤的学生曾经惨叫了一声，别人就闻声而来，使打人者没有机会把耳朵吐出来藏起来，等等。总之，此君现在只有两个选择，或是在大庭广众之中把耳朵吐出来，证明自己的品行恶劣，或者把它吞下去。我听到这些话，马上就加入了尾随的行列，双唇紧闭，牙关紧咬，并且感觉到自己嘴里仿佛含了一块咸咸的东西。

现在我必须承认，我没有看到那件事的结局；因为天晚了，回家太晚会有麻烦。

但我的确关心着这件事的进展，几乎失眠。这件事的结局是别人告诉我的：最后，那个咬人的学生把耳朵吐了出来，并且被人逮住了。不知你会怎么看，反正当时我觉得如释重负：不管怎么说，人性尚且存在。同类不会相食，也不会把别人的一部份吞下去。当然，这件事可能会说明一些别的东西：比方说，咬掉的耳朵块太大，咬人的学生嗓子眼太细，但这些可能性我都不愿意考虑。我说到这件事，是想说明我自己曾在沉默中学到了一点东西，而这些东西是好的。这是我选择沉默的主要原因之一：从话语中，你很少能学到人性，从沉默中却能。假如还想学得更多，那就要继续一声不吭。

有一件事大多数人都知道：我们可以在沉默和话语两种文化中选择。我个人经历过很多选择的机会，比方说，插队的时候，有些插友就选择了说点什么，到"积代会"上去"讲用"，然后就会有些好处。有些话年轻的朋友不熟悉，我只能简单地解释道：积代会是"活学活用毛主席著作积极分子代表大会"，讲用是指讲自己活学活用毛主席著作的心得体会。参加了积代会，就是积极分子。而积极分子是个好意思。

　　另一种机会是当学生时，假如在会上积极发言，再积极参加社会活动，就可能当学生干部，学生干部又是个好意思。这些机会我都自愿地放弃了。选择了说话的朋友可能不相信我是自愿放弃的，他们会认为，我不会说话或者不够档次，不配说话。因为话语即权力，权力又是个好意思，所以的确有不少人挖空心思要打进话语的圈子，甚至在争夺"话语权"。我说我是自愿放弃的，有人会不信——好在还有不少人会相信。

　　主要的原因是进了那个圈子就要说那种话，甚至要以那种话来思索，我觉得不够有意思。据我所知，那个圈子里常常犯着贫乏症。

　　二十多年前，我在云南当知青。除了穿着比较干净、皮肤比较白晰之外，当地人怎么看待我们，是个很费猜的问题。我觉得，他们以为我们都是台面上的人，必须用台面上的语言和我们交谈——最起码在我们刚去时，他们是这样想的。这当然是一个误会，但并不讨厌。还有个讨厌的误会是：他们以为我们很有钱，在集市上死命地朝我们要高价，以致我们买点东西，总要比当地人多花一两倍的钱。后来我们就用一种独特的方法买东西：不还价，甩下一叠毛票让你慢慢数，同时把货物抱走。等你数清了毛票，连人带货都找不到了。起初我们给的是公道价，后来有人就越给越少，甚至在毛票里杂有些分票。假如我说自己洁身自好，没干过这种事，你一定不相信；所以我决定不争辩。终于有一天，有个学生在这样买东西时被老乡扯住了；但这个人决不是我。那位老乡决定要说该同学一顿，期期艾艾地憋了好半天，才说出：哇！不行啦！思想啦！斗私批修啦！后来我们回家去，为该老乡的话语笑得打滚。可想而知，在今天，那老乡就会说：哇！不行啦！五讲啦！四美啦！三热爱啦！同样也会使我们笑得要死。从当时的情形和该老乡的情绪来看，他想说的只是一句很简单的话，那一句话的头一个字发音和洗澡的澡有些相似。我举这个例子，绝不是讨了便宜又要卖乖，只是想说明一下话语的贫乏。用

251

中学生卷

它来说话都相当困难，更不要说用它来思想了。话语圈子里的朋友会说，我举了一个很恶劣的例子——我记住这种事，只是为了丑化生活；但我自己觉得不是的。还有一些人会说，我们这些熟练掌握了话语的人在嘲笑贫下中农，这是个卑劣的行为。说实在的，那些话我虽耳熟，但让我把它当众讲出口来，那情形不见得比该老乡好很多。我希望自己朴实无华，说起话来，不要这样绕嘴，这样古怪，这样让人害怕。这也是我保持沉默的原因之一。

中国人有句古话：敬惜字纸。这话有古今两种通俗变体：古代人们说，用印了字的纸擦屁股要瞎眼睛；现代有种近似科学的说法：用有油墨的纸擦屁股会生痔疮。其实，真正要敬惜的根本就不是纸，而是字。文字神圣。我没听到外国有类似的说法，他们那里神圣的东西都与上帝有关。人间的事物要想神圣，必须经过上帝或者上帝在人间代理机构的认可。听说，天主教的主教就需要教皇来祝圣。相比之下，中国人就不需要这个手续。只要读点书，识点字，就可以写文章。写来写去，自祝自圣。这件事有好处，也有不好处。好处是达到神圣的手续甚为简便，坏处是写什么都要带点"圣"气，就丧失了平常心。我现在在写字，写什么才能不亵渎我神圣的笔，真是个艰巨的问题。古代和近代有两种方法可以壮我的胆。古代的方法是，文章要从夫子曰开始。近代的方法是从"毛主席教导我们说"开始。这两种方法我都不拟采用。其结果必然是：这篇文字和我以往任何一篇文字一样，没有丝毫的神圣性。

我们所知道、并且可以交流的信息有三级：一种心知肚明，但既不可说也不可写。

另一种可说不可写，我写小说，有时就写出些汉语拼音来。最后一种是可以写出来的。

当然，说得出的必做得出，写得出的既做得出也说得出；此理甚明。人们对最后这类信息交流方式抱有崇敬之情。在这方面我有一个例子：我在云南插队时，有一阵是记工员。队里的人感觉不舒服不想上工，就给我写张假条。有一天，队里有个小伙子感觉屁股疼，不想上工。他可以用第一种方式通知我，到我屋里来，指指屁股，再苦苦脸，我就会明白。用第二种方法也甚简便。不幸他用了第三种方式。我收到那张条子，看到上面写着"龟头疼"，就照记下来。后来这件事就传扬开来，队里的人还说，他得了杨梅大疮，否则不会疼在那个部位上。因此他找到我，还威胁说要杀掉我。经过核实原始凭据，发现他想按书面语言，写成臀部疼，不幸写成了"电布疼"，除此之外，还写得十分歪歪斜斜。以致我除了认做龟头疼，别无他法。其实呢，假如他写屁股疼，我想他是能写出的；此人既不是龟头疼，也不是屁股疼，而是得了痔疮；不过这一点已经无关紧要了。要紧的是人们对于书面话语的崇敬之情。假如这种话语不仅是写了出来，而且还印了出来，那它简直就是神圣的了。但不管怎么说罢，我希望人们在说话和写文章时，要有点平常心。屁股疼就说屁股疼，不要写电布疼。至于我自己，丝毫也不相信有任何一种话语是神圣的。缺少了这种虔诚，也就不配来说话。

　　我所说的一切全都过去了。似乎没有必要保持沉默了。如前所述，我曾经是个沉默的人，这就是说，我不喜欢在各种会议上发言，也不喜欢写稿子。这一点最近已经发生了改变，参加会议时也会发言，有时也写点稿。对这种改变我有种强烈的感受，有如丧失了童贞。这就意味着我违背了多年以来的积习，不再属于沉默的大多数了。

　　我还不致为此感到痛苦，但也有一点轻微的失落感，我们的话语圈从五十年代起，就没说过正常的话：既鼓吹过日产三十万吨钢，也炸过精神原子弹。说得不好听，它是座声名狼籍的疯人院。如今我投身其中，只能有两种可能：一是它正常了，二是我疯掉了，两者必居其一。我当然想要弄个明白，但我无法验证自己疯没疯。在这方面有个例子：当年里根先生以七十以上的高龄竞选总统，有人问他：假如你当总统以后老糊涂了怎么办？里根先生答道：没有问题。假如我老糊涂了，一定交权给副总统。然后人家又问：你老糊涂了以后，怎能知道自己老糊涂了？他就无言以对。这个例子对我也适用：假如我疯掉了，一定以为自己没有疯。我觉得话语圈子比我容易验证一些。

假如你相信我的说法，沉默的大多数比较谦虚、比较朴直、不那么假正经，而且有较健全的人性。如果反过来，说那少数说话的人有很多毛病，那也是不对的。不过他们的确有缺少平常心的毛病。

几年前，我参加了一些社会学研究，因此接触了一些"弱势群体"，其中最特别的就是同性恋者。做过了这些研究之后，我忽然猛省到：所谓弱势群体，就是有些话没有说出来的人。就是因为这些话没有说出来，所以很多人以为他们不存在或者很遥远。在中国，人们以为同性恋者不存在。在外国，人们知道同性恋者存在，但不知他们是谁。然后我又猛省到自己也属于古往今来最大的一个弱势群体，就是沉默的大多数。这些人保持沉默的原因多种多样，有些人没能力、或者没有机会说话；还有人有些隐情不便说话；还有一些人，因为种种原因，对于话语的世界有某种厌恶之情。我就属于这最后一种。

对我来说，这是青少年时代养成的习惯，是一种难改的积习。小时候我贫嘴聊舌，到了一定的岁数之后就开始沉默寡言。当然，这不意味着我不会说话——在私下里我说的话比任何人都不少——这只意味着我放弃了权力。不说话的人不仅没有权力，而且会被人看做不存在，因为人们不会知道你。

我曾经是个沉默的人，这就是说，我不喜欢在各种会议上发言，也不喜欢写稿子。

这一点最近已经发生了改变，参加会议时也会发言，有时也写点稿。对这种改变我有种强烈的感受，有如丧失了童贞。这就意味着我违背了多年以来的积习，不再属于沉默的大多数了。我还不至为此感到痛苦，但也有一点轻微的失落感。现在我负有双重任务，要向保持沉默的人说明，现在我为什么要进入话语的圈子；又要向在话语圈子里的人说明，我当初为什么要保持沉默，而且很可能在两面都不落好。照我看来，头一个问题比较容易回答。我发现在沉默的人中间,有些话永远说不出来。照我看,这件事是很不对的。因此我就很想要说些话。当然,话语的圈子里自然有它的逻辑,和我这种逻辑有些距离。虽然大家心知肚明,但我还要说一句,话语圈子里的人有作家、社会科学工作者,还有些别的人。出于对最后一些人的尊重,就不说他们是谁了——其实他们是这个圈子的主宰。我曾经是个社会科学工作者,那时我想,社会科学的任务之一,就是发掘沉默。就我所知,持我这种立场的人不会有好下场。不过,我还是想做这件事。

第二个问题是:我当初为什么要保持沉默。这个问题难回答,是因为它涉及到一系列复杂的感觉。一个人决定了不说话,他的理由在话语圈子里就是说不清的。但是,我当初面对的话语圈和现在的话语圈已经不是一个了——虽然它们有一脉相承之处。

在今天的话语圈里,也许我能说明当初保持沉默的理由。而在今后的话语圈里,人们又能说明今天保持沉默的理由。沉默的说明总是要滞后于沉默。倘若你问,我是不是依然部份地保持了沉默,就是明知故问——不管怎么说,我还是决定了要说说昨天的事。但是要慢慢地说。

七八年前,我在海外留学,遇上一位老一辈的华人教授。聊天的时候他问:你们把太太叫作"爱人"——那么,把lover叫做什么?我呆了一下说道:叫作"第三者"罢。他朝我哈哈大笑了一阵,使我感觉受到了暗算,很不是滋味。回去狠狠想了一下,想出了一大堆:情人、傍肩儿、拉边套的、乱搞男女关系的家伙、破鞋或者野汉子,越想越歪。人家问的是我们所爱的人应该称作什么,我竟答不上来。倘若说大陆上全体中国人就只爱老婆或老公,别人一概不爱,那又透着虚伪。最后我只能承认:这个称呼在话语里是没有的,我们只是心知肚明,除了老婆和老公,我们还爱过别人。以我自己为例,我老婆还没有和我结婚时,我就开始爱她。此时她只是我的女朋友。根据话语的逻辑,我该从领到了结婚证那一刻开始爱她,既不能迟,也不能早。不过我很怀疑谁控制自己感情的能力有这么老到。由此可以得到两个推论：其一，完全按照话语的逻辑来生存，实在是困难得很。其二：创造话语的人是一批假正经。沿着第一个推理前进，会遇上一堆老话。越是困难，越是要上；存天理灭人欲嘛——那些陈糠烂谷子太多了，不提也罢。让我们沿着第二条道路前进："爱人"这个字眼让我们想到什么？做爱。这是个外来语，从 makelove 硬译而来。本土的词儿最常用有两个，一个太粗，根本不能写。另外一个叫作"敦伦"。这个词儿实在有意思。假如有人说，他总是以敦厚人伦的虔敬心情来干这件事，我倒想要认识他，因为他将是我所认识的最不要脸的假正经。为了捍卫这种神圣性，做爱才被叫作"敦伦"。

现在可以说说我当初保持沉默的原因。时至今日，哪怕你借我个胆子，我也不敢说自己厌恶神圣。我只敢说我厌恶自己说自己神圣，而且这也是实情。

在一个科幻故事里，有个科学家造了一个机器人，各方面都和人一样，甚至和人一样的聪明，但还不像人。因为缺少自豪感，或者说是缺少自命不凡的天性。这位科学家就给该机器人装上了一条男根。我很怀疑科学家的想法是正确的。照我看来，他只消给机器人装上一个程序，让他到处去对别人说：我们机器人是世界上最优越的物种，就和人是一样的了。

但是要把这种经历作为教学方法来推广是不合适的。特别是不能用咬耳朵的方法来教给大家人性的道理，因为要是咬人耳的话，被咬的人很疼，咬猪耳的话，效果又太差。所以，需要有文学和社会科学。我也要挤入那个话语圈，虽然这个时而激昂、时而消沉，时而狂吠不止、时而一声不吭的圈子，在过去几十年里从来就没教给人一点好的东西，但我还要挤进去。

大地上的事情（节选）

苇　岸

苇岸，原名马建国，1961 年 1 月 7 日生于北京昌平县。大学期间开始写诗，1982 年开始发表作品。1988 年起主要进行散文写作。《大地上的事情》是作者生前出版的唯一一本散文集。1999 年 5 月 19 日，苇岸因病去世后，友人们为他编有《太阳升起以后》、《上帝之子》两本散文集。

杜　鹃

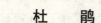

"杜鹃"更像一个人的名字，一个在向日葵、碾盘和贫匮院落长大的农家姑娘的名字。我喜欢它们的别称：布谷（尽管在鸟类学家那里，杜鹃属中只有大杜鹃才被这样称呼）。"布谷"一词，让人联想到奇妙的、神奇的、准确无比的二十四节气，它从字形、发音以及语意都像二十四节气，洋溢着古老的土地和农业气息。在鸟类中，如果夜莺能够代表爱情的西方，布谷即是劳作的东方的最好象征。

就像伊索寓言里夏天沉迷于歌唱、冬天向蚂蚁乞粮而遭到嘲笑的蝉，惟一不自营巢而巧借它巢繁衍的鸟，即是引吭沥血高歌的杜鹃（杜鹃可产出与寄主的卵酷似的拟态卵，以免被寄主觉察卵数的异常）。如冠军或独裁者，杜鹃在世上的数量不多。我从未听到过三只以上的杜鹃同时啼叫，通常只是一只。每一个巧取的富人须有若干本分的人作他的财富基础，而每一只杜鹃后面必有一个牺牲寄主满巢子代的血腥背景（出壳后的杜鹃幼雏，会将同巢寄主的卵或幼雏全部推出巢外，独享义亲哺养）。

　　杜鹃的胆子，与其智能、体形均不相称。它们一般隐匿于稠密枝隙，且飞行迅疾，使人闻其声却难见其形。华兹华斯即曾为此感叹："你不是鸟，而是无形的影子，是一种歌声或者谜。"迄今我只观察到过一次杜鹃，当时它在百米以外的一棵树上啼鸣。我用一架20倍望远镜反复搜寻，终于发现了它。它鸣叫的样子，正如我们通常在鸟类图谱中看到的：头向前伸、微昂，两翼低垂，尾羽上翘并散开，身躯上缘呈弧形。在望远镜里，这羞怯的、庄重的、令整个田园为之动容的歌手，无论大小、姿态及羽色都像一只凶猛的雀鹰。

苇　莺

　　它们在鸣叫时，发出的是"呱、呱、叽"的声音。这种声音，常常使我想到民间的一种曲艺艺人。每到夏初的时候，当苇丛长起，它们便带着它们的竹板儿从南方迁至这里。它们只栖居在苇塘，它们造型精巧的杯状巢就筑在距水面一两米的苇茎上。它们的数量必然有限，且很易滑向濒临绝灭的边缘；平原上的苇塘在逐年减少；它们的巢历来也是杜鹃产卵首选的目标。它们不能分辨哪是自己的卵，哪是杜鹃的卵。它们也不会料到它们所哺育的杜鹃的雏鸟，要将它们自己的雏鸟从巢内全部拱掉。它们每天毫无疑虑不停地往返，填充着巢中这个体型已经比它们还大的无底深渊。它们有一个很美的名字，叫做苇莺。它们的命运，比莎士比亚的悲剧更能刺痛人心。

鸟　鸣

　　鸟儿的叫声是分类型的,大体为两种,鸟类学家分别将它们称做"鸣啭"和"叙鸣"。鸣啭是歌唱,主要为雄鸟在春天对爱情的抒发。叙鸣是言说,是鸟儿之间日常信息的沟通。鸣啭是优美的、抒情的、表达的、渴求的、炫示的;叙鸣则是平实的、叙事的、告诉的、交流的、琐屑的。需要说明的是,在众多的鸟类中,真正令我们心醉神迷的鸣啭,一般与羽色华丽的鸟类无关,而主要来自羽色平淡的鸟类。比如著名的云雀和夜莺,它们的体羽的确有点像资本主义时代那些落魄的抒情诗人的衣装。

　　这种现象,不仅体现了主的公正,也是神秘主义永生的一个例证。

麻　雀

　　黎明,我常常被麻雀的叫声唤醒。日子久了,我发现它们总在日出前20分钟开始啼叫。冬天日出较晚,它们叫的也晚;夏天日出早,它们叫的也早。麻雀在日出前和日出后的叫声不同,日出前它们发出"鸟、鸟、鸟"的声音,日出后便改成"喳、喳、喳"的声音。我不知它们的叫法和太阳有什么关系。

雀　鹰

　　已经很难见到它了。这是五月,我坐在一棵柳树下面,我的眼前是一片很大的麦田。梭罗说,人类已经成为我们的工具的工具了,饥饿了就采果实吃的人已变成一个农夫,树荫下歇力的人已变成一个管家。我不是管家,我是一个教员。我经常走这条田间小路,我是去看病卧在炕上的祖父和祖母。

　　正是这个时候,从远处,从麦田的最北端,它过来了。它飞得很低,距麦田只有一两米。麦田像荷戟肃立的士兵方阵,而它是缓步巡视的戎装将军。它不时地停住(除了蜂鸟,鸟类中似乎只有它具备这种高超的空中"定点"本领),它在鼓舞士气,也许是在纠察风纪。由北到南,它两翅平展,这样缓慢地向前推进。它始终没有落到地上,终于它又向它的另一支军团赶去。

（这个威风凛凛的将军就是雀鹰,它又名鹞子。在我的故乡,人们都叫它"轻燕子"。）

寒风吹彻

刘亮程

刘亮程,男,1962 年生,新疆沙湾县人,著有散文集《一个人的村庄》等。

雪落在那些年雪落过的地方,我已经不注意它们了。比落雪更重要的事情开始降临到生活中。三十岁的我,似乎对这个冬天的来临漠不关心,却又好像一直在倾听落雪的声音,期待着又一场雪悄无声息地覆盖村庄和田野。

我静坐在屋子里,火炉上烤着几片馍馍,一小碟咸菜放在炉旁的木凳上,屋里光线暗淡。许久以后我还记起我在这样的一个雪天,围抱火炉,吃咸菜啃馍馍想着一些人和事情,想得深远而入神。柴禾在炉中啪啪地燃烧着,炉火通红,我的手和脸都烤得发烫了,脊背却依旧凉飕飕的。寒风正从我看不见的一道门缝吹进来。冬天又一次来到村里,来到我的家。我把怕冻的东西——搬进屋子,糊好窗户,挂上去年冬天的棉门帘,寒风还是进来了。它比我更熟悉墙上的每一道细微裂缝。

就在前一天,我似乎已经预感到大雪来临。我劈好足够烧半个月的柴禾,整齐地码在窗台下;把院子扫得干干净净,无意中像在迎接一位久违的贵宾——把生活中的一些事情扫到一边,腾出干净的一片地方来让雪落下。下午我还走出村子,到田野里转了一圈。我没顾上割回来的一地葵花秆,将在大雪中站一个冬天。每年下雪之前,都会发现有一两件顾不上干完的事而被搁一个冬天。冬天,有多少人放下一年的事情,像我一样用自己那只冰手,从头到尾地抚摸自己的一生。

屋子里更暗了,我看不见雪。但我知道雪在落,漫天地落。落在房顶和柴垛上,落在扫干净的院子里,落在远远近近的路上。我要等雪落定了再出去。我再不像以往,每逢第一场雪,都会怀着莫名的兴奋,站在屋檐下观看好一阵,或光着头钻进大雪中,好像有意要让雪知道世上有我这样一个人,却不知道寒冷早已盯住了我活蹦乱跳的年轻生命。

经过许多个冬天之后,我才渐渐明白自己再躲不过雪,无论我蜷缩在屋子里,还是远在冬天的另一个地方,纷纷扬扬的雪,都会落在我正经历的一段岁月里。当一个人的岁月像荒野一样敞开时,他便再无法照管好自己。

就像现在,我紧围着火炉,努力想烤热自己。我的一根骨头,却露在屋外的寒风中,隐隐作疼。那是我多年前冻坏的一根骨头,我再不像捡一根牛骨头一样,把它捡回到火炉旁烤热。它永远地冻坏在那段天亮前的雪路上了。那个冬天我十四岁,赶着牛车去沙漠里拉柴禾。那时一村人都是靠长在沙漠里的一种叫梭梭的灌木取暖过冬。因为不断砍挖,有柴禾的地方越来越远。往往要用一天半夜时间才能拉回一车柴禾。每次拉柴禾,都是母亲半夜起来做好饭,装好水和馍馍,然后叫醒我。有时父亲也会起来帮我套好车。我对寒冷的认识是从那些夜晚开始的。

牛车一走出村子,寒冷便从四面八方拥围而来,把你从家里带出的那点温暖搜刮得一干二净,让你浑身上下只剩下寒冷。

那个夜晚并不比其他夜晚更冷。

只是这次,是我一个人赶着牛车进沙漠。以往牛车一出村,就会听到远远近近的雪路上其他牛车的走动声,赶车人隐约的吆喝声。只要紧赶一阵路,便会追上一辆或好几辆去拉柴的牛车,一长串,缓行在铅灰色的冬夜里。那种夜晚天再冷也不觉得。因为寒风在吹好几个人,同村的、邻村的、认识和不认识的好几架牛车在这条夜路上抵挡着寒冷。

而这次,一野的寒风吹着我一个人。似乎寒冷把其他一切都收拾掉了。现在全部地对付我。

我披着羊皮大衣,一动不动趴在牛车里,不敢大声吆喝牛,免得让更多的寒冷发现我。从那个夜晚我懂得了隐藏温暖——在凛冽的寒风中,身体中那点温暖正一步步退守到一个隐秘的有时连我自己都难以找到的深远处——我把这点隐深的温暖节俭地用于此后多年的爱情生活。我的亲人们说我是个很冷的人,不是的,我把仅有的温暖全给了你们。

许多年后有一股寒风,从我自以为火热温暖的从未被寒冷浸入的内心深处阵阵袭来时,我才发现穿再厚的棉衣也没用了。生命本身有一个冬天,它已经来临。

天亮时,牛车终于到达有柴禾的地方。我的一条腿却被冻僵了,失去了感觉。我试探着用另一条腿跳下车,拄着一根柴禾棒活动了一阵,又点了一堆火烤了一会儿,勉强可以行走了。腿上的一块骨头却生疼起来,是我从未体验过的一种疼,像一根根针刺在骨头上又狠命往骨髓里钻——这种疼感一直延续到以后所有的冬天以及夏季里阴冷的日子。

天快黑时,我装着半车柴禾回到家里,父亲一见就问我:怎么拉了这点柴,不够两天烧的。我没吭声,也没向家里说腿冻坏的事。

我想冬天要是稍短些,家里的火炉要是稍旺些,我要是稍把这条腿当回事些,或许我能暖和过来。可是现在不行了。隔着多少个季节,今夜的我,围抱火炉,再也暖不热那个遥远冬天的我;那个在上学路上不慎掉进冰窟窿,浑身是冰往回跑的我;那个踩着冻僵的双脚,捂着耳朵在一扇门外焦急等待的我……我再不能把他们唤回到这个温暖的火炉旁。我准备了许多柴禾,是准备给这个冬天的。我才三十岁,肯定能走过冬天。

但在我周围,肯定有个别人不能像我一样度过冬天。他们被留住了。冬天总是一年一年地弄冷一个人,先是一条腿、一块骨头、一副表情、一种心情……尔后整个人生。

我曾在一个寒冷的早晨,把一个浑身结满冰霜的路人让进屋子,给他倒了一杯热茶。那是个上年纪的人,身上带着许多冬天的寒冷,当他坐在我的火炉旁时,炉火须臾间变得苍白。我没有问他的名字,在火炉的另一边,我感到迎面逼来的一个老人的透骨寒气。

他一句话不说。我想他的话肯定全冻硬了,得过一阵才能化开。

大约坐了半个时辰,他站起来,朝我点了一下头,开门走了。我以为他暖和过来了。

第二天下午,听人说村西边冻死了一个人。我跑过去,看见这个上了年纪的人躺在路边,半边脸埋在雪中。

我第一次看到一个人被冻死。

我不敢相信他已经死了。他的生命中肯定还深藏着一点温暖,只是我们看不见。一个最后的微弱挣扎我们看不见。呼唤和呻吟我们听不见。

我们认为他死了。彻底地冻僵了。

他的身上怎么能留住一点点温暖呢? 靠什么去留住。他的烂了几个洞、棉花露在外面的旧棉衣? 底磨得快透了一边帮已经脱落的那双鞋? 还有他的比多少个冬天加起来还要寒冷的心境? ……

落在一个人一生中的雪,我们不能全部看见。每个人都在自己的生命中,孤独地过冬。我们帮不了谁。我的一小炉火,对这个贫寒一生的人来说,显然杯水车薪。他的寒冷太巨大。我有一个姑妈,住在河那边的村庄里,许多年前的那些个冬天,我们兄弟几个常手牵手走过封冻的河去看望她。每次临别前,姑妈总要说一句:天热了让你妈过来喧喧。

姑妈年老多病,她总担心自己过不了冬天。天一冷她便足不出户,偎在一间矮土屋里,抱着火炉,等待春天来临。

一个人老的时候，是那么渴望春天的来临。尽管春天来了她没有一片要抽芽的叶子，没有半瓣要开放的花朵。春天只是来到大地上，来到别人的生命中。但她还是渴望春天，她害怕寒冷。

我一直没有忘记姑妈的这句话，也不只一次地把它转告给母亲。母亲只是望望我，又忙着做她的活。母亲不是一个人在过冬，她有五六个没长大的孩子，她要拉扯着他们度过冬天，不让一个孩子受冷。她和姑妈一样期盼着春天。

……天热了，母亲会带着我们，趟过河，到对岸的村子里看望姑妈。姑妈也会走出蜗居一冬的土屋，在院子里晒着暖暖的太阳和我们说说笑笑……多少年过去了，我们一直没有等到这个春天。好像姑妈那句话中的"春天"一直没有热。

姑妈死在几年后的一个冬天。我回家过年，记得是大年初四，我陪着母亲沿一条即将解冻的马路往回走。母亲在那段路上告诉我姑妈去世的事。她说："你姑妈死掉了。"

母亲说得那么平淡，像在说一件跟死亡无关的事情。

"咋死的?"我似乎问得更平淡。

母亲没有直接回答我。她只是说："你大哥和你弟弟过去帮助料理了后事。"

此后的好一阵，我们再没说这事，只顾静静地走路。快到家门口时，母亲说了句：天热了。

我抬头看了看母亲，她的身上正冒着热气，或许是走路的缘故，不过天气真的转热了。对母亲来说，这个冬天已经过去了。

"天热了过来喧喧。"我又想起姑妈的这句话。这个春天再不属于姑妈了。她熬过了许多个冬天还是被这个冬天留住了。我想起爷爷奶奶也是分别死在几年前的冬天。母亲还活着。我们在世上的亲人会越来越少。我告诉自己，不管天冷天热，我们都要常过来和母亲坐坐。母亲拉扯大她七个儿女。她老了。我们长高长大的七个儿女，或许能为母亲挡住一丝的寒冷。每当儿女们回到家里，母亲都会特别高兴，家里也顿时平添热闹的气氛。

但母亲斑白的双鬓分明让我感到她一个人的冬天已经来临，

那些雪开始不退、冰霜开始不融化——无论春天来了，还是儿女们的孝心和温暖备至。

隔着三十年这样的人生距离，我感觉着母亲独自在冬天的透心寒冷。我无能为力。

雪越下越大。天彻底黑透了。

我围抱着火炉，烤热漫长一生的一个时刻。我知道这一时刻之外，我其余的岁月，我的亲人们的岁月，远在屋外的大雪中，被寒风吹彻。

《诗经》(选篇)

《诗经》是我国最早的一部诗歌总集,共收录周代诗歌305篇,原称"诗"或"诗三百",汉代儒生始称《诗经》。现存的《诗经》是汉朝毛亨所传下来的,所以又叫"毛诗"。据说《诗经》中的诗当时都是能演唱的歌词,按所配乐曲的性质,可分成风、雅、颂三类。"风"大部分是黄河流域的民歌,小部分是贵族加工的作品,共160篇。"雅"包括小雅和大雅,共105篇。

关 雎①
(周南)②

关关雎鸠,在河之洲。③
窈窕淑女,君子好逑。④

参差荇菜,左右流之;
窈窕淑女,寤寐求之。⑤

求之不得,寤寐思服;⑥
悠哉悠哉,辗转反侧。

参差荇菜,左右采之;
　　窈窕淑女,琴瑟友之。⑦

　　参差荇菜,左右芼之;⑧
　　窈窕淑女,钟鼓乐之。

【注释】

①关雎,篇名,它是从诗篇第一句中摘取来的,《诗经》的篇名都是这样产生的。

②周南,西周初期周公旦(公元前 1063 – 前 1057 年)住东都洛邑(在今河南省洛阳市),统治东方诸侯。"周南"郎是周公统治下的南方诗歌。《关雎》是一首情歌,写一个贵族男子爱上了一个采荇菜的姑娘,思慕她、追求她、想和她结婚。

③关关:鸟相互和答的鸣声。

④好逑:等于说"佳偶";逑,配偶。

⑤寤寐:醒着;寐,睡着了。

⑥思服:思念;服,想。

⑦琴瑟友之:弹奏琴瑟(都是弦乐器,琴五弦或七弦)使女子娱乐。

⑧芼:音冒,作"择"或"搴取"解。

蒹 葭①

(秦 风)

　　蒹葭苍苍,白露为霜。②
　　所谓伊人,在水一方。③
　　溯洄从之,道阻且长;④
　　溯游从之,宛在水中央。⑤

　　蒹葭凄凄,白露未晞。⑥

所谓伊人,在水之湄。⑦

溯洄从之,道阻且跻。⑧

溯游从之,宛在水中坻。⑨

蒹葭采采,白露未已。⑩

所谓伊人,在水之涘。⑪

溯洄从之,道阻且右。⑫

溯游从之,宛在水中沚。⑬

【注释】

①这是一首怀人的诗。诗中的"伊人"是诗人访求的对象,至于是男是女,则不能确定。每章前二句写景,后六句写访求伊人而未得的情况。

②蒹葭(jianjia),泛指芦苇;苍苍,茂盛的样子。

③伊人:犹言"那个人"。一方,另一边;方,旁。

④溯(su)洄:沿着弯曲的河道向上游走;从,追,寻求的意思,阻:险阻;道路难走。

⑤游:指直流的水道。宛:仿佛、好像。是说好像在水的中央,言近而不至。

⑥凄凄:同"萋萋",茂盛的样子,晞(xi),干。

⑦湄(mei):水和草交接的地方,说,水边高厓。

⑧跻(ji):升,高起,指道路越走越高。

⑨坻(chi),水中小洲或高地。

⑩采采:众多的样子,已:止。

⑪涘:水边。

⑫右:迂回曲折。

⑬沚:水中小沙滩,比坻稍大。

采 薇①

（小 雅）

采薇采薇，薇亦作止。②
曰归曰归，岁亦莫止。③
靡室靡家，猃狁之故；④
不遑启居，猃狁之故。⑤

采薇采薇，薇亦柔止。⑥
曰归曰归，心亦忧止。
忧心烈烈，载饥载渴。⑦
我戍未定，靡使归聘。⑧

采薇采薇，薇亦刚止。⑨
曰归曰归，岁亦阳止。⑩
王事靡盬，不遑启处。⑪
忧心孔疚，我行不来。⑫

彼尔维何，维常之华。⑬
彼路斯何，君子之车。⑭
戎车既驾，四牡业业。⑮
岂敢定居，一月三捷。

驾彼四牡，四牡骙骙。⑯
君子所依，小人所腓。⑰
四牡翼翼，象弭鱼服。⑱
岂不日戒，猃狁孔棘。⑲

昔我往矣，杨柳依依。⑳

今我来思,雨雪霏霏。㉑

行道迟迟,载渴载饥。㉒

我心伤悲,莫知我哀。

【注释】

①这是一首征战归来的边防士兵所赋的诗。诗中反映了士兵的征战生活和内心感受,末章抒发归途遇雪,忍饥受渴的辛苦和悲伤,诗味最浓。本诗选自《小雅》,"小雅"是正的意思。

②薇(wei):今名野豌豆苗。作:起,生长出来。止:句尾语气词。

③莫:古体"暮"字,这句大意是:要回去要回去,而一年又快完了。

④靡(mi):无,猃狁(xianyun),亦作"猃狁",我国古代西北边区民族,春族时称北狄,秦汉时则称匈奴。

⑤不遑:没有功夫。遑:暇,启居,指坐下来休息,古人席地而坐,坐时双膝着地,臀部贴在小腿上叫"居";上身伸直,臀部离开脚后跟的叫"启",又写作"跽"。

⑥柔:指薇初生时是柔嫩的。

⑦忧心烈烈:忧心如焚。载:又。

⑧戍:守,这里指防守的地点;未定:不固定;使:使者,聘:问。

⑨刚:坚硬,指薇菜茎叶渐老变硬。

⑩阳:周代自农历四月到十月,称为阳月。

⑪靡(gu):没有止息,启处:与上文"启居"同义。

⑫孔:很;疚:病痛;我行不来:我从军远行之后一直回不来;来:归来。

⑬尔:花盛开的样子;维何:是什么,维,句中语气词,常,通"棠",即棠梨树。

⑭路:通"辂",古代一种大车;君子:这里指将帅;车:兵车,即下文的戎车。

⑮业业:强壮而高大的样子。

⑯骙骙:马强壮的样子。

⑰依:指乘;小人:指兵士;腓(féi):掩护、隐蔽,以上两句的主语是"戎"。[按:古代打仗是车战,主将在兵车上指挥,步兵在兵车后面,靠车身掩护自己。]

⑱翼翼:行列整齐的样子,指训练有素;象弭(mǐ):用象牙镶饰的弓的两头缚弦的地方;鱼服:用鱼皮做的箭袋。

⑲戒:戒备;孔棘:十分吃紧;棘:同"亟",紧急。

⑳依依:树枝柔弱随风飘拂的样子。

㉑来思:指归来时;思:语末助词;雨雪:下雪;霏霏(fēi):雪下得很大的样子。

㉒迟迟:缓慢的样子。

离　骚

屈　原

　　屈原,战国末期楚国人,杰出的政治家和爱国诗人。名平,字原。楚武王熊通之子屈瑕的后代。丹阳(今湖北秭归)人。屈原一生经历了楚威王、楚怀王、顷襄王三个时期,而主要活动于楚怀王时期。位为左徒、三闾大夫。屈原为实现楚国的统一大业,对内积极辅佐怀王变法图强,对外坚决主张联齐抗秦,使楚国一度出现了一个国富兵强、威震诸侯的局面。但是由于在内政外交上屈原与楚国腐朽贵族集团发生了尖锐的矛盾,由于上官大夫等人的嫉妒,屈原后来遭到群小的诬陷和楚怀王的疏远。顷襄王即位后继续实施投降政策,屈原再次被逐出郢都,流放江南,辗转流离于沅、湘二水之间。顷襄王二十一年(公元前278),秦将白起攻破郢都,屈原悲愤难捱,遂自沉汨罗江,以身殉了自己的政治理想。屈原的作品有《离骚》、《天问》、《九歌》(11 篇)、《九章》(9 篇)、《招魂》等。其中,《离骚》是屈原的代表作,也是中国古代文学史上最长的一首浪漫主义杰作。在中国历史上,屈原是一位最受人民景仰和热爱的诗人。1953 年,屈原还被列为世界"四大文化名人"之一,受到世界和平理事会和全世界人民的隆重纪念。

　　帝高阳之苗裔兮　朕皇考曰伯庸
　　摄提贞于孟陬兮　惟庚寅吾以降

皇览揆余初度兮　　肇锡余以嘉名

名余曰正则兮　　字余曰灵均

纷吾既有此内美兮　　又重之以修能

扈江离与辟芷兮　　纫秋兰以为佩

汩余若将不及兮　　恐年岁之不吾与

朝搴阰之木兰兮　　夕揽洲之宿莽

日月忽其不淹兮　　春与秋其代序

惟草木之零落兮　　恐美人之迟暮

不抚壮而弃秽兮　　何不改乎此度

乘骐骥以驰骋兮　　来吾道夫先路

昔三后之纯粹兮　　固众芳之所在

杂申椒与菌桂兮　　岂维纫夫蕙茝

彼尧舜之耿介兮　　既遵道而得路

何桀纣之猖披兮　　夫唯捷径以窘步

惟夫党人之偷乐兮　　路幽昧以险隘

岂余身之惮殃兮　　恐皇舆之败绩

忽奔走以先后兮　　及前王之踵武

荃不察余之中情兮　　反信谗而齌怒

余固知謇謇之为患兮　　忍而不能舍也

指九天以为正兮　　夫唯灵修之故也

初既与余成言兮　　后悔遁而有他

余既不难夫离别兮　　伤灵修之数化

余既兹兰之九畹兮　　又树蕙之百亩

畦留夷与揭车兮　　杂杜蘅与芳芷

冀枝叶之峻茂兮　　愿俟时乎吾将刈

虽萎绝其亦何伤兮　　哀众芳之芜秽

众皆竞进以贪婪兮　　凭不厌乎求索

羌内恕己以量人兮　各兴心而嫉妒
忽驰骛以追逐兮　非余心之所急
老冉冉其将至兮　恐修名之不立
朝饮木兰之坠露兮　夕餐秋菊之落英
苟余情其信姱以练要兮　长顑颔亦何伤
揽木根以结茝兮　贯薜荔之落蕊
矫菌桂以纫蕙兮　索胡绳之纚纚
謇吾法夫前修兮　非世俗之所服
虽不周于今之人兮　愿依彭咸之遗则

长太息以掩涕兮　哀民生之多艰
余虽好修姱以鞿羁兮　謇朝谇而夕替
既替余以蕙纕兮　又申之以揽茝
亦余心之所善兮　虽九死其犹未悔
怨灵修之浩荡兮　终不察夫民心
众女嫉余之蛾眉兮　谣诼谓余以善淫
固时俗之工巧兮　偭规矩而改错
背绳墨以追曲兮　竞周容以为度
忳郁邑余侘傺兮　吾独穷困乎此时也
宁溘死以流亡兮　余不忍为此态也
鸷鸟之不群兮　自前世而固然
何方圜之能周兮　夫孰异道而相安
屈心而抑志兮　忍尤而攘诟
伏清白以死直兮　固前圣之所厚

悔相道之不察兮　延伫乎吾将反
回朕车以复路兮　及行迷之未远
步余马于兰皋兮　驰椒丘且焉止息
进不入以离尤兮　退将复修吾初服
制芰荷以为衣兮　集芙蓉以为裳

不吾知其亦已兮　苟余情其信芳
高余冠之岌岌兮　长余佩之陆离
芳与泽其杂糅兮　唯昭质其犹未亏
忽反顾以游目兮　将往观乎四荒
佩缤纷其繁饰兮　芳菲菲其弥章
民生各有所乐兮　余独好修以为常
虽体解吾犹未变兮　岂余心之可惩

女嬃之婵媛兮　申申其詈予
曰鲧婞直以亡身兮　终然夭乎羽之野
汝何博謇而好修兮　纷独有此姱节
薋菉葹以盈室兮　判独离而不服
众不可户说兮　孰云察余之中情
世并举而好朋兮　夫何茕独而不予听

依前圣以节中兮　喟凭心而历兹
济沅湘以南征兮　就重华而陈词
启九辩与九歌兮　夏康娱以自纵
不顾难以图后兮　五子用乎家巷
羿淫游以佚畋兮　又好射夫封狐
固乱流其鲜终兮　浞又贪夫厥家
浇身被服强圉兮　纵欲而不忍
日康娱而自忘兮　厥首用夫颠陨
夏桀之常违兮　乃遂焉而逢殃
后辛之菹醢兮　殷宗用而不长
汤禹俨而祗敬兮　周论道而莫差
举贤才而授能兮　循绳墨而不颇
皇天无私阿兮　揽民德焉错辅
夫维圣哲以茂行兮　苟得用此下土
瞻前而顾后兮　相观民之计极

夫孰非义而可用兮　孰非善而可服
阽余身而危死兮　揽余初其犹未悔
不量凿而正枘兮　固前修以菹醢
曾歔欷余郁邑兮　哀朕时之不当
揽茹蕙以掩涕兮　沾余襟之浪浪

跪敷衽以陈辞兮　耿吾既得此中正
驷玉虬以乘鹥兮　溘埃风余上征
朝发轫于苍梧兮　夕余至乎县圃
欲少留此灵琐兮　日忽忽其将暮
吾令羲和弭节兮　望崦嵫而匆迫
路曼曼其修远兮　吾将上下而求索
饮余马于咸池兮　揔余辔乎扶桑
折若木以拂日兮　聊逍遥以相羊
前望舒使先驱兮　后飞廉使奔
鸾皇为余先戒兮　雷师告余以未具
吾令凤鸟飞腾夕　继之以日夜
飘风屯其相离兮　帅云霓而来御
纷总总其离合兮　斑陆离其上下
吾令帝阍开关兮　倚阊阖而望予
时暧暧其将罢兮　结幽兰而延伫
世溷浊而不分兮　好蔽美而嫉妒
朝吾济于白水兮　登阆风而绁马
忽反顾以流涕兮　哀高丘之无女

溘吾游此春宫兮　折琼枝以继佩
及荣华之未落兮　相下女之可诒
吾令丰隆乘云兮　求宓妃之所在
解佩纕以结言兮　吾令蹇修以为理
纷总总其离合兮　忽纬繣其难迁

夕归次于穷石兮　　朝濯发乎洧盘
保厥美以骄傲兮　　日康娱以淫游
虽信美而无礼兮　　来违弃而改求
览相观于四极兮　　周流乎天余乃下
望瑶台之偃蹇兮　　见有娀之佚女
吾令鸩为媒兮　　　鸩告余以不好
雄鸠之鸣逝兮　　　余犹恶其佻巧
心犹豫而狐疑兮　　欲自适而不可
凤凰既受诒兮　　　恐高辛之先我
欲远集而无所适兮　聊浮游以逍遥
及少康之未家兮　　留有虞之二姚
理弱而媒拙兮　　　恐导言之不固
世溷浊而嫉贤兮　　好蔽美而称恶
闺中既已邃远兮　　哲王又不寤
怀朕情而不发兮　　余焉能忍此终古

索藑茅以筳篿兮　　命灵氛为余占之
曰两美其必合兮　　孰信修而慕之
思九州之博大兮　　岂惟是其有女
曰勉远逝而无狐疑兮　孰求美而释女
何所独无芳草兮　　尔何怀乎故宇
世幽昧以眩曜兮　　孰云察余之善恶
民好恶其不同兮　　惟此党人其独异
户服艾以盈要兮　　谓幽兰其不可佩
览察草木其犹未得兮　岂珵美之能当
苏粪壤以充帏兮　　谓申椒其不芳

欲从灵氛之吉占兮　心犹豫而狐疑
巫咸将夕降兮　　　怀椒糈而要之
百神翳其备降兮　　九嶷缤其并迎

皇剡剡其扬灵兮　告余以吉故
曰勉升降以上下兮　求矩矱之所同
汤禹严而求合兮　挚咎繇而能调
苟中情其好修兮　又何必用夫行媒
说操筑于傅岩兮　武丁用而不疑
吕望之鼓刀兮　遭周文而得举
宁戚之讴歌兮　齐桓闻以该辅
及年岁之未晏兮　时亦犹其未央
恐鹈䳏之先鸣兮　使夫百草为之不芳

何琼佩之偃蹇兮　众薆然而蔽之
惟此党人之不谅兮　恐嫉妒而折之
时缤纷其变易兮　又何可以淹留
兰芷变而不芳兮　荃蕙化而为茅
何昔日之芳草兮　今直为此萧艾也
岂其有他故兮　莫好修之害也
余既以兰为可恃兮　羌无实而容长
委厥美以从俗兮　苟得列乎众芳
椒专佞以慢慆兮　樧又欲充夫佩帏
既干进而务入兮　又何芳之能祗
固时俗之流从兮　又孰能无变化
览椒兰其若兹兮　又况揭车与江离
惟兹佩之可贵兮　芳菲菲而难亏兮
委厥美而历兹兮　芬至今犹未沬
和调度以自娱兮　聊浮游而求女
及余饰之方壮兮　周流观乎上下

灵氛既告余以吉占兮　历吉日乎吾将行
折琼枝以为羞兮　精琼靡以为张
为余驾飞龙兮　杂瑶象以为车

何离心之可同兮　　吾将远逝以自疏
遭吾道夫昆仑兮　　路修远以周流
扬云霓之晻蔼兮　　鸣玉鸾之啾啾
朝发轫于天津兮　　夕余至乎西极
凤凰翼其承旗兮　　高翱翔之翼翼
忽吾行此流沙兮　　遵赤水而容与
麾蛟龙使梁津兮　　诏西皇使涉予
路修远以多艰兮　　腾众车使径侍
路不周以左转兮　　指西海以为期
屯余车其千乘兮　　齐玉轪而并驰
驾八龙之蜿蜿兮　　载云旗之委蛇
抑志而弭节兮　　　神高驰之邈邈
奏九歌而舞韶兮　　聊假日以偷乐
陟升皇之赫戏兮　　忽临睨夫旧乡
仆夫悲余马怀兮　　蜷局顾而不行

乱曰　已矣哉
国无人莫我知兮　　又何怀乎故都
既莫足为美政兮　　吾将从彭咸之所居

桃花源记

陶渊明

陶渊明,字元亮,名潜,东晋著名诗人。其中成就最高的是田园诗,故有"田园诗人"之称。其诗多描写自然风光,表达对田园的热爱,揭露官场的黑暗。

晋太元中,武陵人捕鱼为业。缘溪行,忘路之远近,忽逢桃花林,夹岸数百步,中无杂树,芳草鲜美,落英缤纷。渔人甚异之。复前行,欲穷其林。林尽水源,便得一山。山有小口,彷佛若有光。便舍船从口入。初极狭,才通人。复行数十步,豁然开朗,土地平旷,屋舍俨然。有良田、美池、桑竹之属。阡陌交通,鸡犬相闻。其中往来种作,男女衣著,悉如外人。黄发垂髫,并怡然自乐。见渔人,乃大惊,问所从来,具答之。便要还家,为设酒杀鸡作食。村中闻有此人,咸来问讯。自云先世避秦时乱,率妻子邑人来此绝境,不复出焉,遂与外人间隔。问今是何世,乃不知有汉,无论魏晋。此人一一为具言所闻,皆叹惋。余人各复延至其家,皆出酒食。停数日,辞去。此中人语云:"不足为外人道也。"既出,得其船,便扶向路,处处志之。及郡下,诣太守说此。太守即遣人随其往,寻向所志,遂迷不复得路。南阳刘子骥,高士也,闻之,欣然规往,未果,寻病终。后遂无问津者。

嬴氏乱天纪
贤者避其世
黄绮之商山
伊人亦云逝
往迹浸复湮
来径遂芜废
相命肆农耕
日入从所憩
桑竹垂余荫
菽稷随时艺
春蚕收长丝
秋熟靡王税
荒路暖交通
鸡犬互鸣吠
俎豆犹古法
衣裳无新制
童孺纵行歌
斑白欢游诣
草荣识节和
木衰知风厉
虽无纪历志
四时自成岁
怡然有余乐
于何劳智能
奇踪隐五百
一朝敞神界
淳薄既异源
旋复还幽蔽
借问游方士

焉测尘嚣外

愿言蹑轻风

高举寻吾契

归 去 来 辞

陶渊明

　　归去来兮！田园将芜胡不归？既自以心为形役，奚惆怅而独悲？悟已往之不谏，知来者之可追；实迷途其未远，觉今是而昨非。

　　舟摇摇以轻飏，风飘飘而吹衣。问征夫以前路，恨晨光之熹微。乃瞻衡宇，载欣载奔。童仆欢迎，稚子候门。三径就荒，松菊犹存。携幼入室，有酒盈樽。引壶觞以自酌，眄庭柯以怡颜。倚南窗以寄傲，审容膝之易安。园日涉以成趣，门虽设而常关。策扶老以流憩，时翘首而遐观。云无心以出岫，鸟倦飞而知还。景翳翳以将入，抚孤松而盘桓。

　　归去来兮，请息交以绝游。世与我而相遗，复驾言兮焉求？悦亲戚之情话，乐琴书以消忧。农人告余以春兮，将有事乎西畴。或命巾车，或棹孤舟。既窈窕以寻壑，亦崎岖而经丘。木欣欣以向荣，泉涓涓而始流。羡万物之得时，感吾生之行休。

　　已矣乎！寓形宇内复几时？何不委心任去留？胡为惶惶欲何之？富贵非吾愿，帝乡不可期。怀良辰以孤往，或执杖而耘耔。登东皋以舒啸，临清流而赋诗。聊乘化以归尽，乐夫天命复奚疑？

杜甫诗三首

杜 甫

　　杜甫(公元 712～770) 字子美,河南巩县人,出生于"奉儒守官"的地主家庭。杜甫是一个创作天地很广阔的诗人。现存诗一千四百多首。他善于表现重大的主题,也善于描写细小的事物,题材是多方面的。无论五言、七言、古体、近体,都特别出色,又能融合前人艺术的各种长处,形成自己的独特风格。杜甫在我国诗歌发展史上所作出的贡献是巨大的,对后世的影响深远,有"诗圣"之称。

无 家 别

寂寞天宝后,园庐但蒿藜。

我里百余家,世乱各东西。

存者无消息,死者为尘泥。

贱子因阵败,归来寻旧蹊。

久行见空巷,日瘦气惨凄。

但对狐与狸,竖毛怒我啼。

四邻何所有? 一二老寡妻。

宿鸟恋本枝,安辞且穷栖。

方春独荷锄,日暮还灌畦。

县吏知我至，召令习鼓鞞。
虽从本州役，内顾无所携。
近行止一身，远去终转迷。
家乡既荡尽，远近理亦齐。
永痛长病母，五年委沟溪。
生我不得力，终身两酸嘶。
人生无家别，何以为蒸黎！

垂 老 别

四郊未宁静，垂老不得安。
子孙阵亡尽，焉用身独完？
投杖出门去，同行为辛酸。
幸有牙齿存，所悲骨髓干。
男儿既介胄，长揖别上官。
老妻卧路啼，岁暮衣裳单。
孰知是死别，且复伤其寒。
此去必不归，还闻劝加餐。
土门壁甚坚，杏园度亦难。
势异邺城下，纵死时犹宽。
人生有离合，岂择衰盛端。
忆昔少壮日，迟回竟长叹。
万国尽征戍，烽火被冈峦。
积尸草木腥，流血川原丹。
何乡为乐土？安敢尚盘桓！
弃绝蓬室居，塌然摧肺肝。

新 婚 别

兔丝附蓬麻，引蔓故不长。

嫁女与征夫,不如弃路旁。
结发为君妻,席不暖君床。
暮婚晨告别,无乃太匆忙。
君行虽不远,守边赴河阳。
妾身未分明,何以拜姑嫜?
父母养我时,日夜令我藏。
生女有所归,鸡狗亦得将。
君今往死地,沉痛迫中肠。
誓欲随君去,形势反苍黄。
勿为新婚念,努力事戎行!
妇人在军中,兵气恐不扬。
自嗟贫家女,久致罗襦裳。
罗襦不复施,对君洗红妆。
仰视百鸟飞,大小必双翔。
人事多错迕,与君永相望。

李白诗二首

李 白

　　李白,字太白,号青莲居士。祖籍陇西成纪(今甘肃秦安东),于唐武后长安元年(公元701年)出生在西域的碎叶(今巴尔喀什湖南面的楚河流域)。幼时随父迁居绵州昌隆(今四川江油县)青莲乡。少年即显露才华,吟诗作赋,博学广览,并好行使。从二十五岁起离川,长期在各地漫游,对社会生活多所体验。天宝三载,在洛阳与诗人杜甫结交。安史之乱中,怀着平乱的志愿,曾为永王幕僚,因兵败牵累,流放夜郎。中途遇赦东还,晚年飘泊困苦,卒于当途。李白的诗歌以豪迈的气魄歌唱自己的进步思想,抨击权贵,蔑视礼教。但也时时流露出怀才不遇、人生如梦的消极情绪。从艺术上说,他的诗歌具有丰富的想象力,运用大胆的夸张和深入浅出的语言,形成豪迈爽朗的风格,是屈原之后古代积极浪漫主义诗歌的杰出代表。

长 相 思

长相思,
在长安。
络纬秋啼金井阑,
微霜凄凄簟色寒。

孤灯不明思欲绝，
卷帏望月空长叹。
美人如花隔云端。
上有青冥之高天，
下有渌水之波澜。
天长路远魂飞苦，
梦魂不到关山难。
长相思，
摧心肝。

短 歌 行

白日何短短，
百年苦易满。
苍穹浩茫茫，
万劫太极长。
麻姑垂两鬓，
一半已成霜。
天公见玉女，
大笑亿千场。
吾欲揽六龙，
回车挂扶桑。
北斗酌美酒，
劝龙各一觞。
富贵非所愿，
与人驻颜光。

青少年文学读本

Qingshaonian
Wenhua Duben

中学生卷 下

刘继明 / 编著

中国文联出版社

contents

目录

目录

contents

序

　　作为一个敏悟而正气的作家,刘继明先生的选本是非常可信的。

　　选本读物总是应运而生,所以今天才出现了那么多花花色色的"精选"和"精编"、成山成岭的"名作"。这在令人目不暇接的同时,更多的是令人生疑。我们不知道历史上有没有这么多选本,只知道流传下来的大多是矜持的、足信的。

　　也有一个可能,就是所有的选本在历经了一个淘洗的过程之后,留下一些闪烁的颗粒。

　　当代人的率性而为,或于商业利益驱使下作出的选择,在一些真正的读书人那儿是轻如鸿毛的。可是如同潮水一样涌动的文字印刷品面前,大众读者总会有一些渴望。是的,我们仍然需要有人提出大致的标准。而这些标准的建立,依靠的又只能是经验和学养,是人的资质。任何一种选本,流露而出的都是编者自己的能力与情怀。

　　我们不必也不可能同意编选者所标举的每一篇,因为这是他自己好恶的权利,是其个性使然。但我们还是会从他顽强维护的审美志趣上,从难以滑动的高度上,看到一个艺术家的苛刻与温情。于是我们在阅读中感受的是别一种视角的鉴赏,是粒粒可数的精淳;很像一个又遥远又切近的人在以某种方式与我们交谈。

　　我们面前的这个选本就是如此。

　　它视野开阔,所选篇章竟包含了古今中外,近者直逼眼前,远者可达天涯渺古。编者心里的刻度清晰严整，不曾有一丝的紊乱匆促。同时我们也会看到书中跳动着一个长于抒情的诗心，靠它编织起的整部书宛如一支起伏的曲子。

　　一个时代的编者应该有自己的欣喜与痛苦。他不可能对当代生活无动于衷。注目于青春未来，就是最大的关切。在铺天盖地的网络、嘈声动地的演唱、遍地风流的武侠——这一切的围堵追逼之下，该有人发出慈爱的提醒和叮嘱了。我们提倡真正的、深入的、通向自尊之路的阅读。在所有美好文字的召集之下，会有一片生气勃勃的面孔在阳光下闪亮。

张炜

编选导言

　　在人的一生中,青少年时期或中小学阶段所接受的文化熏陶,往往会对他的整个生活产生举足轻重的影响,这就像一棵树在幼苗阶段怎样除草、施肥和剪枝,将直接作用到它未来的成材一样。许多杰出人物在回忆自己的成长经历时,往往钟情于他小时候读过的某一本书,并且承认自己的人生正是由此开始真正发生重大改变的。像这样"一本书改变一个人的命运"的现象,在历史上实在屡见不鲜。

　　由此可见,怎样读书和读什么样的书,对每一个青少年来说的确太重要了。而在我国,以"应试制"为主的当代中小学教育,将孩子们紧紧拴绑在"升学""中考""高考""求职"与所谓"人才竞争"的市场化战车上,使原本天真浪漫、自由不拘的天性,因深陷于急功近利的体制化教育和市场流行文化的漩涡,而过早地呈现出疲于奔命、面露倦色和营养失调乃至不良的畸形症状。对此,一些富有责任感的人士已经作出了敏锐的反应,最近一段时期引起广泛关注的对重视"素质教育"的呼吁以及相关书籍的出版,便是证明。

　　但值得忧虑的另一种倾向是,在当前不少出自教育专家或中小学生家长之手的所谓"素质教育"类的图书中,都在有意无意地试图归纳和构建某种快捷的"成才模式",以至大有衍变成一种"青少年成功学"竞赛展览的趋势,而忽略了对健全和丰富孩子们心灵世界与个人品质的整体培育。这同样是一种前景堪忧的现象。

英国道德哲学家塞缪尔·斯迈尔斯曾经说过："高贵的品质是人类强劲的柱石，是人性伟大的支撑。"俄罗斯文豪托尔斯泰说，他所有的努力都是为了使自己变得更接近于善。而另外一位西方作家说："是爱使我变得出类拔萃。"这足以表明，对人的心灵和品格的培养，是造就人生价值的最重要基石，对于正处在中小学阶段的幼苗般的青少年们来说，我们应该做的不是揠苗助长和削足适履，而仅仅是为他们的心智与天性提供和拓展一个健康的自由生长空间。明了这一点，我们的责任感和爱心，才能够焕发出更加持久和富于人性的光彩。

正是有鉴于以上认识，我产生了编选一套《青少年文学读本》的动念。我相信这是一项颇有意义的工作，所以，对此投入的热情丝毫不亚于自己的创作。而"让文学进入孩子们的精神生活"这一编撰理念的确立，乃是基于我对文学与人类生活密不可分的信念。这一点，在偏重工具和实用理性的当代社会，似乎一直为人们所忽视。高尚的文学作品，从来就是培植、激励和丰富人性的上好粮食与宝贵源泉，文学所尊崇的诸如自由、平等、美、善良、爱、同情、尊严以及对人的语言能力、创造力与想像力的开启，也是人类有史以来孜孜以求的目标和梦想。而这决非是那些干瘪、教条的教科书所能替代的。这同样可以看做是这套读本中作品的入选标准。

无须讳言的是，作为一套由个人单独编选完成的"读本"，它不可避免地会掺杂着某些"个人趣味"，但这种个人趣味所蕴含的尺度，与文学的普遍价值标准和应该遵循的文化传统是血肉相通的。我们重视中外文学史经验提供的那些经典作品，但这并不能取代作为"读本"主要对象的广大青少年们的特殊心理、审美习惯和要求所给予的尊重。我们也不谋求那种所谓的"宝典"、"秘籍"、"指南"式的价值设定和哗众取宠的许诺。我所期待的是一种真正有益于孩子们身心健康生长的阅读，它应该是自主的、快乐的、愉悦的、充满启悟性和建设性，没有任何强制性和"附加条件"的。

　　如果将来某一天,有人在回顾自己的成长历程时说:"小时候,有一套书对我的帮助和影响举足轻重……"倘若这套书就是《青少年文学读本》,我想,这套书的目的就达到了。

　　　　　　　　　　　　　　　　刘继明

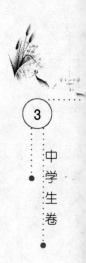

论老年和青年

〔波斯〕昂苏尔·玛阿里

　　昂苏尔·玛阿里(1021—?)古代波斯国王,所著《卡布斯教诲录》以睿智深邃的思想、诱导劝诫的口气、言简意赅的语言,论述了波斯中世纪的宗教信仰、伦理道德、社会生活、风俗习惯、科学文化、国家管理、经济、军事、哲学思想等各方面的问题,寓理于文、警策隽永,是波斯中世纪的一部散文名著。本文即选自其中的一章。

　　孩子啊! 你应当尽量具备老年人的智慧。我不是说不该朝气蓬勃,而是说,作为一个青年人还要冷静思考。你不要丧失青年人的朝气,应当保持那种意气风发、蒸蒸向上的作风。正像亚里士多德①的至理名言:"青年人就该有股狂劲。"②但要尽量消除年轻人的傻气。朝气使人奋进,傻气却只能给人带来祸害。

　　要趁年轻时候,尽力工作,而不虚度年华。因到老年就后悔莫及了。正如一个老人所说的:"我年轻时,曾无端地烦恼,想到:若到老年,就没有翩翩仪态了。现在我老了,已经欲望全无,不想风流了。然而再想干正事,却无精力了。"

---

　　① 古希腊著名的哲学家。生于公元前384年,卒于公元前322年。是柏拉图的学生,亚历山大的老师。
　　② 此句原文是阿拉伯文。

诗　歌①

感谢真主给了我青春的活力，
使我能日夜求欢，放荡不羁。

当我年轻时，老迈者求我帮助，
而当我到垂暮之年，却期待他人体恤。

不论你多么年轻，都不要忘记真主是至仁至圣的。不论是老年人还是青年人，都不能保证不死。正像哲人阿斯加迪②所说的：

诗　歌

虽然老年人和青年人都避免不了死亡，
但当老年人弃世时，青年人却还生活在世上。

你要知道，凡出生的人必将死亡。我听说过这样一件事：

故　事

在马鲁③城，住着一个裁缝。他的店面设在一个公墓的大门边。他在墙上钉着一个钉子，上面挂着一个瓶子。他有一种古怪的癖好：每当看到从城里抬出来一具尸体，就往瓶子里投一粒石子。每到月底都把石子数一遍，看抬出了多少尸体。然后，把瓶子倒空,继续这样投石子,直到下个月。这样过了许多时间。有一天,裁缝突然死了。有个人来找裁缝,他并不知道裁缝已死,只看到裁缝店的大门紧闭,便问邻居:"裁缝怎么不在,到哪里去了?"邻居答道:"他已经掉进瓶子里了。"

孩子啊!你应当有清醒的头脑,不要因自己还年轻,就产生骄傲。不论你犯有什么罪恶,都要想到至圣的主,请求他的原谅。要想到死亡。不要像那个突然落入瓶中的裁缝,带着累累罪恶的重负死去。

不要整天只同年轻人混在一起,也要同年老的交往。在你的相好和朋友中,应当既有青年人,也有老年人。以便当青年人因狂热而走上歧路时,老年人能够及时给予纠正。由于老年人总是知道一些青年人所不知道的事情,所以即使青年人喜欢嘲笑老年人,而老年人也需要青年人的帮助,青年人仍不能认为自己已经超过了老年人,而不尊重他们。

老年人对青年人有所期待;同样,青年人对老年人也有所要求。老年人的期望一般都能有所结果;但青年人的要求却有的能够实现,有的则不能。青年人往往自认为才高学深,要超过所有的人,嫉妒年老的人;老年人对青年人则看不上眼。

你不要学这些青年人,而要尊敬老年人。在他们面前不要夸夸其谈,要谦逊寡言。

故　事

我听说有个百岁的老人,弯着腰,驼着背,走路时拄着拐杖。有一个青年用嘲讽的口气说:"老头啊!你这张小弓是花了多少钱买的呀?我也打算买一张。"老人答道:"你只要耐心地等着,到时候你就会白白地得到一张,想不要还不行。"

然而,你不要同昏聩老人交朋友。聪明的青年人远胜过昏聩的老年人。

如果你是青年,就应有青年的朝气。而到了老年,就该有老年人的智慧。我写了这样两联诗：

诗　歌

　　我说："请用锁链锁住你的家门，
　　尔后来我这里，给我以安慰慈悯。"

　　他说："请把你的头发染成漆黑，
　　即使年迈体衰，也不要意冷心灰。"

　　老年人不要像青年人那样心气过盛；而青年人也不要像老年人那样老气横秋。人到老年若不服老，有如在失败的时候吹吹打打。我在修道的时候，说过这样的话：

诗　歌

　　人到年老时，若还冒充年轻，
　　便像在失败的时候，奏乐欢庆。

　　老年人不要固执己见。人们常说："最让人讨厌的是老顽固。对于蛮横的老头儿，要远远地躲开。"老年人应当比青年人更加公正。
　　青年人还可以把希望寄托到老年，而等待着老年人的便只有死亡。老人的发展，必定是死亡。这就像庄稼熟了，不收割，谷粒就会脱落。又像水果，成熟后不去摘，便会从树上掉下来。我曾说过：

诗　歌

　　即使你能到月球上称霸称王，

青少年文学读本

即使你有所罗门①的财富和威望；

正像熟透的果实必定落地，
你的生命也终将弃世而去。

人们流传下面的话，并非没有道理：

从完满再向前迈进就成了缺欠，
事物发展到极端就走向反面。

你要知道：人到老年就不能随心所欲了。你的感觉器官将失去作用，不论是视觉的大门、语言的大门、听觉的大门、嗅觉的大门、触觉的大门，以及所有的欲望都要紧紧地关闭。你的生活不再感到愉快。人们也认为你的生活乏味。你对人们开始成为一种累赘。到这时，死比生还要好些。

但是，人到老年后，就会远离青年的狂热。离死期愈近，犯青年时的错误的可能性也就愈小。

人的生命有如太阳。青年时期，就像太阳位于东方的地平线上；到了老年时期，就像太阳转到了西方地平线上。太阳一旦偏西，就气息奄奄了。我也说过类似的话：

诗 歌

吉卡乌斯王啊！到了老年，你的精力也会丧失，
六十三岁以后，你竟也缺乏了明智。

---

① 所罗门（公元前973—公元前935）古代犹太人的国王。是大卫之子。他聪慧睿智，多才多艺。在位时振兴工商、奖励文学、国势始盛、极其奢富。曾于耶路撒冷建耶和华大寺院。

白天过完,该进行的应是昏礼,

而结束一天的宵礼,是在晦暝的夜里。

不应当要求老年人像青年人那样思维敏捷,行动灵活。不论何时、何地,都应体谅他们。他们是不用看护的病人。衰老这种疾病,没有任何药物可以治疗,除非一死了事。然而没有死亡之前,总不能解脱老年的痛苦。人们不管谁得了什么病,只要没死,总是希望日益好转。但是老年病却例外,只会日趋恶化,没有痊愈的希望。

我曾在一本书上读到过:人一直到三十四岁,都是处于上升的发育阶段。从三十四岁到四十岁是属于即不上升又不下降的持续阶段。这正像午时的太阳,移动得很缓慢。之后便开始下降。从四十岁到五十岁,便感到一年不如一年;从五十岁到六十岁,便感到一月不如一月;从六十岁到七十岁,便感到一星期不如一星期;从七十岁到八十岁,便感到一天不如一天;一过八十岁,每过一个小时,都感到比前一个小时增加了痛苦。生命的顶点是四十岁。一到四十岁,便开始走下坡路。但这不像下梯子,一磴一磴的。而是像来时那样,逐步地下降。并且每个小时都伴随着令人同情的痛苦和难受。

孩子啊,我的宝贝①！我向你抱怨老人的苦痛,是由于我已深有其感。衰老有如仇敌,抱怨敌人并不为怪。我写过这样一联诗:

诗　歌

我若抱怨令人生悲的衰老,不足为奇,

老迈对于我是个灾难,我只有叹息。

---

①　此句原文是阿拉伯文。

对仇敌的抱怨,只有向朋友倾诉。而你便是我最好的朋友。向真主祈愿:将来你也把这种抱怨说给自己的子孙。关于这点,我写过两联诗:

诗　歌

啊！我对衰老的抱怨向谁倾诉?
除你之外,没有人能听我的诉苦。

老年人啊,来吧！我要把烦恼说给你听,
因为青年人体会不到我们的苦痛。

故　事

在我父亲的传令官中间,有个博学多才的长者,他已逾耄耋之年。他想买一匹马。饲马人为他牵来一匹,看起来体壮膘肥,毛色润泽,四蹄健全,要价合理,还打了折扣。但他看了看马口后,知道马已衰老,便没有买。我问他:"你怎么不买呢? 结果让人家买走了。"他说:"买马的是个年轻人,他还没尝到过衰老的滋味。假如他为马壮美的体形、光润的毛色而夸耀,是可以原谅的;而我已深知衰老的痛苦,以及它的虚弱和多难。我若还把老马买来,是不容原谅的。"

但是到了老年时,要尽量使自己的生活稳定下来。仍旧到处流浪是不明智的。对于那些贫困的人更是如此。因为衰老和贫困是人的两大敌人。有这两大仇敌附身,还出外漫游,实在不是明智之举。

但是在不得已,必须外出旅行时,若在异乡受到伟大的主的慈悲,欣享到它的惠赐,流浪比稳定在一处还要优越,这时,就不应再惦念家乡,极欲返回故里了。

当走到能维持生活的地方,就应定居下来,把那里当成自己的乡里,对你才更为有益。正像人们常说的一句话:"这里是第二故乡。"①但是你究竟定居何处,这要依据你的工作情况而定。人们常言:"幸运者希图名利,不幸者思念故里。"如果你已走红运,有了得意的职业,就要安心地把工作做好,使这职业稳定下来。此外,就不要有什么过分的追求了。因为过分的追求,没有什么好处。常言道:"见好就收,不要过贪。"贪婪的结果只能坏事。

在你的一生中,都应当生活有度,作风正派。假如想得到人们——不论朋友还是敌人的尊敬,就不要脱离开一般人的水准。生活不要过于奢华,而应有度。

青少年文学读本

---

① 此句原文是阿拉伯文。

论 友 谊

〔法〕蒙 田

米歇尔·蒙田(1533—1592),道德学家和随笔作家,法国文艺复兴后最重要的人文主义作家。他出生于贵族家庭,早年学习拉丁文,在波尔多市念完中学后,在相当长的时期内深居简出,闭门读书思考,并两度被选为波尔多市长。1562 年皈依天主教,从1572 年开始写作随笔,直至去世,后结集为《蒙田随笔全集》出版,为后代留下了极其宝贵的精神财富。

我在欣赏一位画家给我作画的方法时,产生了模仿他的念头。他选择墙壁最中央也是最好的地方,施展他的全部才华给我画一幅油画,把周围的空间填满怪诞不经的装饰画,这些装饰画的魅力在于千变万化,新奇独特。我这些散文是什么呢? 其实,也不过是怪诞不经的装饰画,奇形怪状的身躯,缝着不同的肢体,没有确定的面孔,次序、连接和比例都是随意的。

　　一个长着鱼尾巴的美女的身躯。① ——贺拉斯

　　在这第二部分,我和那位画家很相似,但在第一也是最主要

---

① 原文为拉丁语。

的部分,我尚存在欠缺,因为我能力浅薄,画不出绚丽、高雅和艺术的图画来。我曾考虑过向艾蒂安·德·拉博埃西①借一幅来,好让我作品的其余部分也沾些光。那是一篇论文,拉博埃西把它命名为:《甘愿受奴役》,但后来有人因不知道作者已题了名,而另给起了个标题:《反独夫》。那时,拉博埃西少年气盛,他把这篇文章写成了评论,歌颂自由,抨击专制。从此,这篇文章在有高度理解力的人手中传阅并备受推崇,因为这的确是一篇很优秀很全面的文章。当然,我们不能说这不是他可能写的最好的作品;然而,假如后来在我认识他的时候,他能和我一样决定把自己的想法写出来,那么,我们就可以看到许多堪与古典作品相媲美的传世之作了,因为他在这方面的天赋鹤立鸡群,在我认识的人中,没有一个能与他匹敌。可是,他所剩下的,也就是这篇论文了,而且还是偶然留下的,我认为它离开他后,他再也没见过;还有几篇论文,是写一月敕令②的,而一月敕令与我们的国内战争有关而赫赫有名。这几篇论文很可能会出版。这就是我从他遗赠给我的珍贵纪念物中可以收回的全部东西了。他在弥留之际立下遗嘱,充满爱意地把他的藏书和文稿传给我。此外,我还继承了他的论文集,我让人把它们出版③了。然而,我特别要感谢《甘愿受奴役》;多亏了它,我和拉博埃西才有第一次接触。我在认识他之前,就早已拜读过了,并且初次知道了作者的名字,从此,也就开始了我和拉博埃西的友谊。既然上帝愿意,我们就精心培育我们之间的友谊,使之完美无缺。肯定地说,这样的友谊实属罕见,在人类之间是史无前例的。这要多少次接触才能建立起来呀!三个世纪里能遇上一次就算是幸运的了。

我们喜欢交友胜过其他一切,这可能是我们的本性所使然。

10

青少年文学读本

---

① 拉博埃西(1530—1563),法国行政官员、诗人、人文主义者。从 1557 年起,他对蒙田有很大的影响,死时把他的文稿留给了蒙田,后者设法把这些文稿出版了,就差《甘愿受奴役》一文没有发表。

② 隐射 1562 年 1 月法国国王查理十一颁布的宗教宽容法令。

③ 这本论文集于 1572 年在巴黎出版。

亚里士多德说，好的立法者对友谊比对公正更关心。然而，至善至美的友谊存在于我和拉博埃西之间，因为友谊形形色色，通常靠欲望或利益、公众需要或个人需要来建立和维持；友谊越是掺入本身以外的其他原因、目的和利益，就越不美丽高贵，越无友谊可言。

自古就有四种友谊：血缘的、社交的、待客的和男女情爱的，它们无论是单独还是联合起来，都不符合我所谈的友谊。

子女对父亲，更多的是尊敬。友谊需要交流，父子之间太不平等，不可能有这种交流；友谊可能会伤害父子间的天然义务。父亲心里的秘密不可能告诉孩子，怕孩子对父亲过于随便而有失体统；孩子也不可能向父亲提意见，纠正父亲的错误，这却是友谊的一个最重要的职责。从前，在有些国家里，儿子遵循习俗把父亲杀死，在另一些国家里，却是父亲杀死儿子：这都是为了扫清障碍，显然，一方的存在取决于另一方的毁灭。古代有些哲学家就蔑视这种天然的亲情关系。亚里斯卜提就是证据：有人逼问他是否很爱孩子才生下他们的，他听后鄙夷地说，倘若怀的是虱子和蠕虫，他也会把它们生出来的。还有一个证据，普鲁塔克在谈到兄弟之情时说："虽然我们是一母所生，但我却并不在乎。"其实，兄弟这个名称是一个美好而充满爱意的字眼，我和拉博埃西的关系就是兄弟之情。可是，财产的混合和分配，一个人的富裕导致另一个人贫困，这些都会极大地削弱和放松这种兄弟情谊。兄弟们在同一条小道和同一个行列中谋利益，自然会经常抵触和冲撞。可是，那种孕育真正和完美友谊的关系，为什么将会存在于兄弟之间呢？父子的性格可能有霄壤之别，兄弟之间也一样。这是我的儿子，这是我的父亲，可他野蛮残暴，他是个坏蛋或傻瓜。况且，越是自然法则和义务强加给我们的友谊，我们的自由意志就越少。自由意志产生的是友爱和友谊，绝对不会是别的。我在这方面是有深切体会的，尽管我曾拥有世界上最好最宽容的父亲，他始终如一，直到他生命的最后一刻；我的家庭以父子情深遐迩闻名，在兄弟情谊方面也堪称楷模。

我对兄弟慈父般的疼爱有口皆碑。①

——贺拉斯

若将对女人的爱情同友谊作比较，尽管爱情来自我们的选择，也不可能放到友谊的位置上。我承认，爱情之火更活跃，更激烈，更灼热。

因为爱神也了解我们，
将甜蜜的痛苦掺入她操心的事中。②

——卡图鲁斯

但爱情是一种朝三暮四、变化无常的情感，它狂热冲动，时高时低，忽热忽冷，把我们系于一发之上。而友谊是一种普遍和通用的热情，它平和稳健，冷静沉着，经久不变，它愉快而高雅，丝毫不会让人难过和痛苦。再者，爱情不过是一种疯狂的欲望，越是躲避的东西越要追求：

犹如猎人追捕野兔，
不管严寒和酷暑，
不管峻岭和峡谷，
只想追捕逃避的猎物，
一旦抓获就不再珍惜。②

——阿里奥斯托

爱情一旦进入友谊阶段，也就是说，进入意愿相投的阶段，它就会衰弱和消逝。爱情是以身体的快感为目的，一旦享有了，就

---

①② 原文为拉丁语。
② 原文为拉丁语。

不复存在。相反,友谊越被人想望,就越被人享有,友谊只是在获得以后才会升华、增长和发展,因为它是精神上的,心灵会随之净化。在这完美的友谊下面,我也曾有过轻佻的爱情,我这里不想多谈,上面那几句诗已表达得淋漓尽致了。因此,这两种情感都曾在我身上驻留过,它们互相认识,但从不比较;友谊不懈地走自己的路,它在高空飞翔,傲气凛然,鄙夷地注视着爱情在它下面坚持走自己的路。

至于婚姻,那是一场交易,惟有进去是自由的(其期限是强制性的,取决于我们意愿以外的东西),通常是为了别的目的才进行这场交易的,此外,还要理清千百种不相干的复杂纠纷,它们足以导致关系破裂和扰乱强烈的感情。而友谊只跟它自身有关,不涉及其它交易。况且,老实说,女人一般不会满足于这种神圣的关系,她们的灵魂也不够坚强,忍受不了这种把人久久束缚的亲密关系。如果不是这种情况,如果可以建立一种自愿和自由的关系,不仅灵魂可以互相完全拥有,而且肉体也参与这一结合,男人全身心投入进去,那么,可以肯定,友谊会因此而更充分,更完整。可惜,没有例子可以证明女人能做到这点。古代各哲学派系一致认为,女性是被排斥在友谊之外的。

希腊人另一种淫荡的爱情①公正地为我们的习俗所憎恶。然而,那种爱情也不符合我们这里所要求的完美和相称的结合,因为习惯上情人间的年龄和地位必然相差悬殊:**"这种友谊式的爱情究竟是什么? 为什么人们不爱浅薄的年轻人,也不爱漂亮的老头子?"**②柏拉图学院对此所作的描绘,也没有像我认为的那样否认这点。他们说,维纳斯的儿子在情人心中激起对青春美少年的初次迷恋,仅仅是以身体的假相——漂亮的外表为基础的;他们允许这种迷恋狂热而肆无忌惮,正如毫无节制的欲望可能产生的那样。对美少年的初次迷恋不可能以精神为基础;精神恋爱正在

---

① 指同性恋。
② 原文为拉丁语。西塞罗语。

诞生,尚未显示出来。如果一个心灵卑劣的人热恋上一位少年,那他追逐的手段就是财富、礼物、加官晋位,以及其他一些廉价的商品,这是柏拉图哲学家们深恶痛绝的。如果是一个心灵高尚的人,采用的手段也是高尚的:教对方哲学,教他尊重宗教、服从法律、为国家利益献身,这些都是英勇、谨慎、公正的重要方面;求爱者要尽量做到心灵高雅美丽,以便容易被接受,因为他的身躯早已失去风采,他希望通过这种精神的交往建立一种更坚实更持久的关系。当追逐有了结果,被爱者就想通过心灵美构想出一种精神的东西(柏拉图派决不要求求爱者在追逐时表现得从从容容,小心翼翼,却要求被爱者这样做,因为被爱者要对一种内心的美作出判断,那是很难识别和发现的)。被爱者在作决定时,首先要看心灵美,而躯体的美是从属和次要的:这同求爱者的标准恰恰相反。因此,柏拉图派更喜欢被爱者,并且证实奥林匹斯诸神也偏爱被爱者。他们强烈谴责诗人埃斯库罗斯不该在阿喀琉斯①和帕特洛克罗斯②的爱情中,把求爱者的角色授予少不更事、充满青春活力的、最英勇的、希腊人阿喀琉斯。精神的普遍一致是爱情最主要、最有尊严的部分,柏拉图派认为,精神一致结出的硕果于私于公都大有好处;这种精神的一致,是国家的力量所在,是公正和自由的主要捍卫者。哈莫狄奥斯③和阿里斯托吉顿④之间健康的爱情就是明证。然而,柏拉图派把这精神的普遍一致称为神圣和至高无上的。在他们看来,它的敌人是独裁者的暴力和人民的软弱。总之,柏拉图哲学的爱情观可以归结为:爱情的结局存在于友谊中。这一点,和斯多葛派关于爱情的定义大体吻合:**"爱情是一种获得友谊的尝试,当某人美丽的外貌吸引我们时,我们就**

---

① 阿喀琉斯为希腊神话中的英雄。参加特洛伊战争,英勇无比,大败特洛伊人。

② 帕特洛克罗斯为阿喀琉斯的好友。在特洛伊战争中,他身穿阿喀琉斯的盔甲冲到特洛伊城下,被赫克托耳杀死。他的朋友阿喀琉斯为他报了仇。

③ 哈莫狄奥斯(? —公元前514),雅典公民,同他的朋友阿尔斯托吉顿密谋反对雅典暴君的独裁政权,当场被杀死。

④ 阿里斯托吉顿(? —公元前514),雅典青年,同他的朋友哈莫狄奥斯一起谋反雅典独裁者,被捕后死于酷刑。

想得到他的友谊。"①回到我对友谊的描绘上,这次更公正:"只有等性格和年龄变得成熟和牢固时,才能对友谊作出完整的判断。"②

此外,我们通常所谓的朋友和友谊,只是指由心灵相通的机遇相联结的频繁交往和亲密关系。在我所谓的友谊中,心灵互相融合,且融合得天衣无缝,再也找不到连结处。若有人逼问我为什么我喜欢他,我感到很难说清楚,只好回答:"因为是他,因为是我。"

除了我能论述和阐明的之外,还有一种无法解释和命中注定的力量在促成我和拉博埃西之间的友谊。在尚未谋面之前,就因为听别人谈起过对方,我们就开始互相寻觅,就超越常理地互相产生了好感。我觉得这是一种天命。我们是通过名字互相拥抱的。一次偶然的机会,在某次市政重大的节日上,我们邂逅相遇,一见如故,相见恨晚,从此,再也没人比我们更接近的了。拉博埃西用拉丁语写了一首杰出的讽刺诗,后来发表③了。在诗中,他对我们之间的友谊如此神速地臻于完美作了辩解和说明。我们相识时都已是成人,他比我大几岁④,我们的友谊起步较晚,来日不多了,因此,不能拖拖拉拉,按部就班,浪费时间,不能像一般人做的那样,小心翼翼,先要进行长期的接触。我们的友谊自成模式,只能参考自己。这不是一种、二种、三种、四种、一千种特别的要素,而是所有这些要素混合而成的一种说不清道不明的精髓,它攫住了我的全部意志,使我的意志浸入并融合在他的意志中;它也攫住了拉博埃西的全部意志,使他的意志浸入并融合在我的意志中,如饥似渴,心心相印。我说"融合",那是千真万确的,我们不再有任何自己的东西,也分不清是他的还是我的。

---

① 原文为拉丁语。西塞罗语。
② 原文为拉丁语。西塞罗语。
③ 由蒙田收进拉博埃西的文集中。
④ 两人相识时,蒙田二十五岁,拉博埃西二十八岁。

罗马执政官们在判决提比略·格拉库斯①后，追捕所有和他有来往的人。他最好的朋友凯厄斯·布洛修斯也在此列。莱利乌斯②当着罗马执政官的面，问布洛修斯愿为他的朋友做哪些事，后者回答："一切。"莱利乌斯又问："什么？一切？要是他命令你放火烧神殿呢？"布洛修斯反驳道："他从没这样命令过。"莱利乌斯又说："假如他下命令呢？"另一个回答："我就服从。"史书上说，如果他真是格拉库斯的挚友，他就不必用最后这一大胆的供认来冒犯执政官，不该放弃他对格拉库斯意志的信任。然而，指责这一回答具有煽动性的人，并不了解这个奥秘，并没有像应该的那样认定他对格拉库斯的意志了如指掌，他俩的友谊是一种力量，也是彼此知根知底的。他们是真正的朋友，而不是一般的同胞，不是国家的朋友和敌人，不是热衷于冒险和制造混乱的朋友。他们互相信赖，互相钦慕。你不妨用道德和理性来引导这种依恋的鞍辔（如不这样，就绝不可能牵住缰绳），你就会觉得布洛修斯应该这样回答。如若他们的行动不协调，那么，无论按我的标准，还是按他们的标准，他们就不再是朋友了。况且，换了我，也会这样回答。倘若有人问我："如果您的意志命令您杀死您的女儿，您会杀她吗？"我会作肯定的回答。因为即使如此回答，也不证明我会做，我对我的意志毫不怀疑，也对这样一个朋友的意志深信不疑。我对我朋友的意图和看法是不会怀疑的，世上任何理由都不能驱逐我这个信念。我朋友的行动，不管以怎样的面目出现，我都能立即找到它们的动机。我们的心灵步调一致，互相敬佩，我们的感情深入到五脏六腑，因此，我了解他的内心犹如了解我自己的内心，不惟如此，而且，我对他的信任胜过对我自己的信任。

不要把一般友谊和我说的友谊混为一谈。我和大家一样，也

青少年文学读本

———————————

① 提比略·格拉库斯（公元前162—公元前133），古罗马护民官，试图进行农业改革，把大贵族窃取的土地归还给平民，但未得平民欢迎。他本人在反动贵族挑起的民众暴乱中被杀。
② 莱利乌斯（活动期为公元前2世纪），罗马军人，政治家。公元前140年成为执政官。

经历过这种平常的友谊,而且是最完美无缺的,但我劝大家不要把规则混淆了,否则就要搞错。身处一般的友谊中,走路时要握紧缰绳,临深履薄,小心翼翼,随时都要防备破裂。"爱他时要想到有一天要恨他;恨他时要想到有一天会爱他。"奇隆如是说。这一警句,对于我说的那种至高无上的友谊而言,是极其可憎的,但对于普通而平常的友谊,却是苦口良药。亚里士多德有句至理名言用在后者身上恰如其分:"啊,我的朋友,没有一个是朋友!"

利益和效劳可以培育其他友谊,但在我所说的崇高友谊中,这是不屑一提的,因为我们的意志已是水乳交融。必要时,我也会求朋友帮忙,但不管斯多葛派如何说,我们之间的友谊丝毫不会因此而增加,我也不会因为得到了帮助而感到庆幸。因此,这样的朋友相结合,才是真正完美的结合,他们再也感觉不到存在着义务,对于那些会引起争执和分歧的字眼,如利益、义务、感激、请求、感谢等,他们尤其憎恨,并把它们从他们中间赶走。其实,他们之间的一切——愿望、思想、看法、财产、女人、孩子、荣誉和生命——都是共有的,他们的和谐一致,根据亚里士多德的正确定义,是两个躯体共有一个灵魂,因而,他们不可能借给或给予对方任何东西。正因为如此,为使婚姻与这一神圣的友谊有些许臆想的相像,立法者们禁止丈夫和妻子之间立赠与证书,想由此推断,一切都属于夫妻双方,没有任何东西可以分开来。在我论述的友谊中,如果一方可以给予另一方,那么,接受好处的一方就是给了同伴恩惠。因为双方都想为对方做好事,这愿望比做其他事的愿望更强烈,这样,提供做好事机会的人便是宽容豁达者,同意朋友对他做最想做的事,就是给朋友施恩惠。哲学家第欧根尼缺钱时,他不说向他的朋友要钱,而说向他们讨还钱。为了证明这是事实,我要举一个古代的颇为奇特的例子。

科林斯人欧达米达斯有两个朋友:卡里塞努斯和阿雷特斯,前者是西锡安人,后者是科林斯人。欧达米达斯死前很穷,而他的两个朋友却很富,他就立下遗嘱:"我把赡养我母亲和给她养老送终的责任遗赠给阿雷特斯,把我女儿的婚事遗赠给卡里塞努斯,让他尽其所能给我女儿置办一份丰厚的嫁妆。他们中若有一方去世,活着的一方接替他尽职。"最先看到遗嘱的人对此不以为然。可是他的继承人得知后,却欣然接受了。其中一位,卡里塞努斯,五天后相继去世,他的责任就由阿雷特斯接替。他悉心赡养朋友的老母,并把他的五塔兰财产,分出一半给自己的独养女儿作嫁妆,另一半给欧达米达斯的女儿作陪奁。他在同一天为她们举行了婚礼。

这个例子很说明问题,惟有一条不足,那就是朋友的数量太多。我所说的那种完美的友谊,是不可分割的,双方都把自己全部给了对方,不再剩下什么可以分给其他人了;相反,他遗憾自己不能变成两个、三个、四个,没有好几个灵魂和意志可以用来全部奉献给他的朋友。普通的友谊是可以同几个人分享的:你可以喜欢这个人相貌英俊,那个人性格随和或慷慨大方,欣赏这个人有慈父般心肠,那个人有兄弟般情谊,如此等等。但我说的友谊绝对掌握和统治着我们的灵魂,是不可能同第三者分享的。如果两个人同时来求你帮忙,你跑去帮谁? 如果他们要你做的事南辕北辙,你把谁放在先,谁置于后? 如果其中一个给你讲了件事,要你保守秘密,而另一个有必要知道,你如何摆脱困境? 如果你的友谊是惟一和根本的,那就免去了其他一切义务。我发誓保守的秘密,我就可以不违背誓言,不会讲给我以外的任何人听。一个人一分为二,那就是相当大的奇迹了;有些人说可以一分为三,那就是不知天高地厚。大凡有相同的,就不再是独一无二了。有人假定,我会把同等的爱给予两个朋友,他们会像我爱他们那样互尊互爱,像我爱他们那样爱我,他这样假定,就把惟一和单一的东西加倍增加,变成了社团,而这样的东西哪怕有一个,也是世上最难觅得的希罕事。

除此之外,那个故事和我说的友谊十分相符:欧达米达斯在需要时让他的朋友为他效劳,作为给予朋友的恩惠和厚意。他让他们继承的遗产是他的慷慨,也就是把他们为他做好事的办法交到他们的手里。毫无疑问,友谊在他的处境下展现的力量要比在阿雷特斯的处境下所展现的要强大得多。总之,没有尝过这种友谊滋味的人是很难想象的。我尤其赞赏一位年轻士兵对居鲁士一世的回答:他的马在比赛中刚赢得大奖,居鲁士问他那匹马他想卖多少钱,是不是愿意用它换一个王国,士兵回答说:"当然不,陛下,但我很乐意用它来换一个朋友,如果我能找到一个值得我交朋友的人。"

"如果我能找到",说得真好! 找一些适合于浅薄交往的人并非难事,但我们所指的交往,是要敞开心扉,毫无保留,当然,一切动机就都要清清楚楚,确实可靠。

在只有一端相系的友谊和利益兼有的关系中,只须防止这一端不出问题就行了。我不可能操心我的医生和律师信什么宗教。这个问题同他们作为朋友为我效劳毫无关联。仆人同我的关系也一样。我很少打听某个仆人有没有廉耻心,而是关心他勤不勤快。我不怕赶骡的贪玩,而怕他是个傻瓜;不怕厨师爱说粗话,而怕他愚昧无知。我不想对人说应该做什么,管这个闲事的人够多的了,我只想告诉人我是怎样做的。

> 这是我的做法,你可照你的想法去做。①
>
> ——泰伦提乌斯

在餐桌上,我喜欢不拘礼节,开开玩笑,而不是谨小慎微;在床上,我喜欢美丽甚于心善;在交际场合,我喜爱有本事的人,哪怕他并不正直。在其他地方也一样。

阿格西劳斯二世和他的孩子们玩骑棍子游戏时,被人撞见,他恳求那人在成为父亲之前对此事不要妄加评论,认为只有等那人心中有了迷恋的东西,才可能对这样的行为作出公正的评价。我也希望同可能尝试过我说的这种友谊的人谈一谈。但我深知这样的友谊与习惯的做法天悬地隔,它寥若晨星,因此,我不指望

---

①② 原文为拉丁语。

能找到一个公正的法官。关于这个议题,古人给我们留下了多少思索,但与我的感觉相比,显得软弱无力。在这一点上,事实胜过哲学箴言:

> 对于思想健康者,什么也比不上一个令人愉快的朋友。[2]
> ——贺拉斯

古人米南德说,只要能遇到朋友的影子,就算幸福了。当然,他有理由这样讲,即使他也曾有过这样的友谊。感谢上帝,我的生活愉快舒适,除了失去这样一位朋友使我怆然伤怀之外,我无忧无愁,心安理得,因为我满足于自然和原始的需要,从不去寻求其他需要。但是,说实话,如果把我的一生同在那位朋友愉快相伴下度过的四年相比较,我感到那不过是一团烟雾,是一个昏暗而无聊的长夜。从我失去他的那天起,

> 那是永远残酷永远值得纪念的一天
> (神啊,这是你们的意愿),[1]
> ——维吉尔

我就无精打采,苟延残喘;娱乐的机会非但不能抚慰我,反而加深了我对他的追思。从前我们一切都是对半分享,现在我感到偷走了他那一部分,

> 我想永远放弃快乐,
> 因为他已不在这里分享我的生活。[2]
> ——泰伦提乌斯

我已习惯于到哪里都是第二个一半,我感到自己的另一半已

---

①② 原文为拉丁语。

不复存在。

> 啊！命运已把我灵魂的另一半夺走，
> 剩下的一半我不再珍爱，对我不再有用，我还活着做什么？
> 你死的那一天我已不再存在。①

——贺拉斯

　　不论我做什么，想什么，我都会责怪他，仿佛他处在我这种情况下也会这样做似的。在能力和德行上，他超过我千百倍，同样，在尽友谊的职责上，他也会做得比我好。

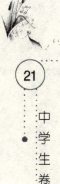

> 失去你我是多么不幸，兄弟！
> 你的友谊给我带来无限快乐，
> 这一切都随你的消失而消失！
> 你走了，我的幸福随之破碎，
> 你的坟茔取走了我们共有的灵魂。
> 我整天昏昏沉沉，不思不想，
> 空闲时间再也无心读书，
> 难道再也不能同你说话，
> 再也听不到你的声音？
> 啊！比我生命还要珍贵的兄弟，
> 难道永远爱你也见不到你了吗？②

——卡图鲁斯

　　不过，我们要听一听这位十六岁少年③的心声。

---

①② 　原文为拉丁语。
③ 　这里指的是蒙田的挚友拉博埃西。第一个版本是十八岁。

我发现那篇论文①被一些居心不良的人发表了,那些人企图扰乱和改变现行的国家秩序,却毫不考虑自己能不能做到。他们把这篇文章和另一些同他们臭味相投的文章汇编成一部书出版了,因此,我只好改变初衷,不在这里发表。为使没能深入了解拉博埃西的思想和行为的人对他保存完好的记忆,我要告诉他们,这篇文章是在他少年时代写的,不过是篇习作,论述的议题普普通通,在许多书中都能看到。他对他所写的东西深信不疑,这一点我是毫不怀疑的,因为他干什么都很认真,甚至在做游戏时也不说假话。我还知道,如果可以选择,他宁愿生在威尼斯②,而不是萨尔拉;这当然是有道理的。但是,在他的心中还镌刻着另一条格言:严格服从家乡的法律。哪个公民也比不上他安分守己,也没有人比他更希望国泰民安,更反对时局动荡。如果发生骚乱,他只会尽力去平息,决不会火上浇油。他的思想是按前几个世纪的模式铸成的。

　　然而,我仍想用他的另一部作品来代替这篇严肃的论文,那部作品和《甘愿受奴役》诞生于同一个时代,但更轻松活泼。

青少年文学读本

---

　　①　指拉博埃西的论文《甘愿受奴役》。他的一些信徒把它和其他人写的几篇抨击文章融进《查理十一时代法国的回忆录》中,于1576年出版。

　　②　那个时代,威尼斯是共和政体。

论 美 德

〔英〕培 根

  弗兰西斯·培根(1561—1626),出生于伦敦一个贵族家庭。其父尼古拉·培根是伊丽莎白女王时代的掌玺大臣。少年时代的培根天资聪慧,智力超群。1573年,年仅十二岁便进入著名的剑桥大学"三位一体"学院深造,在那里主攻神学和形而上学;同时选修逻辑学、天文学、数学、希腊文和拉丁文。读书期间,培根深受文艺复兴之后的欧洲新思潮、新文化的影响,决定摆脱学院的神学和经院哲学的桎梏,立志创造三个全新的学术改良时代。此后,培根毕生为此目标奋斗,他用英文创作了《科学知识的进步》(1605),用拉丁文写过《新工具》(1620),在学术界上享有盛誉。随笔集《人生论》亦具有广泛深远的影响。

  美德如同绮丽的宝石,最理想的位置是将它镶嵌在朴素的东西上。如果美德是在一个容貌并不漂亮,但形体清秀气质脱俗的身体里,那是最好的情形。

  通常说来,很美的人在其他方面不一定有什么出色的美德,好像造物主在其忙碌的工作中只求准确,而无心创造完美的东西似的。所以,那些很美的人也许很有教养,但却胸无抱负,他们注意的是举止,并非美德。不过这种观点并非千真万确,因为罗马的奥古斯都·恺撒、提图斯·韦斯帕斯、法国的菲利普,英国的爱德华四世,雅典的亚尔西巴德,波斯的伊斯迈水,都是高尚的伟人,然而也是他们那个时代的俊美男子。

关于美的比较,我认为容貌之美优于装束之美,优雅的举止之美又胜于单纯的容貌之美。但美的最高境界,是既不能用形象来表现,也不是目所能及的。

大凡卓越之美,都有某种奇妙之处。谁也说不出阿佩勒斯和阿尔伯特·丢勒究竟哪一位是更出色的滑稽者:其中一位是按照几何学的比例来画人,另一位则从几个形象迥异的面孔中选取最好的部分来创作一张完美的面颊。我想,这样的作品,除了作者本人,谁也不会喜欢。并非说我认为一个画家不可以创造一张比以前好看的脸孔,而是说他应当靠一种灵感去创作而非依靠什么规则去描绘。谁都会看见一些面孔,如果你把它们一块一块地加以审视,你就会发现哪一块都不好,但是假设把各个部分凑在一起,你就会觉得那些面孔妙不可言。

如果美的主要部分真就是在优雅的举止之中,那么老年人常常看上去更加和蔼可亲。阿拉伯有一句谚语"四季之美在秋天",而年轻人,却往往由于缺乏修养而不配得到赞誉。

美好比夏季的水果,不易久存。世上有许多美人往往在年轻时放荡不羁,到了老年就有点愧悔。因此只有把美的形象与美的品德合在一起,才会放出光辉。

耶稣的故事(节选)

〔法〕欧内斯特·勒内

欧内斯特·勒内,法国作家,曾在法兰西学院任教,所著《耶稣的故事》一书以历史的分析和批评方法探索了耶稣基督的生平和行为,使人们看到了一个活生生的而不是被后人神话了的耶稣。此书于1863年出版以后,在欧洲思想界掀起了一场大论战,结果使得作者丢掉了在法兰西研究院讲学的饭碗。

第二章　童年与少年时代

在这基督教出现的地方,在这耶稣的活动由此四散的中心拿撒勒,应当屹立着一个可供全体基督教徒祷告的大教堂。

耶稣(Jesus)生于拿撒勒(Nazaroth),这个叫加利利(Galilee)的小城在他以前毫不著名,他一生都被称为"拿撒勒人"。在传说中人们之所以称他出生在伯利恒(Bethlehem),不过是为了自圆他被指定为救世主的假定。我们无从知道耶稣诞生的确实日期,只知道他生在奥古斯都大帝统治时期,大概是罗马纪元第750年,也就是说,现行公元前几年,而人们相信公元也是自他出生那年算起的。

耶稣这一称呼是约书亚（Josue）的变形，这是一个很普通的名字。自然后人不免会在这里面找寻奇迹和对于救世主身份的暗示。也许耶稣自己如一切神秘者一样，也以此提高了自己。一个赐予孩子的毫无意义的名字，被认为是对于某种天赋独厚的理由，这在历史上是屡见不鲜的。性格狂热的人决不甘在与他有关的事物里看到一点偶然，他觉得一切都早被上帝约定。在最无足轻重的场合里，他看到最高意志的信号。

加利利的居民是很混杂的，这地名的含义就是"外族区"的意思。耶稣时代，这省里除了犹太人以外，还有非犹太的非尼基人、叙利亚人、阿拉伯人，甚至还有希腊人。这种杂居的区域里，皈依犹太教的人是很多的。所以，我们用不着在这儿提出什么种族问题，或是研究这个对于消灭人类血统差别最尽力的人，脉管里流动的是什么血。

耶稣出自平民阶层，他的父亲约瑟（Joseph）、母亲马利亚（Marie）是地位很卑微的人，是靠做工而生活的劳动者，这在近东是一种很普通家庭境遇，既不安逸也不穷困。这种极单纯的生活，全不需要那种奢侈品，它使富人的特权成为无用的赘疣，而使大家都自愿成为贫苦人。而且，他们对艺术和物质享受都绝对没有兴趣，就是并不穷困的人家，也现出一种空无所有的外表。除了一些被回教徒带到这里的东西外，耶稣时代的拿撒勒也许和今天的拿撒勒相差无几；我们还可以从这些多石的路和被匣子般房屋分割的小十字街上，看出耶稣儿时游戏过的巷子。毫无疑问，约瑟家的房屋肯定很像现在那些可怜的无窗店铺，光线从大门照进，既是作坊也是厨房和卧室的屋子，全部家具是一张席子、几个坐垫、一两个泥罐和一个上漆的箱子。

耶稣的家，是个大家庭。不管是一次婚姻或多次婚姻的结果，他是有同胞手足的，而他似乎是长子。他的弟妹们都没名，因为我们现在才知道，那个被认为是他弟弟的四位人物（其中至少有一个名叫雅各的，在基督教发达的初年取得了很高的地位）都是他的姨表弟。当然，马利亚有一个妹妹，名字也叫马利亚，嫁给一个姓亚勒腓(Alphee)或姓革罗龙(leophas)的男子(这两个姓似乎是指同一个人),成为几个儿子的母亲。这些姨表弟是耶稣初期门徒中很重要的分子。取稣的胞弟们在反对他的同时,却赞助他而获取了"我主之弟"的称号。这些胞弟们,如他们的母亲一样,在耶稣死后才知名起来。即使在那时候,他们也不如他们的姨表兄弟们重要,因为后者的皈依更主动些,也更有个性。所以,胞弟们的名字是被忘却了,以致当《福音书》作者借拿撒勒人之口,依照亲疏来列举耶稣胞弟、表弟时,最先记起的还是耶稣姨表弟的名字。

耶稣的妹妹们嫁在拿撒勒,耶稣本人也在那里度过青年期的前几年。拿撒勒是一个坐落在盆地里的小城,这个盆地向着毗连埃斯德龙(Esdrelon)平原的山峰敞开着,现在的人口是三四千人,这数目绝不曾有过重大的改变。冬季气候寒冷,空气清新,像那时候一切犹太小城一样,拿撒勒只是一堆无规划房屋的组合,它那可怜而枯燥无味的外貌和我们现在看见的塞姆族的村落一样。那时候的房屋似乎与现在这些覆盖在利邦(Libun)沃土上,里外都不漂亮的石头立方体并无大异;但是夹杂在葡萄树和无花果树间,也还悦目。并且这儿还是一个惬意的旅游地,也是全巴勒斯坦惟一能使灵魂在无比荒凉中,从压迫它的重物里得到轻松后的安慰的一个地方。这里的居民和蔼可亲、笑容可掬。碧绿的花园充满诗意,公元 6 世纪末年,教徒安多令(Antonin)曾给这肥沃的田园四郊描摹了一幅迷人图画,他比喻为天堂。往昔那聚集着小城生活与欢笑的市泉已近干涸,只剩下浅浊的流道。只有欢聚在夜色中美丽的女性们,方才给小城增添了一道绮丽的色彩,据安多令说这是处女马利亚给人间的赠品,并被保留下来。这种美丽犹如叙利亚,带着病态的幽美。无疑,当年马利亚每天都来到这里,担着水瓮,夹在众多女伴之中。安多令还说,犹太妇女在别处很轻蔑基督教徒,在这里却充满友善,就是现在,拿撒勒宗教派别之间的怨恨也不如别处厉害。

这城平视远望不起眼,但若登高眺望,在微风吹拂下,那尽收眼底的景物是很令人心旷神怡的。西边，加墨鲁山脉蜿蜒曲折绵延入海；再俯看玛格多双峰，部落时期圣地所在的西雪姆山、美丽的格波埃山、神奇的苏伦与恩多山及犹如少女之乳的大波山，美丽入画；从山峰之间隐约可见约旦谷地和柏勒高原，构成一根连接的曲线。北边，插入海底的窿菲山脉，遮掩了圣亚克约翰却留下嘉发湾。这就是耶稣的地平线。这迷人的大地、上帝之国的摇篮，代表了整个世界的永恒。他成年后的活动基本囿于其童年熟悉的范围，因为他在外部世界所到过的最远的地方，北至爱蒙山腰上的凯撒利亚菲力普；南及撒玛利亚的陡壁之后，那已预感到不幸的犹德城，好似一片被蹂躏与死亡之风吹干的地方。

如果在这长属基督教的世界里，能在观念上敬重"来源"，而愿把真实的圣地取代千年来粗俗的虔信所执著不舍的虚伪而卑下的灵坛，那么，就应在拿撒勒的山上建筑起它的神庙。在这基督教出现的地方，在这耶稣的活动由此四散的中心，应当屹立着一个可供全体基督教徒祷告的大教堂。这个木匠约瑟和千万个被遗忘的从未离开过家乡的拿撒勒人长眠的地方，比世界上任何地方都更适宜哲学家去思考。

第二十七章　耶稣的工作

他的工作的独到之处便是他与犹太精神的决绝。这一点在他死后基督教的普遍方针可以证实。基督教渐渐地与犹太教越离越远，它的完美化将是回向耶稣而不是犹太教。

正如我们看到的，耶稣从未把他的行动扩展到犹太教以外，虽然他对一切被正统派所轻视的人表示同情，承认异教徒可以入上帝之国；虽然他多次住在多神教的地界里，而我们曾一度发现他与非信徒有友善的联系；但我们仍然可以说，他终身都是在那生他的闭塞世界里度过，希腊、罗马这些地方的人从未听说过他。一百年后，他的名字才出现在世俗作者的著述里，而也只是在说到他的学说激起的叛乱运动，和他的弟子们忍受着虐杀时，才间接地提起他。即使在犹太教的范围里，耶稣也未曾留下什么很持久的印象。菲洛大约死于公元50年，一点都不知道耶稣的存在。却色夫生于公元37年，在1世纪末执笔时，只以寥寥数行述及耶稣被害，好像这只是一件不太重要的事，而当他列举当时的教派时，完全遗漏了基督教徒。第伯利亚的虚士特(Juste)，是与却色夫同时代的历史学家，从不曾说到耶稣这个名字。在《旧犹太教典》(Mischna)里，我们也找不到这新教派之痕迹。《旧犹太教典》的两种评注虽然提起基督教的始祖，却是四五世纪以后才写成的。耶稣的主要工作是在他自己的四周形成一圈弟子，并引起了弟子们对于他的无限依恋，而在弟子们的心里种植了他的学说之胚胎，使自己被爱，"以致在他死后人们还继续地爱他"，这便是耶稣的杰作，这也是最使同时代人惊奇的事实。他的学说是极无教义意味的，所以他从不想到把它写下或令人记下。一个人成为耶稣的弟子，不在于信仰这一点或那一点，而在于依恋耶稣、热爱耶稣。他所遗传下来的不外是从听众记忆里所收得的几句格言，尤其是他典型的道德和他所留存的印象。耶稣不是一个创立独断教义的始祖，或象征之制造者；他是以一种新精神启蒙世界之导师。最无基督教精神的人，一方面是希腊教派的博士们，他们自第四世纪起，把基督教陷于一种玄学的空论之迷途里；另一方面是拉丁中世纪的繁琐神学家，他们想从《福音书》里演绎出成千上万个信条，构成一个庞大而复杂的《摘要》。附从耶稣而期望着上帝之国，那时候做基督教徒的条件只是如此。

所以我们现在才能了解：为什么纯粹的基督教，因为一种特别的命运，便在一千八百余年后，还表现着普遍而永恒的宗教之特质。不错，从某几点说来，耶稣的宗教是最后的宗教。基督教是完全产自灵魂的一种自发运动；它从出生时起，就已免去了一切教义的束缚，为着信仰自由奋斗了三百年；它虽然曾陆续地忍受过许多失败，而现在它仍能收获到这光荣的来源之果实。它只须回向《福音书》，便能使自己更新。我们现在所想象的上帝之国,大异于初期基督教徒希望在云里看到的放光的灵异现象。但是,耶稣介绍进世界的情感却实在还是我们的情感。他的完善的理想主义是纯洁而有德的生活之最高法则。他创造了纯洁的灵魂之天国,我们在大地上找不到的可以在那里找到:上帝的儿女们所构成的完善的贵族,绝对的神圣性,世界污点的完全净化和自由,即自由是现实社会认为不可能而加以摒弃的,只有在思想境界里才得到完全发展。直到现在,耶稣还是那些逃往这理想天堂中人的大师。他是宣布精神之国的第一人;他是(至少从行为方面)说出这句话的第一个人:"我的天国不属于这个世界。"创立真正宗教实在是耶稣的工作,后人的工作只在促进他的宗教,而使它产生影响。

这样,"基督教"几乎成了"宗教"的同义字。在这伟大而高贵的基督教传说之外进行的一切,都会是徒劳无功的。耶稣在人类中建立了宗教,犹如苏格拉底建立了哲学,亚里士多德建立了科学一样。苏格拉底、亚里士多德以前,哲学和科学已经存在;苏格拉底、亚里士多德以后,哲学与科学曾取得了很大的进步;但是后来的一切,都建筑在他俩所奠定的基础上。同样地,耶稣以前,宗教思想曾经过许多次的革命;耶稣以后,它曾获得很大的成功;但是我们还不会脱离,也不曾脱离耶稣所创造的主要原则;他永远地决定了纯粹宗教这个观念。耶稣的宗教不是有限的,教会有它的时代,有它的阶段,它把自己禁锢在时期已过或只能维持一个时期的象征里。反之,耶稣建立了绝对的宗教,他不曾排斥什么,除了感情以外,也不曾决定什么。他的象征不是一成不变的教义,而是可给以无限解说的意象。我们不能在《福音书》里找到什么神学的命题。一切信仰的宣誓都是耶稣思想之伪装,很像中世纪的繁琐神学宣布亚里士多德是某种已完成的科学之惟一大师,实际上更加曲解了亚里士多德的思想一样。亚里士多德如果能够参加这些教派的辩论,他则会抛弃褊狭的学说,加入主张科学进步的派别,来摒弃他权威盛名之下的陈腐陋见,也许还会向驳倒他的人喝彩。同样,如果耶稣回到我们中间,他所承认的弟子不会是那些要把他完全禁锢在几句教义问答里的人，而会是那些努力继承他而工作的人。一切大事业中的永恒光荣，便是曾对第一块基石的奠定。现代物理学和气象学著作里，很有可能并不含有亚里士多德所著书中的一个字，但他仍不失为自然科学的始祖。无论教义是如何变化的，耶稣仍然不失为宗教上纯粹情感之创始者，书上的说教是不曾过时的。任何革命都不得不使我们与宗教相连，在这个思想与信仰之大家庭头上，耶稣的名字闪耀着。从这种意义说来，即便我们在任何一点上，都几乎与前于我们的基督教传说具有不同的意见，我们仍然是基督教徒。

而这伟大的建设实在是耶稣个人的工作。既然他是如此地被人崇拜，那么他必定是值得崇拜的。只有值得热爱之物，才能使热爱燃烧起来。除了他对于左右所能激发的热情外，即使我们对于耶稣毫无所知，我们也应当承认他是伟大而纯洁的。因为我们只有假定这运动起源时有一个伟大的超越一切的人，才能够解释基督教第一代的信心、狂热和坚贞。当我们看到信心时代之奇妙的创作，我们心里产生了两个同样不利于历史批评的感性认识：一方面，我们很容易假定这些创作是非个人的，我们常常把一个强烈的意志和超越灵魂所完成的事业，归附于一个集体的行动。另一方面，我们不愿把这些决定人类命运的非常运动之创始者，视为像我们一样的人。让我们对于大自然藏匿在怀里的权力，取得一种较远大的见解吧！我们的文化，被许多无孔不入的禁令所统治，使我们想象不到，在每个人都有较自由的环境以发展其特性的时代里，人的能力究竟是怎样的。让我们假定一个孤独者，住在我们城边附近的石洞里，不时出洞前往国王的宫殿里去，冲过岗设，用一种迫切的声调向国王预告他所领导的革命即将到来。我们一想到这些，便会发笑。但这正是以利亚。现代的德毕特（Thesbite）人以利亚决不能跨过法国杜伊利宫（Tuileries）的宫门。耶稣的说教和他在以利亚的自由活动，在我们所习惯的社会条件里，也是不太容易了解的。这些完整的灵魂减免了我们那些客气的礼节，没有受过使我们精致但减少个性的系统教育，却能把自己惊人的精力贯注于行动中，于是我们觉得他们是一个从未实现过的英雄时代的巨人。这是多么大的错误啊！这些人原也是我们的兄弟，他们的体格与我们的没有什么不同，感觉与思想也像我们；但是在他们身上，"上帝之气"是自由的；在我们身上，"上帝之气"被猥琐的社会训练所锁住，被判为一种不可救治的凡庸。

所以，让我们把耶稣这个人放在人类伟大性之最高峰上吧！即便那把我们高悬在灵异界里的神话摆在我们的面前，也别让我们为这种过分的不信任所迷误吧！亚西斯的佛兰斯瓦的一生，也是奇迹织成的，但人们曾怀疑过他的存在和他的工作吗？别让我们说建立基督教之光荣，应当属于初期基督教徒的全体，而不属于神话所尊为神的耶稣吧！在近东，人之不平等比在我们这里深刻得多。在那里，我们常常见到许多伟大得使我们惊奇的人格，在普遍的恶劣环境里成长出来。耶稣绝非他的弟子们所造就，而无论在哪一点上，他都表现出自己高于他的弟子们。除了圣保罗与圣约翰外，他们都是一些无创见无天才的人。圣保罗还不够与耶稣媲美；至于圣约翰，在《启示录》里，他只是从耶稣的诗歌性吸取灵感。这就可以解释为什么在《新约》许多篇中，四种《福音书》远胜于其他各篇。这也可以解释为什么我们从耶稣史看到使徒史时，体验到一种难受的下坠感。就是《福音书》作者，留给我们的耶稣形象，也远不及他们所叙述的其他人物，以致因为他们不能达到耶稣的高度，而不断地改变了耶稣的真面目。他们的记载充满着错误与矛盾，我们可以隐约地在字里行间发现一个具有神一般美妙的特殊人物，被不了解他的作者们所误解；他们以自己的思想来代替只抓到的一星半点的观念。总之，耶稣的性格远不曾被他传记的作者们所美化，反被他们所贬低。为了再找到耶稣当年的真面目，历史考据不得不拨去一串产自弟子们的俗见之错误。他们依照自己的想象去描摹耶稣，常常以为在伟大化他，事实上却把他渺小化了。

我知道我们的现代原则，曾多次地被这种他族人在另一天空下、在不同的社会需要中所构想的神话所侵犯。历史上有许多德行，在某几点上更适合于我们的趣味。诚实温柔的马可阿勒帝（MarcAurele），谦卑慈爱的斯宾诺莎，不认为自己可以制造奇迹，因而没有耶稣所犯的几种错误。斯宾诺莎在他长年的隐居中，有一种耶稣不曾追求的利益。我们使用确信方法的极度精密，我们对于纯粹观念的绝对忠实和非利己的热爱，使我们这些以生命献给科学的人创立了一个新道德理想。但是，一般地说，历史批判不应当被限制在个人优点的考虑里。马可阿勒帝和他高贵的大师们，对于世界没有持久的影响。他身后留下了一些可爱的书，一个可恨的儿子和一个将死的帝国。耶稣对于人类永远是一个取之不竭的道德复兴之元素。哲学对于群众是不够的，群众不得不还需要神圣性的存在。一个第亚勒的亚波罗纽之奇迹的神话，应当比一个苏格拉底之冷静的理智更为成功。有人说："苏格拉底把人类留在大地上；而亚波罗纽把他们搬上天去。苏格拉底只是一个智者；亚波罗纽却是一个神。"直到现在，宗教的存在总带着禁欲、虔信和奇迹的成分。当罗马安多令王朝七个皇帝以后，人们想创立一个哲学的宗教时，他们一定得变哲学家为圣，一定得写毕达哥拉斯和勃罗但的《模范生活》，一定得赋予哲学家以一种神话、诸多禁欲与沉思的德行和灵异的能力，否则哲学家在当时是不会获得信仰或权威的。

所以，让我们别支解历史以迁就我们猥琐的顾忌吧！我们这些侏儒，我们中间的谁能够做奇特的佛兰斯瓦与半狂的女圣德勒斯所做的事情呢？让医学给这些人性的极端变态赋予名称；让它主张着天才是一种脑疾吧；让它把特殊敏感的道德认为是身体衰弱的第一征兆吧；让它把狂热和热爱分类在神经系之意外情形里吧。这有什么关系呢！"健全"与"病态"这些字完全是相对的。谁不愿意像巴士嘉似的病态，而愿意如一个庸人似的健全呢？现代对于疯狂所流播的褊狭的观念，使我们对于这类问题的历史批评，最严重地误入了迷途。现在，如果一个人谈及某事而不了解那事，如果一个思想之发生不是受意志之召唤与规范的，这种情形会使这个人有被误认为幻觉者的危险。以往这却被称为预言，或灵感。世界上最美的事物是产自昏热之阵袭里；一切伟大的创造必引起平衡之破坏；自然律使生育成为一个苦斗的过程。

　　不错，我们承认基督教是一个太复杂的工作，不会是一个人努力的结果。从某种意义上说，全人类都参加过这项工作。任何世界，无论它是如何地被墙围住，也会收到外来风的吹拂。历史上充满了许多奇特的重合，使人类中一切相距甚远的部分不借任何交通而同时达到一些几乎相同的观念与幻想。在 13 世纪，拉丁人、希腊人、叙利亚人、犹太教徒和回教徒都从事于繁琐神学之研究，而且从约克（York）到萨玛肯（Samarkand），他们所研究的还是同一种繁琐神学；在 14 世纪，意大利、波斯、印度等地，大家都沉溺在神秘寓言之热情里；16 世纪时，意大利和大蒙古帝国的朝廷里产生了几乎同样的艺术，而圣多马（Saint Thomas）、巴黑勒劳（Barhebrous）、拉博勒（Narbonne）的教徒们，巴格达（Bagdad）的回教徒并不相识；而但丁与伯屈拉克（Petrarque）也并未见过任何神秘派的回教徒；而伯鲁斯（Perouse）派或佛罗伦萨的任何弟子并没有越过德列（Dehli）。我们几乎可以说，一切大潮流像时疫般不分国界种界地在世界上动荡着。人类思想之交换，不仅是以书籍或直接的教授与学习而完成的。耶稣完全不知道释迦牟尼、查拉杜斯、屈拉、柏拉图等等名字；他也不曾读阅过任何希腊书籍，任何佛教经典。但是他具有许多来自佛教、波斯教和希腊智慧的成分，而他自己并不觉得。这一切是用秘密的通路和存在于人类不同部分之间的同情来完成的。伟大的人物一方面接受着他当时的一切，另一方面超出了他的时代。说明耶稣所建立的宗教是他以前的事物之自然结果，并非削弱它的优越性，而是证实其有存在的理由，证实它是合法的，那就是说，它适应着一个特定的时代之本能与需要。

　　如果我们说，耶稣的一切都取自犹太教，而他的伟大性只是犹太民族的伟大性，这句话是否公平呢？我比任何人更愿意给这个惟一的民族以一个高尚的地位：这民族似乎特殊地被赋予了把善恶两个极端孕育在心里的天禀。不错,耶稣出自犹太教;但是他之出自犹太教犹如苏格拉底出自诡辩学派,路德出自中世纪,拉玛勒出自天主教,卢梭出自18世纪一样。一个人即使反抗他的时代和他的种族,他还是属于他的时代和他的种族的。耶稣绝不是犹太教的继续者:他的工作的独到之处便是他与犹太精神的决绝。在这一点上,纵使他自己的思想可以引起疑惑,但是他死后基督教的普遍方针却很分明。基督教曾渐渐地与犹太教越离越远。它的完美化将是回向耶稣而并非犹太教。所以这始祖的伟大特殊独立之处是整个的,不承认任何合法的共享者。

环境对于这奇妙革命的成功有过很大的帮助,但环境却只有利于公平而善良的尝试。人类发展的每一门类,无论艺术、诗歌还是宗教,在它所经历的时代里,可以遇到一个优越的时期,在这一时期它因一种自发的本质,不惜努力地达到尽善尽美的地步。以后,任何思考的结果,都不能再做出借大自然之手所获得的灵感的天才创造。耶稣时代之宗教,犹如希腊黄金时代世俗的艺术与文学。犹太社会提供了人类从未经历过的极非常的德智状态,这是一个神圣的时刻,大事物以千百种隐力的合作独自成长着,而善良的灵魂以赞美与同情之潮担载着它们。那时,世界刚从城市的小共和国很褊狭的暴虐政治里被拯救出来,享受着一种很大的自由。罗马的专制只在很久以后才被人感觉到是一个灾害。并且这专制在边远的省份总比在帝国中心易于忍受些。现代处置小骚扰,对于精神事物而言比虐刑还要伤人,那时却不存在。在前后三年的时间里,耶稣如果生活在我们的社会里,他的生活方式会使他二十次地被传到法庭前。现代通行的非法行医的法律就足够使他的生涯告一结束。另一方面,希律王朝原是不信教的,不甚关心宗教运动,在马加比时代,耶稣也许刚一踏入就被阻止。在这种社会状态里,革新者只冒死亡的危险,而死亡对于为未来工作的人是一件好事。让我们设想耶稣不得不担载着他神圣性重负的六七十岁,他的天火般的热情消失着,渐渐在一个空前使命必要条件下憔悴而死。一切都有利于具有特殊命运的人,他们以一种不可克制的命定的冲动走向光荣。

这崇高的人，现在还每天主宰着世界的命运，很有权利被称为神圣的。这并不是说耶稣曾吸收了整个神圣之物，或是重合于它，而是说耶稣是使人类向神圣踏出了最长一步的人。

整个地说，人类只表现出一群卑贱而利己的生物，人类高于兽类之处，只是因为他的更具思考性的利己。但是在这别无两样的庸俗中，一切石柱向天高举着而证明一个更高贵的命运。耶稣是这些石柱中最高者，指示着人类的来由与去处。我们天性里的善良而高贵的成分都凝聚在他身上。他并不是无懈可击的，他曾克制了我们正从事于征服的热情；除了他的良心外，上帝之天使不曾来安慰他；除了每个人心里孕育着的魔鬼外，任何撒旦不曾来诱惑他。犹如他许多伟大之处，因为弟子们的不解而误为我们所知一样，很可能他的许多错误也曾被隐瞒。但是任何人不曾像他一样使人类的利益在自己的生活里高于世俗的虚荣。他整个地献身于他的理想，他把一切隶属于他的理想之下，以致他觉得宇宙是不存在的。他用这种英雄意志征服了天国。也许除了释迦牟尼外，他对家庭的鄙视，对尘世的快乐和世俗顾虑的蔑视是甚于任何人的。他只为着他的天父和他确信着要完成的神圣使命而生活。

我们这些永恒的孩子生来就是软弱无能的，耕耘而不收获的，我们永远不能看到我们播种之物的果实，让我们在这些半神之前低头吧！他们能做我们所不能做的一切——创造、肯定、行动。这种伟大的特殊人格会再诞生吗？或是从此以后世界将以遵循古代勇者开创的道路而自足？我们无法知道。但是无论未来的不可知晓的事变是如何的，耶稣总不会被超越。他的宗教将不断地自新着；他的故事将激发无穷无尽的泪泉；他的痛苦将使最高贵的心感伤；一切时代将宣布：在人类的孩子们中，比耶稣更伟大的还不曾诞生过。

论 自 爱

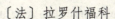

〔法〕拉罗什福科

拉罗什福科(1613—1680),法国思想家,著名的格言体随笔作家,1613 年 9 月 15 日生于巴黎一个家世显赫的大贵族家庭。早年热衷于政治,先是反对红衣主教黎塞留,入狱并流放外省;后又卷入反对首相马扎兰及王权的政治密谋和武装斗争,参加投石党之乱并几次负伤。晚年不问政治而出入于各种文艺沙龙,写有《回忆录》(1662)与《道德箴言录》(1665—1678)两部作品,后来人们还收集到他的一百五十封信和十九段感想。

删去的箴言

自爱即对自己以及适合于自己的所有东西的爱;它使人们成为他们自己的偶像崇拜者,并且,假如命运给予他们手段,自爱会使他们成为其他人的暴君。自爱决不在自身之外安放,而只是像蜜蜂停在鲜花上一样停在外部对象上,以从中吮吸于它有益的东西。没有什么东西像它的欲望那样猛烈;没有什么东西像它的计划那样荫蔽;也没有什么东西像它的举止那样机敏。它的灵活令人无法想象,它的变化胜过那些奇异的变形和化身,它的精致即使化学也难以企及。我们测不出它的深渊的端底,也穿不透其重重的黑暗。在那儿,它对最有洞察力的眼睛也是遮蔽的,它不易觉察地做出无数次旋转和显现；在那儿它常常不为自己所看见，在那儿它孕育、培养、发展了许许多多的柔情和憎恨而自己并不知道；它赋予它们如此的奇形怪状，以致当它把它们放到日光下连自己也不认识，或者不敢果断地承认。从这种遮掩它的黑暗中产生出它对自身拥有的可笑的确信，以及它看待它的实质的各种错误、无知、粗疏和愚蠢；由此它相信它的情感已经死灭而这些情感实际上只是在入睡，它想象自己不再有嫉妒在活动其实这嫉妒只是刚刚休息，它以为失去了所有的胃口实际上只是因为刚刚餍足。但是，这种自己隐藏自己的浓厚的黑暗，并没有阻止它完全地看见在它之外的东西，在这方面它就像我们的眼睛：看见一切却惟独看不见自己。事实上，在它那些较重大的利益和较重要的事务上，它的强烈欲望唤起了它所有的注意，它看见、嗅到、倾听、想象、猜测、洞察、解析一切，以致我们倾向于相信它的每一种激情都有一种自身特有的魔力。没有什么东西比它的束缚更为内在有力了，甚至在威吓它的极端不幸的景象面前，摆脱桎梏的努力也是枉然。然而，有时它在很短的时间里，不费什么力气就做了它一直未能做到的事情，这些事情本来要几年时间才能完成，据此我们可以相当可靠地推断说：点燃它的欲望的与其说是它的对象的美和价值，不如说是它自己；它的趣味是抬高这些对象的标价和美化它们的脂粉；它追逐的是它自己，当它跟随它所意欲的事物时它是在跟随自己的意欲。它整个是矛盾的：它是专横的又是顺从的，是真诚的又是虚伪的，是仁慈的又是残忍的，是胆怯的又是大胆的；根据气质的多样它有着不同的爱好，这些气质旋转着它，一会儿使它致力于光荣，一会儿又使它致力于财富，一会儿使它致力于快乐；这种变化随我们的年龄、运气和经验的变化而变化；但是，有几种爱好还是只有一种爱好于它是不同的，因为当有几种爱好时它就散开了，当只有一种它欠缺并且像是乐意的爱好时它又收拢了。它是变化无常的，并且，除了来自外部原因的那些变化外，还有来自它以及它自身基础的无数变化；它因为它的无常、它的轻浮、它的爱恋、它的好奇、它的疲倦和它的厌恶而变化不定；它是任性的，有时我们看见它以极大的热情和难以置信的辛劳致力于取得某些并不对它有利,甚至于它有害的东西,但它追逐它们,因为它想要它们。它是古怪的,常常把它所有的心劲都用在一些最无聊的工作上;在最淡而无味的事情上找到它所有的乐趣,在最被蔑视的东西中保持它所有的骄傲。它存在于生活的所有状态中和所有条件下,到处活动着,靠一切维持活力又什么都不靠,提供给自己一些东西又把它夺去;它甚至渗透到与它斗争的一派人中间,进入他们的计划,并且,令人吃惊的是:它和他们一起自己恨自己,它恳求去损害它,甚至致力于毁灭它;但它毕竟只是关心它的存在,并且,为了它存在甚至想成为它的敌人。所以,如果它有时和最苛刻的严厉结合在一起,如果它大胆地和这种严厉结盟以摧毁自己也就不应奇怪了,因为,当它在一个地方消灭自己的同时,在另一个地方又自己冒头了;当我们想着它放弃了它的乐趣的时候,它只是暂时搁置或者改变了它的乐趣,并且,甚至当它被克服、我们相信它已被挫败的时候,我们又发现它在自己的失败中凯旋。这就是自爱的一幅图画,它的全部生命只是一种巨大而漫长的骚动:海洋就是它的一幅形象化的图景,自爱在大海波涛的不断起落退进中,为它的意图和它的永恒运动的涡旋式系列找到了一个忠实可靠的描述。

一个孤独的散步者的遐想（节选）

〔法〕卢 梭

让·雅克·卢梭(1712—1778)，18世纪法国伟大的启蒙思想家。生于日内瓦一个钟表匠的家庭，十三岁至十五岁时他在一个暴虐的镂刻师的店铺当学徒，遭受很多磨难。两年后来到法国，开始了长期颠沛流离的生活。1749年，卢梭的应征文章《论科学与艺术》获奖。这虽使他一举成名，却也逐渐显示出他同其他启蒙主义者在思想立场上的分歧和差异。在法国蒙莫朗西森林附近度过的几年是他文艺创作生涯中硕果累累的阶段，他的四大名篇《新爱洛绮丝》、《民约论》、《爱弥儿》、《忏悔录》中的三篇问世于此时。1778年，卢梭死在一个侯爵的庄园里。法国资产阶级革命后，他的遗体于1794年以隆重的仪式移葬于巴黎先贤祠。

漫步之一

我就这样在这世上落得孤单一人，再也没有兄弟、邻人、朋友，没有任何人可以往来。人类最亲善、最深情的一个啊，竟然遭到大家一致的摈弃。人们着实是恨透了我，寻找最残酷的法子来折磨我这颗多愁善感的心，并且粗暴地截断了我同他们之间的一切联系。尽管如此，我原本还是爱着他们的。我以为除非他们已经不是人，不然总不会回避拒绝我的这份爱的。而现在他们终于与我形同陌路,毫不相关,对我而言不再有任何意义,他们要的也就是这个结果。但是我,和他们以及和这周遭脱了一切干系的我,我自己又成了什么呢? 这就是还有待我去探寻的。不幸的是,在探寻这个问题之前,必须先来看我的处境。只有这样,我才能从谈他们转而谈我自己。

十五年多了,我一直陷在这种奇怪的处境里,至今想来仍似一场噩梦。我总在想,也许是受着消化不良症的折磨,或是被梦魇缠住了,而我就会从梦中醒来,不再为这痛苦所纠缠,与朋友们重修旧缘。是的,也许我早在不经意时就从清醒坠入了昏睡,更确切地说是从生踏向死。不知怎么的,我就已被甩出事物的正常轨道,眼睁睁地看着自己被掷入一团难以明了的混乱之中,什么也看不见。而我越是努力想弄清我目前的境况,我就越是不能明白自己身处何处。

唉,我那时又怎可预知等待着我的命运呢? 如今我已身陷其中,更加不能看得透彻了。我一直是这么个人,过去如此,现在亦然,我那时又怎能以我的常理推想到竟会有这么一天,我居然被认定为是一个魔鬼,一个毒夫,一个凶手,会为整个人类所不齿,会成为那些流氓恶棍的玩物呢? 我又怎能料到我将得到路人皆唾的礼遇,怎能料到一代人都会以活埋我为乐呢? 然而这场变故就这么猝不及防地来了,起初我的反应只有是深深的震惊。我烦躁,我愤怒,这使我沉湎于一种谵妄之中达十余年之久,几难平复。而在这十年间,我又一错再错,一误再误,蠢事一桩连着一桩。我的不慎自然为那些操纵着我命运的人提供了太多的可乘之机,他们巧妙利用,终于使我的命运再也无可逆转。

我拼命挣扎了那么久,却无济于事。我是如此没有心机,不懂得斗争的艺术,也不晓得要藏而不露、小心谨慎什么的,我坦白直率,不加设防,性子又急,脾气又躁,我的这番挣扎只能使命运之链越缚越紧,只能给他们不停地提供新的把柄,他们是绝对不会放过的。最后我才明白过来所有的努力都是白费,只是徒然增添自己的痛苦而已。于是我只剩下一件事可做了,我终于决定服从命运的安排,再不与这定数相抗了。却正是这份顺从为我带来了长期以来那艰辛而无用的反抗所无法带来的安宁,使我的一切苦痛得到了补偿。

我能回复安宁还有另外一个原因。这可得归功于迫害我的那些人,他们只知道咬牙切齿地恨我,极度的仇恨却让他们忘记了一点,那就是该不断地给我新的打击,层层加码好让我永远处于这新创旧痕里。如果他们懂得耍点小计,给我留一线隐约的生机,他们至今还能把我钉在这根痛苦之柱上。他们只需布下小小的圈套,我依然还能被他们玩弄于股掌之间。等待,失望,随之而来是更深的伤痛。然而他们事先就使完了所有的招数,不曾留给我一点余地,他们自己亦就一无所有了。他们施加在我身上的所有诽谤、欺侮、嘲弄和羞辱,当然不能指望他们有所缓解,可他们也很难有所加强;我们同样的无能为力,我是躲不过去,而他们恐怕也无法令我的境况更糟一点了。他们如此迫不及待地把我推入痛苦的渊底,即使竭尽人间之力,再加上地狱里种种可怕手段,亦不过如此吧。然而肉体上的伤痛非但不能增添我的苦难,反倒会使我暂且忘记精神上的伤痛。也许它会使我高声尖叫,却免去了我辗转呻吟,身体上的创痕由此便暂时平息了心灵上的创痕。

既然一切已成定局,我还有什么好怕的呢?我的境况再也坏不到哪里去了,我也就不再对他们有所畏惧。他们无法再令我感到焦虑和惶恐,这对我来说倒不啻是个安慰。现世的痛苦对我是无足轻重的,轻易就能熬得过去,而忧惧未来的那种滋味,我却无法耐住。我会运用我那份惊人的想像力把那还不曾来到的苦难串联起来,反复掂量,再加以夸张和扩大。等待痛苦远比经受痛苦要难受百倍,威胁也远比打击本身可怕得多。而一旦苦难来临,事实便排除了一切可供想象的水分,只剩下它们原本的那点内容。我真的觉得它们比我想象中的要轻多了,甚至至今我感觉到的不是一种痛苦而是一种解脱。就这样,我今后不会再害怕了,也不再焦灼地期待些什么了,有的只是久而久之的一种习惯,这足以使我对我那再也坏不到哪里去的境遇愈来愈具承受力,随着感情在这场经历中的日趋麻木,他们没有办法再弄得我有所反应了。那些迫害我的人啊,使出浑身的劲儿来恨我,倒不意给我带来了这样的好处。他们再也左右不了我了,今后我反倒可以嘲笑他们呢。

两个月前我还未曾完全平静下来。是的,很久以来我早已无所畏惧,可我仍然还有所希望,正是这线时隐时现的希望令我依旧思绪万千、激动不已。但是一出突如其来的悲剧彻底地抹去了这线原本就很微弱的希望,使我终于甘心于我这万劫不复的命运。此后我是完全地听天由命了,这才得以重返安宁。

自从我隐约预感到这场阴谋的空前规模后,我就不再指望公众会在我有生之年回到我这一边来;换言之,即便他们回心转意,也无法建立起我们之间的相互信任,而且也没有多大用处。真的,纵使他们回来也是枉然,因为他们再也找不回我了。他们只能令我鄙视,与他们交往只会令我感到索然无味,甚至对我来说是个负担,因而我宁愿在孤寂中讨生活,我觉得这比与他们生活在一起要幸福百倍。他们彻底毁了我心中对社交生活曾持有的一份脉脉柔情,而在我这把年纪恐怕是再也无法培植出来了,实在太迟了。从今往后,不论他们再对我做些什么,好事或坏事,我都无所谓,而不论我的这些同代人做什么,他们对我而言已毫无意义。

但是我还曾经对未来抱有幻想,我曾希望能有较为优秀的一代人,具有较好的鉴别力,能够重新评价我以及这一代人对我的所作所为,能够不为那些颐指气使的人的阴谋诡计所左右,以我原本的面目来看待我。正是出于这种希望,我写下了《谈话录》,并做出千万种疯狂愚蠢的尝试,意欲使《谈话录》留传后世。这份希望,虽则渺茫地存于未来,却如当年在今世寻一颗公正之心那般,令我心潮起伏,而我的希望又一次白白扔给了将来,它一样使我沦为今人的笑料。我曾在《谈话录》中提及我这份期待是建立在什么上的。但我错了。幸而我还算及时地发现了这个错误,从而也就能在最后的日子里得到绝对的安宁和永久的休憩。这些好日子就从我现在所说的这一刻开始,而我有理由相信,它再也不会被打断了。

是在不久以前我才转过弯来,指望公众能回心转意是多么大的一个错误呢,即便是指望下一代也不可能;因为我曾想公众对我的看法,总受了那些憎恨我的团体中的核心人物的引导,而那些人物是要不断更换的。但我不曾想到个人固然会死,团体却不会灭亡。相同的感情会随着团体的不灭而永世相承,他们那仇恨的烈火,会如同中了邪般不息地、热烈地熊熊燃烧。即便我的那些敌人一个个撒手归西了,这世上总还有神甫,总还有奥拉托利天主教会的会员,而哪怕那些迫害我的林林总总中仅剩下了这两个团体,我也该明白他们决不会在我死后让我瞑目安息,正如他们从未在生前给过我安宁一样。也许,随着时间的推移,那些我真正冒犯过的神父倒有可能息事宁人了。但是我曾爱过、尊敬过、信任过、从来未敢冒犯的奥拉托利天主教会的会员们,那些过着半僧侣生活的教徒们却永远不会善罢甘休;是他们自己那种极度不公正定了我的罪,于是他们碍于面子就永远不能原谅我,他们倒是留心到把公众也煽动起来,拢到自己一边,这样公众就会和他们一样对我的仇恨永不停息。

世间的一切对我来说都结束了。再也没有任何事会令我好或令我痛。在这世上我无所希冀,无所畏惧,如此我竟在痛苦的深渊尽头得到了安宁,我这样一个可怜而不幸的凡夫俗子,居然像上帝一般超然于世。

从今往后一切身外之物都与我完完全全脱离了关系。在这世上,我不再有邻人、同类、兄弟。这世界恰似一个完全陌生的星球,我只是不慎从自己的居处跌落至此。我想即便我在这周围认出些什么,也只能是些令我心碎、令我断魂的东西,看看我亲身所在的这周遭吧,除了让我蔑视,让我愤恨的那些东西,除了让我痛不欲生的那些旧恨新仇,还有些什么呢!太沉重了,真该离得远一点。我的心,否则又只是徒增伤痛而已。我的余生,我知道只能在自己身上找到慰藉、希望和安宁,所以我只关注我自己。正是在这种状况下，我重又读起以往我称之为《忏悔录》式的那种严厉而真诚的内省。我将把我最后的这些日子用来研究我自己，预先准备一份日后我总要完成的汇报。我将整个儿地投入与我自己的灵魂的甜蜜温馨的交谈之中，我的灵魂是他们惟一无法从我身上夺走的东西了。如果我能在这番内省中稍稍理清我的思绪，并将残留其中的痛苦抚平，我的沉思就不至于是完全没有一丁点儿用处的，尽管我在世上犹如一个废物，但我也还算是没有虚度最后的光阴。我每日所作的消闲的散步常常就浸淫在这种醉人的沉思里，但可惜的是我已经不大记得起来了。我将记下尚想得起来的那些，我想每次我重读它们的时候会很快乐的。我将忘却我的一切苦难，忘却那些迫害我的人，忘记我的耻辱，而只去享受我的心灵早就应得的一份褒奖。

这些文字实际上只是某种不成形的遐想日记，大多是在谈论有关我自己的问题，一个孤独的沉思者总是考虑自己更多些。另外所有那些在我散步时闪过我脑海的怪念头也将在这本日记里占有一席之地。我想到过什么也就说些什么，都是自然流露，少有那种前因后果的联系。但是在这奇特的处境中，每每我对平素我心赖以为生的感情与思想有多一分的了解，也就会对自己的天性与脾气有多一分的明白。这些文字因此也可以被看做是《忏悔录》的附章，但我不想再给它们这样的名字了，因为我觉得自己无可忏悔。我的心灵正是在历经苦难时得到了净化，我仔细审视过，发现再也找不到什么可供指责的地方了。既然一切人类之爱已被他们摧残得荡然无存，我还有什么好忏悔的呢？我是没什么好炫耀的，可也没什么可被指责的。今后我在这人群里会仿佛根本不存在一样，这就是我所能做的一切，和他们没有任何实际联系，没有真正意义上的社会交往。既然每次我想做点好事，可到头来总会变成坏事，既然做到后来不是害人便是害己，我惟一的责任就是保持缄默，并且我会尽我所能恪守这份职责。但是尽管我的这副躯壳已开始懈怠，我的心灵却依旧充满活力，依旧要产生感情和思想；尽管所有世俗的兴味已不复存在，内心世界的精神生活却更加丰富了。现在,对我而言,这副躯壳只能是一种拖累,一种妨碍,我将尽力摆脱它。

这样一种奇特的境遇当然是值得研究、值得描绘的,于是我把最后的余暇全部注入了这项研究。为了做成它,也许该讲点秩序和方法;但我做不到,这样一来也会违背我的初衷,我原意只是想弄明白我心灵的变动以及这些变动的来龙去脉。我对于自己的这番研究工作在某些方面颇似物理学家每天观察大气状况的过程。我会用一支灵魂测压计,当然只要好好安排,坚持不懈,我一定也会有物理学家们那样精确的收获。不过,我还没把事情做到那份上。我只是满足于把这些过程记下来,丝毫无意要从中阐明某种理论。我所做的与蒙田做的是一样的事,只是目的完全相反:他的《随想集》完全是写给别人看的,而我的遐想录则完全是写给我自己的。有一天我老得不能再老了,真的是垂死之时,如果我能如同自己所希望的那样仍然身处孤寂之中,再回过头去读它们,我会想起我在撰写它们的时候所得到的那份温馨的感觉,旧梦重温,时光重现,由此我等于将我的生命延长了一倍。尽管别人对我心存恶意,我依然能品味到交往的乐趣,因为这样一来我便能在耄耋之年与旧我相守一处,这不正如同和一个稍微年轻些的朋友在一道吗。

我在写《忏悔录》和《谈话录》时,总是忧虑如何使它们逃脱那些迫害我的人的毒手,如果可能,使之留传后世。然而在写这篇"遐想录"时,我不再担这样折磨人的心思了,这种担心,我知道不过是杞人忧天而已,而且我心中想要被别人理解的愿望早就熄灭了,只留下了对命运,对我那些真正的作品以及我那些可以还我清白的证据的深深冷漠,更何况也许证据早就被他们毁了的。随他们去窥视好了,随他们怎么对待我的这部分文字:不安,抢夺,查封,删除,对我来说以后都是一码事。反正我既不把它们藏着掖着,也不打算拿出来发表。就算他们在我活着的时候把它们抢走了,他们也无法抢走我在撰写它们时的那份快乐,无法抹去我对这些内容的回忆,更无法夺去生就这些遐想的孤独中的沉思,它们的源泉也只能随着我心一道枯竭。如果早在劫难之初我就懂得不要去与命运对抗的道理，就作出了今天这番决定，那么那些人煞费苦心所经营的阴谋诡计就会毫无效用，他们就无法用那些个陷阱来扰乱我的安宁，正如同日后他们即便阴谋得逞、得意扬扬也不会对我有一丝触动；就让他们为我所蒙受的羞辱去肆意快乐吧，反正他们无法阻止我为自己的清白，为自己能无视他们、在平和中度过余生而欢乐。

漫步之九

幸福是一种这尘世里人似乎无法享有的永久的状态。在这个世界上，一切都不过是潮涨潮落，又何曾有过一样东西能以固定不变的方式存在呢。我们周围所有的事物都在变化之中。就连我们自己也是在不断地变化，没有人能担保自己明天还依然爱着今天之所爱。因此我们所有的幸福生活之计都是自欺欺人。我们还是该在快乐来临之际就尽情享用它，只要小心不要因为自己的错误而远离这份快乐就足够了，千万不要做什么计划处心积虑地将之维系下去，因为这些计划说到底只是纯粹的妄想而已。我很少看见别人的幸福之情，也许是从来没有看见过；但我经常看见别人心满意足。在所有给我留下了强烈印象的事情里，这也是最使我自己满意的一件。我想这是我的感觉作用于我内心情感的必然结果。幸福并没有挂上明显的标志，要想认出它则非得读明白幸福之人的心不可；但快乐之情却能从一个人的眼睛、举动、语调和步态里读出来，你会觉得无处不在向你传递这份快乐呢。难道还有比透过生活的重重乌云，看见整个民族都沐浴在虽短暂却强烈的快乐之光里，心花怒放地庆贺一个节日更加欢畅的事吗？

三天前，P 先生①几乎迫不及待地跑来给我看达朗拜尔先生写给约弗兰夫人的那篇颂词。他说颂词里充斥着滑稽可笑的新词怪字和文字游戏，因此在没读之前就哈哈大笑了一阵。然后他就边笑边读，我一本正经地听着，根本不像他这样，他见状才安静下来，不再笑了。这篇洋洋洒洒、措词讲究的文章描写的是约弗兰夫人如何乐于看见孩子，如何乐于逗他们说话。作者由夫人的这种态度引发出人性善的一面的论证。但他不是仅仅停留在这个角度上，他最终的意图在于控诉不以此为乐的人具有那么邪恶的本性，根本就是恶念重重，甚至他还说如果就这点审问一下被判绞刑或车轮刑的人，一定毫无例外地都有不爱孩子这一条。这些论断放在这篇赞词里可真的产生了一种奇特的效果。就假定这些论断是正确的，难道应该在这种场合下提出来吗？难道应该用罪人的形象或酷刑的场面去玷污对一位可敬的夫人的赞美吗？我很快就明白过来这种卑劣的热爱所蕴含的动机，P 先生念完颂词后，我告诉他我认为哪些地方写得还不错，同时我也补充道，能写出这篇颂词的作者，在他心中一定是仇恨多于友情。

48

青少年文学读本

第二天虽然寒冷，可天气晴朗，我一直散步到军事学校附近，想看看那里长得正茂盛的苔藓。我一路上都在想昨天 P 先生的来访和达朗拜尔先生的那篇文章，我很明白这文章决非毫无心机的七拼八凑，他们平常什么东西都瞒得我很紧，那天却如此殷勤地要把那本小册子拿给我看，他们目的何在，我也就一目了然了。我把我的孩子都送进了育婴堂，仅凭这点他们就足以把我歪曲成一个丧失天良的父亲，他们怀着这样的想法，再将之延伸一下，便渐渐推断出一个显而易见的结论，那就是我仇恨孩子；通过这样的逐层推理，我着实为人类颠倒黑白的本领赞叹不已，因为我根本不相信还有人比我更加喜欢看孩子们在一起嬉戏玩耍的了。经常，走在大马路上，或在我散步途中，我都会停下脚步，怀着任

---

① 指的皮埃尔·普雷沃，在卢梭最后的日子里，他经常去探访他，那时普雷沃大约二十六岁。

何人都不会有的莫大的兴味看着小家伙们打闹游乐。就在那一天，P 先生来访前一小时，我房东杜苏索瓦家最小的两个孩子才来过，他们当中大一点的大概也只有七岁。他们如此情真意切地拥抱我，而我也以柔情相报，虽然年龄悬殊极大，他们看来的确是发自内心地乐意跟我呆在一块儿，我看到自己这张老脸竟然没有使他们厌烦，也真是由衷地觉得欣慰。尤其是那个小的，似乎非常愿意呆在我身边，于是比他们还要孩子气的我打心底里对他有份偏爱，看到他转回家去，我更是那么恋恋不舍，就好像这孩子是我亲生的一样。

　　我知道，在我将孩子送进育婴堂的事情上，只要稍微添油加醋一番，就很容易把我歪曲成一个丧失天良的父亲，指责我仇恨孩子。但是我之所以迈出这一步，根本就是在于倘不如此，他们的命运更是要不可避免地坏上千倍。如果我对孩子们的未来果真是漠不关心，在不能亲自抚养他们的情况下，我蛮可以把孩子交给他们的母亲，任由她把孩子们宠坏，要么交给孩子外祖父母家，那人们一定会把我的孩子塑造成魔鬼的。一想到这我就不寒而栗。在我看来，穆罕默德对赛伊德①做下的事，与日后别人有可能对我孩子做下的事相比，大概根本算不上什么，他们后来为我设下的一个又一个的陷阱足以证明在这件事上他们的确早已谋划好了。实际上当时我远未料到他们那些恶毒的阴谋诡计。我只是暗暗觉得育婴堂的教育对他们而言也许是最为妥善的，所以就把他们给送进去了。如果换到今天，此事依然有待我来决定，我仍然会毫不犹豫地这样处理的，我很清楚，只要世俗对我的天性不是那么苛刻地压制，对我孩子来说，我一定是天下最为仁爱的父亲。

　　假如说今天我对人心已经有了更好的了解，这完全得益于我看到孩子、观察孩子时的那份乐趣。可也就是这份乐趣，在我年

---

　　① 出自伏尔泰悲剧《穆罕默德》，赛伊德是穆罕默德的养子，穆罕默德爱上了赛伊德的妻子，强迫他离婚。

轻时代却阻碍了我对人心的了解，因为那时只要一和孩子们在一起，我就一心只想着和他们怎么开心怎么玩儿，全然忘了要对他们稍事研究。可现在我老了，我那张沧桑日甚的脸会吓着他们的，于是我尽量不惹他们心烦，我宁愿节制一下自己的兴味，也不愿去惊扰他们的快乐；我满足于躲在一旁悄悄地看他们做游戏，有时还会有小小的恶作剧，我觉得这些观察使我获得了关于天性的冲动最初步、最真实的了解，而这一切恰恰是我们的学者一无所知的，由此我的牺牲便得到了补偿。我在我的作品中所记录下来的一切足以证明我从事这项研究时是多么专注，是多么兴致勃勃，要说一个不爱孩子的人能写出《爱洛伊丝》或《爱弥尔》①这样的作品来，那不免是天下最令人难以置信的事情。

我从来不曾是个才思敏捷、能言善辩的人；而自从不幸降临之后，我的语言和思想更是越来越迟钝了。我转不动一个念头，也说不出一个词，但是与孩子们交谈，这着实要求有一种超常的辨别和选择表达方式的能力。再说听众又是那么专注，我既然是特意为孩子们写了几本书，他们自然要将我的话奉为神谕，他们给我作品所作的这种注释，这种分量，使我更加为难。就是这种极度的困窘，加之我自我感觉到的无能，使得我茫然无措，不知所以；我真觉得就算在随便哪个亚洲君王面前，我也会比在一个需要絮絮叨叨与之说个不停的小家伙面前更为自在的。

还有另外一个不便之处使得我同孩子们更加疏远了，自从灾难降临之后，我仍然是很乐于见到他们的，但已无法与他们十分亲近了。孩子们不喜欢衰老，那种老态龙钟的样子在他们眼里是如此丑陋，而若看到他们对我流露出厌恶的表情，我会伤心的；如果要给他们带来困窘和厌恶，我宁愿克制自己爱抚他们的欲望。这种只有真正具有爱心的人才会产生的动机，对于那些男男女女的博学之士来说，当然不值一提。约弗兰夫人就很少在意孩子们是否乐意和她在一起，反正只要她和孩子们在一道感觉开心就够

---

① 两部均为卢梭著作，前者发表于 1761 年，后者发表于 1762 年。

了。但是对我而言,这样的乐趣不仅毫无意义,简直可以说糟透了,因为倘若孩子们没有感到同等的乐趣,这种乐趣就是相反的,在我这样的年纪,在我今天的这种境况下,孩子们和我在一起时已不再会心花怒放了。也许极其偶然还能有这种可能,也惟其罕见,我才更觉其甜美,就像那天早上我与杜苏索瓦家的孩子亲热时那样,这不仅因为领他们来的保姆没有强迫我——我自己当然也觉得无甚必要——非得在她面前说些什么,而且因为我发现孩子们跟我在一起时一直都很开心,我没让他们感到有丝毫的不快和厌烦。

　　噢!如果还有这样的短暂时刻,让我得以享受到发自内心的亲热,哪怕是个尚在襁褓之中的婴儿给我的爱抚,如果我还能在别人眼中看到因为和我相处而产生的一份愉悦和快乐,我的心灵得到的这虽然短暂却很温暖的宣泄将平息我多少痛苦和悲哀啊!啊!这样我就再也无需到动物中去找寻人类拒绝向我投来的善意的目光了。我很少有机会在人群中辨出还有这样的目光,可哪怕就偶尔的几回,在我记忆中始终也占有珍贵的一席。下面我要说的一件事,如果我处在别的任何一种境况下,怕是早忘了,但这事给我留下了非常强烈的印象,因为它足以说明我已落到何等悲惨的处境。那是两年前,我在新法兰西咖啡馆附近散了一会儿步,继续向前走去,然后我往左拐,为了打蒙马特高地那儿绕一圈,我就从克利尼昂古村穿过去。我漫不经心地走着,兀自沉醉在遐想之中,也没留意身边的事物,可突然之间我觉得自己的膝盖给抱住了。我一看,原来是个五六岁的小男孩,他拼命抱住我膝盖,用那样一种亲热温存的目光看着我,我真觉得五脏六腑都被他震动了;我自忖道:如果是我自己的孩子,他们也会这样待我呢。我把孩子抱在手中,忘情地吻了吻他,然后继续走我的路。我一边走着,一边总感到自己缺了什么似的,越来越觉得有一种需要,使我不禁要折回头去。我谴责自己怎么能一下子撒开孩子就走,虽然他这番举动并没有什么明显的原因,不过这里面倒好像含着某种不可小看的灵感呢。最后我终于拗不过自己的欲望,掉回头向那孩子跑去,重新抱起他,还给了他一点钱,向凑巧从身边走过的小贩买了几块糕点,然后我就开始逗他说话。我问孩子他爸爸在哪里,他指了指正在箍桶的那个人。我正准备离开孩子跟那箍桶匠谈几句,这时我看到一个脸色灰暗的男人抢在了我前面,我怀疑他就是被不断派来盯我梢的密探之一,那个男人凑在箍桶匠耳边嘀嘀咕咕的时候,我发现那箍桶匠定定地看着我,目光里可没什么友善的意味。我的心一下子就抽紧了,赶紧匆匆离开这父子俩,走得迫不及待,简直比刚刚折回头时还要快,刚刚那份美好的心绪被搅得一塌糊涂。

但是打那以后我老是念念不忘当时的那种感觉;我数次从克利尼昂古村走过,总想再见到那孩子,但他和他的父亲,我都始终再未见到过。这次相逢留给我的就只有这份亦喜亦悲的回忆,宛如别的一切能深入我心的情感,势必以苦涩而告终结。

但一切都有所补偿。如果说我的快乐是如此稀少、如此短暂,我却能够在它们来临之际尽情享用,较之能经常享受它们时还要畅快;我反复咀嚼回味,时不时地就要回忆起当时的种种情景,因而无论它们是多么罕见,但仅凭着一份纯净,我就远比在我的辉煌时刻里幸福得多。在极度潦倒时,往往只需一点点东西就足以使我们感觉到富有了。一个乞丐,他只要得到一个埃居就会感动得无以复加;换成一个富人,就算得到一袋金子也断不至如此。如果人们看到,我趁迫害我的人麻痹大意时得以偷尝到的这类稀有乐趣竟给了我怎样一份感动,一定会笑话我的。其中最最甜美的,是四五年前的一件事,每每我回想起来,都为当时能品尝到这份乐趣而欣喜不已。

有个星期天,我和我太太到马约门去吃饭。饭后我们穿过布洛涅森林一直走到拉米埃特花园,在那儿的草坪荫处坐了下来,等太阳落山再从帕西不紧不慢地走回家去。这时,有个修女模样的人领了二十来个小姑娘来,一些姑娘坐下了,另一些姑娘则在我们身旁嬉戏玩耍。就在她们做着游戏的时候,有个卖蛋卷的小贩走过,手里拿着鼓和转盘招揽顾客。我看见那些小姑娘都挺眼馋那蛋卷的,而且其中有两三个看上去大概身上有几文钱,正在请求修女让她们去碰碰运气。修女犹豫着还没让步,我就叫过小贩,对他说让那些女孩每人玩一次,钱由我来付。听到这话,那群孩子高兴极了,仅仅这份喜悦,就足以让我为此囊倾一空,并且让我觉得是价有所值。

由于我看见她们一拥而上显得有些混乱,便征得修女的同意,帮小姑娘们在一边排好队,等她们转完了再一个接一个地从另一边离开。虽然轮盘没有空门,即便没有中彩她们至少每人也能得到一根蛋卷,因而她们当中任何一个多少都会有些高兴的,但为了使这件盛事的气氛更加热闹一些,我悄悄跟小贩说,让他把平素那些巧妙的手段反过来用,尽量让小姑娘们多中些彩,账自有我最后跟他算。因为事先有所准备,所以最后总共中了一百多根蛋卷,小姑娘每人倒是只转了一次,我一向不赞成会产生不快的偏心以及过分的纵容,并且在这一点上从不让步。我妻子也暗示赢得多的分一些给同伴,这样大家差不多可以平等地分享,也就差不多一样开心了。

我请修女也玩一次,当时还很怕她会不屑地加以拒绝;但是她好心地接受了,也和她带来的那些寄宿生一样转了一下,没有一丝作态地取了她应得的一份蛋卷。我真是对她怀有无尽的谢意,因为我觉得这是一种深合我心的礼貌,远比那套矫揉造作要好得多。在这个过程中,小姑娘们也发生了争吵,一一告到我面前来为自己辩护,我乘机好好地打量了她们一番,我发现她们当中虽然没有一个算得上是漂亮,倒是有几个还挺可爱的,足以弥补她们不太好看的地方。

最后我们高高兴兴地分了手,这个下午是我一生中回想起来感到最为满意的一个下午。再说这场盛事花费也不算很大,我最多出了三十个苏,可是我得到了一百个埃居也买不来的快乐。真的,真正的快乐哪里可以用金钱来计算呢,快乐也许更愿意与铜板做朋友,而不是和金路易结交。后来又有好几次,我仍在同一个时间到同一个地方去,就是想再看看这群小姑娘,但始终未能如愿。

　　这又让我想起另外一件差不多也是一个类型的乐事,在记忆中,它已经很遥远了。那是在颇为不幸的年代,我混迹于富豪文人的圈子里,有时不得不与他们分享某种可悲的乐趣。有一次我在舍佛莱特,正赶上别墅主人①的生日。她全家都欢聚一堂为她庆贺生日,为此用上了所有取乐的方法,沸沸扬扬的,表演、筵席、焰火,应有尽有。大家给折腾得头昏眼花,连喘气的功夫都没有了,哪里还有气力玩乐。饭后我们跑到大马路上去呼吸呼吸新鲜空气,那儿正在举行一种类似集市的聚会。我们也混进去跳舞,先生们放下架子找农妇共舞,不过夫人太太们仍然很矜持。集市上在卖一种香料蜜糖面包,有一个同去的小伙子竟然买了一些然后一个个地掷向人群,看到那些可怜的农民一哄而上互相争夺吵闹的样子,大家好不开心,纷纷竞相效仿。面包从左抢到右,姑娘小伙们跑着、闹着,踩过来踩过去的,大家似乎都以此为乐。虽然在我的内心没有觉出一点点他们所感受到的那种快乐,但我也不好意思不像他们一样。只是没一会儿,我就厌烦了这种掏空口袋买人群相互倾轧的乐子,便丢下他们,独自一人去逛集市了。市场上林林总总的东西着实让我迷了一阵子。我看见有五六个萨瓦人围着一个小姑娘,小姑娘挂在胸前的售货筐里还有十二个左右干瘪的苹果,看样子很想脱手。她身边的萨瓦小伙子看上去倒挺想成全她的,不过他们只有两三文钱,根本抵不了这些苹果的价。这个货筐对他们而言就好像是欧斯珀理德②的果园,而小姑娘呢,就是看着这园子的龙。这出喜剧,我立在一旁欣赏了很久,最后我上前解决了这事:我向小姑娘买下了苹果,然后分给周围的小伙子。就这样我眼看着一种年轻纯真的快乐在我身边弥漫开来,这真的足以使任何一个人为之感怀;因为每一个看到这个

青少年文学读本

---

　　① 舍佛莱特是皮埃奈家的产业,距离卢梭的隐庐不远,因而卢梭在蒙莫朗西村居留时,常被邀请去舍佛莱特,卢梭与皮埃奈夫人交往很深。

　　② 希腊神话中守护大地女神该亚送给天后赫拉的金苹果树的女神。

场景的人都在同样地分享着这一快乐,而我,用这么点钱就换来了它,我更为自己成就这一杰作而深感欣悦。

将此番乐趣与我才将逃离的那番乐趣作个比较,我很满意地感觉到,一种是极为纯洁的,另一种则是因摆阔心理而自然产生的。这两者之间有着多大的区别呢,后者只能是出于讥讽调笑或自视甚高的轻蔑之情。你倒是想想,看到一大群贫贱的人为了渴望抢到一点点被踩得粉碎、沾满了泥巴的糖面包而相互推搡、拥挤、践踏,从中究竟得到的是什么样的快乐呢?

在我这方面,我仔细考虑了一下我在某些时刻所急于品尝到的这类快乐,我发现自己并非因为发了善心才体会到这份乐趣的,也许更重要的在于我能看到一张张快乐的面庞。对于我来说,这似乎只是一种感觉,感觉到有一种深合我意的甜蜜。如果我自己看不到由我引起的这份满意之情,我敢肯定这份快乐至少会少掉一半。这甚至可以说是一种与我本身不太相关的乐趣,它并不取决于我在其中起了什么作用,因为在万众欢庆的节日里,能看到一张张快乐的面庞,始终对我有莫大的吸引力。然而这种渴望在法国却时常要落空。因为自称快乐无比的法兰西民族实际上很少在他们的嬉戏中表现出什么快乐来。以前我经常到农舍去看小老百姓们跳舞,但这些舞蹈可真是够乏味的,那种舞姿里简直充满了悲意,笨拙极了,我不仅没有从中得到什么快乐,看完了反而会伤心起来。可在瑞士的日内瓦,笑声朗朗,从不会不停地转化为轻浮邪恶的捉弄,一切都沐浴在节日的一份满足与喜庆里,在这节日的快乐中,悲凄从不曾展示过它那可厌的面孔,亦少有那种奢华的傲慢;安逸、友爱、和谐使得所有的心灵都快乐无比,就在这样一种纯真的快乐里,素昧平生的人得以相互攀谈、相互拥抱、相互分享节日的欢畅。我若是想享受这可爱的节日,都无需加入到人群中去,只要立在一旁观看就足够了,看看他们我便能分享到他们的快乐,在这么多被欢乐浸透了的面庞里,我敢肯定再没有哪个人的心比我的还要快乐了。

虽然这只是一种使感官得到满足的快乐,其中当然也包含有

55

一定的道德因素,因为即便看到的是同样的面孔,而我得知这些面孔上的快乐愉悦之情不过是他们恶意满足后的流露,我不仅不会欢畅欣悦,相反会痛苦不堪甚而愤怒之至的。纯洁无瑕的快乐是惟一能令我心得到快乐的。那种出于讥讽的残酷的快乐,却只能使我深深为之悲哀、心碎,哪怕它和我一点关系也没有。当然,由于产生的机缘不同,这两类表情肯定也不尽然相同;但是它们毕竟同为快乐的表情,这其中微妙的差异绝不会像它们所引起的我的心绪的起伏那么大。

我对痛苦和悲伤的表情则更为敏感,看到这一类的神态,我更加心情激动,也许往往比这类表情本身所体现的情感要更为激烈。感觉,加之想象,使我与那不幸的人一道承受着程度相同的痛苦,我心中的忧愁比那个痛苦的人所感到的忧愁更甚。我实在无法忍受着一张不快乐的脸庞,尤其是假如我找出理由感到这份不快乐正冲我来的时候。以前我会傻乎乎地被别人拉到他家里去住,而那里的仆人总是会让我为他们主人的殷勤好客付出昂贵的代价,他们极不情愿地侍候我,给我埋怨的脸色看,我真不知为此付出过多少埃居呢。我总是不可能不被这些触动人感官的事情影响,尤其是这类快乐或者悲伤的表情,我只能听凭这些外界的东西给我心留下一个又一个的深刻印记,惟一逃避的办法大概就只能是一走了之、不见为净了。哪怕是一个陌生人的一种表情、一个手势、一个眼神,也足以搅乱我的快乐或平息我的痛苦;我只有在孤身一人时才属于我自己,出了这个范围,我便总是要沦为周围所有人的玩偶。

以前,我也曾快乐地周旋于人世,可那时我看到的都是善意的眼睛,最多不过是由于不相识而表现出来的一种冷漠。然而今天,有人费尽心机地策划着让天底下的人都来认识我这张脸,至于我的本性,他们则故意不予标识了。走到街上,围着我满满的都是令我心碎的东西;我只有赶紧迈开大步向田野奔去。只要看到一片葱茏的景象,我便又恢复了呼吸。在这样的情况下,我对孤寂情有独钟又何足为奇呢? 在人们脸上,我读到的只是仇恨,而大自然却始终如一地冲着我微笑。

　　不过我还得承认，如果别人认不出我这张脸，生活在人群之中依然是有快乐之处的。只是如今，这样的快乐一般来说我已无福消受了。就在几年前，我还很喜欢步行穿过农庄，看农夫修理连枷，看农妇带着孩子站在门前。我也不知道是为什么，这幅场景总让我的心充满了一种莫名的感动。有时我会不知不觉地停下脚步，看着这些善良的人们嬉戏玩耍，有一种无从解释的艳羡。我不知道那些人是不是又注意到我对这份小小的乐趣竟如此感怀，也不知道他们是不是将剥夺我享受它的权利；然而反过来当我发现自己途经之处，人们都拿那样的一种神情看着我时，我就不得不明白这些人是决不会再让我这样隐姓埋名下去的。在荣军院也有类似的事情发生，不过那事更为明显罢了。我一直对荣军院抱有好感，觉得设立这种机构真是件美好的事情。我总是满心感动，满心敬慕地注视着荣军院里的善良的老人，他们也有资格像斯巴达的老人那样说：

　　　　我们也曾经
　　　　年轻、健壮和骁勇①

　　我最乐意去的散步处所之一便是在军事学校附近，在那里时不时就会撞见几个残废军人，他们身上还保留着旧时军人的一种善良，看到我经过，他们总会向我致以问候。这种问候使得我更加乐于见到他们，并且我的心一直报之以百倍的热忱。由于我从来不晓得掩饰自己的感动之情，我就老是要和别人谈到这些残废军人，谈到他们如何使我深深为之感动。这实在已错得够多了。过了一段时间，我发现他们好像都已经认识我了，或者更确切地说是更加不认识我了，因为他们也拿公众的那种眼光来看待我。眼里没了善意，也不再会向我打招呼了。取代他们初始那种温文

_____

　　① 这是斯巴达人用来伴舞的民歌。

尔雅的态度的，是一种令人厌恶的表情和一种凶残的眼神。也许是因为他们过去所从事的职业吧，他们不懂得像别人那般用冷笑和虚伪去掩饰他们的厌恶，他们对我的强烈仇恨是那么明明白白、一览无遗，凭我的判断，我觉出他们当中有些人已对我燃起了熊熊的仇恨之火，这真是惨到极点的事情啊。

自此以后再到荣军院附近去散步，我就不再那么快乐了；但是，由于我对他们的感情并不取决于他们对我的态度，看到这些曾经保卫过我们祖国的老人，我依然对他们怀有一如既往的尊敬和善意。然而看到我对他们的公正之心竟得到了这样的回报，我又怎能不为之受到煎熬呢？幸而我还能碰到一个未曾接受过公众教诲的人，或者偶尔没被认出来，因而没有看到什么厌恶之意的流露，甚至能得到善意的问候，这也就足以补偿其他人对我的那种可厌的态度了。我会忘却其他所有人的存在而独独将他记在心里的，我会想起在这世上还有一颗与我一般的、仇恨无法渗进的灵魂呢。就在去年，当我渡河去天鹅岛①时我还品尝到过这类的快乐。那天有个可怜的老残废军人坐在船上，正等人上船一同过河，我上了船让船夫马上开船。恰巧那会儿水挺急的，因而渡河的时间比平时要长些。刚开始，由于我平素遭惯了冷淡的白眼，我几乎不敢和这个残废军人搭讪。但他那善良的神情使我放下心来。我们就聊上了。我觉得他是个通情达理，同时也很具道德感的人。起初我惊诧于他竟会用如此不加设防、如此和蔼可亲的语调跟我说话，不过我真是高兴极了，我还不曾习惯别人对我这么友善呢；到后来我才听说他刚从外省来不久，这样我也就不以为怪了。我明白过来别人还没来得及教他辨认我的相貌，还没来得及给他什么指示呢。我就利用这不为人知的一瞬同一个人交谈了片刻，从中我发现，即便是最最普通的乐趣，如果不常得到，也足以使之具有无上的价值，变得甜美无比。从船里出来，他摸出他那可怜的两文钱来付船资。后来我抢先付了，还暗暗害怕

①　天鹅岛是塞纳河中的一座小岛。

他会感到恼火,颤声请他把钱收起来。但他一点儿也没生气;恰恰相反,他似乎很懂得我的确出于好意,尤其是当我得知他年纪比我还要大我就伸手扶他下船时,他更感动了。谁能相信我为此竟十分孩子气地放声大哭起来了呢? 我非常想在他的手心里放一枚二十四个苏的银币,好让他去买点烟抽,但我始终没敢。同样的一份羞怯之情常常会阻碍我做类似的原本会令我十分欢喜的好事,到了最后我往往只能为自己的软弱和无能而扼腕叹惜。不过这一次离开这位老残废军人之后,我在想,如果这样的热心肠里掺进了金钱的意味,玷污了它原本的那份圣洁,降低了它原本的那份公道,可不是违反了我自己的原则吗? 当别人有所需要时,我们确实应当尽快伸出援手,但在日常生活中,我们则应听凭我们天性中原有的善良和高尚去自行其事,决不能让这圣洁的心源沾染上一点点惟利是图、贪婪重财的东西,那会使它腐败变质的。相信在荷兰,连问个时间、问个路都要收钱。如此说来,这真是个可鄙的民族,因为他们连人类最为纯朴的道义也要标价出卖。

　　我发现,只有在欧洲,接待客人也是明码标价的,在整个亚洲,人们都是免费让客人留宿的;我知道也许在那里的确没那么多奢华的享受条件。但是当我们能对自己说:我是人,受到了人的款待,这一切又还算得了什么呢。纯洁的人性为我们提供了安身之所。如果心灵能受到很好的对待,肉体上小小快感的损失根本没有痛苦可言。

品质书（节选）

〔法〕塞缪尔·斯迈尔斯

塞缪尔·斯迈尔斯(1812—1904)，出生于英国的一个牧师家庭。他是现代英国最伟大的人生导师，曾发表过《自助》、《品质书》、《人生的职责》、《信仰的力量》等，他的著作在西方广受欢迎，发行了数千万册，历经百年而不衰，影响了千千万万人的生活。

第一章　伟大的支撑

高贵的品质是人类强劲的柱石，是人性伟大的支撑。

勤劳、正直、克己、坦诚，其中的任何一种品质都会赢得人类的敬意。具备这些品质的人很容易被信任，因为他使世界变得美好如初。

我们知道，才华受人景仰，但品质更能赢得尊崇。前者是超群的智慧，而后者是高贵的心灵。说到底，是心灵统治着人的生活。

伟大的人物无疑特殊，但伟大本身却并不是一件绝对的事情，生活中过多的人因生活范围狭窄，而很少有成为伟人的机会。但我们都可以坦诚、光明地生活，可以在上帝给我们安排的职位上尽心竭力地度完一生。

平凡的职位上，或许并没有什么崇高可言，但恰恰是在这样的生活中，品质具有久远的魅力。

坎特博雷大主教阿博特博士，在总结他死去的朋友托马斯·萨克文的品质时，没有鼓吹他作为一个政治家的历史和作为一位诗人的才情，而是强调了他在日常生活中的尽心竭力。他说："有谁像他那样深爱妻子儿女？有谁像他那样对朋友竭尽忠诚？有谁像他那样对仇敌礼貌温和？有谁像他那样对个人的承诺守信？一句话，有谁的身上有着他如此多的美好品质？"事实上，人们可以从一个人对他最亲近的人的交往里，从他在生活中最不易察觉的责任心来见识他的真正的品质。这比起从一位作家、一位演说家或一位政界人物向公众所展现出来的要真实得多。

在这个世界上，多数人的高贵品质体现在他们自己庸常的生活之中。他们或许没有金钱、财产、学问和权力，但他们却拥有高贵的心灵，他们品质的荣耀完全可以同加冕的帝王相提并论。

高贵的品质与文化知识没有逻辑关联。在《圣经》中，作者总是提醒我们的灵魂，但却极少提到知识。所以，乔治·赫布特说："少量的好品行抵得上一大堆学问。"这并非在轻视知识，而是说知识应该和善行结合起来。时常，我们会发现许多拥有知识的人，对位高权重者卑躬屈膝，对地位卑微者倨傲无礼，这样的人或许在文学、艺术和科学领域中成就显赫，但他们却比不上许多穷困无知者的品质。

伯塞在给一位朋友的信中写道："当然要尊重有学问的人，但更需要有宽阔的心胸、深刻的思想、高尚的趣味、丰富的阅历、优雅的举止、行动的智慧、充沛的激情、对真理的渴求、坦诚与亲切的态度，而在一个博学者那里也许这都是他们并不具备的。"

瓦特·斯考特爵士听到有些人把文学才能视为最值得尊敬的东西时，他说："上帝啊！假如这种说法是正确的，这个世界就是可悲的！我曾经在书本中、在现实中结识过许多才情汹涌而又素质很高的人，但我可以向你负责任地说，那些贫穷而且未曾受过教育的人，在他们面对困难和不幸时，所表现出来的坚忍不拔的精神和气魄,比我从《圣经》中所读到的还要感人。"

至于财富与高贵的品质之间,就更少有必然的联系了。甚至恰好相反,财富往往是品质败坏的渊源。它与堕落、奢侈与邪恶的关系似乎更加亲密。如果财富掌握在缺乏理性的人手里,就只会成为一个陷阱,并极有可能变成他人的灾难的源头。

贫穷与最高贵的品质并不抵牾,一个人可以一无所有,他只需拥有勤劳、节俭和正直的品质,但这不妨碍他成为一个伟岸的人。伯塞的父亲曾给他提出过这样的忠告:"你要有男子汉的气概,即使身无分文;因为一个缺乏诚实正直品质的人,不会赢得人们的尊敬。"

我认识一个住在北方某郡的工人,他靠每周不到十先令的薪水养家谋生。他只在一个普通的教区学校接受过初等教育,但他思想深刻,完全是一个智者。他的藏书中有《圣经》、《弗拉维尔》和《波士顿》,这些书除了第一本外,可能极少有读者听说过。在我看来,他就是华兹华斯的名著《漫步者》中的主人公。他在虔诚地完成了自己的工作之后,离开了人世。但他却因生活中的智慧和他的美好品质而为人们所传颂。

马丁·路德死时,人们发现正像在他的遗嘱中所写下的那样,"一文不名也无任何财产"。他的生活是如此的清贫,以至于他不得不通过制作工艺品、种菜和修理钟表来维持生活。然而,正是在这样的具体生活中,他被塑造成他那个民族的英雄。在这方面,他比所有的德国王公们要高尚、荣耀。

品质是最宝贵的财富。它是人的良好理想和尊严的储蓄。拥有它的人虽然不能在物质方面变得富有,但他们可以在生活中赢得尊荣。毫无疑问,只要拥有这样高贵品质的人都应当是一流人物。

诚实是一个人的财产,仅仅是诚实就足以让一个人在生活中不同凡俗。它是使一个人保持正直持久的力量,它还是一个人精神充沛的源泉。本杰明·奴亚德曾说过:"没有谁必须富贵尊荣,也没有谁必须聪明绝顶,但每个人都必须做到诚实。"

除了诚恳之外,生活的意义,还必须不偏离正道地、坚持不懈地追求真理。一个人没有原则,就会像一艘在大海中失去航向的航船。休谟说:"道德是全社会的。在一定程度上,它是人类反对邪恶、混乱以及反对自己的敌人的准绳。"

斯多噶派的哲学家埃比克勒有一次接待了一位为了一起诉讼案件准备去罗马的演说家,这位演说家想向他请教。由于反感这位演说家的品质,埃比克勒非常冷淡地接待了这位来访者。

"你只是想批判我的态度,而并非问道于我。"

"是啊,"这位演说家回答说,"如果我也醉心于你的哲学,我也会和你一样,成为一个穷困潦倒的人;就不会有金银餐具,不会有仆人,也不会有广袤的田土。"

"我不需要这样的东西,"埃比克勒说,"我不在乎凯撒的态度,我从不对任何人曲意逢迎。而你的金银器皿,只不过是用贪欲制成的陶器。我的心灵广阔无垠,充满了欢乐和幸福。而你的贪欲却永无尽头。你的所有财富对你来说,实在太少。而我的一切对我来说,弥足珍贵。"

生活中有才华的人很多,但这并不能够成为人信赖的理由,只有诚实这种品质更能赢得信任和尊重。诚实是一切人性的基础,它的可信之处要以行动来完成。当人们认为一个人是可信的时候,是因为他向人们展示了自己的忠诚,而这种忠诚是赢得人类普遍尊重和信任的凭据。

通常,我们评判一个人,更多的是依据他的品质、心地、克己能力,而不是他的知识、智力与才华。亨利·泰勒勋爵说:"智慧和善行的相同之处很多,推动它们相辅相成,会使人类因智慧而变得善良,也会因为他们善良而变得智慧。"

人们在生活中所表现出来的影响力常与他们的智慧极不相符,这是因为他们的智力与品质存在差异。品质优秀的人似乎是通过一些隐秘的力量在发挥威力,正像伯克在谈到一位很有影响力的贵族时所指出的"他的品质就是他的策略"一样。这些人的目标因其纯洁高尚而对别人产生一种无形的影响,这就是惟一的奥秘。

虽然人的品质的声誉增长迟缓,但他的品质却会永存。有些时候,不幸和苦难可能会笼罩他的生活,但是,时间最终会为他赢得他本应得到的信任与尊崇。

人们在评价商界奇才希里登时说,如果他有让人信赖的品质,则有主宰世界的可能。然而因为他在生活中没有让人信赖的品质,常常会碰到一些让他吃惊的事。据说有一天,当杜比尼因为工资被拖欠向他索讨时,希里登非常懊恼,训斥杜比尼不知天高地厚。但杜比尼反驳说,"我完全清楚你我之间的差别。我比不上你的出身、门第和所受的教育,但你却比不上我的品行。"

希里登的同胞兄弟伯克却是一个品质高贵的人。他三十五岁时当上议员,并把自己的名字写进了英国的历史,靠的就是他的天赋与品质。

一个人的品质在各种各样的环境的调整中被塑造出来。所以西摩菠克女士的母亲说:"无论多么微不足道的事情,都不要屈从于它;否则,你将处于它的统治之下。"

64

青少年文学读本

人的每一次行动、思想和感情,都可以归因于你所受的教养、习惯和理解力,而且,它们必然会对你将来生活的所有行为造成影响。拉莎金夫人说:"迄今为止,在我的生活中,还没有明显的愚行,它们还不至于剥夺我的欢乐、财产、视力或智慧。过去生活中的每一次善举,现在都在帮助我掌握生存的艺术,使我从中获益。"

物理学中作用力和反作用力的理论,同样适用于道德领域:善的举止会对行为者发生作用和反作用;恶行也同样如此。不仅如此,由于榜样的作用,一个人的行为还会对他周围的人产生影响。不过,人不仅仅是环境的产物,他也是环境的创造者。所以圣博德说:"除了我自己,没有谁能够把我伤害。"

但如果不经过努力,最好的那种品质则很难形成。它需要经过不断的磨砺。在此期间可能会有许多的坎坷和失败,要抵制许多诱惑和困难;但是,只要意志坚强并心地正直,每个人最终都能成功。正是这种不断的进步和超越,使我们的品质得到提升,并使人欣慰而振奋。

在人类一些光辉人物的影响下,每个人都必然会使自己的品质得到提升,成为一个在精神上富有的人。

在惠灵顿学院拟订伊丽莎白女王陛下年度奖金的草案中,女王的丈夫坚持不把奖金颁给最聪明的或最好学的学生,也不颁给最努力和最节俭的学生,而是颁发给心胸宽阔、与人为善的学生。他的坚持,正是顾虑到了品质的这种巨大的感染力。

品质的最高形式,是超越于宗教、道德和理性的个人意志。它对职责的尊重高于声誉,对良心的尊重高于世俗虚名。在尊重别人的人格的同时,也保持自己独立的个性。

尽管光辉人物的力量对品质的形成有着巨大的影响,但个人精神的不懈努力却更为重要。因为,仅凭这种力量很难支撑独立的生活,如果没有个人精神作为品质的基础,那么,生活就会漫无目的,就像一潭死水,不会奔流。

当一个人受到崇高目标的激励时,便会投身于自己的职责之中,而且不管他付出了多少世俗的努力,仍然会不计得失,一往无前。他因此向人们展示了果敢的信念和无畏的性格。而这个人的行为就会成为一种持续的影响以致最终改变他人的行为。于是,我们看到路德的每一句话都像号角响彻德国的天宇。如同利希特所说的:"他的言语就是命令。"他的生活激励了他的同胞们的生活,他的品质变成了现代德国的品质源泉。

另外,力量如果不与善良的灵魂结伴而行,它可能就是邪恶的替身。洛瓦利斯在他的《论道德》一书中写道:道德的最可怕的敌人是一个精力充沛的野蛮人。如果他拥有野心和自私自利的品性,他就会变成一个万恶的魔鬼,就会给世界带来灾难性的打击。

而由高尚的情操激发出充沛的精力的人则不然,他的行动受着正直的品质和生活的责任等原则的指引。不管是在商务生活、社会生活,还是在家庭生活里,都能显示他的正直、公平。他深刻地了解公平对家庭、国家意义的重大。对待反对自己的人，就像对待弱势群体一样，他总是显得仁爱而宽容。

福克斯就是具有这种品质的人。他能够考虑别人的利益和感情，他的信誉给人印象很深。有一回，一个商人拿着一张福克斯开具的期票来找他支付，福克斯正在清点钞票。那位商人要求从他清点的现金里支付。福克斯坚决地说："这可不行，这是我欠希里登的钱，是靠我的信誉担保的钱；如果我不予支付的话，他将拿不出任何证据找我的家人偿付。"那个商人想了一会儿说："那好吧，让我也把这笔债务变成信誉债吧。"然后，商人把期票撕得粉碎。福克斯因他的这一举动而哑口无言，他出于这位商人对他的信任的感激，当即付清了他的债款。

品质就是良心。克伦威尔曾向议院提出要用士兵来取代联邦军队中的服务生和酒吧招待，他说："这些士兵当初不讲良心，应该为自己做过的事情感到歉疚。"

品质也是一种尊重，是出于对崇高的目标、纯洁的思想、高尚的动机和以往时代的一切伟人，也包括同代人中纯洁的心灵的尊重。如果没有这种品质，人与人之间，人与神之间，就不会有信用，不会有真诚，也就不会有社会的进步与太平。因为尊重是把人与人、人与上帝联系起来的一条绳子。

托马斯·奥伯里爵士说："有高贵品质者注意理性与经验，他珍视感情，而不取悦于人；他珍视名誉，而反抗耻辱；出于替人着想，他给人情面，但坚持原则；他善于掌握自己命运而不游手好闲。真理就是他追逐的女神，他要尽力获取。"

意志的力量是一切优秀品质的灵魂，一切都因为有它而充满了生命活力。俗话说："坚强的人物如同汹涌的河流总能为自己开创道路。"具有崇高意志的人，不但可以开创道路，而且会指引他人。他的每一行动都表现了生机、独立和自信，并会由此赢得尊重、崇拜与威名。具有这种优秀品质的典型人物有路德、克伦威尔、华盛顿、皮特和威灵顿，他们都是人类的杰出人物。

优秀的人物总会引起和他有着相类似性格者的倾心，并会像天然磁石吸引铁块一样把他们吸引到自己周围。因此，约翰·穆尔勋爵从一群官员中轻易地发现了纳皮尔三兄弟，而纳皮尔三兄弟也对约翰·穆尔勋爵景仰有加，他们拜倒于他的礼貌、勇敢和廉洁之下。威廉·纳皮尔勋爵的传记作者说："他们品质的形成与穆尔的影响甚深。作为这三兄弟的偶像亦意味着一种光荣，也反衬出了穆尔了不起的直觉。"

凡是积极的举动都会作为一种楷模在大众中产生影响。勇敢者对怯懦的人是一种激励，并会迫使他们采取行动。纳皮尔就提到过这样一个例子：当西班牙军队在维拉战役中被法国军队拦腰截断时，一位名叫哈威洛克的年轻军官冲了出来，挥舞着他的军帽，号召士兵跟随他冲杀。他用靴子踢着马背，勇往直前。西班牙军队因为他的举动而士气突发，他们大声欢呼，在一场突击冲杀后，他们将法军打散了。

在平凡生活中，也有这样的情形。那就是善良的人和伟大的人总会让他身边的人深受感染。

当华盛顿答应担任总司令时，美国人感到军队的力量陡增。1798 年，华盛顿年岁已大，离开公职，退居弗罗山庄，此时，法国准备向美国宣战。亚当斯总统写信给华盛顿说："如果承蒙您的同意，我们将要以您的名义而举兵，因为您的威名胜过万马千军。"华盛顿总统的高贵品质和卓越能力在他的国民中的分量由此可见。

研究伊比利亚半岛战争的一位历史学家，叙述了一个优秀的指挥家的个人品质对他的追随者的影响的故事：其时，英军驻扎在索洛林，苏尔特的部队正在向这里疾进，准备进攻英军。但将军威灵顿却不在军营，士兵们心急如火。陡然间，威灵顿单枪匹马地跃上山岗，一个葡萄牙军营的士兵发现了他，并大声叫喊。接着，第二军团的士兵看见了他，一时间人声鼎沸，军营中掌声一片，就像一场暴雨。这种掌声，为英国士兵所熟悉，但苏尔特的军队却为之胆寒。就在苏尔特迟疑不决的时刻，威灵顿的部队集结起来了，并很快打败了苏尔特。

个人的品质在某些地方有一种神奇的魔力,比如庞培就是这样一个人。他曾说:"只要我踏上意大利的国土,就会有一支军队跟随而来。"历史学家们也说,只要一听到隐士彼得的声音,"欧洲人就会拔剑而起,进攻亚洲人。"据那些看到考雷弗·奥马手杖的人说,那柄手杖比别人的宝剑更让人害怕。

而一些人的名字就像是进军的鼓声。在奥特本,当道格拉斯受了重伤时,他让士兵们大声地呼喊自己的名字,结果士兵们在这叫喊声中受到了鼓舞,群情激奋,勇气倍增,并最终赢得了胜利。因此,在一首苏格兰诗篇中有这样的句子:

> 道格拉斯征战而死,
>
> 他的英名却赢得了战争。

而另一些人在他们死亡之后,却依然在征服别人。《罗马史》一书作者麦卡雷说:"凯撒遇刺后,老迈的尸体横躺在地上,可他从来没有像这一天那样,让人感到他的威风;虽然他的一生沾满了污点,但那一天却显得纯洁、可敬。"

一个伟人的生涯就是一座人类力量的丰碑。即使他死去了,他的思想和行为依然会在人类历史上烙下印痕,并因此激励后人。那些品质高贵者,是人类进步的灯塔,继续照耀着一代代后来者的心灵。他们灿烂的精神提升了人类的尊严与品质。

因此,摩西、大卫、所罗门、柏拉图、苏格拉底、色诺芬、塞涅卡、西塞罗和爱比克泰德,仍然在他们的坟墓中向我们传递着他们的思想与精神。

希奥多·帕克曾说,对一个国家而言,一个像苏格拉底这样的人的价值比无数个南卡罗来纳州还大。如果这个州从世界消失,它远不如苏格拉底给世界带来的影响更深。

伟人的思想和行动创造了历史。卡莱尔先生明确地指出,人类的历史归根到底不过是伟人的历史。伟人标志着一种新时代的生活,他们的光辉思想,因广泛传播而化为行动。爱默生曾说,每一种制度都可以被看做是一些伟人的影子的伸展,就像伊斯兰教教义是穆罕默德影子的伸展,清教徒气质的习俗和教义是加尔文影子的伸展,耶稣会的教义是洛亚拉影子的伸展,教友派教义是福克斯影子的伸展,卫理公会教义是威斯利影子的伸展,奴隶制度废除论是克拉克森影子的伸展一样。

伟人的风骨不仅会在他们的时代,而且会在整个民族的身上烙下印痕。我们很容易从德国民族的身上看到马丁·路德、从苏格兰民族的身上看到诺克斯的身影。没有谁比但丁更深刻地影响了现代意大利人的心灵。在意大利人堕落的漫长的岁月中,他有力的语言对所有人来说,就成了火种和灯塔。作为一个最具意大利特性的诗人,他的读者群相当广泛。他死去后,几乎只要受过教育的意大利人都能背诵他重要的诗篇。这些诗中的情感激励着他们,而且直接影响了他们的民族的进程。拜伦曾在1821年写道:"要说但丁在意大利无所不在,看来似乎过于极端了,但谁能说他不值得崇拜呢?"

许多才华卓绝的人都为英国人多种形式的品质的定型作出了努力。在这些人中间,最杰出的可能是生活在伊丽莎白和克伦威尔统治时期的人。他们是莎士比亚、拉伯雷、西尼、培根、弥尔顿、赫伯特、汉普顿、比姆、艾略特、瓦纳、克伦威尔等等,这些人中有的具有伟大的力量,有的则具有高贵而纯洁的品质。他们的生活都已经成了英国人的公众生活的大部分内容,并且被视为最宝贵的财产。

和其他伟大的领袖人物一样,华盛顿也给美国留下了他宝贵的财产。他的伟大之处不仅在于他的智力与才华,而且在于他的纯洁、正直、诚实和崇高的责任心,在于他高贵的品质。

这些伟人是他们那个民族的强大之源。他们以自己的生活形象和自己所留下的品质,激励了自己的民族,使它更为高贵,使它闪烁出灿烂的光辉。一位作家写道:"伟人的名字和回忆是一个民族的产业,孤立、颠覆、被抛弃甚至推行奴隶制度,也不能将他们的产业瓜分……只要人们的生活幸福快乐,这些死去的英雄就会在人们的记忆中重生,并以一种庄严的旁观者和赞许者的面貌出现在生活里。只要能感觉到有这些光辉形象的存在,这个国家就不会彷徨迷路。他们是人类的精英,他们曾经做过的事业,后代就有人去效尤。他们是国民的伟岸形象,会使追随者们长久地受到鼓舞。"

当然,评判一个民族的品质不应该只注意伟人的品质,还应当考虑在国民主体中发生影响的品质。当华盛顿·埃尔文参观艾博斯福德时,瓦特·斯考特勋爵介绍了他的许多朋友和他所喜爱的人,不仅有农场主,而且还有正在田间劳作的农民。斯考特说:"我很乐意让你看看那些平凡而卓越的苏格兰人民。我想让你知道一个民族的品质不啻出于它的优秀分子,而且也同样出现在任何一个苏格兰人身上。"毫无疑问,优秀人物代表了一个民族的思想,但那些创办实业者和那些普通的劳动者,应该是每一个民族的主体力量的基因,一个民族必然会从他们身上得到崭新的动力。

青少年文学读本

像每一个人一样,每一个民族都应当维护自己的品质,这种品质的维护依赖于多数人。一个民族的品质假如不是宽容、忠诚、善良和勇敢,那么它就会被其他民族所轻蔑;一个民族如果没有比感官享乐、物质享乐更高贵的品质,那么它就只能是一群可怜的畜生。即使是恢复到对荷马书中的神灵的崇拜,也比追求感官、物质要好,要值得尊敬。

无论多么完美的制度,在维持一个民族品质高度上的作用微乎其微。决定一个民族的道德和使一个民族品质保持稳定的是个人品质和传统精神。从长远来看,政府通常不会比人民的自治更好。一个民族具有良知、道义和习俗,这个民族的治理就会诚实和高贵。一个民族如果自私自利而且心地虚伪,那么,他们就不能靠真理和法律的联合,无赖和阴谋家的统治也就在所难免。

避免实行专制独裁的惟一真正有效的手段,是个人自由的进步和个人品质的纯洁。没有这个手段,就不会有蓬勃的精神与真实的自由。在一个民族中,不管政治生活多么广泛,也不会使一个个体堕落的民族变得高洁,公众参政制度实施得越彻底,参政权才越有保障,如同一块镜子一样,一个民族的真正的品质也就会在他们的法律和政府中反映得越清澈。以个体的堕落为基础的政治道德,从来就不会有任何稳定的存在形式。一个品质恶劣的民族所享受的自由,也会受到厌弃。

一个民族如同一个人一样,要从她所属的那个优秀种族的感情中获得养料,它是自身伟大的继承者。一个民族应该有辉煌的记忆,它可以照亮和升华现实生活。对自由的追求和对祖国的热爱或许会深深地影响民族的品质,但是,对民族的品质影响最大的还是她经受的痛苦与艰难。

当今世界上,无数因高举着爱国主义的旗帜而犯下的错误,都包含着极端狭隘的情感。这是一种仇视、自负的情感,它们不是用自身的业绩来展现自己,而靠的是自吹自擂,这如同绝望中的嚎叫。如果这样的爱国主义者大批出现,那么,最大的灾难可能已为期不远。

与这些卑贱的爱国主义者同样存在的是一些高尚的爱国主义者,他们以自己高贵的品质,让一个国家充满生机。一个真正的爱国主义者,会缅怀和学习过去的伟人,因为他们在追求的道路上以自己艰辛的跋涉,为自己的民族赢得了政治生活的伟大自由,并留下了永久的名声。

判断一个民族的伟大与否不能根据它的疆域是否辽阔,而只能根据它的民众的品质是否高贵。

尽管辽阔土地往往和伟大相连,然而,一个民族的伟大,却与疆域辽阔无关。在人类族群之中,以色列是个小民族,但是,他们却构筑了伟大的生活,他们对人类生活所产生的影响既深且远!希腊也并不是个大国,阿提卡的所有人口还少于南开郡的人,雅典也远不如纽约闻名。然而,希腊在艺术、文学、哲学和爱国主义方面的成就却辉煌夺目!

不过雅典和罗马都因为它的放荡和享乐的生活而最终走向了衰落,其原因则是它的人民不再以他们伟大的先辈们的美德为荣,因而失去了它生存的活力。

　　　　宁愿在格斗中失去一磅鲜血,
　　　　也不愿意在诚实的劳动中流下一滴汗珠。

　　于是它们的民族被其他生机勃勃的民族取而代之,就成了必然。

　　当年路易十四问库尔伯特:"为什么可以主宰像法兰西这样庞大而又著名的国家,却无力征服一个像荷兰这样的小国?"库尔伯特回答说:"陛下,这是因为一个国家的伟大并不取决于它的疆域,而是取决于它的人民的品质。因为荷兰人民吃苦耐劳、诚实正直和充满勇气,所以陛下感到征服它充满了困难。"

　　1608 年,西班牙国王任命一个特使团前往海牙签订谈判条约。一天,他们看到八至十人从一只小船上下来,坐在一块草地上吃午餐,那些午餐仅仅是一些面包、奶酪和啤酒。当特使团得知这群人就是这个国家的主人时大惊失色,他们感到了这个国家是不能被征服的。

　　堕落的个体的联合不能形成一个伟大的民族。这样的民族表面上看来高度文明,但面对逆境时就会四分五裂。

　　如果一个民族没有品质作支撑,那么,它便是一个即将灭亡的民族;如果一个民族不再崇尚诚实、正直和清廉的美德,它就失去了生存的基石;如果一个国家的人民热衷于财富、感官快乐,热衷于宗派活动,那么这样的民族就注定要消亡。

学 徒 生 涯

〔美〕富兰克林

本杰明·富兰克林(1706—1790),美国有史以来最伟大人物之一,美国《独立宣言》起草者。他不但是个政治家、外交家、民族英雄,还是科学家、企业家。著有自传体作品《奋斗史》、《穷里查历书》、《道德的艺术》等,这些作品已成为美国人的必读书籍,影响了几代美国人的生活,他因此被华盛顿称为"美国人的象征"。

学徒生涯

我絮絮叨叨讲了许多题外话之后,似乎可以言归正传了。

我在父亲的店铺里干到过完十二周岁生日。哥哥约翰开始也是学习制蜡烛的,那时已经在罗得岛自谋职业,撑起了一份家业。而我好像注定要来填补他走后的空位子,成为一个蜡烛制造商。但我实在是对这个行当喜欢不起来。父亲曾因约瑟夫偷偷离家航海而大为震怒,怕我也走他的老路子,但又苦于无更好的行当让我做。于是他便和我一起去四处转悠,看那些木匠、砖工、旋工、铜匠干活,来推测我的喜好。我一直对一个极出色的工人熟练使用手上的工具感兴趣,而这种观察的兴趣对我很有益处,家中有了一些关于零部件修理的活我都可以尝试着去做。并且在怀着浓厚的兴趣去做它的同时,也试着做一些实验用的小机器。终于父亲定下来让我学一门理发手艺。当时本杰明伯父的儿子萨缪尔已在伦敦学成理发手艺，在波士顿的铺子正准备开张。我便到他的铺子里实习了一阵子，但让父亲不满的是，他竟然打算收我实习费。于是我又被带回了家。

我自幼酷爱读书，买书花费了我所有的零用钱。出于对《天路历程》一书的喜爱，我很早就开始收藏约翰·班扬文集的单行本。但为了买到伯顿的《历史文集》，我后来把这套文集卖掉了。那些小贩卖的书一点都不贵，才四五便士一本。我读过父亲小图书室中的大部分书，主要都是有关神学论辩的内容。因为那时父亲不再打算把我培养成牧师了，而我在那个求知欲极强的年龄特别想读更多的书，可是又没有更好的书读，只有看这些没有多大意义的书。至今，回想起这些还让我感到遗憾。不过记得有一本普鲁塔克的《列传》我曾看了多遍，让我受益匪浅。另外，像笛福的《论计划》和马瑟的《论行善》，尤其《论行善》可能对我影响很大，它转变了我的思想，影响到我以后生活中的许多重大的事情。

尽管我有一个哥哥詹姆斯已经学习印刷这个行业了，但我酷爱读书的好习惯使父亲决定也让我学习印刷。

詹姆斯于1717年从英国回到波士顿，他带回了一架印刷机和一些铅字，自己开了个印刷所干起了印刷。跟父亲的制烛行当比较，我宁愿学印刷业，当然如有机会最想的还是去航海。为遏止住我的航海的野心及野心一旦得逞将会产生的严重的结果，父亲迫不及待地让我学印刷，并企图长久地拴住我。经过一段时间的反压迫斗争，最后我还是举手投降了，与哥哥签了份不公平的合同。合同规定，从十二周岁起一直到二十一岁为止，我将一直以学徒工的身份在詹姆斯的印刷所里干活，而且必须出师以后才能领到工资。

我很快便掌握了印刷技术，成为詹姆斯的左膀右臂。我也总算有机会拜读一些比较出色的文章了。我与书商的学徒结识并经常跟他们借来一些小书阅读。对这些书，我总是倍加珍惜爱护，力图做到毫发无损，完璧归赵。有时候晚上借来，第二天早上就要还——以防有人发觉不够份数或随时有人会要买此书。因此，我常常独坐屋中读至半夜。过了一阵子，有一个精明的书商关注到我，并邀我去他藏书室里。他很乐意地把一些我很想看的书借给我看。

这时候，我已开始对诗着迷，并且还信笔涂鸦写了几首。詹姆斯读了以后，感觉这可以促进我的学习，鼓励我并让我写了两首应时民谣诗。《灯塔的悲剧》是其中的一首，它所述的是关于船长华萨雷父女三人落水溺死的故事；另外一首是说水手与黑胡子海盗（又称提契）之间斗争的故事。这些格拉布街民谣体的诗都没有什么价值。付印后，詹姆斯让我拿去出售。只有第二首很受欢迎，因为所写的事刚刚在不久前发生。虚荣也因此在我心中得到了极大满足。但父亲的嘲笑无疑是给我泼冷水，他取笑我的诗，还说诗人总是一些穷困潦倒的人。他的嘲笑最终使这个世界上少了一个蹩脚的诗人。但在散文写作方面我却终生受益，并且成为我在人生道路上不断进步的支柱。下面我会告诉你，我现在的这点写作本事是怎样获得的。

镇上有一个叫约翰·柯林斯的小伙子，他跟我一样喜爱读书。我们相处很好。我们之间经常展开争论，谁都不服对方（顺便说一下，这种好争论的坏习惯可能会使你成为孤家寡人）。我这好争论的习惯的形成应该源于以前阅读我爷爷的那些有关宗教论辩的书的影响。我注意到，律师、大学生和在爱丁堡受过教育的几类人都有此癖好，而真正明达事理之人却很少有此恶习。记得有一天，不知何故，我们展开了关于女性应否受教育及研究工作是否适合妇女的问题。他的观点显而易见是有毛病的，竟认为女性由于天赋太低，不能做好任何学问。对此我则持相反意见。当然，这也许只是一时辩论的需要。他生来能言善论，又比我读的书多，词藻丰富。他总以雄辩的口才驳倒我，而不是靠逻辑推理。每次一直到分手，我们的观点都不能统一。后来，有一阵子我们分开了，见不着面，我便坐在桌前，把我的观点认真写下来寄给他。他答复，我再辩。你来我往，彼此交换了几次观点。

后来,父亲偶尔看到了我写的信,看过便很认真地和我探讨我的文章风格问题。他评论说我的书写和标点方面优于对手(这应是印刷所的功劳),而在叙述的简洁扼要和文辞的华美方面明显弱于对方。为了让我心服口服,他还举出了几处实例。我承认他说得对,以后便更注意写作的整体风格,力求有所改进。

大概也就在这个时候,我偶然看到了一本杂志——《旁观者》第三期,我以前从未见过,便买回来反反复复地阅读。文章的优美令人赏心悦目,我很想试着仿照它的风格写些文章。于是我把这杂志上的几篇较好的文章甄选出来,作了摘要,先放置几天,然后尝试直接复述原文大意,再尝试重新用自己所想出的恰当的语句,以及根据自己作的思想摘录构建整篇的文章,尽量使其完美。

接着我将自己写的《旁观者》与原文对比,改正了几处错误,这才发现自己掌握的词汇太过贫乏,必须不断地大量阅读作品,从中收集、吸取和加以运用。也许我当初不放弃写诗的话,我的词汇量早就很丰富了。要知道,写诗的过程实际上就是将一些词义相同但长短不一的词汇找出来,去适应不同的诗的韵律,用不同音素的词凑韵脚的过程。这就要求人必须不断搜寻大量的不同形式的同义词,并牢牢记住它,而且加以熟练应用。于是我搜寻出一些故事将之改编为诗体,过一阵子,在快要将它忘却时,再努力使之恢复原状。我还常常打乱以前思想摘录的次序,数周以后,再尽量按最好顺序排列出来,组构成完整的语句,整理成我自己的《旁观者》。这样做的结果是学会了怎样构思文章。随后,再把现在重写的和原文对比,有错则改。有时我也会产生幻想,比如我也可以有幸将原文中的不太重要的地方像语言、条理等加以改进。这让我产生野心勃勃的欲望,想着没准在不久的将来我会成为一名很优秀的英国作家呢。

我一般是在晚间工作完之后,或早上没开始工作时,进行一些阅读和写作方面的自我训练。有时在礼拜日。我想尽办法独自一人猫在印刷所里,以最大可能不参加公众出席教堂的祷告仪式。当然我的这一举动是瞒不过父亲的法眼的,只有他不在的时

青少年文学读本

候我才能幸免。虽然我一直把做祷告当做我应尽的一项义务，但我实在抽不出时间去做这件事情。

对于素食习惯的形成大约是在我十六岁那年。那时我无意中看到一本屈里昂写的宣传素食的小册子，便决定加以实行。当时詹姆斯还处于尚未成家，无人管理的状态。他和学徒们在外面包饭吃，而我一实行素食，便引起了麻烦——跟他们合不来，并常为此而受到指责。于是为了避免这种窘境的继续发生，我自己试着按屈里昂的小册上的方法，学会了做一些素菜，如煮土豆、蒸米饭、做速成布丁什么的。然后向詹姆斯提出，让他把我每周伙食费拿出一半来给我，我自己做饭吃。他马上举双手赞同。从这伙食费中我又可以出一半买书看了，感觉大大捡了个便宜。除此而外，我还从中得到这样的好处：当他们都出去吃饭时，只剩我一人在所中，我就可以速战速决，很快地填饱肚子（一个软饼、一片面包、一把从面包店买的葡萄干或一个果馅饼、一杯水），在他们未回之前的时间里，好好地看一会儿书了。

从这种经常性的缩食方法中我获益良多：头脑更加清晰，思维更加活跃，反应更加敏捷。现在可以利用这个优势把我的数学补一补了。我曾说过，我的数学一直是黄牌警告状态，现在我把克科尔的数学书找了来，毫不费劲地便学完了。舍勒和斯图美所著的关于航海的书我也看了一些，吸收了其中的一点点的几何知识，除此对几何学就没再作过深入的研究了。在此阶段，我还读过洛克的《人类理解力论》和波特洛亚尔派的先生们所著的《思维的艺术》这两本书。

就在我致力于对文体风格的改进之时，偶然发现了一本英文语法书（大概是格里·伍德所写），其中有两份关于逻辑和修辞艺术的简要附在书后。苏格拉底辩论法的范例包含在其中。在这之后我还得到了色诺芬写的《苏格拉底重要言行录》，其中有许多我喜欢的这种辩论法的例子。

我总结吸收了这种方法，摒弃了以前的那种生硬独断的反驳和立论方法，而重新拾起谦逊和怀疑的方法。还记得那时，我在读过莎弗茨伯和柯林斯的作品后,对我们教义的可靠性产生了诸多怀疑。我发觉,用这种办法可以使对手处于骑虎难下的境地,而对我自己没有任何不利的影响。于是我很快将这种方法熟练加以运用,简直可说是到了随心所欲的地步,让那些即使知识渊博的人也必须甘拜下风。我让对方陷入绝境,而我自己却赢得了意外的胜利。

这种谦逊和怀疑的方法几年之后我便放弃了。只是偶尔在发表个人意见时保持着谦逊的语气。对有些可能带来争论的问题或观点,我从来不用"肯定地"、"毫无疑义"地或者任何一种表示肯定的字眼来提出,而代之以"我想"、"我觉得"某某事可以怎样怎样,"在我认为似乎是"或"因为某某根据"或"我认为要如此如此","我估计如此这般",再或者"假如我没说错的话","这件事应这样做。"

我确信这种习惯使我在说服人们去实行我所经常倡导的各种措施的过程中受益颇多。

人与人之间的谈话目的有三:第一是教诲人,第二是被人教诲,第三则是说服人。谈话的最好气氛应该是使人愉快的,所以我要劝告那些明达之人,只有放弃那种独断横行的态度,才会增强自己的教诲人的目的的能力,因为这种态度最易引起人不满,它总是会妨碍你所进行谈话的目的。谈话的最终目的是在于进行思想、信息、感情的交流和增进。假如你本来是想教诲别人,但讲话时过于自信,过于武断,这样必然会激发人的反驳欲望,会让本来很坦诚的讨论受到干扰和阻挠;如果你本来是想从别人的知识中获益,但你又总在滔滔不绝地表述自己的观点,让那些不爱争论、明达谦逊之人根本没机会插嘴。那么就坚持己见好了,可是结果你学到了什么? 什么也没学到。假如还采用同样的态度与人谈话,对方也很难赞同你的看法。薄柏的一句话很有道理:

教人须使人无被教之感;
讲述新知应如同提到旧知。

接着他还进一步建议：

以谦虚的态度表示无疑之事实。

在这里我想也许用薄柏在别处的一句话连结上句更恰当一些：

因为傲慢就是愚蠢。

你也许会问为何原诗的那一句话在原处不恰当，我只好再引用原诗：

大言不惭是毫无理由的，
因为傲慢就是愚蠢。

是否如此，还请赐教。

大概在 1720 年或 1723 年，詹姆斯开始印刷发行《新英格兰报》。这是在当时美洲新大陆上继《波士顿邮报》之后出现的第二份像样的报纸。

当时他的一些朋友都不主张他办这份报纸，认为这项计划要想取得成功希望渺茫，因为目前的北美大陆只需一家报纸存在就已足够了，而且当时办报的也很多，应该不会低于一二十家。可是他坚持按他的原定计划进行。因为詹姆斯的一些极高才华的朋友们为这份报纸捧场，常给他投稿，报纸发行后，竟然卖得很好，而且获得了很好的声誉。

詹姆斯的这些有才华的哥们总到印刷所来，他们谈到我们的报纸在市场上如何受欢迎，我听了不禁感到热血沸腾，也想给我们的报纸加些点缀，写些文章在上面。可是我那时还很小，在他们眼里不过是个孩子。我想如果詹姆斯一旦发现是我写的东西，肯定不允许发表在他的报纸上。当下我想出一条妙计,将我的字迹加以乔饰改装,文章用匿名并且在夜里把它塞到印刷所的门里。于是这篇匿名文章在第二天早上被詹姆斯看见了,他便把这篇文章拿给他的那些照常来这儿的朋友看。他们看过之后都给予了很高的评价,赞不绝口。他们猜测这篇文章作者定是镇上一个极有才华的先生。这些话语我听在耳里,感到心花怒放。

现在回忆起来,应该感谢当初詹姆斯的这些朋友对我的文章的赏识,虽然他们并不真是"伯乐",但受此激励,我以同样的方式接连写了好几篇文章,都获得了很好的评价。这个私密一直保持到很久我才公诸于众。直到这时,我才引起詹姆斯的这些朋友们的注意,但詹姆斯对于他的朋友们对我的注意很不高兴,他可能有相当多的理由认定这种状况只会使我变得自傲。或许我们之间的兄弟不和也是其中的一个原因。虽然他是哥哥,理应照顾我一些,但他又把自己摆在师傅的位置,而我是他的徒弟,便要与其他人一样做事,但我却总期待这位哥哥能对我松懈一些,不要把对别人的那一副严厉的面孔放在我身上。因为这些原因,我们经常争吵,最后解决不了,便告到父亲那里,而每次我都得到父亲的庇护。我想如果不是因为我是正确的,那便是因为我的能言善辩的缘故。但脾气暴躁的詹姆斯老是打我,这让我感到气愤。我对这种苦学徒生活厌烦透了,总盼望着有一天我的苦日子一下子熬到头。但机会往往就在不经意间意外地来到了。

因为我们的《新英格兰报》上登出了一篇触犯了州议会的关于政治方面的文章,詹姆斯被传审,并被拘留一个月。据我估计大概是因为他隐瞒那篇文章作者的姓名的缘故。我同样被逮捕并讯问。我的回答并不能让那些法官们感到满意,但他们只是把我训斥一顿便放出来了。也许他们看我是个学徒,认为我有权保守师傅的秘密。尽管平时我们兄弟之间不和,但对詹姆斯被拘留这件事我很气愤。在他被拘留期间,我接管了报纸业务。我对那些统治者们大胆地进行讥讽。詹姆斯很赞赏我的这一举动,但别人并不这样看我,他们把我看做爱诽谤好讥讽的怪异的奇才。

詹姆斯出来后,州议会发布了一道禁令(此令很怪):禁止詹姆斯·富兰克林继续出版《新英格兰报》。在这种境况下,詹姆斯和他的朋友们在一起商议今后的出路。有的人提出让他把报名撤换来逃避法令,但詹姆斯感觉这会带来很大麻烦。终于他们商定了一个采用本杰明·富兰克林即我的名义来出版发行该报的最好方案。他们还建议解除我的合同规定的所有师徒义务,而将之写在合同的背面,并将之交到我手上,以防止州议会对詹姆斯以徒弟名义继续办报进行干涉。为了保证詹姆斯对该报的所有权,我还得签一份隐秘的合同,来弥补未到期的学徒期限。这个主意太刁钻,但詹姆斯马上同意并施行。于是《新英格兰报》在我的大名下又继续经营了几个月。

然而我和詹姆斯之间的冲突依然不断发生,我决心起来为自己的自由而战,因为我可以肯定他是不敢把那份新合同拿来作证据的。我也知道我这是一种乘人之危的不光彩行为,这是我一生中所犯的第一个大错误,但是在那种情况下,他的那种暴躁的脾气,和对我动不动拳脚相加的作风实在让我难以忍受下去了,我已顾不上什么公正不公正的了。现在想起来,也许是我太莽撞无礼,太使他生气,但我那时已经想不到那么多了。

离家出走

詹姆斯一旦发觉我要离开他的企图,就想尽一切办法,四处出访,将整个镇子上的所有印刷所都走遍了,跟那些老板打招呼,想让我在全镇都找不到工作。而他的一番努力没有白费,他们真的不再雇我。我知道纽约有一家印刷所,便想到那儿去。我那时想,统治阶级的人都已把我看做一个令人讨厌的人了(这从州议会对詹姆斯案子的蛮横的判决可以看出),继续呆在波士顿,只能使我陷入绝境。而且一段时间以来,我对宗教问题的一系列论谈,已经遭到那些虔诚信教的人的斥责。他们说我是宗教的异端或者是个无神论者。我让他们大为惊慌。于是我打定主意要远走他乡,离开这块让我尴尬又失望的地方。但是当时父亲却跟詹姆斯站在一边,我如果公开出走,必然要遭到阻拦。最终还是我的朋友柯林斯想出了一个好主意。他认识一只帆船的船长,他先跟船长说好,要我充当他的年轻朋友,搭他的船,说我不小心让一个女孩失身了,为了躲避那个女孩的朋友逼我跟她结婚的要求,我必须躲藏起来,深居简出。于是我用我的一部分书换了一点盘缠,悄悄登上了帆船。所幸一路顺风,三天后我到了纽约市,这里与家里遥隔三百英里。就这样,我,一个刚刚十七岁的男孩,孤身一人,无亲无故,身上只有几文钱站在了纽约大街上。

不过当时我的航海梦早已破灭,要不然倒有机会实现了。我对自己的印刷技能感觉不错,找份工作应该不难。于是我找到了当地老威廉·布拉福德(他是宾州第一家印刷所老板,在乔治·基思事件发生后,将印刷所迁到了纽约)开的印刷所。但他的印刷所没有什么多余的位置,他便建议我去找他在费城的儿子,他也开印刷所,最近大概正需要一个帮手,原来的助手阿克拉·罗斯病故了。他告诉我,他儿子肯定会要我的。

费城与纽约之间约有一百英里,我坐船先行,而把行李留下来等待海运。我先到了安蒲。不料在船渡海峡时遇到了飓风。船帆被风撕得粉碎,船无法进入海峡,被刮到了长岛。乘客中有一个酩酊大醉的荷兰人失足掉入水中,在关键的时刻我抓住了他的一绺头发,让他幸运地回到了我们之中。待清醒一些后,他从口袋里摸出一本书,让我帮他擦干,然后便睡去了。我一看,这竟是一本荷兰文译本的班扬的《天路历程》,正是我多年以来梦寐以求的书。它的印刷装订都非常精美,纸张是优等纸,还附有铜版插图,这是我当时所见过的最好版本。超过以前我见过的任何英文版本。后来我才知道,这本书已经行销整个欧洲,被译成欧洲大多数语言的文本了。我估计《天路历程》应是除《圣经》之外拥有读者最众多的书了。就我所知而言,班扬是把叙述与对话融合写作的第一位作家。采用这种写法让读者感觉兴趣盎然,如亲临其境与书中人物娓娓谈心一般。笛福的一些佳作如《鲁滨逊漂流记》、《摩尔·费兰德斯》、《修士的爱情》和《家庭教师》等,对这种写法的效仿都很成功。另外理查逊也对班扬的创作手法进行了模仿,如《帕美拉》等。

帆船靠近长岛时,我们才发现形势不容乐观。岛上怪石林立,骇浪滔天,船根本无法靠岸。锚抛下去后,船仍摇摆不停。对面有人向我们喊话,我们也向他们大声呼救,但巨大的风浪声使我们彼此都听不见对方说话的内容。岸边有个小艇,我们向他们喊叫,并招手示意他们划小艇来搭救我们。但糟糕的是,他们要么是不懂,要么无能为力,最后还是把我们抛下了。天渐渐黑下来了,我们只有等待风平浪静,别无良策。我和船长商议是不是能睡一会儿再想办法。但我们刚刚和那个醉酒的浑身湿透的荷兰人挤到一起,击在船头的浪花便四溅到我们身上,没多久,三人变成了三只落汤鸡。就这样,我们几乎一夜没合眼地躺了一夜。第二天风终于减弱了,我们想尽一切办法要在天黑前到达安蒲。在近三十小时的海上漂泊过程中,仅有的一点食物除了一瓶浊米酒就剩下咸涩的海水了。

当晚,我发了高烧,很早便睡了。以前看到书上说喝冷水可治发烧,于是我照此做了,出了一夜的汗。第二天烧居然退了。越过渡口,我步行到五十英里外的柏灵顿去,听说那儿有直达费城的船。

整整一天,大雨如注,我又成了落汤鸡。走到中午我便已精疲力竭、手脚发软了。无奈之下,我到附近的一个破烂不堪的小店过了一夜,整夜我都在后悔我不该离家出走。这时候的我一副寒酸的样子,以至于别人向我问话时,我总觉得他们是把我当做了离家私逃的奴仆。我时刻担心我会不会有可能被捕。第二天我依然赶路,直到傍晚才到离柏灵顿八九英里的地方。当晚我投宿在约翰·布朗先生的小店里。

我边吃边与布朗先生搭讪。他发现我读过一些书,很有点知识的样子,便对我十分随和友好。我们之间的友好交往一直持续到他逝世。我曾估计他大概做过游走民间的郎中,因为他对欧洲各国和英国的每个城镇都相当熟悉。他很有学问，也非常聪明，但他不信任何宗教派。在多年后，他甚至开玩笑地将《圣经》进行了改写，将之改成极其歪劣的诗篇，就像当初科顿曾改写维吉尔的诗一样。他用此法使《圣经》中的故事变得极为荒唐可笑。所幸他的这些作品没有出版，不然的话，它会产生怎样的坏影响可想而知。

当夜，我在他那儿住下了，第二天早上就到了柏灵顿。可是令我感到沮丧的是，班船刚刚开走，而下一次船据说要到下周二才有，现在才周六。无奈我只好回到城里。我向一个卖姜饼的太太打听情况。她让我就住在她那儿，等下一次到费城的船。我感到很累，便接受了她的好心。搭谈之下，她知道我会印刷，便力劝我在柏灵顿开家印刷铺得了，但她却不知这是需要本钱的。老太太对我很热情，她很慈善地请我吃了一顿牛头肉，却只愿意接受我一瓶淡啤酒。我心想看来必须到下周二才能走了。但就在傍晚，我在河边漫步时意外发现一只从远处开来的到费城的船。船上没几个人，在他们的允许下我上了船，一路上很顺当。差不多快半夜的时候，还没见到费城的影子，我和一些人觉得肯定已经过了费城了，都不想再往前行，另外几个人也不知我们现在在什么位置。后来我们便向岸边划去，船进入一条河汊，终于在一个木围栏旁上了岸。十一月的天气已经很冷，尤其是在夜里。我们为了取暖，把围栏木烧着，围坐火旁一直到第二天天亮。这时，有人才认出，这里是距离费城特别近的库珀河。只要过了这条河，就可以到费城了。终于，我们在周日早上八九点钟时在费城市场街码头上了岸。

我之所以要把这次历险叙述得如此详尽，并将同样地描述我刚到费城的情景，是要让你更具体地想象一下，把我在刚开始的失败经历和我后来所取得的成功作一番对比。

青少年文学读本

论独立思考

〔德〕叔本华

叔本华(1788—1860),德国著名的唯意志主义和悲观主义哲学家。他出生于商豪之家,少年时代即游历颇丰,中年之后因殷实的家产得以"脱产",专门从事独立思考、著书立说。主要著作有《作为表象和意志的世界》。

——从根本上说,只有我们独立自主的思考,才真正具有真理和生命。

1

假如一个庞大的图书馆被弄得乱七八糟,其用途就不如一个小型然而井井有条的图书馆。同理,你可以积累丰富的知识,不过,你要记住,假若你对这些知识并不进行独自的深思熟虑,这些丰富的知识给你的价值,就比少量的知识给你的价值要小得多。因为只有当你把每一真理都同其他真理比较后,你才会使你的知识有条不紊,你才可能真正占有你的知识,把它变为你自身的力量。你能够深思熟虑的仅仅是你所知道的东西,因而,你应当主动学习;反过来说,你所能知道的也仅仅是那些你深思熟虑的东西。

看来,你可以自觉地使自身投入读书和学习中,然而,你实际上不可能使自己完全投入思考:思考需要精心培植,就像火苗需要风扇助力一样。它需要对其本身的目的保持某种兴趣。这种兴趣,或是一种客观的兴趣,或是一种纯属主观的兴趣。后一种兴趣只可能关注影响我们个人的东西;而前一种兴趣只属于那些就其本性便愿意思考的人,即那些把思考看做与呼吸一样自然的人,而这类人微乎其微。这就说明,为什么大多数学者并不会思考。

2

大脑凭自身独立思考所产生的效果,与那种通过读书所产生的效果之间存在的差异,是非常非常之大;所以,使人的心灵下决心思考与使人的另一部分心灵下决心读书这种根源性的差异,仍在继续扩大。这是在于,读书是强行在人的头脑中注入思想;这些思想在读书的时候,与人们心灵的情绪和指向是背道而驰的。这就如印章在蜡块上打下其印记一样。心灵完全听凭外在的强制,毫无兴致地去思考这、思考那。相反,当独立思考时,心灵任随其自身的兴致。此时,思想更多的是被它周遭直接环境所决定,或由联想或其他东西来决定。而可见的周遭直接环境并不像在读书时那样,向心灵强行注入某种单一的思想;它们只向心灵提供思考的契机和素材,让心灵按适应其本性和当下情绪的方式去思考。其结局是:大多数情形下,读书都会使人的心灵失却弹性,就像久压的弹簧一样。所以,一个人若想在根本上决不具有一点个人的见解,那么,最保险的方式,就是在你有空的时候立即拿起一本书。实际生活中这种情形的存在,正好说明,为何博学使大多数人变得迂腐和愚笨,还不如按他们的本性任其发展;而且,还使他们的写作失却所有生动活泼的感染力。他们正如普柏所说:

持续地读个不停,但自己的书却从没有人读。

青少年文学读本

3

从根本上说,只有我们独立自主的思考,才真正具有真理和生命。因为,惟有它们才是我们反复领悟的东西。他人的思想就像别人飨桌上的残羹,就像陌生客人撇下的衣衫。

4

读书仅仅是独立思考的一个代用品。它意味着让他人引导你的思绪。于是,许多书的作用,不过是告诉人们使你铸成大错的方式有多少,使你误入歧途的程度是如何的深,假如你真要听它们的引导的话。——所以,只有当你自身的才志枯竭时你才应去读书;当然,才志枯竭即便在仁人智士那里也是经常发生的事。

时常或有这样的情形发生,一个你凭独立思考缓慢和苦苦思索都不得其解的真理或洞见,会在某一天被你在一本已经写成的书上轻易地发现。但是,假若你是经由自己的独立思考达到这一点的,那么,在更多的时候会更有价值。因为,只有在此时,它才会作为一个内在部分和活生生的成员进入你思想的体系中,与你的思想结成完美和牢固的和谐,与它的其他推论和结论协调一致,带着你整个思维方式的色彩、印记,并在你所需要的时候随叫随到。因而,可以说,它已经坚固和永远定居在你的心灵中。歌德诗歌中,对此有完美的运用,甚或作出完美的解释:

那些你从父辈继承而来的东西,
你必须首先通过自己去赢得它,
如果你想真正占有它的话。

一种纯粹靠读书学来的真理,与我们的关系,就像假肢、假牙、蜡鼻子甚或人工植皮。而由独立思考获得的真理就如我们天生的四肢:只有它们才属于我们。这就说明,为什么一个思想家和一个学者是截然不同的两码事。

5

那些终其一生于读书和靠书本获得智慧的人,就像那些凭旅行指南了解一个国度的人一样。他们可以对大量事物都采撷到一些信息,但在根本上,他们并不具有对该国度究竟如何的联贯、清晰、全面的知识。相反,那些毕其一生于思考的人就像那些亲自访问过该国度的人,惟有他们才真正地熟悉这个国度,具有关于它的联贯知识,而且才真正在这个国度中流连忘返。

6

独立思考的人与日常那种书本哲学家之间的关系,就像目击者和史学家之间的关系一样。前者所吐露的是他自身的直接经验。这就说明,为什么独立思考的人之间,其观点在根本上都是一致的,他们的差异仅仅是出自他看问题的角度不一样。因为他们所表达的只是他们客观上领悟的东西。相反,书本哲学家们,所报告的或是这个人所说的东西,或是那个人所思考的东西,或是另外一个人又反对的东西,等等。所以,他要比较、掂量、批评这些陈述,进而找到问题的真理所在。在此看来,他实际上酷似具有批评眼力的史学家。

7

纯粹经验与思考的关系,就像进食与消化的关系一样。当经验夸口说,惟有通过它的发现人类知识才会发展时,就像口腔夸口说只有它维护着身体的活力。

8

第一流的心灵之特征在于:作出所有判断之直截了当性。它所产生的任何事物都是独立思考的结果,而且,在任何地方都明白地宣告这一原则。真正独立思考的人,就像一个君主一样,他不承认有任何人能在他之上。他的判断就像君主的决断,完全是直接出自他自身的绝对权力。他只接受一个君主应当享有的权威,他只承认他所认定的合法性。

9

在现实的王国中,无论我们可以感到何种惬意、幸福、快慰,然而,我们总逃不掉引力的影响,我们总是不断地与这种引力抗争着。相反,在思想的王国中,我们的心灵逍遥自在,无重负,无需求,无烦扰,这就说明,为什么在尘市的幸福中,罕有与心灵自身在其适意之时所寻得的美妙和成效相匹敌的东西。

10

有许多思想,对于深思这些思想的人是极有价值的。但是,当他们把这些思想变成铅字后,这些人中,只有极少数才会勾起一个读者沉醉于中的阅读兴趣。

11

总之,只有那些从一开始就是由你内心指导而进行的思考,才具有价值。思想家,可以被分成以下两种情形:那些由其自己内心的指导而进行思考的思想家,和那些受他人指导而进行思考的思想家。前者是真正的为其自身的思想家,他们是真正的哲学家。他们内心之中本身就充满了热情。他们生存的快乐和幸福全在思考活动之中。后者是雄辩家,他们把自己表现为思想家,进而从他们企求自他人那里得来的东西中去寻找幸福。这就是他们渴望的东西。一个人,究竟属于哪一种类型的思想家,可以从他整个的风格和气质中很快地看出来。李希腾堡①是前一类型之典型,而赫尔德则是后一类型之代表。

12

当你思考着生存的问题是如何重大和急切的问题时——你会发现生存本身是暧昧的、恼人的、不定的、梦幻的。你会看到,这个问题是如此的重大和急切,一旦你意识到它之后,它就会使其他问题和目标都黯然失色、模糊不清。而且,当你看到,人类除了个别例外,是怎样忽视这个问题而只关心这个问题之外的其他问题,只思考今日之事和他们个人的浅近未来时,你会发现,他们不是断然拒绝考虑这些问题,就是自我陶醉于某种流行的形而上学体系。我想,当你看到这一切时,你也许会得出这样的看法,说人是思考的存在物,只有在这个术语最广义的意味上才可成立,而且,对人类表现的懒于思索和愚蠢也就不再大惊小怪了。你毋宁会认识到,虽说一个正常人的智慧水准比动物的水准高一些(实际上,动物只生存于持续之现在,并未意识到过去或将来),但是,这种差别,并不像通常所设想的那样是如此的不可计量。

13

精神产品要受到赞扬,其命运往往不幸。它必须要等待那些本身只能写点低劣作品的人,来吹捧它高尚。一般说来,它必须从人类的判断力手中,接过自己的皇冠;就像宫人无生殖能力一

青少年文学读本

---

① 李希腾堡(1742—1799):德国修辞学家,讽刺作家。

样,这样判断力,对大多数人来说,也的确是微乎其微。他们并不懂得如何识别真假良莠,如何辨认真金黄铜。他们感受不到平腐和超凡脱俗之间的巨大差异。没有人独持己见,大家都是人云亦云。这是超凡脱俗之人难以发现的口实,这也是平庸之辈尽力让不寻常之人脱颖冒尖的伎俩。其结果,就造成了一句古老诗歌所说的那种退化现象:

> 大地上,哪有伟人的宿命,
>
> 他们不再生存,人们不欣赏他们。

一旦有真诚和优异的大作问世,它首先面临的是,它的前进道路上,充斥了不少低劣的作品,而且这些作品还被人们看做是杰作。它费尽口舌拼命为自己争得一席地位,并参与到时髦的潮流中去。不需多久,它很快就被人世间涌现出的那些矫揉造作、头脑简单、粗俗不堪的模仿者所淹没,这样,它就可以悄悄顺利地进入到天才的殿堂之中。由于看不出他们之间有什么区别,原作者严肃地认为这些模仿者同他一样都是伟大的作家。正是出于这个原因,伊阿特①遂用这样的诗句引出了他著名的二十八个文学寓言:

> 在任何时候,那些庸俗的大众,
>
> 总是良莠不分、黑白颠倒。

莎士比亚一去世,他的戏剧就让位于本·琼生、Massinger、Beaumont 以及 Fletcher,而且,一百多年来都一直拜倒在这些人的门下。同样,康德一丝不苟的哲学思考,却被费希特这个骗子,谢林这个变色龙,雅各比那唬人和虚假的胡说,以及最后发展到黑格尔这个纯粹无赖等人所取代。黑格尔还被人们抬高到一个比

---

① 伊阿特(1750—1791):西班牙诗人。

康德高得多的地位。即便在那些大多数人都熟悉的领域,我们也发现,瓦尔特·司各特先生这个无与伦比的大师,被那些一钱不值的模仿者很快就踢在一边了。这就在于,任何地方的公众都不能感受出那些优异的东西,因而,要感受那些在诗歌、艺术和哲学领域的成就,其人数就微乎其微了。而这些领域的著述,才值得我们特地注意。所以贺拉斯说:

上帝、人类、甚至大街上的广告牌,
都不允许诗人成为一个平庸之辈。

那些缺乏正确判断的可悲情形,充分表现在科学领域,表现在那些错误的和被人拒斥的理论的苟延残喘中。一旦这些理论被人们接受后,它便会阻遏真理达五十年或数百年之久,就像石头筑起的堤坝对海浪的制止一样。哥白尼甚至在时光流逝了近百年后,还没有取托勒密而代之;培根、笛卡尔、洛克,在开辟自己的道路时,花了极为缓慢和漫长的时间(这一点,我们只需读一读达朗贝尔为《百科全书》撰写的《前言》就行了)。牛顿也复如是。人们可以看一看莱布尼茨在与克拉克争论时,是怎样对牛顿的引力体系报以仇视与轻蔑。虽然牛顿在他的《原理》一书出版后还活了四十年,但其理论却是在他临死时才受到一部分人的青睐,而这只是在英格兰;在英国之外的地方,照伏尔泰对其理论的描述看,其追随者不过二十人。正是由于伏尔泰的这篇描述的缘由,牛顿的理论才在他死了二十年后在法国得到人们的承认。届时,法国人正坚定、顽强以及充满爱国情怀地沉醉于笛卡尔的漩流中。而就在四十年前,法国的学校对笛卡尔哲学却是完全禁止的。不过,达热苏司法官仍不给伏尔泰以阐述牛顿学说的出版权。相反,牛顿提出的荒诞不经的光学理论,在歌德光学理论问世了四十年后,仍在这个研究领域居于至高无上的霸主地位。虽然休谟笔耕甚早而且完全以通俗的笔调写作,然而,他在五十岁之前,却无人注意或被人忽视。康德毕生都在写作和教学,然而,

青少年文学读本

他在六十岁之后方有声名。艺术家和诗人的园地,多少比思想家的宽广一点,因为他们的读者群要多至百倍。不过,在莫扎特、贝多芬有生之年,公众又是怎样对待他们的呢? 人们是怎样对待但丁,是怎样对待莎士比亚的呢? 如果莎翁的同时代人多少看重他的一点价值,那么,在那样一个绘画业空前繁荣的时代,至少会给我们留下一幅描绘他的杰出和可信赖的画像! 而现在,只留下一些非常使人怀疑其真实性的画像,以及一幅十分拙劣的铜版雕刻,还有在他墓台上的那幅最糟糕的半身像。

这样缺乏判断的可悲情形,还在于这样的事实:每一时代,早先时代的优秀作品无疑都受到赞扬,而其本身时代的东西都无人赏识。本应倾注在这些作品上的力量,却花费在那些低劣的粗制滥造之物上。于是,当货真价实的东西在它本身的时代出现后,人们认可它是非常迟缓的。

我生活的地方·我为何生活

〔美〕梭 罗

亨利·戴维·梭罗（1817—1862），美国作家、自然学家和哲学家，生于康科德城，毕业于哈佛大学，曾在家乡执教两年，后到大作家和思想家爱默生家里当门徒和助手，并开始尝试写作。1845 年，他单身只影地跑到瓦尔登湖畔的山林中，独居到 1847 年才回到康城，后写成了著名的《瓦尔登湖》一书，对后世的文学影响极大。

到达我们生命的某个时期，我们就习惯于把可以安家落户的地方，一个个地加以考察了。正是这样我把住所周围一二十英里内的田园统统考察一遍。我在想象中已经接二连三地买下了那儿的所有田园，因为所有的田园都得要买下来，而且我都已经摸清它们的价格了。我步行到各个农民的田地上，尝尝他的野苹果，和他谈谈稼穑，再又请他随便开个什么价钱，就照他开的价钱把它买下来，心里却想再以任何价钱把它押给他，甚至付给他一个更高的价钱，——把什么都买下来，只不过没有立契约——而是把他的闲谈当作他的契约，我这个人原来就很爱闲谈——我耕耘了那片田地，而且在某种程度上，我想，耕耘了他的心田。如是尝够了乐趣以后，我就扬长而去，好让他继续耕耘下去。这种经营，竟使我的朋友们当我是一个地产掮客。其实我是无论坐在哪里,都能够生活的,哪里的风景都能相应地为我而发光。家宅者,不过是一个座位——如果这个座位是在乡间就更好些。我发现许多家宅的位置,似乎都是不容易很快加以改进的,有人会觉得它离村镇太远,但我觉得倒是村镇离它太远了点。我总说,很好,我可以在这里住下,我就在那里过一小时夏天的和冬天的生活;我看到那些岁月如何地奔驰,挨过了冬季,便迎来了新春。这一区域的未来居民,不管他们将要把房子造在哪里,都可以肯定过去就有人住过那儿了。只要一个下午就足够把田地化为果园、树林和牧场,并且决定门前应该留着哪些优美的橡树或松树,甚至于砍伐了的树也都派定了最好的用场了;然后,我就由它去啦,好比休耕了一样,一个人越是有许多事情能够放得下,他越是富有。

中学生卷

我的想象却跑得太远了些,我甚至想到有几处田园会拒绝我,不肯出售给我——被拒绝正合我的心愿呢——我从来不肯让实际的占有这类事情灼伤过我的手指头。几乎已实际地占有田园那一次,是我购置霍乐威尔那个地方的时候,都已经开始选好种子,找出了木料来,打算造一架手推车,来推动这事,或载之而他往了;可是在原来的主人正要给我一纸契约之前,他的妻子——每一个男人都有一个妻子的——发生了变卦,她要保持她的田产了,他就提出赔我十元钱,解除约定。现在说句老实话,我在这个世界上只有一角钱,假设我真的有一角钱的话,或者又有田园,又有十元,或有了所有的这一切,那我这点数学知识可就无法计算清楚了。不管怎样,我退回了那十元钱,退还了那田园,因为这一次我已经做过头了;应该说,我是很慷慨的啰,我按照我买进的价格,按原价再卖了给他,更因为他并不见得富有,还送了他十元,但保留了我的一角钱和种子,以及备而未用的独轮车的木料。如此,我觉得我手面已很阔绰,而且这样做无损于我的贫困。至于那地方的风景,我却也保留住了,后来我每年都得到丰收,却不需要独轮车来载走。关于风景——

我勘察一切,像一个皇帝,

谁也不能够否认我的权利。

我时常看到一个诗人,在欣赏了一片田园风景中的最珍贵部分之后,就扬长而去,那些固执的农夫还以为他拿走的仅只是几枚野苹果。诗人却把他的田园押上了韵脚,而且多少年之后,农夫还不知道这回事,这么一道最可羡慕的、肉眼不能见的篱笆已经把它圈了起来,还挤出了它的牛乳,去掉了奶油,把所有的奶油都拿走了,他只把去掉了奶油的奶水留给了农夫。

霍乐威尔田园的真正迷人之处,在我看是:它的遁隐之深,离开村子有两英里,离开最近的邻居有半英里,并且有一大片地把它和公路隔开了;它傍着河流,据它的主人说,由于这条河,而升起了雾,春天里就不会再下霜了,这却不在我心坎上;而且,它的田舍和棚屋带有灰暗而残败的神色,加上零落的篱笆,好似在我和先前的居民之间,隔开了多少岁月;还有那苹果树,树身已空,苔藓满布,兔子咬过,可见得我将会有什么样的一些邻舍了;但最主要的还是那一度回忆,我早年就曾经溯河而上,那时节,这些屋宇藏在密密的红色枫叶丛中,还记得我曾听到过一头家犬的吠声。我急于将它购买下来,等不及那产业主搬走那些岩石,砍伐掉那些树身已空的苹果树,铲除那些牧场中新近跃起的赤杨幼树,一句话,等不及它的任何收拾了。为了享受前述的那些优点,我决定干一下了;像那阿特拉斯①一样,把世界放在我肩膀上好啦,——我从没听到过他得了哪样报酬,——我愿意做一切事:简直没有别的动机或任何推托之辞,只等付清了款子,便占有这个田园,再不受他人侵犯就行了;因为我知道我只要让这片田园自生自展,它将要生展出我所企求的最丰美的收获。但后来的结果已见上述。

所以,我所说的关于大规模的农事(至今我一直在培育着一座园林),仅仅是我已经预备好了种子。许多人认为年代越久的

---

① 神话中负载了天体的巨人。

种子越好。我不怀疑时间是能分别好和坏的,但到最后我真正播种了,我想我大约是不至于会失望的。可是我要告诉我的伙伴们,只说这一次,以后永远不再说了:你们要尽可能长久地生活得自由,生活得并不执著才好。执迷于一座田园,和关在县政府的监狱中,简直没有分别。

老卡托——他的《乡村篇》是我的"启蒙者",曾经说过——可惜我见到的那本惟一的译本把这一段话译得一塌糊涂——"当你想要买下一个田园的时候,你宁可在脑中多多地想着它,可决不要贪得无厌地买下它,更不要嫌麻烦而再不去看望它,也别以为绕着它兜了一个圈子就够了。如果这是一个好田园,你去的次数越多你就越喜欢它。"我想我是不会贪得无厌地购买它的,我活多久,就去兜多久的圈子,死了之后,首先要葬在那里。这样才能使我终于更加喜欢它。

目前要写的,是我的这一类实验中其次的一个,我打算更详细地描写描写;而为了便利起见,且把这两年的经验归并为一年。我已经说过,我不预备写一首沮丧的颂歌,可是我要像黎明时站在栖木上的金鸡一样,放声啼叫,即使我这样做只不过是为了唤醒我的邻人罢了。

我第一天住在森林里,就是说,白天在那里,而且也在那里过夜的那一天,凑巧得很,是 1845 年 7 月 4 日,独立日,我的房子没有盖好,过冬还不行,只能勉强避避风雨,没有灰泥墁,没有烟囱,墙壁用的是饱经风雨的粗木板,缝隙很大,所以到晚上很是凉爽。笔直的、砍伐得来的、白色的间柱,新近才刨得平坦的门户和窗框,使屋子具有清洁和通风的景象,特别在早晨,木料里饱和着露水的时候,总使我幻想到午间大约会有一些甜蜜的树胶从中渗出。这房间在我的想象中,一整天里还将多少保持这个早晨的情调,这使我想起了上一年我曾游览过的一个山顶上的一所房屋。这是一所空气好的、不涂灰泥的房屋,适宜于旅行的神仙在途中居住,那里还适宜于仙女走动,曳裙而过。吹过我的屋脊的风,正如那扫荡山脊而过的风，唱出断断续续的调子来，也许是天上人间的音乐片段。晨风永远在吹，创世纪的诗篇至今还没有中断；可惜听得到它的耳朵太少了。灵山只在大地的外部，处处都是。

除掉了一条小船之外，从前我曾经拥有的惟一屋宇，不过是一顶篷帐，夏天里，我偶或带了它出去郊游，这顶篷帐现在已卷了起来，放在我的阁楼里；只是那条小船，辗转经过了几个人的手，已经消隐于时间的溪流里。如今我却有了这更实际的避风雨的房屋，看来我活在这世间，已大有进步。这座屋宇虽然很单薄，却是围绕我的一种结晶了的东西，这一点立刻在建筑者心上发生了作用。它富于暗示的作用，好像绘画中的一幅素描。我不必跑出门去换空气，因为屋子里面的气氛一点儿也没有失去新鲜。坐在一扇门背后，几乎和不坐在门里面一样，便是下大雨的天气，亦如此。哈利梵萨①说过："并无鸟雀巢居的房屋像未曾调味的烧肉。"寒舍却并不如此，因为我发现我自己突然跟鸟雀做起邻居来了；但不是我捕到了一只鸟把它关起来，而是我把我自己关进了它们的邻近一只笼子里。我不仅跟那些时常飞到花园和果树园里来的鸟雀弥形亲近，而且跟那些更野性、更逗人惊诧的森林中的鸟雀亲近了起来，它们从来没有，就有也很难得，向村镇上的人民唱出良宵的雅歌的——它们是画眉，东部鸫鸟，红色的碛鹏，野麻雀，怪鸥和许多别的鸣禽。

我坐在一个小湖的湖岸上，离开康科德村子南面约一英里半，较康科德高出些，就在市镇与林肯乡之间那片浩瀚的森林中央，也在我们的惟一著名地区，康科德战场之南的两英里地；但因为我是低伏在森林下面的，而其余的一切地区，都给森林掩盖了，所以半英里之外的湖的对岸便成了我最遥远的地平线。在第一个星期内，无论什么时候我凝望着湖水，湖给我的印象都好像山里的一泓龙潭，高高在山的一边，它的底还比别的湖沼的水平面高了不少，以至日出的时候，我看到它脱去了夜晚的雾衣，它轻柔

---

① 印度古代梵文叙事诗《摩呵婆罗多》的附录。

青少年文学读本

的粼波,或它波平如镜的湖面,都渐渐地在这里那里呈现了,这时的雾,像幽灵偷偷地从每一个方向,退隐入森林中,又好像是一个夜间的秘密宗教集会散会了一样。露水后来要悬挂在林梢,悬挂在山侧,到第二天还一直不肯消失。

八月里,在轻柔的斜风细雨暂停的时候,这小小的湖做我的邻居,最为珍贵,那时水和空气都完全平静了,天空中却密布着乌云,下午才过了一半却已具备了一切黄昏的肃穆,而画眉在四周唱歌,隔岸相闻。这样的湖,再没有比这时候更平静的了;湖上的明净的空气自然很稀薄,而且给乌云映得很黯淡了,湖水却充满了光明和倒影,成为一个下界的天空,更加值得珍视。从最近被伐木的附近一个峰顶上向南看,穿过小山间的巨大凹处,看得见隔湖的一幅愉快的图景,那凹处正好形成湖岸,那儿两座小山坡相倾斜而下,使人感觉到似有一条溪涧从山林谷中流下,但是,却没有溪涧。我是这样地从近处的绿色山峰之间和之上,远望一些蔚蓝的地平线上的远山或更高的山峰的。真的,踮起了足尖来,我可以望见西北角上更远、更蓝的山脉,这种蓝颜色是天空的染料制造厂中最真实的出品,我还可以望见村镇的一角。但是要换一个方向看的话,虽然我站得如此高,却给郁茂的树木围住,什么也看不透,看不到了。在邻近,有一些流水真好,水有浮力,地就浮在上面了。便是最小的井也有这一点值得推荐,当你窥望井底的时候,你发现大地并不是连绵的大陆,而是隔绝的孤岛。这是很重要的,正如井水之能冷藏牛油。当我的目光从这一个山顶越过湖向萨德伯里草原望过去的时候,在发大水的季节里,我觉得草原升高了,大约是蒸腾的山谷中显示出海市蜃楼的效果,它好像沉在水盆底下的一个天然铸成的铜币,湖之外的大地都好像薄薄的表皮,成了孤岛,给小小一片横亘的水波浮载着,我才被提醒,我居住的地方只不过是干燥的土地。

虽然从我的门口望出去,风景范围更狭隘,我却一点不觉得它拥挤,更无被囚禁的感觉。尽够我的想像力在那里游牧的了。矮橡树丛生的高原升起在对岸,一直向西去的大平原和鞑靼式的草原伸展开去,给所有的流浪人家一个广阔的天地。当达摩达拉的牛羊群需要更大的新牧场时,他说过,"再没有比自由地欣赏广阔的地平线的人更快活的人了。"

时间和地点都已变换,我生活在更靠近了宇宙中的这些部分,更挨紧了历史中最吸引我的那些时代。我生活的地方遥远得跟天文家每晚观察的太空一样。我们惯于幻想,在天体的更远更僻的一角,有着更稀罕、更愉快的地方,在仙后星座的椅子形状的后面,远远地离了嚣闹和骚扰。我发现我的房屋位置正是这样一个遁隐之处,它是终古常新的没有受到污染的宇宙一部分。如果说,居住在这些部分,更靠近昴星团或毕星团,牵牛星座或天鹰星座更加值得的话,那么,我真正是住在那些地方的,至少是,就跟那些星座一样远离我抛在后面的人世,那些闪闪的小光,那些柔美的光线,传给我最近的邻居,只有在没有月亮的夜间才能够看得到。我所居住的便是创造物中那部分;——

> 曾有个牧羊人活在世上,
> 　　他的思想有高山那样
> 崇高,在那里他的羊群
> 　　每小时都给与他营养。

如果牧羊人的羊群老是走到比他的思想还要高的牧场上,我们会觉得他的生活是怎样的呢?

每一个早晨都是一个愉快的邀请,使得我的生活跟大自然自己同样地简单,也许我可以说,同样地纯洁无瑕。我向曙光顶礼,忠诚如同希腊人。我起身很早,在湖中洗澡;这是个宗教意味的运动,我所做到的最好的一件事。据说在成汤王的浴盆上就刻着这样的字:"苟日新,日日新,又日新。"①我懂得这个道理。黎明带回来了英雄时代。在最早的黎明中,我坐着,门窗大开,一只看不

---

① 引自《汤之盘铭》。

到也想象不到的蚊虫在我的房中飞,它那微弱的吟声都能感动我,就像我听到了宣扬美名的金属喇叭声一样。这是荷马的一首安魂曲,空中的《伊利亚特》和《奥德赛》①,歌唱着它的愤怒与漂泊。此中大有宇宙本体之感;宣告着世界的无穷精力与生生不息,直到它被禁。黎明啊,一天之中最值得纪念的时节,是觉醒的时辰。那时候,我们的昏沉欲睡的感觉是最少的了;至少可有一小时之久,整日夜昏昏沉沉的官能大都要清醒起来。但是,如果我们并不是给我们自己的禀赋所唤醒,而是给什么仆人机械地用肘子推醒的;如果并不是由我们内心的新生力量和内心的要求来唤醒我们,既没有那空中的芬香,也没有回荡的天籁的音乐,而是工厂的汽笛唤醒了我们的——如果我们醒时,并没有比睡前有了更崇高的生命,那么这样的白天,即便能称之为白天,也不会有什么希望可言;要知道,黑暗可以产生这样的好果子,黑暗是可以证明它自己的功能并不下于白昼的。一个人如果不能相信每一天都有一个比他亵渎过的更早、更神圣的曙光时辰,他一定是已经对于生命失望的了,正在摸索着一条降入黑暗去的道路。感官的生活在休息了一夜之后,人的灵魂,或者就说是人的官能吧,每天都重新精力弥漫一次,而他的禀赋又可以去试探他能完成何等崇高的生活了。可以纪念的一切事,我敢说,都在黎明时间的氛围中发生。《吠陀经》②说:“一切知,俱于黎明中醒。”诗歌与艺术,人类行为中最美丽最值得纪念的事都出发于这一个时刻。所有的诗人和英雄都像曼侬,那曙光之神的儿子,在日出时他播送竖琴音乐。以富于弹性的和精力充沛的思想追随着太阳步伐的人,白昼对于他便是一个永恒的黎明。这和时钟的鸣声不相干,也不用管人们是什么态度,在从事什么劳动。早晨是我醒来时内心有黎明感觉的一个时候。改良德性就是为了把昏沉的睡眠抛弃。人们如果不是在浑浑噩噩地睡觉,那为什么他们回顾每一天的时

---

① 相传著名史诗《伊利亚特》和《奥德赛》是荷马所唱的唱本。
② 印度婆罗门教的古代经典,共四卷。

101
中学生卷

候要说得这么可怜呢？他们都是精明人嘛。如果他们没有给昏睡所征服，他们是可以干成一些事的。几百万人清醒得足以从事体力劳动；但是一百万人中，只有一个人才清醒得足以有效地服役于智慧；一亿人中，才能有一个人，生活得诗意而神圣。清醒就是生活。我还没有遇到过一个非常清醒的人。要是见到了他，我怎敢凝视他呢？

我们必须学会再苏醒，更须学会保持清醒而不再昏睡，但不能用机械的方法，而应寄托无穷的期望于黎明，就在最沉的沉睡中，黎明也不会抛弃我们的。我没有看到过更使人振奋的事实了，人类无疑是有能力来有意识地提高他自己的生命的。能画出某一张画，雕塑出某一个肖像，美化某几个对象，是很了不起的；但更加荣耀的事是能够塑造或画出那种氛围与媒介来，从中能使我们发现，而且能使我们正当地有所为。能影响当代的本质的，是最高的艺术。每人都应该把最崇高的和紧急时刻内他所考虑到的做到，使他的生命配得上他所想的，甚至小节上也配得上。如果我们拒绝了，或者说虚耗了我们得到的这一点微不足道的思想，神示自会清清楚楚地把如何做到这一点告诉我们的。

我到林中去，因为我希望谨慎地生活，只面对生活的基本事实，看看我是否学得到生活要教育我的东西，免得到了临死的时候，才发现我根本就没有生活过。我不希望度过非生活的生活，生活是这样的可爱；我却也不愿意去修行过隐逸的生活，除非是万不得已。我要生活得深深地把生命的精髓都吸到，要生活得稳稳当当，生活得斯巴达式①的，以便根除一切非生活的东西，划出一块刈割的面积来，细细地刈割或修剪，把生活压缩到一个角隅里去，把它缩小到最低的条件中，如果它被证明是卑微的，那么就把那真正的卑微全部认识到，并把它的卑微之处公布于世界；或者，如果它是崇高的，就用切身的经历来体会它，在我下一次远游时，也可以作出一个真实的报道。因为，我看，大多数人还确定不

---

① 刻苦耐劳，简单而严格。

了他们的生活是属于魔鬼的，还是属于上帝的呢，然而又多少有点轻率地下了判断，认为人生的主要目标是"归荣耀于神，并永远从神那里得到喜悦"。

然而我们依然生活得卑微，像蚂蚁；虽然神话告诉我们说，我们早已经变成人了；像小人国里的人，我们和长脖子仙鹤作战；这真是错误之上加错误，脏抹布之上更抹脏；我们最优美的德性在这里成了多余的本可避免的劫数。我们的生活在琐碎之中消耗掉了。一个老实的人除十指之外，便用不着更大的数字了，在特殊情况下也顶多加上十个足趾，其余不妨笼而统之。简单，简单，简单啊！我说，最好你的事只两件或三件，不要一百件或一千件；不必计算一百万，半打不是够计算了吗，总之，账目可以记在大拇指甲上就好了。在这浪涛滔天的文明生活的海洋中，一个人要生活，得经历这样的风暴和流沙和一千零一种事变，除非他纵身一跃，直下海底，不要作船位推算去安抵目的港了，那些事业成功的人，真是伟大的计算家啊。简单化，简单化！不必一天三餐，如果必要，一顿也够了；不要百道菜，五道够多了；至于别的，就在同样的比例下来减少好了。我们的生活像德意志联邦，全是小邦组成的。联邦的边界永在变动，甚至一个德国人也不能在任何时候把边界告诉你。国家是有所谓内政的改进的，实际上它全是些外表的，甚至肤浅的事务，这是这样一种不易运用的生长得臃肿庞大的机构，壅塞着家具，掉进自己设置的陷阱，给奢侈和挥霍毁坏完了，因为它没有计算，也没有崇高的目标，好比地面上的一百万户人家一样；对于这种情况，和对于他们一样，惟一的医疗办法是一种严峻的经济学，一种严峻得更甚于斯巴达人的简单的生活，并提高生活的目标。生活现在是太放荡了。人们以为国家必须有商业，必须把冰块出口，还要用电报来说话，还要一小时驰奔三十英里，毫不怀疑它们有没有用处；但是我们应该生活得像狒狒呢，还是像人，这一点倒又确定不了。如果我们不做出枕木来，不轧制钢轨，不日夜工作，而只是笨手笨脚地对付我们的生活，来改善它们，那么谁还想修筑铁路呢？如果不造铁路，我们如何能准时赶到天堂去哪？可是，我们只要住在家里，管我们的私事，谁还需要铁路呢？我们没有乘坐铁路，铁路倒乘坐了我们。你难道没有想过，铁路底下躺着的枕木是什么？每一根都是一个人，爱尔兰人，或北方佬。铁轨就铺在他们身上，他们身上又铺起了黄沙，而列车平滑地驰过他们。我告诉你，他们真是睡得熟啊。每隔几年，就换上了一批新的枕木，车辆还在上面奔驰着；如果一批人能在铁轨之上愉快地乘车经过，必然有另一批不幸的人是在下面被乘坐被压过去的。当我们奔驰过了一个梦中行路的人，一根出轨的多余的枕木，他们只得唤醒他，突然停下车子，吼叫不已，好像这是一个例外。我听到了真觉得有趣，他们每五英里路派定了一队人，要那些枕木长眠不起，并保持应有的高低，由此可见，他们有时候还是要站起来的。

为什么我们应该生活得这样匆忙，这样浪费生命呢？我们下了决心，要在饥饿以前就饿死。人们时常说，及时缝一针，可以将来少缝九针，所以现在他们缝了一千针，只是为了明天少缝九千针。说到工作，任何结果也没有。我们患了跳舞病，连脑袋都无法保住静止。如果在寺院的钟楼下，我刚拉了几下绳子，使钟声发出火警的信号来，钟声还没大响起来，在康科德附近的田园里的人，尽管今天早晨说了多少次他如何如何地忙，没有一个男人，或孩子，或女人，我敢说是会不放下工作而朝着那声音跑来的，主要不是要从火里救出财产来。如果我们说老实话，更多的还是来看火烧的，因为已经烧着了，而且这火，要知道，不是我们放的；或者是来看这场火是怎么被救灭的，要是不费什么劲，也还可以帮忙救救火；就是这样，即使教堂本身着了火也是这样。一个人吃了午饭，还只睡了半个小时的午觉，一醒来就抬起了头，问："有什么新闻？"好像全人类在为他放哨。有人还下命令，每隔半小时唤醒他一次，无疑的是并不为什么特别的原因；然后，为报答人家起见，他谈了谈他的梦。睡了一夜之后，新闻之不可缺少，正如早饭一样的重要。"请告诉我发生在这个星球之上的任何地方的任何人的新闻。"——于是他一边喝咖啡，吃面包卷，一边读报纸，知道了这天早晨的瓦奇多河上，有一个人的眼睛被挖掉了；一点不在乎他自己就生活在这个世界的深不可测的大黑洞里，自己的眼睛里早就是没有瞳仁的了。

拿我来说，我觉得有没有邮局都无所谓。我想，只有很少的重要消息是需要邮递的。我一生之中，确切地说，至多只收到过一两封信是值得花费那邮资的——这还是我几年之前写过的一句话。通常，一便士邮资的制度，其目的是给一个人花一便士，你就可以得到他的思想了，但结果你得到的常常只是一个玩笑。我也敢说，我从来没有从报纸上读到什么值得纪念的新闻。如果我们读到某某人被抢了，或被谋杀或者死于非命了，或一幢房子烧了，或一只船沉了，或一只轮船炸了，或一条母牛在西部铁路上给撞死了，或一只疯狗死了，或冬天有了一大群蚱蜢——我们不用再读别的了。有这么一条新闻就够了。如果你掌握了原则，何必去关心那亿万的例证及其应用呢？对于一个哲学家，这些被称为新闻的，不过是瞎扯，编辑和读者就只不过是在喝茶的长舌妇。然而不少人都贪婪地听着这种瞎扯。我听说那一天，大家这样抢啊夺啊，要到报馆去听一个最近的国际新闻，那报馆里的好几面大玻璃窗都在这样一个压力之下破碎了。——那条新闻，我严肃地想过，其实是一个有点头脑的人在十二个月之前，甚至在十二年之前，就已经可以相当准确地写好的。比如，说西班牙吧，如果你知道如何把唐卡洛斯和公主，唐彼得罗，塞维利亚和格拉纳达这些字眼时时地放进一些，放得比例适合——这些字眼，自从我读报至今，或许有了一点变化了吧。——然后，在没有什么有趣的消息时，就说说斗牛好啦，这就是真实的新闻，把西班牙的现状以及变迁都给我们详详细细地报道了，完全跟现在报纸上这个标题下的那些最简明的新闻一个样；再说英国吧，来自那个地区的最后的一条重要新闻几乎总是 1649 年的革命；如果你已经知道她的谷物每年的平均产量的历史，你也不必再去注意那些事了，除非你是要拿它来做投机生意，要赚几个钱的话。如果你能判断，谁是难得看报纸的，那么在国外实在没有发生什么新的事件，即使一场法国大革命,也不例外。

　　什么新闻!要知道永不衰老的事件,那才是更重要得多!蘧伯玉(卫大夫)派人到孔子那里去。孔子与之坐而问焉。曰:夫子何为?对曰:夫子欲寡其过而未能也。[1]使者出。子曰:使乎,使乎。[2]在一个星期过去了之后,疲倦得直瞌睡的农夫们休息的日子里——这个星期日,真是过得糟透的一星期的适当的结尾,但决不是又一个星期的新鲜而勇敢的开始啊——偏偏那位牧师不用这种或那种拖泥带水的冗长的宣讲来麻烦农民的耳朵,却雷霆一般地叫喊着:"停!停下!为什么看起来很快,但事实上你们却慢得要命呢?"

　　谎骗和谬见已被高估为最健全的真理,现实倒是荒诞不经的。如果世人只是稳健地观察现实,不允许他们自己受欺被骗,那么,用我们所知道的来譬喻,生活将好像是一篇童话,仿佛是一部《天方夜谭》了。如果我们只尊敬一切不可避免的,并有存在权利的事物,音乐和诗歌便将响彻街头。如果我们不慌不忙而且聪明,我们会认识惟有伟大而优美的事物才有永久的绝对的存在——琐琐的恐惧与碎碎的欢喜不过是现实的阴影。现实常常是活泼而崇高的。由于闭上了眼睛,神魂颠倒,任凭自己受影子的欺骗,人类才建立了他们日常生活的轨道和习惯,到处遵守它们,其实它们是建筑在纯粹幻想的基础之上的。嬉戏地生活着的儿童,反而更能发现生活的规律和真正的关系,胜过了大人,大人不能有价值地生活,还以为他们是更聪明的,因为他们有经验,这就是说,他们时常失败。我在一部印度的书中读到,"有一个王子,从小给逐出故土之城,由一个樵夫抚养成长,一直以为自己属于他生活其中的贱民阶级。他父亲手下的官员后来发现了他,把他的出身告诉了他,对他的性格的错误观念于是被消除了,他知道自己是一个王子。所以,"那印度哲学家接下来说,"由于所处

---

①　主人要减少他的错误而办不到。
②　何等有价值的一位使者,何等有价值的一位使者啊!

环境的缘故,灵魂误解了他自己的性格,非得由神圣的教师把真相显示了给他。然后,他才知道他是婆罗门。"我看到,我们新英格兰的居民之所以过着这样低贱的生活,是因为我们的视力透不过事物表面。我们把**似乎**是当做了**是**。如果一个人能够走过这一个城镇,只看见现实,你想,"贮水池"就该是如何的下场?如果他给我们一个他所目击的现实的描写,我们都不会知道他是在描写什么地方。看看会议厅,或法庭,或监狱,或店铺,或住宅,你说,在真正凝视它们的时候,这些东西到底是什么啊,在你的描绘中,它们都纷纷倒下来了。人们尊崇迢遥疏远的真理,那在制度之外的,那在最远一颗星后面的,那在亚当以前的,那在末代以后的。自然,在永恒中是有着真理和崇高的。可是,所有这些时代,这些地方和这些场合,都是此时此地的啊!上帝之伟大就在于现在伟大,时光尽管过去,他绝不会更加神圣一点的。只有永远渗透现实,发掘围绕我们的现实,我们才能明白什么是崇高。宇宙经常顺从地适应我们的观念;不论我们走得快或慢,路轨已给我们铺好。让我们穷毕生之精力来意识它们。诗人和艺术家从未得到这样美丽而崇高的设计,然而至少他的一些后代是能完成它的。

我们如大自然一般自然地过一天吧,不要因硬壳果或掉在轨道上的蚊虫的一只翅膀而出了轨。让我们黎明即起,不用或用早餐,平静而又无不安之感;任人去人来,让钟去敲,孩子去哭——下个决心,好好地过一天。为什么我们要投降,甚至于随波逐流呢? 让我们不要卷入在子午线浅滩上的所谓午宴之类的可怕急流与漩涡,而惊惶失措。熬过了这种危险,你就平安了,以后是下山的路了。神经不要松弛,利用那黎明似的魄力,向另一个方向航行,像尤利西斯①那样拴在桅杆上过活。如果汽笛啸叫了,让它叫得沙哑吧。如果钟打响了,为什么我们要奔跑呢? 我们还要研

---

① 罗马神话中的英雄,即希腊神话中的奥德修斯。他勇敢机智,在特洛伊战争后回国途中历尽艰险。

究它算什么音乐？让我们定下心来工作，并用我们的脚跋涉在那些污泥似的意见、偏见、传统、谬见与表面中间，这蒙蔽全地球的淤土啊，让我们越过巴黎、伦敦、纽约、波士顿、康科德，教会与国家，诗歌，哲学与宗教，直到我们达到一个坚硬的底层，在那里的岩盘上，我们称之为现实，然后说，这就是了，不错的了，然后你可以在这个 Point d'appui① 之上，在洪水、冰霜和火焰下面，开始在这地方建立一道城墙或一个国土，也许能安全地立起一个灯柱，或一个测量仪器，不是尼罗河水测量器了，而是测量现实的仪器，让未来的时代能知道，谎骗与虚有其表曾洪水似的积了又积，积得多么深哪。如果你直立而面对着事实，你就会看到太阳闪耀在它的两面，它好像一柄东方的短弯刀，你能感到它的甘美的锋镝正剖开你的心和骨髓，你也欢乐地愿意结束你的人间事业了。生也好，死也好，我们仅仅追求现实。如果我们真要死了，让我们听到我们喉咙中的咯咯声，感到四肢上的寒冷好了；如果我们活着，让我们干我们的事务。

时间只是我垂钓的溪。我喝溪水；喝水时候我看到它那沙底，它多么浅啊。它的汩汩的流水逝去了，可是永恒留了下来。我愿饮得更深；在天空中打鱼，天空的底层里有着石子似的星星。我不能数出"一"来。我不知道字母表上的第一个字母。我常常后悔，我不像初生时聪明。智力是一把刀子；它看准了，就一路切开事物的秘密。我不希望我的手比所必需的忙得更多些。我的头脑是手和足。我觉得我最好的官能都集中在那里。我的本能告诉我，我的头可以挖洞，像一些动物，有的用鼻子，有的用前爪，我要用它挖掘我的洞，在这些山峰中挖掘出我的道路来。我想那最富有的矿脉就在这里的什么地方；用探寻藏金的魔杖，根据那升腾的薄雾，我要判断；在这里我要开始开矿。

---

① 法语：支点。

性　格

〔美〕爱默生

　　爱默生(1803—1882)，美国散文作家、诗人、哲学家。美国超验主义的代表人物，并被看做是美国文艺复兴时期的精神领袖，崇尚自然，主张人们归隐"自然"，以期达到那种道德的高尚境界——德行情感。爱默生的大部分著述都由演讲整理而成，主要著作有《自然沉思录》、《代表人物》等。

　　　　　夕阳西沉，他的希望并未沉沦；
　　　　　星辰升起，他的信念早已升腾。
　　　　　凝望这浩渺的银河，
　　　　　他的目光那么苍茫，那么深邃，
　　　　　犹如他静穆的崇高，
　　　　　无言的时间。
　　　　　他喃喃低语，轻柔如雨，
　　　　　再度唤回了黄金时代：
　　　　　他的创化这般可敬、甜美，
　　　　　消泯了一切人工的斧凿。

　　　　　他亲手创造的杰作，
　　　　　他既不赞美也不悲哀，

只是祈求自我的本真；

　　就像从不悔疚的自然，

　　留下它的每一件真迹。

　　书上说，查诺曼先生的听众觉得他身上有种东西，比他所说的一切都要可贵。当他谈论米尔博的一切时，无法完全使自己的天赋发挥出来，对此，我们赫赫有名的研究法国大革命的英国史学家早就抱怨再三了。格拉古兄弟、阿吉斯、克莱奥梅尼一世和三世，以及普卢塔克笔下的那些主人公，也同他们的名望不相符合。菲利普，西德尼公爵，埃赛克斯伯爵，瓦尔特·拉雷夫公爵，都是些伟大的历史人物，可我们所知的功绩却寥寥无几。在叙述华盛顿的丰功伟业时，我们找不到一丁点他个人的功绩。席勒的名声远比他著作实际可得的名声要大得多。说雷声要比打雷时间长，似乎还不能解释这种名不符实的现象。不过，这些历史人物身上多少蛰伏着一种期望，一种超越所有功绩的期望。他们最大的力量是引而不发的。这就是我们所说的性格——一种一触即发却又无法表现的潜力。可以说，是一种无形的力，无论是凡夫俗子还是绝顶的天才，都是由这种力激发和引导的。这种力依附于人，却无法施授于人。因此，具有这种力的人往往茕茕孑立，即使偶尔合群，也不会有求于他人，完全可以洁身自好。真正的文学天才也许此一时非常伟大，彼一时又非常渺小，但他们的性格却总是熠熠生辉的。一个人卓绝的天资，无敌的辩才，说到底都是因为他性格的魅力。"他只使出一半的力气"，他的胜利不是靠斧钺，而是由卓越的才能表现出来。他所向披靡，所到之处，无不焕然一新。"噢！伊奥勒，你怎么知道海力克斯是位天神？"伊奥斯答道："因为我一见他就心领神会。当我看见忒修斯时，我大概只会作壁上观，至多也是为其牵引战马而已。但是，海力克斯不会干等着厮杀，无论他站着，走着还是坐着，一抬手，一举足都是无往而不胜的。"芸芸众生，如一撮流苏，一头牵着纷繁的人声，那么丧气地蔫搭着，而上述人物则显出事物的勃勃生机，一如控

青少年文学读本

制太阳和潮汐的天道,主宰着数字和数量的法则。

在这里,我想说得更浅近一些。我发现在我们的政治选举中,这种因素,如果还能表现出来的话,也只能以最粗糙的形式出现。我们很清楚,它出现的频率是无以比拟的。人们知道,他们选举的代表不仅应具有才智,更重要的,是要有一种让人信服其才智的能力。他们怎么也无法推举一个博学、敏锐和善辩的人到国会去;如果他不是这种人,那他在被众人选出来之前,早就会被万能的上帝看中来代表一种事实——这在他身上无人可以改变,即使最自负、最粗暴的人也确信:与他作对是错误的,卤莽的,只能是白花气力。这些代表只注重自己的看法而不关心他们的选民会怎么说,而他们又成了他们所代表的国家:在他们身上,情绪和意见瞬息万变,又千真万确;在他们身上不存在任何自私。选民们在家里聆听他们的演说,察看他们的脸色,就像在镜子前,为自己修饰打扮一样。我们的国会是各派力量大显身手的地方。南方和西方那么和善的乡下人对性格似乎有一种偏好。他们很想知道这个新英格兰人到底是个实力人物呢,还是个肚里空空的草包。

同样的动机也常见于商量。生意场和军界、政界、文学界一样,都有天才;至于为什么这个或那个人特别走运,原因倒没有说明。运气蛰伏在人身上——人们只能这么说。你一看到他,就会明白他为什么会成功,正如你一看到拿破仑,就可以知道他的命运一样。在新事物面前,我们还得用老法子:要有正视现实的习惯,不要间接地去了解,老在二手货上打转。大自然似乎左右着生意场。当你看到一个天生的商人时,他给你的印象不是一个经纪人,而是大自然的代理商,是大自然的商业大臣。他天生正直,对社会有深刻的洞察,这使他抛弃一切手腕,全凭自己的信誉同人打交道,根本不需要那种低下的交易。他的思考习惯符合公平和公益的标准;他激发人们对他的敬意。大家都乐意与他做生意,因为他有一种不必言说的荣誉精神,能提供不少聪明的消遣。因此,仅凭他的头脑,他就生意兴隆,四海通达。好望角有他的码头,大西洋沿岸有他的商埠,天底下更没有比他更成功的人了。在他的客厅里,我看到他一清早就皱着眉头苦苦工作,而幽默和文雅又似乎总是陪伴着他。我知道许多周密的计划已付诸实施;有许多斩钉截铁的"不"字已经说了出来,而其他人则不知会说多少毫无意义的"是"。我知道,他有很得体的高傲,算术般精明的技巧和高超的运筹能力,具有一种与世界原初之道嬉戏神游的意识。他自信没有人能补其之短。可见,生意人是天生的,而不是后天学的。

这种美德更能引出思想。而当它见诸行动时,也不至于和思想掺杂在一起。在私交或极小的社会圈里。这种美德最为有力。无论何时何地,它都是种非凡的、无以估量的力量。他能使蛮力服服帖帖。在潜移默化中,一物降一物,并且让对方无法作任何抵抗。这也许是普通的规律。当高级的东西不能使低级的提升到自己的高度,它就会制服后者,如同人驯服低级的动物一样。人们彼此间也存在类似的神奇力量。真正大师的力量在于把神奇的故事变为现实。一条主宰的河流似乎从他双眼奔腾而出,流进围观的人群中,一道强烈的忧郁之光,如奥依阿河或德努伯河,用他的思想浸润周遭的人们。他思想的色调能使一切变得五彩缤纷。"你用了什么法子?"有人就她对待玛丽亚和梅迪希向柯齐尼的妻子发问。她回答说:"只是强者战胜弱者的那种影响。"难道凯撒不会砸碎身上的锁链,把它回敬给赫普斯或斯拉修这类狱卒? 难道镣铐会是永久的束缚? 假如一个奴隶贩子在几内亚海边把一群黑奴押上船,他们之中会有图森、路维杜尔这样的人,假定他们是带着镣铐、面容漆黑的华盛顿。当他们到达古巴时,船上原来的主奴关系难道还不会改变? 难道除了绳索和锁链,再没有别的? 没有爱和宽容? 难道这位可怜的奴隶贩子心中没有丝毫的良心? 难道这些还不足以用来打碎、逃避或用任何方式来征服一两寸铁环的强力?

这是种天赋的力量,如光如热,与自然万物互相协调。我们之所以感觉到这个人,而非那个人的存在,理由就像万有引力一样简单。真理是存在的顶峰,正义是它的应用。每个自然物都按自身中这些因素的多寡,而分为不同的等级。纯粹的意志从中流出来,流入其他事物之内,如同水往低处流。正如其它自然力无法违背一样,这种自然力也是不以人的意志为转移的。我们能把一块石头扔向高空,但它永远是要下落的。尽管可以说出许多小偷没被绳之以法的事例,尽管谎话会有人相信,但正义最终会占上风。真理的特权就是要让别人相信。所谓性格说到底是以单个自然物为中介而发现的道德秩序。每个人都是一个小世界。时间,空间,自由,义务,真理,思想,都是广邈无垠的。现在,整个宇宙是幽禁着的。天底下每一个都是他灵魂的一种风姿。他身上有了这种东西,就会感召自己力所能及的一切事物;他不会把自己失落于广漠之中,但,不论经过多长的曲线,它最终还是要返璞归真的。他激励他能激励的一切,他只关注那些他激发的东西。他包容了整个世界,正如爱国者包容他的国家,并以此作为他性格的物质基础,他行为的舞台。一个健全的灵魂总是伴随着公正和真理,就像一块磁石总是围绕着磁极。正因为如此,在别人看来,它就像在他们和太阳之间的一个透明体,这样,它成了那些参差不齐之物最有影响的中介。所以说,有性格的人是他所属那个社会的道德之心。

这种力量的自然方式是对环境的抗拒。动机不纯的人会把生活看做是观念和人事的反映。他们在事情发生之前,是看不到事物发展的。其实道德因素在行动者身上预先存在,不论是错还是对,是很容易确定的。自然界中任何东西都有两个极,阴极和阳极。于是,就有了雄性和雌性,有了精神和物质,南方和北方。精神是阳性的,物质则是阴性。意志居北极,行动是南极。性格在北极可以找到一个位置,在磁场中担负其责。衰朽的灵魂降落在南极或阴极。他们看见行动的利弊,却看不见原则性的东西,除非它在某人身上出现。他们没想到自己应该可爱一些,却又总想惹人喜爱。有这类性格的人喜欢听别人的过错,而另一类性格的人则不然,他们崇拜一些事物;他们只想获得一点事实、一种关联以及某些与环境相关联的线索,而不再要求其它的东西。这位英雄认为事情是附属的,认为它必须随从他。一种特定的秩序无法保证他得到一种与想像力相关的满足;善的灵魂总是逃避环境的束缚。而幸运只属于一种思想,并权力和胜利引入事物的次序之中。环境的变迁不能弥补性格的缺陷。我们夸耀自己从迷信中解脱了出来,但是,如果说我们摧毁了一个偶像,往往又带来了另一个偶像。我已经做的就是不再把公牛作为一种贡品献给朱庇特和海王星,或把一只老鼠献给赫克托耳。这样,在炼狱或最后审判日到来之时,我不再颤栗。——虽说我可能会在议论或是我们的所谓公共舆论面前,在攻击的淫威,骄横无礼,难与相处的邻居,贫困潦倒,有关革命的流言,危害和凶手面前发抖。假如我真的害怕了,究竟是什么东西在作祟? 我们自身的缺陷会按照性别、年龄、脾性之分,以这样那样方式出现,如果害怕的话,就会导致恐惧。贪婪和憎恶让我们忧伤,而当我把他们推上社会,我便变得贪婪和憎恶了。我总在那儿自己封闭自己。另一方面,正直是永久的胜利,它不是以胜利的欢呼声来为自己庆贺。而是以习以为常的寂寞。我们不能老是想证明自己的真实和价值。资本家不会时不时跑去找他们的经纪人,把赢利再投入,而只会从市场的报告中了解到他的股票升值。我也碰到过这种在最佳次序中出现的最佳状态。这时,我必须学会体味这样一种感觉:我的处境不时地改善,我已经能够把握我所希冀的事件。可惜,只有凭一种对事物次序极其犀利的先见之明才能体验到这一点,这就不由得给我们的运气蒙上了一层阴影。

对我来说,性格的表面是自我完善的。我尊敬最富有的人,所以,我不把他看做孤独的穷人,流放者,不幸人或食客,而是看做一个可靠的伙伴,施主和赐福者。性格是个核心,是一种不能被取代和颠倒的存在。一个人应该给我们以整体的感觉。社会是浮泛的,它把白昼撕成碎片,把谈话分成礼仪和逃逸。如果我在拜访一个很爽快的人,他对我是殷勤备至,客气有加,我倒会觉得他招待得并不好;如果他端坐着不动,让我来理解,又不是真正

青少年文学读本

的对我存有戒意;这样我就知道遇见了一种新颖活泼的性格——这对我们两人来说都是极其新鲜的。他屡次拒绝接受流俗的看法和做法。这种非凡会刺激和加深人的记忆,使人们在初次见面时,就认识他。没有争斗,就没有意义和真理可言。如果我们的房子里充斥着说笑,窃窃私语和闲言碎语,对我们来说并没有什么好处。另一方面,一个缺乏教养和责任心的人,一个总是给社会带来麻烦和威胁的人,社会也不会轻易地放过他,要么崇拜他,要么憎恨他。对这种人来说,所有的党派,无论是仗义执言的,还是态度暧昧的或奇里古怪的,都会觉得同他有些关联——任何事他都插手;他冤枉欧洲和美洲,通过揭示未经尝试和未知的事物,来打破怀疑主义的论点,即:"人是一个玩偶,让我们吃喝享受吧。"对法典的默认,对公众的迎合,反映出信仰不坚定,头脑不清醒,要等到房子造好才能搞懂设计蓝图。聪明人不仅不会考虑多数人的思想,甚至不考虑少数人的观点。思想如汩汩清泉,自发地流动,吸取,主宰,被确定,是最主要的——它们很了不起,因为这些都是非凡力量的表现。

我们的行动应精确地建立在我们的本体之上。在自然界里,没有错误的估价。海洋深处的一磅水的地心引力不会比仲夏池塘里的大。所有的事物都按其重量和质量精确地活动着;人是例外,人不会去做力所不能及的事情。他有这样的权利,他追求和尝试他力所能及的事。我读过一本英国的传记,里边有这样的话:"福克斯先生(就是后来的哈罗德爵士)说他会掌管财政部,他一直孜孜地追求,一定会如愿以偿。"色诺芬和他的万人之众在追求和创获上是平等的。有了这种平等,无疑可以建立盖世之功。军事历史上的辉煌时期是不会重复的事实。许多人一直在追求,却没能得到它。行动的力量只能基于现实。没有一个机构会比它的始创者好。我认识一个野心勃勃且能力很强的人,他在搞实际的改革工作。可我从未发现他身上有一种他所能把握的爱。他只是凭道听途说和书本上的知识来进行改革。他所有的行动都是无把握的。他所干的无异于把城市的一小块放进田野,结果城市还是城市,丝毫没有变化。没有新的东西就不可能激起热情。如果此人身上潜伏着某种东西,某种可怕的尚未显现的天才,那我们一定早就看出了苗头,对智者是看见邪恶是不够的,还必须找到对付的方法。我们必须拖延我们的存在,而不是固守我们已有的地盘。激励我们的往往是思想而不是精神。我们至今还不能根据思想来行动。

这些是生活的财富。生活的另一种特征就是不停地增长。人应当具有才智和渴求。人必须让我们觉得,他能把握住未来。未来会在每一小时上洒下辉煌。英雄往往会遭到误解,在增添了新的力量和获得应得的荣耀之后,他又奋然向前了。如果你还在旧事物中徘徊,而不通过增加你的精神财富来与它保持联系,那么你会有一种陷于赤贫之地的感觉。对于那些贵人,担当得起或接受的旧事物,新的行动是惟一的替代和注解。如果你的朋友使你不快,你坐下来仔细地想它,因为他在回去的路上早把刚才的不愉快忘掉了。而且他还会加倍地为你做事。在你再次升华之前,为你深深地祝福。

我们不想思考那种只能以做事多少来衡量的仁慈。爱是取之不竭的,即使爱的地盘已经被占用,爱的仓廪已经耗空,爱仍然能使人欢娱和富足。一个有爱心的人,虽然长眠不醒了,但似乎还在清涤空气。他的住宅为风景增色,给法则加码。人们可以看出这种差异,说某人是慈善的,并不是指他是否给救济会捐一大笔钱。只有低劣的品行才能被数点出来。当你的朋友们都很肯定地说你做得很出色时,你会不由得惶恐起来;而当他们对你心存顾虑,忧喜参半,要待来年才能给你下定论时,你才感到有了盼头。那些为将来而活着的人肯定要显得比为现在而活的人要自私。所以,撰写歌德的回忆录的瑞尔梅先生,多少显得有些滑稽。他开出一张乐善好施的清单,给了斯蒂林、黑格尔、忒斯培思几百塔勒钱,给弗斯教授找了个待遇不错的教席,为赫德在大公手下谋到差使,替梅耶搞到一份养老金,把两位教授推荐给外交大学,等等,等等。但最长的受惠单子也会让人感到太短。一个人如果被这么衡量的话，就十分可怜了。当然，所有这些都是例外；一个好人的规律和现世生活就是善行。真纯的歌德在与爱克尔曼谈话中，说出了他处理财富的方法。"我每一句隽永的话都花费了一大笔钱。我自己那五十万块钱，我继承的遗产，我的薪俸，以及我五十年写作的全部收入，都花在教我掌握我现在的知识上。此外，我还看到了……"

我得承认，只有那些无聊的闲谈会去度量这种简单而快捷力量的特性，而这样做，无异于用炭笔来勾勒闪电。但在漫漫长夜和假期，我会用这样的方法来安慰自己。世上除了自身，没有别的东西可以复制他物。一句热情洋溢的真心话会使我感到充实。我总是向谨慎妥协。文学天才在火热的生活面前显得那么冷静。这些生活的感触唤起我沉重的灵魂，赋予他看穿黑暗的眼睛。我发现，一旦我发现了自己的贫乏，我就找到了自己的富足。这时，人就会感到一种理智上的狂喜，它会再一次遭到新展现的性格的非难。可见，喜好和憎恶总是反复更替。性格排斥智力，却又激发智力；性格穿越思想，公开表露出来，然后，又会在新的伦理价值面前感到羞耻。

性格是自然的最高形式。仿效它或满足现有的性格是毫无意义的。抵制、坚持或创造这种人格力量倒是切实可行的，这种力量足以击败一切对手。

这种性格只有由自然来塑造才是最佳的。应该注意的是，那些个伟人终将滑入生活的阴影，没有那千眼的阿森斯来关注和显示每一种新思想，年轻天才每一种羞涩的情感。近来有两个人——两个上帝的幼童——给了我思考的契机。当我探究他们圣洁的源泉和对想象的迷恋时，好像每个人都对我说："我与你们的差异在于：我从未听说过你们的法律和福音书上宣扬的东西，从不浪费自己的时间。对贫穷、单调的乡村我很满足：既然这种生活是这么地甜蜜，所以我从来不提醒你们注意——这种生活是那样地纯洁。"大自然对我宣扬这样的人，她在民主的美国并没有被民主化。她居然能出闹市和丑闻的淤泥而不染，实在让人敬佩。在今天早晨,我叫人给这些林间隐士送去一些野花。他们是来自文学的一种慰藉——是从思索和敏感的源头产生出来的新生力量;就如我们在一个持论甚苟的时代里读到了一个民族写出的第一行散文诗。不论是埃斯库勒斯、但丁、莎士比亚还是司各特,都对他们钟情的作品倾注了一往深情,就好像在他们的作品中下了赌注。对这类作品,谁读了,谁也就触摸到了作者本身。批评家尤其不顾公众的趣味,帕特莫斯在写作时,根本就没意识到后来又有那么多人阅读他的作品。他们可以像天使那样常梦不断,而不醒来进行比较,或受人吹捧! 然而,许多自然之物是至善的,不会因颂扬而受到污损,无论何时何地,当思想的血脉注入深沉时,就不可能有虚荣的危险。真诚的朋友会提醒他们,不要让颂歌吹昏了脑袋,对此,他们只是付之一笑。我记得一个雄辩的卫理公会教徒对一位神学博士的劝诫有些愤愤然,他说:"我的朋友,人不会因为宠辱而贬谪。"宽恕那些诽谤者吧,他们的出现是自然而然的。我记得,当许多机敏、活泼的外国人来到美国时,我就冒出一个念头,很想问一问:你是作为祭品被带来的吗? 或者,在回答这个问题之前,回答我:"你是不是愿意成为牺牲品?"

正如我所说的,大自然把这些至高无上的东西握在手中。无论清规戒律如何粗暴地分割出一些信用,并教唆法律管制公民,大自然依然我行我素,让最聪明的人吃瘪。大自然藐视每一个信条和预言,就像是一个有许多东西要创造,又没有剩余的时间来创造的人。历史上有这么一类人,每隔很久才出现一个,他们有着天赋的智慧和道德,他们被公认为是神灵,似乎聚集了我们所说的那种力量。神圣的人天生就有性格,借用拿破仑的话来说,他们注定是会胜利的。可人们总是以一种邪恶的心理看待他们,因为他们是新生的,因为他们限制了最后一位神人的个性造就的夸张。大自然绝对不会让她的子女千人一面。人心不同,各如其面。

当我们看到一个伟人,会想到他与历史的某人相似,从而把握他的性格和命运,其结果肯定是令人失望的。没有人会按照我们的偏见来解决他性格上的问题，只有他会用自己独到的方式来解决。性格需要空间，不能被人挤成一团，也不可能从一系列或偶然的一瞥中判断出来。认知它，需要开阔的视线，就像面对一幢高楼大厦。它也许不会，很有可能不会，一下子组成某种联系。我们不需要匆匆作出解释。无论是有关世俗的伦理，还是有关我们自己。

我把雕塑视为历史。我认为有血有肉、栩栩如生的阿波罗和朱庇特不是不可能的。艺术家刻在石头上的特质，他一定都在生活里见过，而且总比在石头上的摹本要好。我们见过不少冒牌的东西，可我们天生相信伟人。我们常常在古书上读到，当伟人差不多绝迹时，宗教长老们就会做出最卑劣的事情来。我们要求伟人要顶天立地，当他挺身而起时，就会像雄狮一般施展其威。人们最相信的是这样的画面：一些贵人牢牢地把持在入口处，正好与派来检验塞图斯特或骚拉斯特功绩的东方术士相遇。当圣人尤那尼到达巴尔干时，波斯人告诉我们，古斯塔夫挑中了一个日子，在这一天所有国家的床全都要拼起来，并为圣人尤那尼安置一把金交椅。这时，受人爱戴的耶斯塔姆·塞图斯特的先知，走进会场中间。圣人尤那尼看见了他，说："这种形式，这种步法是不会撒谎的，从中产生出来的，除了真理还是真理。"柏拉图说：人不可能不相信上帝的孩子，"尽管他们会说出一些没有经过必要争论的话。"假如我不能确信历史中最好的东西，我就会觉得自己是很不幸的。弥尔顿说："约翰·布兰特俨然一位古罗马的执政官，而且一年到头都是如此；所以，不仅在宗教裁判所，而在通过他的整个生活，你会把他当做一个凌驾于国王之上的判官。"既然这是先人说的，我觉得还是可靠的，正如中国所说的，人应该知天命，而不要让大家都认识这个世界。"这位高贵的王子面对诸神，没有任何焦虑；他在等待百世不遇的圣人的到来，并对此他深信不疑。如果能面对诸神，而不焦虑，他就可以知天命；如果等待百世不遇的圣人而没有任何的怀疑，他就可以认识人。既然这位王子有这般德性，他就可以世代为皇室指路。"不过，没有必要去寻找永久的模式。如果一个人的经验不能告诉他现实以及如化学反应一般的魔术的力量,那他就是一个迟钝的观察者。一个极其冷漠和古板的人在走向外界时不会不受影响。有人看到了他,记忆中的坟墓就会使死者复活。对于那使他忧心忡忡的秘密,要么缄口不言,要么就宣泄出来,反正总得要解决掉。——在另外的情况下,他可能无法说出来,他身上的骨头好像失去了软组织。这时,一位神采飞扬的朋友会给他增添一些文雅、勇气和口才,他不得不铭记在心,是谁拓展了他的思想,点燃他心中另一种生命之火。

当这种和谐的关系从根底产生出来时,什么是最出色的? 怀疑论者不相信人的能力和需求,对他们来说,最有效的回答就是:与人交往是可能欢愉的。这种可能性使所有有理智的人都信服并身体力行。生活给我们提供了极其敏锐的探求真理的能力,但我却一无所知,两个道德高尚的人在交流了各自的善行之后,就会成为莫逆之交。正是这种快慰使人不急于向别人索取报酬,并把政治、经济和宗教视为粪土。当人们都各遂其愿,都成为慈善家,一个个功成名就的光彩夺目的人物时,便是大自然的盛大节日。在友谊中,性爱是第一个标志,而其他所有的关系也都是爱的标志。这种和自己最爱的人的关系,曾一度被我们认为是青春的浪漫,但在性格的发展中,会变成最充实的喜悦。

要是人能和睦相处该有多好! ——如果我们不再向别人索取赞赏、帮助和同情,不再依照最古老的道德戒律。来驱赶他们该有多好! 我们能不和一些人(某个人)打交道吗? 面对朋友,难道我们可以缄默不语,不说出发自肺腑的赞扬吗? 我们有必要这么热切地去寻找他吗? 假如我们有缘,我们就会相遇的。没有一个神能隐身于另一个神之中,这是远古的一个传统;古希腊有这么一句诗:

诸神彼此相知。

朋友之间的法则亦是如此,他们互相吸引,而不是其它:

> 当每人都相互躲避时,
> 会得到最大的快乐吗?

他们的关系不是强迫的,而是自由的。诸神不用管家,一起高踞阿尔卑斯山上,在高贵的神坛上各据其位。如果勉为其难,如果大家千里之隔,那么,社会就不安宁了。如果说它不是社会,那就是充斥灾祸、堕落的是非之地,尽管它们是由最好的部分组成的。这时,任何高尚的东西都被排斥了,每一个缺点都成了痛苦在肆虐,就好像奥林匹斯山上的众神见面是为了交换鼻烟盒。

生活一往直前。我们追逐面前某些急速变化的计划,或者,被身后某种恐惧或命令所追逐。但如果我们突然碰到一个朋友,我们就会停下来;我们热切和饥渴的样子会显得十分可笑。这时需要停顿一下,拥有某些东西,需要获取一种从心灵的力量。这一时刻是至关重要的。

神圣的人就是大脑的预言,而朋友则是心灵的希望。与朋友合二而一便是我们无上的福音。老年人正在开拓这种道德力量。所有的力量都是这种力量的影子或象征。诗之所以是欢愉的,有力的,就因为它触发了人的灵感。人在这个世界上写下自己的名字,就好像心里装满了这种力量。历史一直是吝啬的;我们的民族到处是乌合之众。我们从未见过一个真正的人。——我们至今还不认识这种神圣的形式,而只是梦想到了,或预言到了它。我们不知道哪些是属于他的行为举止,终有一日,我们会发现,最隐秘的其实是最公开的力量,质量可以用数量弥补,性格的伟大体现在黑暗中,并救济那些从未见过它的人。我们所看到的伟大,不过是这方面的开始,是对我们的鼓励。人类记载的,并对之顶礼膜拜的众神和圣人,说到底,都是性格的写照。老年人为年轻人的行为举止欢喜雀跃；年轻人运气不佳，在泰伯恩①的绞架上被绞死；由于其纯洁的本性，年轻人给他的死洒上了史诗般的辉煌，这种辉煌又使得一切细节转换为人类眼中的一种普遍象征。因此，这种伟大的失败便是我们最高的事实。可人的大脑需要胜利来取悦自己的感官，需要一种足以改变法官、陪审团、士兵，乃至国王的性格力量；这种力量将主宰动物和无机物世界的美德，和树液、河流、风源、晨星和道德使者的路径混合在一起。

如果我们不能在一定的范围内至少获得这些辉煌，那就让我们向它们表示敬意吧。在现实社会中，优势往往作为劣势记载下来。这需要我们更加小心翼翼地进行我们私下的估算。我不肯宽恕我的朋友，如果他们不知道世上有好的性格，并以感激的心情来迎接它。当我们的企望最终来到时，当它在遥远的王国向我们洒下金光时，我们会变得十分粗劣，挑三挑四，用街上那种吱吱喳喳的喧闹和猜疑来对待这种天国的客人。这种粗俗很可能会关闭天堂的大门。这是一种困惑、神志不清的表现，这时心灵似乎已不再认识自己，也不知道它的忠诚，它的宗教会在何处结束。除了这种宗教，世上还有哪种宗教懂得：无论在哪处人间沙漠，人所向往的神圣情感会绽开出一朵鲜花，为我开放？如果说没有人看到这一点，我看到了。在我独处幽思时，我意识到了这一事实的伟大。当花儿开放时，我将在安息日或其它神圣的时刻敬神，暂时抛弃我的忧恶，我的愚蠢和空话。大自然中充满了这种天国的客人。世上有不少人能够发现并尊敬谨慎和普遍的美德，还有许多人能够在布满星星的轨迹上分辨出天堂的来客，虽说乌合之众是做不到这一点的。可当爱神真的来到我们街上，来到我们屋子里时，只有那些心灵纯净，追求美德的人才能认出它来。爱让人苦苦追求，备受折磨，却总是避开我们，似乎暗暗发誓要成为这个世界上的可怜虫和傻瓜，宁愿让屈从来玷污它诚实的双手。面对这样的爱神，我们惟一能对它做的恭维，就是拥有它。

青少年文学读本

---

① 泰晤士河左岸一支流，河两岸有闻名于世的刑场。

一个人需要许多土地吗

〔俄〕托尔斯泰

列夫·托尔斯泰(1828—1910),19世纪俄国最伟大的作家。出生于贵族家庭,1840年入喀山大学,受到卢梭、孟德斯鸠等启蒙思想家影响。1847年退学回故乡在自己领地上作改革农奴制的尝试。1851—1854年在高加索军队中服役并开始写作。其自传体小说《童年》、《少年》。1863—1869年托尔斯泰创作了长篇历史小说《战争与和平》,是一部具有史诗和编年史特色的鸿篇巨制。1873—1877年完成其第二部里程碑式巨著《安娜·卡列尼娜》。19世纪70年代末,托尔斯泰的世界观发生巨变,写成《忏悔录》。80年代创作剧本《黑暗的势力》、《教育的果实》,小说《伊凡·伊里奇之死》、《克莱采奏鸣曲》、《哈泽·穆拉特》等;1889—1899年创作的长篇小说《复活》是他长期思想、艺术探索的总结,也是对俄国社会批判最全面深刻、有力的一部著作。托尔斯泰晚年力求过简朴的平民生活,1910年10月从家中出走,11月7日病逝于一个小站。

一

姐姐从城里来乡下看望妹妹。姐姐嫁了个城里商人,妹妹嫁了个乡下农民。姐妹俩喝着茶,谈着天。姐姐得意扬扬地吹嘘她在城里的生活：她的房子多么宽敞，衣服多么时髦，她的孩子打扮得多么漂亮，她吃得多么香，喝得多么美，她怎么乘马车兜风，上剧场看戏。

妹妹听了生气，就竭力贬低商人的生活，美化农民的生活。

她说："我可不愿拿我的生活换你那种生活。尽管日子清苦，我们却无忧无虑。你们过得阔气，有时大发其财，但有时亏个精光。常言道：赚钱亏本是双胞胎。今天百万富翁，明天上街要饭。我们庄稼人要稳当得多。我们肚子里油水少，但是寿命长，我们发不了财，也饿不了肚子。"

姐姐说：

"成天同猪牛打交道，肚子能吃得多饱！你们不懂得文明，不知道礼貌！不论你们当家的怎样累死累活，一辈子泡在猪粪牛尿里，永远没有出头的日子，你们的孩子也一样。"

妹妹说："是的，我们干的就是这样的活，但日子过得踏实，我们不求人，也不怕谁。你们在城里到处受诱惑：今天太太平平，明天就会碰上魔鬼，引诱你们当家的去赌钱喝酒，嫖妓宿娼。到头来一场空。难道没有这样的事吗？"

当家的巴霍姆这时躺在炕上，听着娘儿们闲聊。

"说得对，"他说道，"我们庄稼人从小种地，脑子从来不胡思乱想。只一件事烦恼——地太少！要是有足够的土地，别说人，就是魔鬼也吓不倒我！"

姐妹俩喝完茶，又谈了一通衣着打扮，收拾好杯盘，躺下睡觉。

不料魔鬼坐在炕后面，这番话他听得一清二楚。魔鬼感到高兴，因为农民老婆夸奖丈夫，说他要是有土地，就连魔鬼也不怕。

魔鬼想："好吧，让我来跟你较量一下。我给你许多土地，就用土地来制服你。"

二

附近住着一个不大富裕的太太。她有一百二十俄亩①地。原来她跟农民相处得很好，她不欺负他们。后来她雇了一个退伍兵来当管家，他动不动就要罚农民款。尽管巴霍姆小心翼翼，还是常常出事，不是马冲进燕麦地，就是牛闯到花园里，再不就是牛犊践踏草地，他就只好被罚款。

巴霍姆付了罚款，就回家打骂老婆孩子。一个夏天，巴霍姆吃了这个管家许多苦。等到牲口圈起来过冬，他才放下心来，虽然得多费点饲料，但不用担惊受怕。

冬天，听说太太要出卖土地，大路上一家客店的老板想把它买下来。农民们听了都很恐慌。他们想："要是客店老板买下这块地，他罚起款来一定比太太更厉害。我们不能没有这块地，我们都靠它过活。"农民们就一起来到太太那里，要求她别把地卖给客店老板而卖给他们，他们愿意多出点钱。太太答应了。农民们商量由村社买下整块土地。他们商量了一次又一次，但始终没有谈成。原来是魔鬼在其中作怪，使他们的意见不能统一。最后农民们决定各人根据自己的力量各买各的，太太也答应了。巴霍姆听说邻居向太太买了二十俄亩地，太太答应先收一半钱，其余一半一年后再付。巴霍姆很羡慕，想："地都被买光了，弄得我一无所有。"他就同妻子商量。

他说："大家都在买地，我们也得买十来俄亩。要不管家动不动罚款，我们没法过日子。"

他们考虑怎样设法买地。他们有一百卢布存款，卖掉一匹马驹和一半蜜蜂，把儿子抵押出去当雇工，再向连襟借点钱，这样就能凑满一半地价。

巴霍姆凑齐钱，看中一块地，有十五俄亩，带一片小树林，就

---

① 一俄亩合 1.09 公顷。

去同太太谈。他们谈成了这笔买卖，拍了板，付了定金。他们又进城，把地契过了户，付了一半款子，其余一半两年内付清。

这样，巴霍姆就有了自己的土地。他借了种子，播在他买来的土地上。庄稼长得很好。一年之内他就付清太太的欠债，还了连襟的债。巴霍姆也就成了土地的主人：他耕种自己的地，在自己的地上割草，在自己的地上伐木，在自己的地上放牧牲口。不论翻耕自己的土地，还是观赏自己的作物或者草地，巴霍姆总是心花怒放。他总觉得他土地上的草长得特别茂盛，花开得格外美丽。以前他走过这片土地，觉得它同别的土地一样，但现在却觉得它完全与众不同。

三

巴霍姆这样过着日子，感到心满意足。只要邻居不来糟蹋他的庄稼和草地，就一切称心如意了。他恳求他们，但是没有用：一会儿牧人把牛放到他的草地上，一会儿夏天夜里放牧的马闯进他的庄稼地。巴霍姆总是把牲口赶走，原谅主人。他一直忍着不去告状，但后来实在受不了，就告到乡里。他知道邻居农民这样做并不是有意，他们是因为土地太少，但又想："也不能听任不管，这样下去他们会把地糟蹋光的。得教训教训他们。"

他一次一次上法院告状，法院罚一两个农民赔偿。邻居们对巴霍姆就怀恨在心，一再故意糟蹋他的地。有一天夜里他来到树林里，看见有十棵椴树被砍倒剥去树皮。巴霍姆来到树林里，看见有样东西白忽忽的。他骑马跑近一看，地上横着几棵椴树，旁边露出几个树桩。要是只砍去边上几棵倒也罢了，可是那坏蛋竟把它砍个精光。巴霍姆看了大为生气："哼，我要知道是谁干的，我就找他算账。"他想来想去，断定："不是别人，准是谢苗。"他走到谢苗家去找，什么也没有找到，两人只对骂了一通。他告到法院，谢苗被传去审问。法院一再审查，谢苗进行辩解，也没有找到罪证。巴霍姆越发生气，他跟乡长、法官都吵了嘴。

"你们包庇小偷。要是你们大公无私,就不会开脱小偷了。"

巴霍姆跟法官和左邻右舍都吵了嘴。有人威胁要烧他的房子。巴霍姆的地虽然多了,他的日子却更加难过。

当时盛传有许多人迁移到新的地区去。巴霍姆想:"我可不用离开我的土地,要是有人离开这儿,我们的地盘可以宽广些。我会把他们的地弄到手,把我的农庄扩大,这样日子就会更舒坦。要不总觉得土地太少。"

一天,巴霍姆坐在家里,来了一个过路的农民。巴霍姆留他在家里过夜,给他饭吃,同他谈天,问他从什么地方来。农民说,他从伏尔加河下游来,他在那里当雇工。谈着,谈着,农民说,有许多人迁移到那里,他们就在那里定居,加入村社,每人分到十俄亩地。

他说:"那边的地很肥,种下黑麦,麦秆长得比马背还高,可茂盛了,五把就可以扎一大捆。有个农民很穷,去的时候只有一双手,如今已有六匹马、两头牛了。"

127

巴霍姆心动了。他想:"既然有好日子可过,何必在这里受穷?我把这里的地和房子都卖掉,到那边另起炉灶,大干一番。挤在这小地方真是活受罪。不过我得亲自去了解了解。"

他在初夏动身,乘轮船沿伏尔加河到萨马拉,然后步行四百俄里到达目的地。情况果然如此。农民的地很多,每人分到十俄亩,他们高高兴兴加入村社。谁要是有钱,除了份地外还可以买地,最好的地每俄亩只要三卢布,要多少可以买多少!

巴霍姆把情况了解清楚后,秋天回家把东西变卖一空。他带点赚头卖掉土地,又卖掉房子和牲口,退出村社。开春就全家搬到新地方去。

四

巴霍姆带着一家人来到新地方,参加了一个大村的村社。他招待村社长辈喝酒,弄到了各种证件。村社接受巴霍姆入社,分给他五十俄亩份地，分在几个地方，牧场是公用的。巴霍姆盖了房子，养了牲口。单是从村社分到的地就比原来的多两倍，而且都是种庄稼的沃土。日子过得比原来好十倍。饲料也很充裕，牲口要养多少可以养多少。

巴霍姆在这里安顿下来，感到称心如意，但定居后，又觉得土地不够。第一年，巴霍姆在份地上种小麦，收成很好。他种小麦来了劲，但觉得地不够。刚种过的地不宜立刻再种。当地人在熟荒地和休闲地上种小麦，种了一两年就让土地休闲，长野草。这种地要的人很多，不够分配，为此常常发生争吵。有钱的自己种，穷人则把地租给商人，租金用来缴税。巴霍姆想多种些，第二年就去向商人租来一块地，一年为期。他种得更多，收成更好，但那块地离家太远，赶车得走十五俄里。他看到有些农民兼做买卖，自己有农庄，日子过得很阔气。巴霍姆想："我要是也买点私地，办个农庄，就更称心如意了。"巴霍姆开始考虑怎样买私地。

巴霍姆这样过了三年。他租地种小麦，年年风调雨顺，小麦喜获丰收，钱越存越多。这样的日子本可以一直过下去，但他感到麻烦，因为年年得为租地奔走忙碌，什么地方有好地，农民就涌到那里，把地一抢而光。你去晚了，就没有地种。第三年，他同一个商人向农民合买一片牧场，农民已耕了地，可是有纠纷，农民们告到官府，地也就白耕了。他想："如果那地是自己的，就不用向人打躬作揖，也不会有麻烦了。"

巴霍姆到处打听哪里可以买到私地。他遇到一个农民，向他买了五百俄亩地，那人破产了，所以卖得很便宜。巴霍姆同他讨价还价，谈了半天，最后以一千五百卢布成交，一半付现金。这事差不多已办成，不想有个商人路过他那里喂马。巴霍姆同他一起喝茶，谈天。商人讲到他从遥远的巴什基尔来。他说，他向巴什基尔人买了五千俄亩地，总共才花了一千卢布。巴霍姆就向他详细打听这事。商人说：

"不过先得去巴结老人。我花一百卢布买了绸袍、地毯送给他们，再加一箱茶叶，把能喝酒的都请来喝酒。结果我就以每俄亩二十戈比的价钱成交了。"他出示地契说,"地都在河边,上面长满茅草。"

巴霍姆又详细打听了一番。

商人说:"那边的土地一年也走不到头,全是巴什基尔人的。巴什基尔人像羊一样没有脑子,那里的地几乎可以白拿。"

巴霍姆想:"既然如此,我何必花一千卢布去买五百俄亩地,还要欠债。我拿一千卢布到那边可以买到多少地啊!"

五

巴霍姆问清了到那地方的路径。他送走商人就预备动身。他抛下家给妻子照管,自己带了一名雇工出发。他们来到城里,照商人的话买了一箱茶叶、礼品和酒。他们走啊走啊,一连走了大约五百俄里,第七天来到巴什基尔人的游牧地。一切就像商人所说的那样,巴什基尔人临河搭了毡帐篷,住在草原上。他们不种地,也不吃粮。草原上放着成群的牛马。马驹拴在帐篷后面,母马一天两次被牵来喂奶。他们挤马奶,做马奶酒。巴什基尔女人搅马奶酒,做干酪,男人只知道喝马奶酒,饮茶,吃羊肉,吹笛子。他们个个肥肥胖胖,快快活活,整个夏天就像过节一样不干活。他们愚昧无知,不懂俄语,但是和蔼可亲。

巴什基尔人一看见巴霍姆都从帐篷里出来,把他团团围住。他们找来一名翻译。巴霍姆对他说,他是来看地的。巴什基尔人听了很高兴,把巴霍姆领到一个最好的帐篷里,让他坐在地毯上,又给了他羽绒靠枕。他们围坐在四周,请他饮茶,喝马奶酒。巴什基尔人还宰了一头羊,请他吃羊肉。巴霍姆从马车里取出礼品,分送给他们。巴霍姆送了巴什基尔人礼品,又把茶叶分给他们。巴什基尔人很高兴,彼此叽里咕噜地说了一通,然后叫翻译告诉巴霍姆。

翻译说:"他们说,他们喜欢你,我们这里的风俗是尽量让客人高兴,还要回赠礼品。你送了我们礼品,现在你说说,你喜欢我们这里什么东西,我们好给你还礼?"

"我最喜欢你们这里的土地,"巴霍姆说,"我们那里地少,而且种薄了,你们这里地多,而且很肥。这样好的地我还从没见过呢。"

翻译翻译了他的话。巴什基尔人又交谈了好一阵。巴霍姆不明白他们在说些什么,但看出他们很高兴,又是叫,又是笑。随后他们安静下来,望着巴霍姆,翻译就说:

"他们要我对你说,他们愿意给你土地来回报你的好意,你要多少给多少。你只要用手点一点,那地就是你的了。"

他们又谈了一会儿,像是在争论什么问题。巴霍姆问他们在争论什么,翻译说:

"有人说,土地的事得问问头人,没得到他的许可不行。也有人说,没得到他的许可也可以。"

六

巴什基尔人争论着,突然来了个戴狐皮帽的人。大家都不再说话,站起来。翻译说。

"这位就是头人。"

巴霍姆立刻拿出一件最好的绸袍送给头人,还给了他五磅茶叶。头人接受了礼物,在首席坐下。巴什基尔人立刻对头人说着什么。头人听着听着,点了点头,告诉他们不用再说下去。然后他用俄语对巴霍姆说话。

"好吧,"他说,"你喜欢什么地方,就拿什么地方。地多得是。"

"我怎么才能把要的地都拿到手呢?"巴霍姆想。"总得有个保证啊。要不现在说是你的,以后又把地收回去。"

"谢谢你们的美意,"巴霍姆说,"你们的地很多,我要的不多。不过我要知道给我的地是哪一块。总得量一下,给我定下来。要不死生由命,现在你们这些好人给了我土地,但难保将来你们的子孙不收回去。"

"你说得有理，"头人说，"可以定下来。"

巴霍姆说：

"我听说有个商人来过你们这儿。你们也给了他地，还写了契约，我也希望这样做。"

头人懂得他的意思。

"这都不成问题，"他说。"我们这儿有文书。我们到城里去一次，正式订个契约。"

"那么价钱怎么算？"巴霍姆问。

"我们这儿只有一个价：一千卢布一天。"

巴霍姆不懂他的意思。

"一天是多少啊？一天等于几俄亩？"

"我们不会算，"他说。"我们出卖土地用天计算；你一天能绕多少地，这些地就归你，价钱是一千卢布一天。"

巴霍姆感到惊讶，他说：

"一天走下来，那地可多啦！"

头人笑起来。

"全部归你！"头人说。"但有一个条件：你要是当天不能回到出发的地方，你的钱就白花了。"

"那我怎么在走过的地方做记号？"巴霍姆问。

"我们将站在你看中的地方，你去绕一圈，随身带一把铲子，你要什么地方，就挖个坑盖上草做记号，我们再从一个坑到另一个坑犁出一条沟。你要绕多大的圈子，就绕多大的圈子，但日落之前一定要回到出发的地方。你一圈绕下来的地方都归你所有。"

巴霍姆高兴极了。他们决定第二天一早出发。接着大家又谈天，又喝马奶酒，又吃羊肉，又饮茶，直到天黑。他们安排巴霍姆睡羽绒褥子，讲定天一亮就集合，日出前出发，这才各自回家。

七

巴霍姆躺在羽绒褥子上睡不着,心里一直在想:"我要弄到一大块地。我一天可以走五十俄里路。现在日长,五十俄里绕一圈地可多啦。以后我把坏地卖掉,或者让给农民,挑最好的地自己种。我要买两对公牛,雇两名工人。我要种五十俄亩地,其余的养草放牲口。"

巴霍姆通宵没有合眼。直到天快亮才迷迷糊糊地睡着。他做了个梦,梦见他就躺在这个帐篷里,听见外面有人在哈哈大笑。他想看看谁在笑,就起身走出帐篷,看见巴什基尔头人坐在帐篷前捧腹大笑。他走过去问道:"你在笑什么呀?"他发现这人不是巴什基尔头人,而是几天前路过他家、告诉他买地的商人。他刚问商人:"你来这儿好久了?"立刻又发现他不是商人,而是那个好久前从伏尔加河下游来的农民。接着巴霍姆又看见那不是农民,而是一个长着犄角和蹄子的魔鬼。魔鬼坐在那里呵呵大笑,前面躺着个只穿短衫裤的赤脚农民。巴霍姆仔细瞧瞧,才发现这是个死人,而且就是他自己。巴霍姆吓醒了,想:"真是什么梦不会做啊!"他回头一看,看见门外天色已经发白。他想:"得叫醒人,是时候了。"巴霍姆起身,叫醒车上的雇工,吩咐他套车,自己则去唤醒巴什基尔人。

"起来吧,到草原上去量地。"他说。

巴什基尔人纷纷起来,聚集在一起,头人也来了。巴什基尔人又喝马奶酒,还要请巴霍姆饮茶,但巴霍姆等不及了。

"要走就走吧,是时候了,"他说。

八

巴什基尔人集合起来,有的骑马,有的坐车,大家出发。巴霍姆跟他的雇工带了铲子,坐上自己的马车上路。他们来到草原

青少年文学读本

上,朝霞刚刚出现。他们爬上一座小丘。大家下了车,下了马,聚在一起。头人走到巴霍姆跟前,用手指着说:

"瞧,这片土地都是我们的,一眼望不到边。你随便挑吧。"

巴霍姆眼睛红了:这是一片熟荒地,平得像手掌,黑得像鸦片,洼地上野草丛生,长得齐胸高。

头人摘下狐皮帽放在地上,说:

"瞧,这就是记号。你从这儿出发,再回到这儿。凡是你绕一圈走下来的地都归你。"

巴霍姆摸出钱放在帽子上,脱下长袍,只穿一件短袄,收紧宽腰带,把一袋面包揣在怀里,又把水壶挂在腰带上,拉拉靴筒,问雇工要了铲子,准备上路。他反复考虑走哪个方向,觉得到处都是好地。他想:"反正都一样,我朝太阳升起的地方走就是了。"他面对太阳站着,活动活动身子,等太阳从天边出来。他想:"不能浪费时间,趁凉快走路。"等太阳从地平线一出来,巴霍姆就背起铲子向草原走去。

巴霍姆走得不快不慢。他走了一俄里光景停下来站住,挖了一个坑,盖上草皮,这样醒目些。接着又向前走。他活动活动身子,加快脚步。他走了一段路,又挖了一个坑。

巴霍姆回头望了望。小丘在阳光下看得清清楚楚,人们站在那里,马车的轮子闪闪发亮。巴霍姆估计他已走了五俄里。他感到热,脱下短袄搭在肩上,继续往前走。又走了五俄里的样子。天气更热了。他望望太阳,已是吃早饭的时候。

"已经走了一程①,"巴霍姆想。"不过一天能走四程路,回去还早。让我把靴子脱掉。"他坐下来脱下靴子挂在腰带上,继续走路。现在比较轻松了。他想:"让我再走五俄里,然后往左拐。这地方太好了,放弃可惜。越往前,地越好。"他又一直走过去。他回头一看,小丘隐约可见,小丘上的人像黑蚂蚁,还有一样东西在发亮。

---

① 一程指马一口气能走的路。

巴霍姆想："是啊,这个方向已走了不少路,得拐弯了。可把我渴死了,真想喝点水。"他停下来,挖了个更大的坑,盖上草皮,解下水壶,喝了个够,就陡然向左拐弯。他走啊走,草长得更高,天更热了。

巴霍姆走累了。他望望太阳,已是吃午饭的时候。他想:"好吧,让我歇会儿。"巴霍姆收住脚步,蹲下来。他吃了点面包和水,但没有躺下。他想:"我一躺下就会睡着的。"他坐了一会儿,继续往前走。起初走得还轻松,因为吃了点东西,添了力气。天气越来越热,他直想打瞌睡,但他没有停下来,心里想,忍耐一时,享福一世。

他朝这个方向又走了许多路,正想向左拐,忽然看见一片水洼地,觉得放弃可惜。他想:"这里种亚麻很好。"他又一直向前走去。他走过水洼地,在那边挖了一个坑,拐了弯。巴霍姆回头望望小丘,那边热得雾气弥漫,仿佛空气也在颤动,隐约看得见小丘上的人,离他大约有十五俄里。巴霍姆想:"哦,那两边走得够多了,这边得少走些。"他加快脚步朝第三个方向走去。他望望太阳,太阳已到中天,可第三个方向还只走了两俄里。回到出发的地方仍有十五俄里。他想:"不行,虽然这样我会弄到一块斜形地,但是必须笔直赶回去。我不要更多的地,现在已经很多了。"巴霍姆急忙挖了一个坑,拐弯笔直向小丘走去。

青少年文学读本

九

巴霍姆一直向小丘走去。他汗流浃背,两脚划破,浑身瘫软。他想歇一会儿,但是不能,日落之前要赶不回去的。太阳不等人,越来越往下沉,往下沉。他想:"哦,我是不是要得太多了? 会不会来不及?"他往前望望小丘,望望太阳:离出发点很远,而太阳离地平线却不远了。

巴霍姆一直走着,越来越吃力,但仍不断加快脚步,他走啊走啊,离终点还是很远。他小跑起来。他抛下短袄、靴子、水壶和帽子,只拿着铲子当拐杖。他想:"唉,我太贪心,这下子全完了。日落以前我跑不到了。"他心里发慌,更加上气不接下气。巴霍姆跑得浑身大汗,衬衫衬裤都贴在身上,嘴巴发干。他的胸膛好像铁匠铺里的风箱一样拼命喘气,心上好像有一把铁锤在敲打,两腿失去知觉,好像散了架。巴霍姆感到害怕,心里想:"可别累死啊。"

他怕死,但又不愿停下来。他想:"已经跑了这么多,现在停下来,会被人家笑话的。"他跑啊跑啊,越来越接近终点,他听见巴什基尔人在向他大声叫喊,心里更加发慌。他拼出最后的力气向前跑去,太阳已接近地平线,落到迷雾中,它又大又红像血染的一样,眼看就要落下去了。太阳离地平线很近,他到达出发点也不远了。巴霍姆已看见小丘上人们在向他招手,要他加油。他看见地上的狐皮帽,看见帽子上的钱;他看见头人坐在地上,双手按住肚子。巴霍姆想起了他的梦,同时想:"土地很多,但上帝是不是让我在上面过。唉,我把自己给毁了,我跑不到了。"

135

巴霍姆望望太阳,太阳已触到地平线,一半已隐没不见,只剩下一半。巴霍姆竭尽全力冲去,两只脚勉强跟上,使自己不至倒下。巴霍姆跑近小丘,天色突然黑下来。他回头一看,太阳已经落山了。巴霍姆大叫一声,想:"我白费力气了。"他想停下来,但听见巴什基尔人还在叫喊。他突然想到,他从低处看太阳已经落下,但从小丘上看太阳一定还没有落下。他拼着最后一口气跑上小丘。小丘上还很亮。巴霍姆跑上去,看见了帽子。帽子前面坐着头人,双手捧腹呵呵笑着。巴霍姆想起了那个梦,他惊叫一声,两腿一软仆倒在地,他的手伸出去够着了帽子。

"啊,真是条好汉!"头人叫道,"你得到了许多土地!"

巴霍姆的雇工跑过来,想把他扶起,但他口吐鲜血,躺在地上死了。

巴什基尔人叹息不止。

雇工拿起铲子给巴霍姆挖了一个塘,从头到脚有三俄码长,就把他埋了。

木 木①

〔俄〕屠格涅夫

青少年文学读本

　　伊凡·谢尔盖耶维奇·屠格涅夫(1818—1883)，俄国 19 世纪批判现实主义作家，出生于世袭贵族之家。1833 年进莫斯科大学文学系，一年后转入彼得堡大学哲学系语文专业，毕业后到德国柏林大学攻读哲学、历史和希腊与拉丁文。1847—1851 年，屠格涅夫在《现代人》上发表其成名作《猎人笔记》。包括二十五个短篇故事，全书在描写乡村山川风貌、生活习俗，刻画农民形象的同时，深刻揭露了地主表面上文明仁慈，实际上丑恶残暴的本性，充满了对备受欺凌的劳动人民的同情，写出了他们的聪明智慧和良好品德。19 世纪 50 至 70 年代，屠格涅夫陆续发表了长篇小说:《罗亭》、《贵族之家》、《前夜》、《父与子》、《处女地》。屠格涅夫是一位有独特艺术风格的作家，他既擅长细腻的心理描写，又长于抒情。小说结构严整，情节紧凑，人物形象生动，尤其善于细致雕琢女性艺术形象，而他对旖旎的大自然的描写也充满诗情画意。

　　在莫斯科的一条偏僻的街上，有一所灰色的宅子，这所宅子

_____

　　①　这篇小说写于 1852 年，发表在《现代人》杂志 1855 年第三期上。——译者注

有白色圆柱,有阁楼①,还有一个歪斜的阳台;从前有一个太太住在这儿,她是一个寡妇,周围还有一大群家奴②。她的儿子全在彼得堡的政府机关里服务,她的女儿都出嫁了;她很少出门,只是在家孤寂地度她那吝啬的、枯燥无味的余年。她的生活里的白天,那个没有欢乐的、阴雨的日子,早已过去了;可是她的黄昏比黑夜还要黑。

在所有她的奴仆当中最出色的人物是那个打扫院子的人盖拉新,他身长十二维尔肖克③,体格魁伟像一个民间传说中的大力士④,生下来聋哑。太太把他从乡下带到城里来,在村子里他一个人住在一间小屋里,跟他的弟兄们不在一块儿,在太太的缴租农人⑤中间,他算是最信实可靠、能按时缴租的一个。他生就了惊人的大力气,一个人做四个人的工作,他动手做起事来非常麻利。而且在他耕地的时候,把他的大手掌按在木犁上,好像他用不着他那匹小马帮忙,一个人就切开了大地的有弹性的胸脯似的,或者在圣彼得日⑥里,他很勇猛地挥舞镰刀,仿佛要把一座年轻的白桦林子连根砍掉一样,或者在他轻快地、不间断地用三阿尔申长的连枷打谷子的时候,他肩膀上椭圆形的、坚硬的肌肉一起一落,就像杠杆一般——这些景象看起来都叫人高兴。他的永久的沉默使他那不倦的劳动显得更庄严。他本来是一个出色的农人,要不是为了他这个残疾,任何一个女孩子都肯嫁给他。……可是盖拉新给带到莫斯科来了,人家还给他买了靴子,做了夏天穿的长裾外衣和冬天穿的羊皮外套,又塞了一把扫帚和一根铁铲在他的手里,派他当一个打扫院子的人。

起初他很不喜欢他的新生活。他自小就习惯了种田，习惯了乡村生活。他由于自己的残疾一直跟人群隔离，长大起来，又聋又哑，而且气力很大，就像在肥沃的土地上生长的一棵树。……他给人带进城市以后，倒不明白要怎么办了，他发闷，发呆，就好像一头很壮的小公牛在发呆那样，这头牛在那块茂密的青草长到它肚皮一般高的牧场上嚼草，忽然让人牵走了，放在铁路的货车上。啊，它的结实的身体一下子让煤烟和火花包住了，一下子又是一股一股的水蒸气淹没了它，它给拖着向前飞奔，跟着隆隆声和尖锐声飞奔，飞奔到哪儿去呢——只有上帝知道！盖拉新自来做惯了农人的苦工，所以他把这个新职务需要他干的活并不当做一回事；每天只花半个钟头他的活就干完了，他便又站在院子中间，张开嘴，出神地望着所有过路的人，好像他想从他们那儿得到一个可以说明他这个莫名其妙的处境的解答；或者他就突然跑到某一个角落里，把手里的扫帚和铁铲掷得远远的，自己头朝着地扑下去，在地上躺几个钟头，连动也不动一下，仿佛是一头关在笼里的野兽。可是人对什么事情都会习惯，盖拉新后来也习惯城里的生活了。他的工作并不多：他的全部职务不过是，把院子打扫干净，每天分两次取两桶水，运柴，劈柴给厨房和整个宅子使用①，白天不让生人进来，夜间小心守夜。应当说，他的确热心执行了他的职务。院子里从来不曾有过一片木屑，也没有见过一点垃圾；遇到下雨路烂的时候，带着桶去取水的老马在路上什么地方陷在泥里走不动了，他只用肩头一推，不单是车子，连马也给推着走了。要是他动手劈柴，斧头会发出玻璃似的响声，木片、木块会朝四面八方飞散。至于生人呢，自从某一天晚上他捉住了两个小偷，把两个脑袋在一块儿狠狠地碰了几下（碰得那样厉害，简直用不着再把他们送到警察局去了）以后，附近这一带地方人人都非常尊敬他。即使在白天，有些过路人，他们绝不是贼，不过是陌生

青少年文学读本

————————————

① 从前莫斯科人家用水都是用马拖了水桶到河里或公共喷水池那儿取来的。那时候做饭取暖都用桦木柴。——译者注

人罢了,看见像他这样一个可怕的打扫院子的人,他们连忙向他挥手、叫喊,就好像他能够听见他们的叫声似的。盖拉新跟这个家里男女仆人的关系并不亲密(因为他们怕他),但也不疏远;他把他们当做自己人看待。他们用手势跟他讲话,他都明白,主人命令他做的事他全照样做了,可是他也知道他自己的权利,没有人敢在饭桌上坐他的位子。一般地说,盖拉新的性情是严厉的、一本正经的,他喜欢什么事情都有秩序。连公鸡也不敢在他的跟前打架,否则,它们就该倒霉了! 他马上揑住它们的腿,把它们当轮子一样在空中转个十来回,然后朝各个方向抛出去。太太的院子里也养得有鹅;可是鹅是出名的一种尊贵的、懂道理的家禽;盖拉新尊敬它们,他照料它们,他喂它们;他自己就像是一只很神气的雄鹅。他们分派了一间厨房上面的顶楼给他;他照他自己的趣味布置了这间屋子,他用橡木板做了一张床,床脚是用四个木头墩子做的——这真是一张民间传说中大力士睡的床了;它载得起一百普特①的重量,不会塌下去;床底下放了一口坚固的木箱;一个角落里立着一张同样牢固的小桌子,桌子旁边有一把三只脚的椅子,椅子非常结实、矮小,所以盖拉新常常把它举起来,又丢下去,一边高兴地微笑。这顶楼是用挂锁锁住的,锁的形状倒像"卡拉奇"(圆弧形的白面包),不过它是黑色的罢了;盖拉新总是拿这把锁的钥匙挂在自己的腰带上。他不喜欢别人走进他的顶楼去。

就这样地过了一年,在这年的年尾盖拉新遇到了一桩小小的意外事情。

那位老太太(盖拉新就是在她的宅子里当打扫院子的人)对什么事情都遵照古法办理,她养了一大群用人:在她的宅子里不仅有洗衣女人、缝衣女人、细木匠、男裁缝、女裁缝等等,甚至还有一个马具匠,他也兼做兽医,并且还要给用人看病,宅子里另外有一个专给女主人看病的家医;最后还有一个鞋匠,叫做卡皮统·克里莫夫,是一个无可救药的酒鬼。克里莫夫一直认为自己受了

---

① 一普特等于 16.38 公斤。——译者注

委屈,没有人认识他的真正价值,他原本是一个有教养的京城①里的人,不应当连一个职业也没有,在莫斯科郊外这种偏僻地方住下来。要是他喝酒(他自己这样说,而且在说话的时候还时常停顿,用手打他自己的胸膛),那就是在借酒消愁。有一天太太跟她的总管②加夫利洛(加夫利洛是这样一个人:单从他那对又黄又小的眼睛和他那根鸭嘴般的塌鼻子看来,就知道他是一个命中注定要指挥别人的人物)谈到他的事情。太太在惋惜卡皮统的堕落,他刚巧在前一个晚上还给人看见醉倒在路旁。

"啊,加夫利洛,"她突然说,"要是我们给他配个亲,你觉得怎样? 也许他就会安分起来。"

"是啊,为什么不给他配个亲呢,太太? 是可以的,太太,"加夫利洛答道,"这会是一桩很好的事情,太太。"

"对;只是把谁配给他呢?"

"自然啦,太太。不过,随您的意思吧,太太。无论如何,他总可以有点用处;放在十个人里头挑,他总是不会落选的。③"

"我看他好像喜欢塔季雅娜?"

加夫利洛正要回答,却又把嘴唇闭紧了。

"对……把塔季雅娜配给他吧,"太太决定说,她高兴地闻了闻鼻烟,"你听见吗?"

"听见了,太太。"加夫利洛应道,就退了出来。

加夫利洛回到自己的屋子里(这是耳房,屋子里差不多装满了用铁片包的箱子),先把老婆支开,然后坐在窗前,细细地想起来。女主人这种意料不到的命令显然使他感到为难了。他终于站了起来,叫人去找卡皮统。卡皮统来了。……不过在我们把他们的谈话向各位读者转述之前,我们觉得有必要用简单的几句话讲一讲卡皮统要娶的那个塔季雅娜是什么人,而且为什么太太的

青少年文学读本

---

① 指圣彼得堡,旧俄的首都。——译者注
② 总管,这是地主家的老仆,他照料家务,并且管理全家的用人。——译者注
③ 意思是:他并不比别的人差。——译者注

命令叫总管感到头痛。

塔季雅娜就是上面讲过的那班洗衣女人中间的一个（不过因为她是一个能干的熟练的洗衣女人，所以她只管上等的细衣服），她是一个二十八岁光景的女人，瘦小的身材，金黄色的头发，左边脸颊上有几颗痣。俄国人认为左边脸颊上的痣是凶兆——是苦命的预兆。……塔季雅娜不能说自己的运气好。她自小就受虐待：一个人做两个人的事情，从来没有受到人怜爱；她穿得很坏，而且只拿到极少的工钱；亲戚呢，她可以说一个也没有；有一个上了年纪的管事①，说是不中用给开除了，丢在乡下，这个人是她的远房叔父，另外还有几个叔父、舅父，都是些农人——再也没有别的了。有一个时候她还算是一个美人，可是她的漂亮很快地就过去了。她的性情极柔顺，或者更可以说是懦弱怕事；她完全不关心她自己的事情，怕别人却怕得要命；她只想到在指定的时间里面做完她的工作，从来不跟谁谈话，只要听见人提起太太的名字就发抖，其实太太看见她也不见得会认出来。盖拉新从乡下给带进城的时候，她看见他那个庞大的身形差一点儿给吓得晕过去，她想尽一切方法避免跟他见面，碰到她从宅子里出来到洗衣房去，在他跟前跑过的时候，她甚至于眯起了眼睛。盖拉新起初并不特别注意她，后来她走过他跟前的时候，他总是一个人笑起来，然后他开始出神地望着她，最后他就盯住她不肯把眼睛掉开了。他喜欢她，究竟是因为她脸上温和的表情呢，还是因为她那种畏怯的举动呢——这只有上帝知道了！有一回她偷偷地在院子里走过，伸开手指头小心地提着太太的一件浆过的短衫……忽然有人使劲地捉住她的胳膊肘；她回过头来，不觉尖声大叫；盖拉新就站在她后面。他傻笑，发出怜爱的叫声，送给她一只姜饼做的小公鸡，鸡的翅膀上和尾巴上都贴着金箔。她想不接受，可是他把姜饼硬塞在她的手里，摇摇头走开了，随后又回过头来，再对她发出一些非常亲密的叫声。从那天起他就不让她安静了：不管她走

---

① 专管食物和食器室，以及贮藏食物饮料等等的地下室的家仆。——译者注

到哪儿,他就会跟到哪儿去跟她见面,对她微笑,发出叫声,摇他的手,或者突然间从怀里拉出一根带子放在她的手上,或者拿他手里的扫帚扫去她面前的尘土。这个可怜的女子简直不知道要怎样应付,怎样做才好。很快地整个宅子里的人都知道这个打扫院子的哑巴的鬼把戏了:嘲笑,打趣,挖苦,一齐落到塔季雅娜的头上。可是没有一个人敢取笑盖拉新:他不喜欢人开玩笑;所以人们当着他的面不去麻烦塔季雅娜。不管这个女子愿意不愿意,她是在他的保护下面了。他跟每个聋哑的人一样,非常机敏,只要是有人在取笑他或者她的时候,他马上就完全明白。有一回在吃中饭的时候,塔季雅娜的上司,那个管衣服女人①,照一般人的说法,在挑三挑四地逗她,而且闹得很厉害,叫那个可怜的女子不知道把眼睛朝哪儿看好,差一点儿要恼得哭起来了。盖拉新突然站了起来,伸出他的大手,把它放在管衣服女人的头上,并且非常凶恶地望着她的脸,吓得她把头埋在饭桌上面。众人都不做声。盖拉新又拿起他的调羹继续喝他的白菜汤。“看,这聋哑的魔鬼,这个树妖!”众人低声喃喃说。管衣服女人站起来,回到女用人房间去了。还有一次,盖拉新看见卡皮统(就是我们刚刚讲起的那个卡皮统)跟塔季雅娜谈话谈得很亲密,他便向卡皮统招手叫他过来,把他带到马车房去,拿起一根立在墙角的车杆,捏紧它的一头,轻轻地然而很有意思地用这车杆威胁他。从那个时候起就没有一个人再跟塔季雅娜谈话。这一切并没有给盖拉新带来任何的麻烦。固然那天管衣服女人一跑进女用人房间就晕倒了,而且她用很巧妙的方法让太太在同天就知道了盖拉新的粗暴的行为;可是这位喜怒无常的老太太只是笑笑罢了,并且好几次弄得管衣服女人非常难堪,她逼着她一再说明:例如,“他怎样用他那很重的手把你的头弯下去的”,第二天她就赏了盖拉新一个银卢布,她认为他是一个忠心的、气力大的看守人,很赏识他。盖拉新倒很害怕她的女主人,可是他仍然盼望着她给他恩惠,他正打算去求

---

① 专管主人衣服的女用人。——译者注

她答应他跟塔季雅娜结婚。他只等着总管答应过他的那件新的长裾外衣，想打扮得干干净净去见太太，可是这位太太却突然想到把塔季雅娜配给卡皮统了。

读者们现在容易明白加夫利洛在跟女主人谈过话以后为什么会感到为难了。他坐在窗前想着："女主人不用说喜欢盖拉新，（这一层加夫利洛倒是很清楚的，因此也很纵容他。）可是他究竟是一个不会讲话的东西。我可不能报告女主人说盖拉新爱上了塔季雅娜。而且这也是公平的，他究竟算是怎样的丈夫呢？可是从另一方面来说，那个——上帝饶恕我——树妖要是知道塔季雅娜要配给卡皮统了，他会把宅子里所有的东西都捣毁的，一定的。你没法跟他讲道理；他这个魔鬼——上帝饶恕我这个罪人①——不管你用什么方法都说服不了他……对的！……"

卡皮统的出现打断了加夫利洛的思路。那个轻浮的鞋匠走了进来，把两只手搁在背后，很随便地靠在近门处一个突出的墙角，右腿架在左腿的前面，摇晃着头，仿佛在说："我在这儿。您有什么事？"

加夫利洛望着卡皮统，一面拿手指敲窗台。卡皮统不过把他那沉浊无光的眼睛稍微眯细一点，他并没有埋下它们。他居然微微地笑了起来，还伸手去抚摩他那朝四面八方竖起来的带白色的头发，仿佛又在说："喂，是的，我，我啊。你在看什么？"

"你倒好，"加夫利洛说，他又不做声了。"你倒好，没有什么说的！"

卡皮统只是扭扭他的瘦小的肩膀。"那么，请问，你比我更好吗？"他心里想道。

"哼，你看看你自己，哼，你看看，"加夫利洛带责备地往下说，"哼，看你自己像个什么？"

卡皮统从容地仔细看他那脱了线的破礼服和打补钉的裤子，他特别注意地看他那双穿了洞的靴子，尤其是他的右脚很文雅地

———————————

① 加夫利洛认为自己提到魔鬼，就有罪过。——译者注

放在靴头上的那一只,然后他又把他的眼光停留在总管的脸上。

"先生,什么事?"

"先生,什么事?"加夫利洛跟着他说。"先生,什么事? 你还说:先生什么事? 你简直像个魔鬼,上帝饶恕我这个罪人,你就像那个样子。"

卡皮统很快地眨着眼睛。

"你咒吧,你咒吧,加夫利洛·安得列伊奇。"他心里想道。

"不用说,你又喝过酒了,"加夫利洛说,"你又喝过酒吗? 嗯? 喂,回答我。"

"我因为身体弱的关系,的确喝了含得有酒精的饮料。"卡皮统答道。

"因为身体弱的关系! ……你鞭子挨得太少了,就是这么一回事;你还在彼得^①做过学徒……你学到的真多! 你就只是白吃面包不做事。"

"讲到这件事情,加夫利洛·安得列伊奇,我就只有一个审判官:那就是上帝,此外再没有别人了。只有他知道在这个世界上我是什么样的一种人,我是不是白吃面包。至于您对我喝醉酒的看法,我觉得讲到那件事情,我也不错,倒不如说是我一个朋友的错;他引诱我喝上了酒,就丢开我,一个人走了,可是我……"

"你就像鹅一样地给丢在街上了。啊,你这个放荡的家伙! 啊,现在的事情倒不是这个,"总管继续说下去,"却是这样的事。太太……"说到这儿他又停了一下,"太太高兴要你讨老婆。听见吗? 她以为你讨了老婆就可以安分了。你明白吗?"

"我怎样会不明白呢,先生。"

"嗯,好的。照我看,还是揍你一顿好些。嗯,不过那是太太的事情。怎么样? 你同意吗?"

卡皮统露出牙齿笑了笑。

"讨老婆,对男人说,是一桩很好的事,加夫利洛·安得列伊

---

① 指当时的首都圣彼得堡。——译者注

奇;至于我呢,在我这方面,我是非常满意的。"

"嗯,好的,"加夫利洛答道,他一面在心里暗想:"不用说,这个家伙倒讲得很对。"他接着大声说,"只是有一桩事,新娘子挑得不合适。"

"那么她是谁呢,请宽恕我多问……"

"塔季雅娜。"

"塔季雅娜?"

卡皮统睁大了眼睛,离开墙角走出来一点。

"你为什么这样吃惊? 难道她不中你的意?"

"怎么不中我的意,加夫利洛·安得列伊奇! 这个姑娘是没有说的,她是个工作勤劳、性情温和的好姑娘……可是您自己也知道,加夫利洛·安得列伊奇,那个树妖,那个草原的妖精看上了她,您知道……"

"我知道,伙计,我全知道,"总管烦恼地打断了他的话,"可是你知道……"

"啊,上帝保佑啊,加夫利洛·安得列伊奇! 他会杀死我的,我敢说他会的,他会像打死苍蝇一样地打死我。啊,他有手,只消请您看看他的手是怎样的手啊;这简直是米宁和波查尔斯基①的手。他是一个聋子,他打起人来自己却听不见! 他挥舞他的大拳头,就好像他在做梦一样。简直不可能阻止他;为什么呢? 因为您自己知道,加夫利洛·安得列伊奇,他是个聋子,而且他蠢得像脚后跟一样。您看,他还是一种野兽,一个邪教的偶像,加夫利洛·安得列伊奇,——比邪教的偶像还要坏……他是一块白杨木头! 为什么我现在应该受他欺负呢? 自然,我现在已经毫不在意了:我变得柔顺了,我学会忍耐了,我在自己身上涂了油,就像一个发亮的科隆纳②的水罐——可是我究竟是一个人,无论如何,我

---

① 尼日尼·诺夫戈罗德的市民米宁和波查尔斯基亲王,1612 年领导俄国人民抵抗波兰军队的侵略,终于将波军逐出俄境。——译者注
② 科隆纳城在莫斯科河岸上,属莫斯科省。——译者注

实在不是一个不值钱的水罐。"

"我知道,我知道,不要多讲下去了……"

"主,我的上帝啊!"鞋匠热烈地接着说下去,"末日在什么时候来啊? 什么时候啊,主啊! 我是个可怜人,一个悲惨的可怜人! 这是命运,我的命运啊,您想想看! 在小时候我挨惯了德国师傅的打,长大了又挨同胞们的打,最后在壮年时期,您看又要弄到什么样的结果……"

"呸,你这个软弱不中用的家伙,"加夫利洛·安得列伊奇说。"你为什么只顾唠唠叨叨地讲个不停,真是!"

"你讲'为什么'吗,加夫利洛·安得列伊奇! 我并不害怕挨打,加夫利洛·安得列伊奇。要是碰到一位老爷,他可以关起门打我,不过在人面前还得跟我打招呼,我究竟还算是一个人啦,可是现在我碰到的是什么人呢……"

"喂,不要讲了,"加夫利洛不耐烦地打断了他的话。

克里莫夫掉转身子,慢慢地走了。

"喂,要是他那方面没有问题,"总管还在后面大声问道,"你本人答应吗?"

"我完全同意。"卡皮统答道,就走出去了。

就是在走头无路的时候,他也没有失掉他的口才。

总管在屋子里来来回回地走了好几次。

"好吧,现在把塔季雅娜叫来,"他最后说。

不多久,塔季雅娜就静悄悄地来了,她站在房门口。

"您有什么吩咐,加夫利洛·安得列伊奇?"她小声地说。

总管注意地望着她。

"喂,"他说,"塔纽沙①,你愿意嫁人吗? 太太给你找到了一个新郎。"

"知道,加夫利洛·安得列伊奇。"她又吞吞吐吐地加了一句:"她给我挑的新郎是谁呢?"

---

① 塔季雅娜的亲密称呼。——译者注

青少年文学读本

"卡皮统,那个鞋匠。"

"知道,先生。"

"他是一个荒唐的人,那倒是事实。不过在这方面太太把希望放在你的身上。"

"知道了,先生。"

"可是还有一桩麻烦的事情……你知道那个聋子盖拉新爱上了你。你究竟是怎样地迷住了那头熊的? 可是你知道,他要杀死你,恐怕他会的,他这样的一头熊。"

"他会杀死我,加夫利洛·安得列伊奇,他一定会杀死我。"

"他会杀死你。……哼,我们等着瞧吧。你怎么说:他会杀死你。难道他有权杀死你吗? 你自己判断一下吧。"

"不过我并不知道他有没有权,加夫利洛·安得列伊奇。"

"你是个怎样的女人啊! 我想你总没有允许过他什么吧……"

"请问您是什么意思,先生?"

总管停了一会儿,心里想:"你真是个柔顺的女人!"

"嗯,好的,"他大声说,"我以后再跟你谈这桩事,现在你走吧,塔纽沙。我看出来你的确是个肯听话的女子。"

塔季雅娜掉转身子,在门柱上轻轻地靠了一下,就走出去了。

"说不定太太明天就会忘记这桩亲事,"总管想道,"为什么我这样担心呢? 我们把这个坏蛋绑起来;要是他闹出什么事情,我们就报告警察……"

"乌斯季尼雅·费约多罗夫娜,"他大声唤他的妻子道,"把小茶炊①预备好,我的好女人。"

这一天塔季雅娜差不多整天没有走出洗衣房。起先她哭了一阵,随后揩干眼泪,又跟先前一样地做工作了。

卡皮统跟一个面貌阴沉的朋友在酒馆里一直坐到夜深,他对

_____

① 茶炊,或者译作"沙莫瓦尔",这是俄国特有的铜制茶具,上面煮开水(做泡茶用),下面生火,中间有一根烟囱。——译者注

那个朋友详详细细地讲他从前跟一位老爷同住在彼得，那位老爷什么都比人强，只是他爱守秩序，而且他还有一个小缺点，就是他太喜欢喝酒；至于女人呢，凡是勾引女人的本领，他都有。……那个脸色阴沉的同伴只是点头答应；可是等到后来卡皮统声明他由于某种情况必须在明天自杀的时候，他那个脸色阴沉的同伴才注意到应当回去睡觉了。他们就闷声不响地分别了。

同时，总管的指望并没有成为事实。太太非常惦记卡皮统的婚事，她甚至在夜里跟她的一个陪伴女人①就只谈这桩事情，这种陪伴女人是她养着专门在她夜里失眠的时候陪伴她的，她们同值夜班的车夫一样在白天睡觉。第二天早茶以后加夫利洛进去见她报告家务的时候，她的第一句问话就是："我们那桩婚事怎样了？"他自然回答说，进行得很好，卡皮统今天要来见她谢谢她的恩典。太太身体不大好，料理事情并不久。总管回到自己的屋子去了，召开了一个会。这桩事的确需要特别的考虑。塔季雅娜自然不反对，可是卡皮统当着众人表示，他只有一个脑袋，并没有两个，三个……盖拉新凶恶地、迅速地轮流望着每一个人，不肯离开女用人房间的台阶，他好像已经猜到了他们正在商量什么对他不利的事情。大家聚在一块儿商量，（他们里面有一个上了年纪的伺候吃饭的用人绰号"尾巴叔叔"的，大家总是带着敬意地找他出主意，虽然他老是回答他们："有个办法了，是的；是的，是的，是的！"）会议的第一个决定，就是为着安全起见，先把卡皮统锁在放滤水器的贮藏室里头，然后郑重地仔细考虑这桩事情。要用武力解决，自然很容易；可是上帝啊，这不行！要闹出事来，太太会不开心——那就该倒霉了！那么怎么办呢？他们想了又想，终于想出一个办法来了。他们有好多次看出来盖拉新很讨厌喝醉的人。……他坐在大门口，每次看见什么人喝得醉醺醺的、走路摇摇晃晃、帽檐盖在一边耳朵上面的时候，他总是生气地把头掉开。

---

① 陪伴女人是一些穷贵族女人，寄食在贵族地主家里，靠着有钱人的恩惠生活。陪女主人消遣，高声念书给女主人听等等都是她们的工作。——译者注

他们便决定叫塔季雅娜假装喝醉，一偏一倒地走过盖拉新的面前。那个可怜的女子好久都不肯答应，可是他们终于说服了她；而且她自己也看出来她只有用这个办法才可以摆脱那个爱慕她的人。她去了。他们把卡皮统从贮藏室里放了出来；因为这桩事究竟跟他有关系。盖拉新正坐在大门口的边石上，拿他的铁铲在地上戳来戳去。……每一个角落后面，每一幅窗帷后面都有人在偷偷地望他……

这个诡计完全成功。他看见塔季雅娜，起先还是像往常那样地一边发出怜爱的叫声，一边对她点头；然后他注意地望着她，丢开铁铲，跳起来，走到她跟前，把自己的脸挨近她的脸……她吓得摇晃得更厉害了，紧紧闭上了眼睛。……他捉住她的膀子，拉着她一块儿飞跑过这个大院子，一直跑进那间开会的屋子，把她推到卡皮统的身上去。塔季雅娜完全晕过去了。……盖拉新站在那儿，望着她，挥他的手，笑了笑，然后迈着沉重的脚步走回他的顶楼去了。……整整一天一夜他都没有出来过。马夫①安季卜卡后来对人说，他从墙板缝里看见盖拉新坐在床上，一只手贴住脸颊，时时发出轻轻的有规律的叫声，他悲声哼着，那就是说，他把身子摇来摇去，闭着眼睛，晃着脑袋，往常车夫或者拉船人唱他们那种悲歌的时候就是这个样子。安季卜卡害怕起来，他就离开墙板缝走了。盖拉新第二天走出了他的顶楼，他身上并没有现出什么特殊的变化。他只是脸色更阴沉，而且完全不去注意塔季雅娜和卡皮统了。当天晚上，塔季雅娜和卡皮统每个人胳膊底下挟一只鹅一块儿到太太那儿去谢恩②，一个星期以后他们便结婚了。就在举行婚礼的那天盖拉新的举动也没有什么改变；只是他空着手从河边回来：他在路上不知道怎样把水桶弄破了；夜里他在马

---

① 他也是一种马车夫。从前旧俄贵族的马车总是套四匹或者六匹马（套在一排或者两排等等），车夫有两个，一个坐在台座上，另一个坐在前一排左边的马上。安季卜卡属于后面的一类。——译者注

② 他们一块儿去见太太，带了东西去送给太太，求太太为他们的结婚祝福。——译者注

房里拼命洗擦马身,弄得那匹马像草给风吹着似的摇摆起来,在他的铁拳下面它有点站不稳了。

这一切都是春天里发生的事情。又一年过去了,这中间卡皮统成了一个无可救药的酒鬼,而且干什么事都不中用了,所以他得到吩咐带着妻子坐上大车,给遣送到遥远的乡村去了。在动身的那一天,他起初还鼓起很大的勇气,公开表示,不管他们把他遣送到哪里去,就是到乡下女人洗衬衫把捣衣杵放在天上的地方①,他也不会给毁掉的;可是后来他又颓丧起来,抱怨说他们把他送到未开化的人们中间去了,最后他萎靡到连自己的帽子也戴不上了。有个好心的人把帽子扣在他的额上,对正了帽檐,从上面敲一下,把帽子给他戴稳了。等到一切都弄好了,乡下人已经把缰绳捏在手里只等着说出"上帝保佑"②就动身的时候,盖拉新从他的小屋子里出来,走到塔季雅娜跟前,送给她一幅红棉布头巾③做纪念品,这头巾还是他在一年前为她买的。塔季雅娜,一直到这个时候为止,对她一生所遭遇的悲欢离合都是非常淡漠地忍受了的,可是到这时她再也控制不住自己了,她淌了眼泪,她上车的时候,还照基督徒的礼节④跟盖拉新接了三次吻。他原想把她一直送到城门口,而且起初还在她的车子旁边走了一会儿,可是走到克里米亚浅滩他忽然停了下来,挥了挥手,就顺着河边走去了。

时候快到黄昏了。他望着河水,慢慢地向前走。他忽然觉得好像有什么东西在岸边淤泥里面打滚。他俯下身子,看见了一条带黑点子的白毛小狗,不管它怎样努力,它始终不能够爬到水外面来,它一直在挣扎,滑跌,它那个打湿了的瘦小身子抖得厉害。盖拉新望着这条不幸的小狗,用一只手把它抓起来,放在自己的怀里,大踏步走回家去了。他走进自己的顶楼,把救起来的小狗放在床上,用他的厚厚的绒布外衣盖住它,先跑到马房去拿了些

青少年文学读本

---

① 意思是:就是到世界的尽头。——译者注
② 这是在出发前应当说的一句话。——译者注
③ 向姑娘求婚时,送一方红布手帕,这是当时的一种民间风俗。——译者注
④ 轮流地在两边脸颊上接吻。——译者注

稻草,然后到厨房去要了一小杯牛奶。他小心地折起厚绒布外衣,铺开稻草,又把牛奶放在床上。这条可怜的小狗生下来还不到三个星期,它的眼睛睁开并不多久,看起来两只眼睛还不是一样地大小。它还不能够喝杯子里的东西,它只是在打颤,在眨眼睛。盖拉新用两根手指轻轻地捉住它的脑袋,把它的小鼻子浸在牛奶里面。小狗突然贪馋地舐起来,一面吹吹鼻息,浑身打颤,而且时时呛起来。盖拉新在旁边望着,望着,忽然笑了起来。……他整夜都在照应它,安排它睡觉,擦干它的身子,最后他自己也在它的旁边安静地快乐地睡着了。

　　盖拉新看护他这个"养女"小心得超过任何一个看护自己孩子的母亲。(小狗原来是一条母狗。)起初"她"很弱,很瘦,很丑,可是"她"渐渐地强壮起来,好看起来,靠了"她"的恩人不懈怠的照料,过了八个月的光景,"她"居然变成了一条很漂亮的西班牙种狗,有一对长耳朵,一条毛茸茸的喇叭形的尾巴,和一对灵活的大眼睛。"她"多情地依恋着盖拉新,从不离开他一步,总是摇着尾巴,跟在他后面。他还给"她"起了一个名字——哑巴们都知道他们那种含糊不清的叫声常常引起别人对他们的注意——他叫"她"做木木。宅子里所有的人都喜欢"她",也叫"她"做小木木。"她"非常聪明,跟每个人都要好,可是"她"只爱盖拉新一个人。盖拉新疯狂地爱着"她"……他看见别人抚摸"她",他就会不高兴:他是在替"她"担心,还是由于单纯的妒忌,这只有上帝知道!"她"常常在早上拉他的衣角把他叫醒;"她"常常口里衔住缰绳把运水的老马牵到他跟前,"她"跟那匹老马处得十分和好;"她"常常脸上带着庄重的表情跟他一块儿到河边去;"她"常常看守着他的扫帚和铁铲,绝不让一个人走进他的顶楼去。他特地为"她"在他的房门上开了一个洞。"她"好像觉得只有在盖拉新的顶楼里"她"才是十足的女主人,所以"她"走进屋子来,就马上带着满意的神气跳到床上去。夜里"她"一直不睡,但也绝不像某种愚蠢的守门狗那样不分青红皂白地乱叫,那种狗提起前脚坐着,鼻子朝天,眼睛眯细,只是为了无聊的缘故对着星星乱叫,而且总是连续地叫三回——不！木木的细小声音从来不会无缘无故地响起来：除非有生人走到篱笆跟前来了，不然就是在什么地方有了可疑的响动，或者沙沙声。……一句话说完，"她"是一条很出色的看家狗。说实话，除了"她"以外院子里还有一条老公狗，"他"一身黄毛带着褐色的斑点，名字叫陀螺（沃尔巧克）。可是"他"一直给铁链锁住，就是在夜里也不放松。而且"他"自己也因为太衰老了的缘故，完全不想争取自由了——"他"整天躺在"他"的狗窠里，身子蜷缩在一块儿，只是偶尔发出一声嘶哑的、几乎是无声的狗叫，而且"他"马上就把这叫声咽下去了，好像"他"自己也觉得这种叫声并没有用处似的。木木从来不到太太的宅子里去，每逢盖拉新搬柴到上房各处去的时候，"她"总是留在后头，不耐烦地在台阶上等他，只要门里有一点轻微的声音，"她"便竖起耳朵，把脑袋忽左忽右地掉来转去……

青少年文学读本

　　这样地又过了一年。盖拉新仍旧在担任他那个打扫院子的职务，而且非常满意他自己的命运，可是突然发生了一件意外的事情……那就是：在夏天里一个天气晴朗的日子，太太和她那一群寄食女人①正在客厅里来回地闲踱着。她的兴致很好，她在笑，又在讲笑话；寄食女人们也在笑，也在讲笑话，不过她们并不觉得特别快乐。宅子里的人并不太喜欢看见太太高兴，因为在那个时候，第一，她要所有的人立刻而且完全跟她一样地高兴，要是某一个人的脸上没有露出喜色，她就发脾气了；第二，这种突然的高兴是不会久的，通常总是接着就变成一种阴郁不快的心情。在那一天她早上起身好像很吉利，弄纸牌的时候她拿到了四张"贾克"，这表示着"她的愿望可以实现"的兆头（她总是在早上弄纸牌占她的运气），喝茶的时候她又觉得茶特别香，那个女用人因此得到了夸奖，而且还得到一个十戈比的银币。太太的起皱纹的嘴唇上带着甜蜜的微笑，她在客厅里走来走去，又走到了窗前。窗外便是

────────────

　　① "寄食女人"跟"陪伴女人"是一类的人物，都是依靠阔亲戚生活的妇女，她们在贵族地主家里做些琐碎事情，也陪着女主人游玩，给她解闷。——译者注

花园①,就在花园正中那个花坛上面,一丛玫瑰底下,木木正躺在那儿仔细地啃一根骨头。太太看见了"她"。

"上帝啊!"她突然叫了起来,"这是什么狗啊?"

让太太问到的那个可怜的寄食女人慌张得不得了,一般处在寄食地位的人,遇到弄不清楚主人的叫喊有什么意思的时候,通常就有这种焦急不安的情形。

"我不……不……不知道,太太,"她结结巴巴地说,"好像是哑巴的狗。"

"上帝啊! 它是一条漂亮的小狗啊!"太太打断了她的话。"叫人把它带到这儿来。他养了它好久吗? 为什么我以前一直没有看见它? ……叫人把它带到这儿来。"

那个寄食女人马上就跑到前厅里去。

"来人啦,来人啦!"她大声嚷着,"把木木立刻带到这儿来!'她'在花园里头。"

"那么'她'的名字叫木木了,"太太说,"很好的名字。"

"啊,很好的,太太,"寄食女人回答道。"司捷潘,快去!"

司捷潘是一个身强力壮的年轻人,他的职务是跟班。听到吩咐,他马上跑到花园里去,捉木木;可是"她"很敏捷地从他的手指中间滑脱了,"她"竖起尾巴,飞跑到盖拉新跟前去。盖拉新这时正在厨房里拍打水桶、抖落桶上的尘土,把水桶拿在手里颠来倒去,就当它是一个小孩玩的小鼓一样。司捷潘在后面追"她",就要在"她"的主人的脚跟前把"她"抓住了;可是这条机灵的狗不肯让生人的手捉住"她","她"一跳就逃掉了。盖拉新带了微笑看这一切的纷扰。最后司捷潘恼怒地站起来,连忙做手势对他解释明白,说:太太吩咐把你的狗带到她那儿去。盖拉新有点吃惊,可是他唤着木木,把"她"从地上抱起来,交给司捷潘。司捷潘把"她"带到客厅里去,放在镶木地板上面。太太用亲切的声音唤"她"到她身边去。木木一辈子没有到过这么富丽堂皇的房间,因此惊惶

---

① 这里其实是房屋前面种得有花树的小庭院。——译者注

得不得了，"她"回头就朝门口跑去，可是让那个会拍马屁的司捷潘赶了回来，"她"颤抖着，紧紧地挨着墙壁。

"木木，木木，到我这儿来，到太太这儿来，"女主人说，"来，蠢东西……不要害怕……"

"来，来，木木，到太太这儿来，"那些寄食女人也都跟着说，"来啊。"

木木张皇不安地朝四面看了看，"她"并不动一下。

"给'她'拿点吃的东西来，"太太说。"'她'多蠢啊！'她'不肯到太太这儿来。怕什么呢?"

"'她'还不习惯，怕生。"一个寄食女人鼓起勇气用了胆怯的、柔顺的声调说。

司捷潘拿了一小碟牛奶来，放在木木面前。可是木木连闻也不闻一下，她仍旧像先前那样地在打颤，在朝四面看。

"啊，你是个怎样的东西啊!"太太说，她走到"她"跟前，弯下身去，正要抚摩"她"，可是木木猝然掉转头来，露出"她"的牙齿。太太连忙缩回了她的手。

接着是一阵短时间的沉默。木木轻微地哀声叫着，好像"她"在诉苦，而且在请求原谅似的。……太太皱着眉头，走开了。狗突然的动作吓坏了她。

"呀!"屋子里所有的寄食女人异口同声地叫起来，"'她'没有咬着您吧，但愿没有这样的事!"（木木一辈子从没有咬过任何人。）"呀，呀!"

"把'她'带出去，"老太太改变了声调说，"讨厌的小狗，'她'多坏啊!"

她慢慢地掉转身子，朝她的内房走去。寄食女人们胆怯地互相望着，她们正要跟随她去，可是她却站住了，冷冷地望着她们，说:"你们这是为着什么? 我并没有叫你们呢。"她就走出去了。

那些寄食女人垂头丧气地朝司捷潘挥手;他抓起木木，尽快地把"她"往门外一丢，正巧丢在盖拉新的脚跟前。半点钟以后，宅子里就非常清静了，老太太坐在她的沙发上，脸色比打雷时候的浓云还要阴沉。

　　大家想想看，这样小的事情，有时候也能够弄得人神经失常的！

　　太太一直到晚上都不快活，她不跟任何人讲话，也不打牌，她一夜都不舒服。她觉得她们给她用的花露水并不是平常给她的那一种，而且她的枕头有肥皂的气味，她叫那个管衣服女人把所有的被褥床单都闻过一遍。——总之她心里烦，而且气得不得了。第二天早上她叫人去通知加夫利洛比往常早一个钟头来见她。

　　"请你告诉我，"等到加夫利洛心里慌慌张张地跨进她的内房门槛的时候，她马上就说，"在我们院子里叫了一整夜的是什么狗？它弄得我一夜不能睡！"

　　"一条狗，太太……什么样的狗，太太，也许是那个哑巴的狗，太太。"他支支吾吾地说。

　　"我不知道这是哑吧的狗，还是别人的狗，只是它弄得我不能睡觉。我奇怪我们养那么一大群狗做什么！我倒要问个明白。我们不是有一条守门狗吗？"

中学生卷

　　"是的，太太，我们有的，太太。陀螺，太太。"

　　"那么，为什么还要多的呢，我们还要更多的狗做什么？只是增加纷扰罢了。宅子里没有管事的人——事情就是这样。哑巴养狗干什么？谁准许他在我的院子里养狗？昨天我走到窗前，看见它躺在花园里头，它拖了什么脏东西进来在啃着——可是我的玫瑰花就种在那儿……"

　　太太停了一会儿。

　　"今天就把它弄走……听见吗？"

　　"听见了，太太。"

　　"就在今天。你现在就去。我以后会叫你来报告家务。"

　　加夫利洛走了。

　　总管走过客厅的时候，他为了维持秩序起见，把一个叫人铃从一张桌子移到另一张桌子上面；他偷偷地在大厅上擤了擤他那根鸭嘴鼻子里的鼻涕,然后走进前厅去。司捷潘正睡在前厅里一把长椅①上,他睡着的样子倒很像战争图画中一个战死的军人,他那两只光腿从那件当做毯子盖在他身上的大衣底下伸出来。总管把他一推,小声地在他耳边吩咐了几句话,司捷潘就用半笑、半打呵欠来回答。总管走了,司捷潘从长椅上跳起来,穿上他的长裙外衣和靴子,走了出去,就站在台阶上。不到五分钟盖拉新来了,背上背了一大捆柴,身边跟着那个和他形影不离的木木。(太太吩咐过她的睡房和内房就是在夏天也得生火。)盖拉新到了门前,就斜着身子,用肩膀推开了门,然后背着他那捆重东西摇摇晃晃地走进里头去了。木木像平常那样留在外面等他。司捷潘就抓住了这个有利的时机,突然向"她"扑过去,像兀鹰抓小鸡似的,拿他的胸膛按"她"在地上,两只手抱起"她"来,抱在怀里,连帽子也不戴上,就抱着"她"跑出了院子,碰到第一辆出租马车就坐上去。他一直坐到了家禽市场②。他在那儿很快地就找到了一个买主,拿"她"卖了半个卢布,不过讲定买主至少得把"她"拴一个礼拜。他马上就动身回家;可是还没有回到宅子,他就从马车上跳下来,绕过了院子,走到后面一条小巷,翻过篱笆跳进院里,因为他害怕打耳门③进去——怕的是碰见盖拉新。

然而司捷潘的担心倒是不必要的,盖拉新并不在院子里面。他从宅子里出来,马上发觉木木不见了;他从不记得"她"有过不在屋外等着他回来的事,于是他跑上跑下,到处去找"她",用他自己的方法唤"她"。……他冲进他的顶楼,又冲到干草场,跑到街上,这儿那儿乱跑一阵。……"她"丢失了!他便回转来向别的用人询问,他做出非常失望的手势,向他们问起"她"来;他比着离地半阿尔申的高度,又用手描出"她"的模样。……有几个人的确不知道木木的下落,他们只是摇摇头;别人知道这回事情,就对他

---

① 这是一种形状像柜子的、座位相当宽的长椅,睡觉时用的。——译者注
② 过去莫斯科的一条主要大街;从前在那儿有过这样的市场。——译者注
③ 装在大门上的耳门,或者边门。——译者注

笑笑,算是回答了。总管做出非常严肃的神气,在大声教训马车夫。盖拉新便又跑出院子去了。

他回来的时候,天色已经暗了。从他那疲倦的样子,从他那摇摇不稳的脚步,从他那尘土满身的衣服上看来,谁都可以猜到他已经跑遍半个莫斯科了。他对着太太的窗子默默地站着,望了望台阶,六七个家奴正聚在那儿,他便掉转身子,口里还叫了一次"木木"。没有木木的应声。他走开了。大家都在后面望他,可是没有人笑,也没有人讲一句话。……第二天早上那个爱管闲事的马夫安季卜卡在厨房里讲出来,说哑巴呻吟了一个整夜。

第二天盖拉新整天没有出来,所以马车夫波塔卜不得不代替他出去运水,这桩事情是马车夫波塔卜很不高兴做的。太太问过加夫利洛,她的命令是不是已经执行了。加夫利洛答道已经执行了。下一天早上盖拉新从他的顶楼里出来,照常地做他的工作。他回来吃中饭,吃了中饭,又出去了,也不跟任何人打招呼。他的脸色一向是呆板的,所有的聋哑人都是这样,现在他的脸好像完全变成石头的了。吃过中饭以后,他又走出院子去,可是不多久就回来了,他立刻就上干草场。

夜来了,是一个清朗的月夜,盖拉新躺在那儿,唉声叹气,不停地翻身,忽然间他觉得有什么东西在拉他的衣角;他吃了一惊,然而他并不抬起头来,而且他还把眼睛眯紧些,可是什么东西又在拉他的衣角,而且这一次拉得更用力;他跳了起来……木木就在他面前,颈项上还系着一节绳子,"她"在他跟前直打转。一个拖长的喜悦的叫声从他那哑巴的胸中发出来。他捉住木木,把"她"紧紧地抱在怀里。"她"一口气在舐他的鼻子、眼睛、唇髭和胡子。……他静静地站了一会儿,想了想,小心地从干草堆上爬下来,朝四面看了看,他确定了并没有人看见他以后,平安地回到了他的顶楼。在这以前盖拉新已经猜到他的狗并不是自己走失的,一定是太太叫人拿走的;用人们做手势对他说明,他的木木向太太咬过,这时他决定使用他自己的处置办法。起初他喂了木木一点面包,把"她"爱抚了一会儿,放"她"到床上去,然后想着他怎样可以把"她"藏得更好，他花了一整夜的工夫想这桩事情。最后他想出了一个办法：把"她"整天留在顶楼里面，他只是偶尔进去看看"她"，夜里才把"她"带出来。他用他那件旧的厚绒布外衣把门上开的洞严严地塞住，天才刚刚亮，他就已经在院子里了，好像并没有发生过什么事情一样，他甚至于保留着（天真的狡猾啊！）脸上那种忧郁的表情。这个可怜的聋子连想也不会想到，木木会拿"她"的叫声把自己暴露出来：事实上宅子里所有的人很快地就全知道哑巴的狗已经回来，给关在他的顶楼里面了，不过因为他们同情他，也同情"她"，而且或许一半也因为他们害怕他的缘故，他们并不让他知道他们已经发现了他的秘密。只有总管一个人搔着他的后脑袋，摇着手，好像在说："嗯，上帝跟他同在！也许太太不会知道的！"不过哑巴从来没有像这一天那样热心地劳动过：他把整个院子收拾得干干净净，把小草拔得一根也不留，又用自己的手把花园篱笆上面的柱子一根一根地拔起来，看看它们够不够结实，随后又用手把它们敲进去。——一句话说完，他奔跑、劳动得那么起劲，连太太也注意到他的勤快了。在这一天中间，盖拉新两次偷偷地去看他的囚徒①；天黑了以后，他便跟"她"一块儿躺下来睡觉，就在他的顶楼里面，不是在干草场内，只有在夜里一点到两点中间的时候，他才带"她"出来在新鲜空气中散步一阵。他跟"她"一块儿在院子里走得相当久了，他正打算转身回去，突然间就在篱笆背后，从巷子那一面传过来一种沙沙的声音。木木竖起耳朵，叫起来，"她"走到篱笆跟前，闻了一闻，便发出了响亮的刺耳的叫声。原来有一个喝醉的人正想在那儿躺下睡过这一夜。凑巧就在这个时候，太太正发过了一阵相当长久的"神经紧张"的毛病，刚刚睡着了：她这种紧张的毛病每逢她晚饭吃得太饱的时候就会发作一回。突然的狗叫把她惊醒了，她的心扑扑地跳着，它就要停止跳动了。

　　"丫头，丫头！"她呻吟道，"丫头！"

---

　　① 他的囚徒，指小狗木木。——译者注

青少年文学读本

那些吓坏了的女用人跑进她的睡房里来。

"哦,哦,我要死啦!"她说着,痛苦地举起她的两只手。"又,又是那条狗。去请医生来,他们要把我杀死了……狗,又是狗!哦。"她把头朝后倒下去,这应当是晕倒的表示了。

人们连忙跑去请医生,这就是说,去请家医哈利统。这个郎中的全部本领就在于穿软底靴,他摸脉很慎重,他在一天二十四小时里面睡去十四个钟头,在剩下来的时间里他老是在叹气,而且不断地让太太服月桂水。——这个郎中立刻跑来了,他用烧焦的鸟毛薰屋子①,等到太太睁开了眼睛,他马上端给她一杯圣水,这是用小玻璃杯盛着,放在银茶盘上面的。太太喝了圣水,马上又用含泪的声调抱怨狗,抱怨加夫利洛,抱怨自己的命运,她诉苦道,她是一个可怜的老太婆,大家都抛弃了她,没有一个人可怜她,大家都希望她死。这些时候那个不幸的木木一直在叫着,盖拉新要引"她"从篱笆那儿走开,也没有办法。

"就在那儿……就在那儿……又来啦。"太太呻吟道,她的眼珠又在朝上翻了。

郎中跟一个女用人小声地讲了几句话,她立刻跑到前厅去,摇醒了司捷潘,司捷潘又跑去叫醒加夫利洛,加夫利洛一生气,就吩咐把整个宅子里的人都叫起来。

盖拉新正转过身来,他看见窗里亮光和影子在移动,他感觉到祸事要来了,便把木木挟在胳膊底下,跑进了他的顶楼,锁上了门。几分钟以后五个人来捶他的房门,可是他们觉得有门闩抵住,也就停止了。加夫利洛慌慌忙忙地跑了上来,吩咐他们全在门口等着,一直守到天亮;他自己却跑到女用人房间去,叫那个年纪最大的陪伴女人柳包芙·柳比莫夫娜(他常常跟她一块儿偷过茶叶、糖,和别的杂货②,还造了假账)代他回禀太太说,不幸那条狗又从什么地方跑回来了,不过"她"不会活到明天的,请太太开

---

① 旧时民间救治晕倒的方法。——译者注
② 可做食料的物品,如面粉,白糖等。——译者注

恩不要动气,请她安静下来。太太本来也许不会这样快就安静下来,可是郎中在忙乱中把原定的十二滴月桂水弄成整整的四十滴让她喝下去了;月桂水的药性发生了效力——过了一刻钟太太又稳又熟地睡着了;盖拉新脸色惨白地躺在他的床上,紧紧地捂住木木的嘴巴。

第二天早上太太醒得相当迟。加夫利洛等着她醒来,好发命令向盖拉新的掩蔽部作决定性的进攻,同时他又准备着自己去忍受那一阵大雷雨①。可是雷雨并没有来。太太躺在床上叫人把那个年纪最大的寄食女人②找了去。

"柳包芙·柳比莫夫娜,"她用了又轻又弱的声音说,她有时候喜欢装作一个受压迫的、无依无靠的苦命人的样子,不用说,在那种时候宅子里所有的人都感到不安,"柳包芙·柳比莫夫娜,您看看我处在什么样的境地;我的亲人,您到加夫利洛·安得列伊奇那儿去,跟他讲一下:难道在他眼里随便一条恶狗都比他女主人的安宁,他女主人的性命更宝贵吗?我不愿意相信这个,"她又露出感动的表情添上了后面的一句话。"您去吧,我的亲人,请您做点好事,到加夫利洛·安得列伊奇那儿去一趟。"

柳包芙·柳比莫夫娜到加夫利洛的屋子里去了。没有人知道他们谈了些什么话,可是过了不多久,就有一大群人走过院子,朝着盖拉新的顶楼的方向走去;加夫利洛走在前头,虽然这时并没有起风,他却拿一只手按住他的帽子;他的旁边便是跟班和厨子;尾巴叔叔站在窗里朝外面望,他在发号施令,这就是说,他不过举举手罢了;最后是一群小孩,他们一路上跳着,做鬼脸,他们里头有一半是从外面跑进来的生人。在那一段通到顶楼去的窄楼梯上坐着一个守卫,还有两个拿木棍的站在门口。他们开始走上楼梯,把楼梯全堵住了。加夫利洛走到房门口,用拳头敲门,大

---

① 意思是:挨太太的痛骂。——译者注

② 前面说柳包芙是"陪伴女人",这里说她是"寄食女人",可见这两种人是一类人物。不过"寄食女人"的工作不一定就是在白天睡觉,夜里陪女主人闲谈解闷。——译者注

声叫着：

"开门！"

听得见轻微的狗叫声，可是没有人答话。

"我叫你开门！"他又说一遍。

"喂，加夫利洛·安得列伊奇，"司捷潘在下面提醒他说，"您知道他是个聋子——听不见的。"

所有的人全笑了。

"那么我们怎么办呢？"加夫利洛在上面反问道。

"啊，他房门上有一个眼，"司捷潘答道，"您可以把棍子插进去动它几下。"

加夫利洛弯下身去。

"他用了厚绒布外衣一类的东西把眼堵上了。"

"那么您把厚绒布外衣朝里推进去。"

这时候又听见了不响亮的狗叫声。

"听，听，^①'她'自己泄露出来了。"人丛中有人这样说，他们又笑了。

加夫利洛搔他的耳朵后面。

"不，兄弟，"他后来接着说，"要是你愿意，你自己来把那件厚绒布外衣推进去。"

"好，我就照办。"

司捷潘就爬了上去，拿起木棍，把厚绒布外衣推进去了，他又把木棍放在洞里动了几下，接连地说："出来吧，出来吧！"他还在拨动棍子，忽然顶楼的门一下就打开了。这一群用人立刻连跳带滚地从楼梯上跑下来。加夫利洛跑在最前头。尾巴叔叔关上了窗子。

"喂，喂，喂，喂，"加夫利洛在院子里嚷着，"你不要莽撞啊！"

盖拉新站在门口，他一动不动。那一群人就挤在楼梯脚下。

---

① 照原文直译是："看，看。"但这并不是看，却是唤起大家注意的意思。——译者注

盖拉新把两只胳膊轻轻地叉在腰上,从上面望着所有这些穿德国长裙外衣的渺小的人。他穿了一件红色的农人衬衫,在他们面前他简直是一个巨人了。加夫利洛向前走了一步。

"当心啊,兄弟,"他说,"我不让你胡闹。"

他接着就用手势对盖拉新解释,他说:太太一定要你的狗,你得马上把"她"交出去,不然你就该倒霉。

盖拉新望着他,指了一下狗,又用手在他自己的颈项上做了一个记号,好像他在拉紧一个活结似的,然后他带着探问的脸色看了看总管。

"对,对,"总管点头答道,"对,一定要。"

盖拉新埋下了眼睛,忽然挺起身子,又指了指木木,木木一直站在他身边,天真地摇着尾巴,好奇地耸动耳朵。接着他又在自己的颈项上做了一遍勒的手势,而且含有意义地拍拍自己的胸膛,好像在对大家表示,他要自己担任弄死木木的工作。

"你会骗我们。"加夫利洛摇着手答复他。

盖拉新望着他,轻蔑地笑了笑,又拍一下自己的胸膛,便砰的一声关上了门。

大家不做声地互相望着。

"他把自己关在里面,"加夫利洛开口说。"这是什么意思?"

"让他去吧,加夫利洛·安得列伊奇,"司捷潘说,"要是他答应了,他就会做的。他一向就是那样的。……既然他已经答应,那就算数了。在这方面他可跟我们这班人不一样,他说真就是真。是的。"

大家都点着头,跟着说:"是的。是这样的,是的。"

尾巴叔叔开了窗,他也说:"是的。"

"好的,也许是这样,我们等着看吧,"加夫利洛答道,"不过,无论怎样,我们还是不要撤去守卫。喂,你,叶罗希卡!"他添上了后面这一句,这是对那个穿黄色粗棉布宽上衣①的脸色惨白的人

青少年文学读本

---

① 哥萨克式宽上衣,一种没有纽扣的直领子的宽上衣。——译者注

说的,那个人在宅子里算是一个园丁。"你可以干什么呢?你拿一根棍子,坐在这儿,要是出了事情,你马上跑来找我!"

叶罗希卡拿了一根棍子,坐在楼梯的最下一级。人散了,只剩下几个爱管闲事的人同顽皮小孩;加夫利洛也回屋去了,他叫柳包芙·柳比莫夫娜代他回禀太太说,一切都弄好了,必要的时候他会差马夫去找警察来。太太在她的手帕上打了一个结,洒了点花露水,拿着它闻了闻,擦了擦她的太阳穴,又喝了茶,因为月桂水的药性还没有消除,她又睡去了。

在这一切骚扰过去以后的一个钟头,顶楼的门开了,盖拉新出来了。他穿了那件过节穿的长裾外衣,用一根绳子牵着木木。叶罗希卡连忙避开在一边,让他走过。盖拉新朝着大门走去。那些小孩同所有正在院子里的人都静悄悄地盯着他。他连头也不掉一下,到了街上才戴上了帽子。加夫利洛就差这个叶罗希卡跟着他,执行侦探的职务。叶罗希卡远远地看见盖拉新带着狗走进一家饮食店去了,他守在外面等候他出来。

盖拉新跟店里的人很熟,他们都懂他的手势。他叫了一份带肉的白菜汤,就坐下来,把两只胳膊支在桌子上。木木站在他的椅子旁边,用"她"那对聪明的眼睛安静地望着他。"她"身上的毛在发亮;看得出"她"是最近让人梳洗过的。盖拉新叫的白菜汤端上来了。他撕碎面包放在汤里,又把肉切成小块,然后把汤盆放在地上。木木照平常那样文雅地吃着,"她"的嘴只轻轻地挨到"她"吃的东西。盖拉新把"她"看了许久,两颗大的眼泪突然从他的眼睛里落下来:一颗落在狗的倾斜的额上,另一颗落在白菜汤里面。他拿自己的手遮了脸。木木吃了半盆,就走开了,还舐舐自己的嘴唇。盖拉新站起来,付了汤钱,走出去了。茶房用了带点疑虑的眼光望着他出去。叶罗希卡看见了盖拉新,连忙躲在角落里,让他走了过去,自己却在后面跟着他。

盖拉新不慌不忙地走着,仍然用绳子牵着木木。他走到街角,就站住了,好像在想什么心事似的,接着他忽然迈着快步子朝克里米亚浅滩对直走去。在路上他走进一所宅子的院子,那儿正在修建厢房，他从那儿拿走两块砖挟在胳膊底下。到了克里米亚浅滩，他又拐弯儿顺着岸边走去，他走到一个地方，那儿有两只带桨的小船拴在桩上（他以前就注意到了），他带着木木一块儿跳到一只小船上面。一个瘸腿的小老头儿从菜园角一间小屋里出来，在后面叫他。可是盖拉新只点点头，那么使劲地摇起桨来，虽说是逆流，但一会儿的功夫他就冲到一百沙绳①以外去了。老头儿站着，站着，用手搔自己的背，起初用左手，后来又用右手，随后就一颠一跛地回到小屋去了。

可是盖拉新一直朝前划着。莫斯科已经落在他的后面了。两边岸上展开了一片的草地、菜园、田地、林子，农家小屋也出现了。农村的气息也闻到了。他丢开桨朝着木木俯下头去，木木正坐在他前面一块干的坐板上（船底积满了水），动也不动一下，他把他那两只气力很大的手交叉地放在"她"的背上，在这时候，浪渐渐地把小船朝城市的方向冲回去。后来盖拉新很快地挺起身子，脸上带着一种痛苦的愤怒，他把他拿来的两块砖用绳子缠住，在绳子上做了一个活结，拿它套着木木的颈项，把"她"举在河面上，最后一次看"她"。……"她"信任地而且没有一点恐惧地回看他，轻轻地摇着尾巴。他掉开头，眯着眼睛，放开了手。……盖拉新什么也听不见——他听不见木木落下去时候的尖声哀叫，也听不见那一下很响的溅水声；对于他，最热闹的白天也是寂无声响的，正如对于我们最清静的夜晚也并非没有声音一样。等他再把眼睛睁开的时候，微波照旧一个追一个地在水面上急急滚动；它们照旧地碰在船舷上飞溅开去了，只有在后面远远地一些大的水圈逐渐在扩大，一直到了岸边。

叶罗希卡看不见盖拉新的时候，连忙赶回宅子去报告他所见到的一切。

"嗯，不错，"司捷潘说，"他要淹死'她'。现在可以放心了。要是他答应了……"

---

① 沙绳，俄尺度名，1沙绳合中国尺6尺6寸。——译者注

这一天整天没有人见到盖拉新。他没有在家里吃中饭。天黑了,大家在一块儿吃晚饭,只少了他一个人。

"盖拉新这个人多古怪啊!"一个肥胖的洗衣女人尖声说。"为了一条狗居然弄得这样昏头昏脑!……真是这样!"

"可是盖拉新倒回来过!"司捷潘正在拿调羹刮着粥,忽然大声说。

"怎么样? 什么时候?"

"大概在两个钟头以前吧。他的确回来过。我在门口碰见他;他又走出去了,他从院子里出去的。我正想问他那条狗怎样了,可是我看得出他心里不高兴。喂,他推了我一下,他大概只是想叫我站开吧,就像在说:'不要粘住我!'一样——可是他在我的背脊上这么厉害地一拍,这么重的一下——哎唷,哎唷,哎唷!"司捷潘不由得笑起来,他耸了耸肩膀,摸了摸后脑袋。"不错,"他又接下去说,"他那只手是多厉害啊,真是没有说的。"

大家都在笑司捷潘,他们吃过晚饭以后都散去睡觉了。

可是,就在这个时候,有一个巨人,肩头扛了一个背包,手里捏着一根长棍,急切地、不停步地顺着特公路走去。这就是盖拉新。他只顾急急忙忙地走着,也不朝两旁看一眼,他急急忙忙地走回家去,走回自己的村子里去,走回他的家乡去。他淹死了可怜的木木以后,连忙跑回他的顶楼上去,匆匆地收拾了一点东西用一块旧马衣包起来,弄成一个小包裹,扛在自己的肩头,就这样地准备妥当上路了。他让人带到莫斯科来的时候,他很小心地记住了路;太太把他从那儿带走的村子离开公路有二十五维尔斯特①。他带了一种不屈不挠的勇气,和一种交织着绝望与快乐的决心在公路上走着。他大踏步地向前走,胸口大敞开,两只眼睛热切地对直朝前面望。他走得急急忙忙,好像他的老母亲在家乡等着他一样,好像他长期在异乡里陌生人中间流浪以后,他的母亲现在唤他回到她跟前去一样。……刚刚来到的夏天的夜是静

---

① 俄里,等于 500 沙绳,合 1.067 公里。——译者注

寂而温暖的:这一边,在太阳落下去的地方,天边仍旧现着白色,而且让落霞①染上了一抹浅红;那一边,青灰色的暮霭已经升起来了。夜就是从那儿来的。鹌鹑成百地在四周噪鸣,秧鸡竞赛似的彼此叫唤。……盖拉新听不见这些声音,他也听不见树木的极微妙的夜语(他正迈着他那结实有力的脚走过树旁),可是他闻到了他闻惯的熟了的黑麦香,这是从那些黑黑的田地上飘送过来的。他觉得迎面吹来的风——这是家乡的风——亲热地打他的脸,玩弄他的头发和胡须;他看见眼前这条闪着白光的路一直向他的家乡伸出去,直得像一枝箭一样;他看见天上无数的星星照亮他的路,他好像一头雄狮,强壮地、勇敢地踏着大步走去,所以等到初升的太阳拿它那带水汽的红光照着这个强壮的行人的时候,他跟莫斯科的中间已经隔了三十五维尔斯特了。……

两天以后他已经到家,在他自己的小屋里了,这使得从前搬到那儿住下来的兵的老婆②大吃一惊。他在圣像面前祷告了以后,马上就去找村长。村长起先也很惊讶,可是正巧逢着割草的时期,盖拉新又是一个出色的劳动者,他们马上塞了一把镰刀在他的手里。他便照从前那样地割草去了,他割得那么起劲,农人们看见他挥镰刀割草和堆草的情形,着实地吓了一跳。……

可是在莫斯科,盖拉新逃走的第二天,他们才发觉了这桩事情。他们到他的顶楼上去,搜查了一通,便去报告加夫利洛。加夫利洛来了,看了一看,耸了耸肩膀,便断定那个哑巴不是逃走,就是跟他那条愚蠢的狗一块儿投河自尽了。他们通知了警察,也报告了太太。太太动了怒,气得哭起来,她吩咐他们无论如何总要把他找到,并且声明,她从没有命令他们把那条狗弄死,到后来加夫利洛让她骂得没有办法,整天不做事情,只是摇着头,说:"好吧!"后来尾巴叔叔也对他说:"好——吧!"这样才把他弄清醒了。

---

① 原文是:"逝去了的白天的最后的反照。"——译者注
② 当时兵役期限很长,所以兵士的妻子由全村照顾。不服从主人命令的农奴也常常被送去服兵役。——译者注

青少年文学读本

最后从乡下传来了盖拉新住在那儿的消息。太太才稍微安心点；起初她还发出命令，要人马上把他带回莫斯科来，可是后来她又说这种忘恩负义的人对她毫无用处。而且这桩事情过去不久，她自己也去世了。她那些继承人没有功夫想到盖拉新身上去：他们把母亲留下的其余的家奴都遣散了，准许那些人缴纳年租赎回自由。

盖拉新一直活到现在，都是一个光人，住在他自己那间小屋里面；他跟从前一样地健康、气力大，跟从前一样地一个人做四个人的工作，而且跟从前一样地严肃、稳重。可是他的邻人们看出来：他从莫斯科回来以后就再也不跟女人来往，他连看她们一眼也不肯，而且他绝不养狗。农人们谈论说："他不需要女人，这倒是他的运气；可是狗呢——他要狗来做什么？你拿绳子拴在小偷的颈项上也把小偷拖不进他的院子去！"关于那个哑巴的大力士一般的力气的传说就是这样。

理性：平等与自由①

〔俄〕 陀思妥耶夫斯基

费多尔·陀思妥耶夫斯基(1821—1881)，俄国作家，著有《穷人》、《白夜》、《被侮辱与被损害的》、《死屋手记》、《罪与罚》、《白痴》、《群魔》、《卡拉玛佐夫兄弟》等多部名作，他在对俄罗斯人民的苦难和人性的深刻揭示方面，达到了罕见的高度，其独特的创作技巧被俄国理论家巴赫金总结为"复调小说"理论，对西方现代小说艺术的发展产生了重大影响。

我究竟为什么还要把所有的往事重复一次？为什么资产阶级直到现在还有一种恐惧感？他们终日坐卧不宁，在挂念什么呢？

纯理性的根据何在？纯理性在现实面前表现得苍白无力，理性在现实面前是破产了的，况且有理性有学问的人现在也开始教导人说，没有纯理性的根据，世界上不存在什么纯理性，抽象的逻辑不适用于人类，有伊万诺夫，彼得罗夫、丘斯达夫的理性，却没有纯理性的，这只是18世纪没有根据的臆造而已②。

资产阶级害怕谁呢？怕劳动者吗？劳动者同样具有所有者

---

① 本文摘译自《冬天里的夏日印象》第6节，题目是译者所加。

② 在18世纪40—60年代，N. 康德(1724—1804)的思想被他发展为《纯理性的批判》(1781)，受到实证主义者的猛烈批判。——俄文版编者注

的精神,他们的全部念头在于:成为所有者,要积累更多的财产。并开始具备这种念头了。但是,他没能无代价地获得这种本性,所有这些都要用一辈子的时间来培植,受一辈子教育。一个民族不会轻易地改变,不会轻易地抛弃古老的、根深蒂固的传统。农民呢?要知道,法国农民是最大的所有者,最愚蠢的所有者,那是些最好的、具有最完整思想的所有者。只是让什么样的人来代表自己,共产主义者?还是社会主义者?资产阶级在心灵深处蔑视这种人,同时,又害怕这一切。是的,资产阶级正是害怕这种人,直到现在,仍然如此。然而,有什么可怕的呢?西哀士神甫在自己著名的抨击性文章中预言①,资产阶级——这就是一切。什么是第三等级?什么也不是。所有这一切应当是什么样子的呢?所发生的那一切,正如他说的那样。在那个时代所说的,只有一些话实现了,另一些话则被遗忘了。尽管在西哀士说完话以后,其他人所表达的一切都破灭了,像肥皂泡一样破灭了,然而,资产阶级仍然不相信这种现实。的确,在这一切发生以后,资产阶级很快地宣告、自由、平等、博爱。多么好啊!自由,这是什么?自由,是什么样的自由?同样的自由是在法律允许的范围内,所有的人可以做想要做的一切。什么时候可以做想去做的一切呢?当拥有千百万人的时候,能否给千百万人中的每一个人以自由呢?不能。这样的人并没有千百万呢?不拥有千百万的那种人,并不是可以想要做一切的人,而是大家和他一起去做想要做的事。由此产生了什么呢?除了自由,还产生了平等。在法律面前是平等的。关于在法律面前的平等,只是针对现在平等所运用的那种形式而言的;每一个法国人为了个人不受欺侮,能够也应当接受平等。在这种理论中,还剩下了什么呢?博爱。应该承认,这篇最有趣的文章,直到现在,仍然是西方世界的一个主要障碍。

---

① 1789 年 2 月,西哀士神甫(1748—1836)的抨击性文章《什么是第三等级?》刊印出来。西哀士是 18 世纪法国资产阶级革命活动家。——俄文版编者注

西方人谈起博爱①,认为它是人类社会伟大的推动力,但是,却没有领悟到:如果在现实生活中不存在博爱的原则,那么,它也不会成为推动力。当然,无论在什么地方都应当实行博爱,其结果却是,不能实行。博爱本身在人的天性中形成,容易被领会。在法国人的天性里,即一般的西方人的天性里,并不存在博爱,只存在自我的原则,独立的原则,强调自我保护、自我追求,自我的自决的原则。自我和全部天性跟其他一切的人针锋相对的原则,而这种原则被当做除他以外的、完全相等的、独立的、个别的原则来看待的。在这种自我中不可能产生出博爱来。为什么呢? 因为在博爱中,在真正的博爱中,不是单独的人,不是仅从自我,来考虑自己和其余的人是否有相当的价值、相等的权利。这一切其余的人应主动到要求权利的人中间来,到个别的自我中间来,不等他请求,自己就应当承认他和世界上所有的其余的人一样,具有同等的价值和权利。并且,这个要求得到权利的个人,首先应当把整个的自我,整个自己牺牲给社会,不仅不要求自己的权利,相反,还要将它无条件地贡献给社会。然而,在西欧个人却不习惯于这种过程,他们要求着,他们要求权利,他们要求分享权利,而无法产生出博爱的原则。当然,这能够完全改变吗? 这种改变的实现要用几百年,因为这种思想是根深蒂固的,这是现实。你对我讲,为了幸福,应当丧失个性吗? 难道在毫无个性中去寻找出路吗? 相反,恰恰相反,我认为,不仅不应当是毫无个性的,而且是应当具备个性的,甚至要比在西方已经形成的个性还要更加强烈的个性。您要了解我的意思:谁也不能随意地、完全有目的为了全体的利益而去强制个人作自我牺牲。我的意思是,个性高度发展的特征是,它的高度威望、高度的自制力,以及个人意志的高度自由。为了全体人民的痛苦和欢乐,而自愿地耗费自己的生

① 空想社会主义者埃季延·卡贝发展了博爱的思想,成为他的社会模式的主要原理。——俄文版编者注,埃·卡贝(1788—1856),法国政治家,"和平共产主义"的空想家。所撰写的长篇小说《伊加利亚旅行记》(1890)对空想共产主义社会制度作了描述。——译者注

命,只有在这样的条件下去做,才能强有力地发展个性。强有力地发展个性,对自己的权利充满信心才是个性,自己的内心中没有丝毫恐惧感。在自己的个性中,没有其他的考虑,无论什么都能够容纳,即把个性的一切都贡献给所有的人,为了使他们成为自主的人,有个性的人。凡是精神正常的人,都希望有具备这样性格的权利。如果将一丝杂质插进机器中,机器就会一下子被破坏了。不幸的是,即使在这种情况下,对私人来讲,还有什么样的微不足道的利益。例如,我表示为了所有的人而牺牲自己的一切,最终都没有想过利益,绝对不去想,我将自己的一切都贡献给社会,为此,社会本身也将把自己的一切都给予我的。为了奉献一切,甚至应当想到,是不会付给你什么的,无论是谁都不会使你遭受损失。这样做如何呢?……应当说,博爱符合人的本能的要求,村社的和谐也符合人的本能的要求,尽管民族的痛苦是古老的,尽管在民族身上野蛮人的粗暴和愚昧无知扎下了根,尽管有古老的奴隶制,尽管有异族人的入侵,然而,村社兄弟一般的愿望是人性的现实,这种愿望和人的天性一起生长,或者说,这种历史悠久的习惯,已经在指导人们自己了。

如果把博爱翻译成理性的有意识的语言,那么它的含义是什么呢? 它的含义是:每一个单独的个性本身,无须任何的强迫,它就会告诉社会说,自己没有任何的利益。"我们坚定地和所有人民站在一起,请把我们的一切都拿走吧! 如果你需要我的话,请不必挂念我,使用自己的权利,丝毫不必关心,我将自己的权利交给你,请你支配我吧! 这是我最大的幸福——为了你们所有的人去自我牺牲。为此,不能给你带来任何一点损害。我要消灭和融化十足的麻木不仁的现象,只有你们那种博爱才能兴旺昌盛。"恰恰相反,博爱应当说:"你给予的太多太过分了,我们没有理由不接受你给予我们的东西。你自己表示,你的全部幸福就在于此。但是,当我们不断地为你的幸福而伤心时,又能为你做点什么呢?从我这里把一切都拿走吧! 我将竭尽全力,为使你具备更大的个人自由,并表现出强烈的'自我'意识。无论什么样的敌人,任何

人,任何性格,现在都不必怕了。我们大家都在为你,都在保障你的安全,我们不知疲倦地努力关照你,因为,我们是兄弟,我们大家都是你的兄弟,我们占大多数,我们强有力;平静而富于朝气,不怕任何东西,请信赖我们吧!"

自然,从这以后,已经没有什么区别了,在这里,自己的一切已经分给大家了。互相地相爱吧!大家紧靠着你。

这简直是乌托邦,所有的一切都是以感情、天性为基础,而不是以理性为基础。要明白,这甚至是对理性的贬低。您会怎样想呢?这是乌托邦,也许不是吧!

如果在西方人那里没有博爱的起源,相反,只有惟一的个人的、不断独立的、要求表现自己的起源,那么,再做一次社会主义者,也没什么。我见到的社会主义者,没有博爱的精神,要开始说服他接受博爱。由于不具备博爱,他才想接受,并促进博爱,为了做兔肉辣汁肉丁,必须先有兔子。但是,兔子却不存在。那么,也就不存在接受博爱的天性,不存在具备博爱的能力,不存在对博爱的信任。在绝望中,社会主义者开始实行、接受将来的博爱,把希望寄托在博爱的声望和方法上,以利益来引诱和督促。有的人多少能从博爱中得到好处,有的人多少会获胜。从而,可以断定,观察每一种人的个性,考察其倾向性,判断并计算好它在人世的利益;有的人,以他的行为,得到相应的报答。他们中间每一个人多少都应当自愿地为社会服务,而宁愿对自己的个性带来损害。在这里,开始出现这样一种博爱,它的口号是:"一人为大家,大家为一人。"①这个口号是好的,当然,无论什么都是想出来的,所有的口号多数完全是从著名的书籍中摘录下来的。于是,就将这个口号运用到事业上,经过六个月,弟兄们开始被博爱的创始

青少年文学读本

---

① 指的是 1848 年在巴黎出版的卡贝的乌托邦式的长篇小说《伊加利亚旅行记》(1840),在它的扉页上有"一人为大家,大家为一人"的字样。——俄文版编者注

人——卡贝①所吸引住了，并进行了评论。傅立叶主义者们说，从自己的财富中，拿出自己最后的90万法郎②，让大家尝试一下，如何建立博爱？这不会有什么结果的。当然，这是个很大的诱饵，尽管它并不存在于友爱的兄弟们中间，而是常常存在于理性的基础中间。那可是件好事，大家都保障你的工作，并征求你的意见。但是，在这里又产生出来一个谜：好像人们的权利已经完全得到保护了，答应供养他，给他工作，为此，只要求他把仅有的一点个人自由贡献给公共事业，哪怕是，最少，最小的一丁点。不！人不愿意在这种利益下生活，"一丁点"对他来说，是那样沉重。他像是一时糊涂，误入这个小城堡……就连沉默寡言、微不足道的蚂蚁，也比他聪明。因为，在蚂蚁王国，大家共同劳动，遵守规矩，都吃饱了，都是幸福的，每一只蚂蚁都知道自己该做的事情。总之，人类社会离蚂蚁王国还远着呢！

① 卡贝在1847年组织了募捐，为的是在得克萨斯建立共产主义社团——"伊卡里亚"。法国政府诽谤并控告他犯有诈骗罪，这个控告很快被撤消了。——俄文版编者注

② 这是谈到了傅立叶主义者们公社的命运。这个公社由维克多·科思西杰兰于1853年在得克萨斯建成，在1861—1864的内战中瓦解了。——俄文版编者注

苦 恼

〔俄〕契诃夫

契诃夫(1860—1904),19世纪末俄国杰出的批判现实主义作家,生于小市民家庭,父亲的杂货铺破产后,靠当家庭教师读完中学,1879年入莫斯科大学学医,1884年毕业后从医并开始文学创作。早期作品多是短篇小说,如《胖子和瘦子》、《小公务员之死》、《苦恼》、《万卡》等,再现了"小人物"的不幸和软弱,劳动人民的悲惨生活和小市民的庸俗猥琐。1890年,他到政治犯人流放地库页岛考察后,创作出表现重大社会课题的作品,如《第六病室》。契诃夫后期转向戏剧创作,主要作品有《海鸥》、《万尼亚舅舅》、《三姊妹》、《樱桃园》等。1904年7月15日因肺病恶化而辞世。

"我拿我的烦恼去讲给谁听啊?"

暮色晦暗。大片的湿雪在刚刚点亮的街灯四周懒洋洋地飘飞,落在马蹄上,马背上,肩膀上,帽子上,铺成一层柔软的薄被。车夫姚纳·波达波夫周身是白,活像个鬼。他坐在车座上,一动不动,身子尽力往前伛,伛到了活人的身子所能伛的最大限度。哪怕有一大堆雪,落在他身上,仿佛他也会觉得用不着抖掉它似的……他的小母马也是白的,也不动。它那种沉稳,它那露出骨头的瘦身架,它那棍子一样直的两条腿,使得它活像拿半个铜子儿就可以买一个的姜饼捏成的假马。它大概在想心事。不管是谁，只要被人从犁头上硬拉开，从熟悉的灰色田园风景上硬拉开，而且硬给丢到这泥泞的地方，满是古里古怪的亮光，满是不停的喧哗和熙攘的行人，那他就一定会想心事。

姚纳和他的小马有好久没动了。午饭以前，他们就走出院子，至今还没拉到一趟生意。可是现在黄昏的阴影已经笼罩全城。街灯的黯淡的光，已经变得明亮生动，街上的行人也热闹多了。

"雪橇，拉到维勃尔葛司卡亚去!"姚纳听见有人喊车。"雪橇!"

姚纳惊醒，从粘着雪的睫毛望出去，看见一个军官，穿一件军人的斗篷，头戴一顶兜囊。

"拉到维勃尔葛司卡亚去，"军官又说一遍。"你睡着啦? 拉到维勃尔葛司卡亚去!"

中学生卷

为了表示同意，姚纳抖了抖缰绳，这使得一块块蛋糕样的雪从马背上和马肩上纷纷掉下地。军官上了雪橇。车夫策动马;他跟天鹅那样伸直脖子，在车座上挺起身子，与其说是由于需要还不如说是由于习惯地扬起鞭子。那母马呢，也伸直脖子，弯曲它那棍子一样直的腿，迟迟疑疑地走动了……

"你往哪儿闯啊，你个鬼东西?"姚纳立刻听见黑影里有人嚷起来，黑影在他眼前游过来游过去。"他妈的，你到底是往哪儿走啊? 靠右!"

"你简直不会赶车! 靠右走啊!"军官生气地说。

一个赶马车的车夫朝他咒骂，一个行人，穿过马路，肩膀刚好擦着马鼻子，愤愤地瞪他一眼，抖掉袖子上的雪。姚纳坐在车座上，局促不安，仿佛坐在荆棘上似的，他扭动胳臂弯儿，眼珠乱转，就跟给鬼迷住了一样，仿佛他不知道自己在哪儿，为什么在那儿似的。

"这些家伙真是混蛋!"军官笑哈哈地说，"他们简直是极力跑来撞你，扑到马蹄底下去。他们一定是故意捣乱!"

姚纳瞧着他的乘客,张开嘴唇……他明明想要说话,可是没说出来,只是鼻子里哼了一声。

"什么?"军官问。

姚纳苦笑一下,而且叫嗓子用劲,这才干哑地说出来:"我儿子……嗯……我儿子在这个礼拜死了,老爷。"

"哦! 他害什么病死的?"

姚纳掉转整个身子朝着乘客,说:

"谁说得清呢? 一定是发烧吧……他在医院里躺了三天,后来就死了……上帝的旨意啊。"

"拐弯呀,你个鬼东西!"黑暗里有人喊,"你发疯啦,你个老狗? 瞧瞧你这是往哪儿走啊!"

"赶车吧! 赶车吧……"军官说,"照这样走下去,明天也到不了啦。快!"

车夫又伸直脖子,在车座上坐好,稳重地挥动他的鞭子。有好几回他回转身去看军官,可是军官老是闭着眼,明明不愿意再听了。姚纳把车赶到维勃尔葛司卡亚,让乘客下车,再把车子赶到一个饭馆的附近停下来,又缩成一团坐在车座上……湿雪又把他和他的马涂得挺白。一个钟头过去了,又一个钟头过去……

三个青年,两个又高又瘦,一个挺矮,驼背,走过来;他们互相谩骂,雨鞋在马路上踩得一片响声。

"车子,上警察桥去!"驼背用破锣似的声音喊道,"我们三个……二十个铜子儿!"

姚纳抖缰绳,策动马。二十个铜子儿不是公道价钱,可是他顾不得了。只要有人坐车,那就一个卢布也好,只五个铜子也好,他全不在心上……三个青年互相推挤,说下流话,拥上雪橇,三个人想一齐坐下来。这就有了需要解决的问题:谁该坐着? 谁该站着? 拌嘴啦,发脾气啦,骂街啦,闹了半天,他们总算得了结论:该驼背站着,因为他顶矮。

"好啦,赶车吧,"驼背站稳,用破锣样的声音说,他的呼吸吹着姚纳的脖子。"快走! 你戴的这是什么帽子呀,我的朋友! 走遍彼得堡,再也找不到比这帽子更糟的啦……"

"嘻嘻!……嘻嘻!……"姚纳笑,"这帽子本是不行啦!"

"得了,得了,本是不行了,赶车吧! 你就打算照这样子赶一路车子吗? 啊? 要我给你一个脖儿拐①吗?"

"我头痛哟,"一个高个子说,"昨天在杜科玛索夫家里,华斯卡和我一共喝了四瓶白兰地。"

"我真不懂你为什么讲这种废话,"另一个高个子生气地说,"你跟下流人似的胡说八道。"

"要是我胡说,就打死我! 那是实在的情形!"

"要是这实在,跳蚤咳嗽就也实在喽。"

"嘻嘻!"姚纳龇着牙笑,"好高兴的几位老爷哟!"

"呸! 滚你妈的蛋!"驼背愤愤的喊叫,"你到底肯不肯快点走啊,你这老不死的? 这样也叫做赶车啊? 给它一鞭子。他妈的,结结实实的抽它一顿!"

姚纳感到了背后那驼背的摇摇晃晃的身子和颤抖的声音,他听见人家骂他的话,他看见这几个人,于是寂寞的感觉渐渐淡下去,不那么沉重地压在他心上了。驼背一个劲儿咒骂他,迸出一长串古怪的形容词,直到说得透不过气来,弄得连连呛咳,这才住口。他那两个高个的同伴开始讲到一个叫做娜节日达·彼德罗芙娜的女人。姚纳回头看他们。等到他们的谈话有了一个短短的停顿,他又回过头去,说:

"这个礼拜……嗯……我的……嗯……儿子死了!"

"咱们都要死的……"驼背呛咳一阵,擦擦嘴唇,叹口气,说,"算了,赶车吧! 赶车吧! 两位朋友啊,车子照这么磨磨蹭蹭地爬,我简直受不住啦! 什么时候他才把我们拉到那儿哟?"

"那么,你给他一点小小的鼓励也好……给他一个脖儿拐?"

"你听见没有,你这老不死的? 我要揍你啦。要是跟你这样的家伙讲客气,那还不如索性走路的好。听见没有,你这条老龙?

177

中学生卷

———————————

① 北京土话,原文是"在颈背上打一拳。"——中译者

莫非你不在乎我们说的话？"

　　于是姚纳，与其说是觉得，不如说是听见，脖子后面啪的一响。

　　"嘻嘻！……"他笑，"好高兴的几位老爷哟……上帝保佑您哪！"

　　"赶车的，你结过婚没有？"一个高个子问。

　　"我？嘻嘻！好高兴的老爷哟。现在我的太太成了湿地喽……嘿，哈哈！……那就是，在坟里头哟……这忽儿，我儿子也死了，我却活着……真是怪事，死神^①走错了门啦……它没来找我，反倒把我儿子拉去了……"

　　姚纳回转身去，要告诉他们他儿子是怎么死的，可是这当儿驼背微微叹口气，说是谢天谢地！他们总算到了。收下二十个铜子以后，姚纳瞧了好半天那些醉醺醺的客人的后影，他们走进一个漆黑的门口，不见了。他又孤孤单单，又只好守着那一片寂静……苦恼，轻松了短短的一阵，现在又回来，比先前更残忍地撕扯他的心。姚纳的眼睛现出焦灼和痛苦的眼神，一刻不停地打量大街两边川流不息的人群：难道在那成千成万的人当中，他竟找不到一个肯听他讲话的人吗？一群群的人匆匆地走来走去，没人理会他和他的苦恼……他的苦恼是广大的，无边无际。要是姚纳的心炸裂，他的苦恼滚滚地流出来，那苦恼仿佛会淹没全世界似的，可是那苦恼偏偏没人看得见。那份苦恼竟在这么一个渺小不足道的躯壳里找到藏身之地，弄得人家哪怕在大白天举着蜡烛去找，也找不到……

　　姚纳看见一个守门人提着一个包袱，就下决心跟他攀谈。

　　"什么时候啦，朋友？"他问。

　　"快到十点钟了……你停在这儿做什么？把车赶开！"

　　姚纳把车赶到几步开外，伛下腰，任凭苦恼来折磨他。他觉得向别人诉说也没益处。可是还没过五分钟，他就挺起腰板，摇

178

青少年文学读本

　　① 原文是"死亡"。——中译者

摇头,仿佛感到锐利的疼痛似的;他抖动缰绳……他受不了了。

"回院子里去!"他想,"回院子里去!"

他那小母马,仿佛知道他的想头似的,轻快地跑起来。过一个半钟头,姚纳坐在一个又大又脏的火炉旁边。炉台上啦,地板上啦,凳子上啦,全睡得有人,他们在打鼾。空气又臭又闷。姚纳看一看那些睡熟的人,搔一搔自己的身子,后悔回来得太早了……

"其实我连买燕麦的钱还没赚够呢,"他想,"这就是为什么我这么穷酸的缘故。一个人,要是知道怎样做他的工作……有了足够的吃食,自己的马也有了足够的吃食,那他就安心啦……"

墙角上,有一个年轻的车夫起来,睡意蒙眬地嗽了嗽喉咙,找水桶。

"想喝水啦?"姚纳问他。

"是啊。"

"喝一点就好了……可是,伙伴儿,我的儿子死啦……你听见没有? 这个礼拜在医院……真是怪事……"

姚纳看一看他的话产生了什么影响,可是什么影响也没看见。那年轻小伙子已经蒙着头睡着了。老头儿叹口气,搔搔自己的身子……如同那青年渴得要喝水似的,他渴得要说话。他儿子去世快满一个礼拜了,他却至今还没跟别人认真谈起过……他想好好地讲一讲,从从容容地讲一讲……他要讲一讲他儿子怎样得的病,怎样受苦,临终以前说过些什么话,怎样去的世……他要讲一讲下葬的情形,后来他怎样上医院去取他儿子的衣服。他还有个女儿阿尼霞在乡下……他也想谈一谈她……对了,他现在有很多的话要讲。听他讲话的人应该叹息,惊叫,惋惜……倒还是跟娘们儿谈一谈的好。她们虽是些蠢东西,不过听他讲开了头,一定会哭起来。

"还是出去,看看那母马的好,"姚纳想,"有的是工夫睡觉……总归睡得够的,不用担心……"

他穿上大衣,走进马棚,他的母马在那儿站着。他想到燕麦,想到麦秆,想到天气……他不肯想他的儿子,因为这儿只有他一个人……跟别人谈到他儿子,倒还可以;至于想他,描出他的模样,那可叫人痛苦得受不了……

"你在嚼草吗?"姚纳问他的母马,看它的炯炯的眼睛。"好的,嚼吧,嚼吧……我们挣的钱既然不够吃燕麦,那就吃麦秆喽……对了……我呢,岁数太大,赶不动车啦……这忽儿应当由我儿子来赶车才对。不该由我……他是个地道的马车夫……他原应该活着……"

姚纳沉默一会儿,接着说:

"是这么回事,老姑娘……库司玛·姚尼奇下世了……他跟我说了再会……他下世了,死了,无缘无故……打个比方,你生了个小崽子,你是那小崽子的亲妈……猛然间,那小崽子下世了,死了……你要伤心吧,对不对?……"

小母马嚼草,听着,闻主人的手。姚纳讲得起了劲,把那件事的经过统统讲给它听了。

凡·高书信选

〔丹麦〕凡·高

文森特·凡·高（1853.3.30—1890.7.29），荷兰画家，出生在一个乡村牧师家庭。他是后期印象派的三大巨匠之一。凡·高年轻时在画店里当店员，这算是他最早受的"艺术教育"。后来到巴黎，和印象派画家相交，在色彩方面受到启发和熏陶。凡·高生性善良，同情穷人，早年为了"抚慰世上一切不幸的人"，他曾自费到一个矿区里去当过教士。凡·高全部杰出的、富有独创性的作品，都是在他生命最后的十六年中完成的。他最初的作品，情调常是低沉的，可是后来，他大量的作品即一变低沉而为响亮和明朗，好像要用欢快的歌声来慰藉人世的苦难，以表达他强烈的理想和希望。可是冷酷和污浊的现实终于使这个敏感而热情的艺术家患了间歇性精神错乱，他不愿增加别人（尤其是弟弟泰奥）的负担，于1890年7月23日自杀身亡。几个月后，曾经把自己全部热爱和物力献给他的泰奥也死去了。人们说：泰奥是为了凡·高而生的……

【伦敦　　　　　　　1873年6月】

此外，我内心有大自然，有艺术，有诗情。倘若据此而不知足，怎样才能知足呢？

亲爱的提奥：

啊，弟弟，我真想让你来这里看看我的住处。我现在总算有了一间我梦寐以求的房间。这房间没有倾斜的天花板，也没贴带有绿色边条的墙纸。我和令人非常快活的一家人住在一起，这家人办了一所专收小男孩的学校。

我非常满足。我常常散步。我住的地方，街坊邻里都很安静、友好，全是新结识的。找到这样一个住处，我着实感到幸运。

我在这里不像在海牙那么忙。我只从早晨9点工作到下午6点，逢星期六我们4点就关门了。有个星期六，我和两个英国人去泰晤士河划船。泰晤士河很美。

虽然这里的住房没有在海牙的住房那样令人觉得有趣，也许我还是待在这里为好，尤其今后到了卖画变得越来越重要的时候，我或许还会有些用处。近来店里收集到许多画和素描。我们卖出去很多画，但远远不够。卖画这事需要我们变得更加耐心和稳健。我认为，在英国还有许多事情要做，当然最重要的是收集一些好的绘画作品，然而，这却是相当困难的事。

我干得不错。对我来说，考察伦敦，研究英国生活方式和英国人民，是种莫大的乐趣。此外，我内心有大自然，有艺术，有诗情。倘若据此而不知足，怎样才能知足呢？

起初，英国的艺术似乎对我没有多大吸引力，人们必须去适应它。但是，这里亦有聪颖的画家。其中有密莱斯①，他画了一幅题名《胡格诺派教徒》的画。他的画都很美。还有一位叫鲍顿②。在老画家中有唐斯塔伯尔。他是一名风景画家，三十多年前故

青少年文学读本

---

① 密莱斯(1829.6.8—1896.8.13)，英国油画家、插图画家、拉斐尔前派奠基人之一。

② 鲍顿(1833—1905)，英国画家。

去。他名气很大。他的作品使我想起迪亚兹①和杜比尼②。还有雷诺兹③和盖恩斯伯拉，他们专画淑女肖像画。还有一位画家，名叫透纳④。

我看得出，你酷爱艺术。兄弟，这是件好事。你喜欢米勒⑤、雅凯⑥、斯彻耶⑦、弗朗茨·哈尔斯⑧，我感到高兴。正如毛沃⑨所说，"那是一种素质。"米勒画的那幅《晚祷》就反映出一种素质，就是一种美，一种诗意。尽你最大的可能来欣赏它吧，多数人并不能充分地欣赏它。

我读了范·弗洛顿著的一部论艺术的书，我不完全同意他的观点。但此书颇有学术价值。伯格的看法较简明，也确有道理。

上个星期天，我和我的校长奥巴奇先生去博克希尔山游玩。这座山较高，离伦敦有六小时的车路。山的一面是白垩泥，长满黄杨树。在另一面山坡上有片树身高大的橡树林。到处可见景致迷人的公园，公园里长有高大的树木和灌木丛。但我仍然忘不了荷兰，特别是海牙，还有布拉班特。在海牙，我们一起度过了多么愉快的日子。我常想起那次在雷斯维克路上的散步，还记得雨后在磨坊里喝了牛奶。我将寄给你韦森布吕赫⑩画的那幅磨坊写生；快乐的韦森，他的姓就叫韦森。那次雷斯维克路上的散步给我留下了也许是迄今为止最美好的回忆。

我很高兴你如此喜欢凯撒·德·科克，他是为数不多的能从心底理解我们亲爱的布拉班特的画家之一。去年我曾在巴黎遇

---

① 迪亚兹(1808—1876.11.18)法国油画家、版画家，专门从事风景画创作，是巴比松画派成员之一。

② 杜比尼(1817—1878)，法国风景画家。

③ 雷诺兹(1723—1792)，英国18世纪肖像画家和艺术理论家。

④ 透纳(1775—1851)，英国浪漫主义画家，风景画大师。

⑤ 米勒(1814—1875)，法国画家，巴比松画派的代表人物。

⑥ 雅凯(1841—1913)，法国版画家。

⑦ 斯彻耶，此画家为何国人，生卒年月，无从查考，暂付阙如。

⑧ 费朗茨·哈尔斯(1851/5？—1666)，荷兰画家。

⑨ 毛沃(1838—1888)，荷兰浪漫主义画家。

⑩ 韦森布吕赫(1824—1903)，荷兰风景画家。

见他。

你必须尽一切努力掌握有关绘画的真正知识。尽可能经常到博物馆去，了解老画家是一件有益的事。如果有机会，读一读有关美术的书，尤其是那份美术杂志——《美术报》。

尽可能出门散步，保持你对大自然的热爱，因为这才是学会越来越深刻地理解美术的真正途径。画家们理解大自然，热爱大自然，并且教育我们要去观察大自然。如果一个人真的爱上了大自然，他就能到处发现美的东西。

我正忙于拾掇花园。在小花园里种满了罂粟花、香豌豆和木犀草。现在我们还得等着看小花园变成什么样子。最近，我又开始作画，但现在停笔了。也许往后有一天我又重新开始。我现在正大量阅读。我对你读了米什莱[①]的书，并能很好地理解而感到高兴。这类书教育我们，爱所包含的内容远比人们一般认为的要多。

《爱情》像《福音书》一样给我启示。"任何妇女都不会苍老。"这句话并不是说没有年老的妇女，而是说，只要一个女子在爱和被人所爱，她就不会苍老。女人和男人完全不同。对女人我们尚不了解，若说有所了解，至少是肤浅的——是的，对这点我确信不疑。丈夫和妻子可以成为一个人，即是说，成为一个整体，而不是两个部分——是的，我也确信这一点。

你得用我给你的钱买阿尔丰斯·卡尔的《环绕我的花园之行》。一定要买。秋天很快就要来临，那时大自然将变得更加严肃，更加令人亲近。

我们的画廊已经准备就绪，非常漂亮。我们有一些名家的画

① 米什莱(1798—1874)，法国历史学家。

作:杜佩雷①、米歇尔②、杜比尼③、马里斯④、伊斯拉埃尔斯⑤。四月份我们将举办画展。你知道谢菲尔⑥画的《喷泉边的玛格丽特》吗？还有比画中那个少女更纯洁"更招人喜爱"的姑娘吗？

别因为你的生活平淡无奇而后悔，我的生活也相当平淡无奇。我想，人生漫长，"另一种生活将你包围，把你引向你不愿去的地方"的时刻很快就要到来。

我在寄给你的一本小诗集里，抄录了海涅的"平静的大海"。不久前，我看到马里斯作的一幅画，它使我想起这样一幅画面：一座古老的荷兰小镇，一排有阶梯形山墙的褐红色房屋；高台阶；灰红顶；白色或黄色的门；窗框；上楣柱；运河上的船只；一座白色的大吊桥下正通过一艘驳船，船上有个男人在掌舵。到处洋溢着生机。一个搬运工和他的手推车；一个男人倚在桥上铁栏杆边，注视着桥上的流水；一个妇女身穿黑色衣裙，头戴白色女帽。

给你寄去一幅小画。这是我上个星期天画的。那天早上，女房东的小女儿死了。画面景色是斯特利特海姆公地。这是长有橡树和荆豆的一大片草地。如你所见，这幅画画在艾德蒙·洛奇的《诗集》的内封上。诗集中有几首非常好，我给你抄录下来，诗的意境既庄严又悲凉。

啊，兄弟，"我们还要谈点什么呢?"科·马·凡·高⑦和特斯蒂格先生到了伦敦，上个星期六离开。在我看来，他们去与他们毫不相干的水晶宫殿和其他地方去得太多了。我觉得他们倒不如到我住的地方来看看。我希望，也深信现在我已不是许多人从前心目中的那种人了。我们都清楚，必须经历时日。

---

① 杜佩雷(1812—1889)，法国风景画家。
② 米歇尔(1763—1834)，法国风景画家。
③ 杜比尼(1817—1878)，法国风景画家。
④ 马里斯(1839—1917)，荷兰画家，又译马西斯。
⑤ 伊斯拉埃尔斯(1824—1911)，荷兰近代派代表画家。
⑥ 谢菲尔(1795—1858)，法国画家。
⑦ 凡·高的叔叔。

【艾尔沃斯　　　　　　1876 年 7 月】

> 每天都有每天的罪恶,每天都有每天的善行,事确实是如此。如果不靠信仰来加强生存能力和使生存无痛苦可言,那么生存一定会变得无比困难,特别当每天的罪恶随世俗现象的存在有增无减的时候,更其如此。

我利用上课间隙写信。教室里,煤气火苗跳跃。孩子们上课时的朗朗读书声随时可以听到。他们当中不时有人哼起某首赞美诗的曲调,使我想起和某种"古老的信仰"有关的内容。

上个星期六,我又一次长途旅行到伦敦。我早晨 4 点离开这里。公园里很美。黑暗的榆树林荫大道和潮湿的小路穿过公园。公园上空,天色灰暗,乌云浓重,远处有雷雨。

在伦敦,我拜访了几位朋友。还到了古匹尔公司的美术馆,在那里看到凡·伊特森带来的画。再次从画中看到荷兰的小镇和草地,我感到非常高兴。阿尔兹画的那幅《运河上的磨坊》,我认为是幅好画。

我希望你能看一看薄暮来临,灯火齐明,人人都往家里走的时候,那伦敦的街道。一切都表明,这是星期六的夜晚。尽管是一派喧闹景象,仍透出祥和的气氛。人们盼望星期天的到来,为星期天即将到来而感到兴奋。啊,星期天,在星期天要做的和完成的事该有多少啊。对那些贫民区的和拥挤不堪的街道上的人们来说,到了星期天他们感到多么舒适啊。

在伦敦听说有种工作,我日后也许要以之谋生。在利物浦和赫尔这些海港工作的牧师们需要能说几种语言的助手,到水手、外国人当中工作并去探视病员。做这种工作有一定薪水。

我又作了一次远足,心情十分愉快。这里学校里的人们很少外出走动走动。回顾去年在巴黎挣扎度日,把巴黎的生活与这里有时整日足不出户的生活比较时,我有时在想,什么时候我将回

青少年文学读本

到另一个世界里去呢？如果我重新回去的话，我要干的工作和去年的很可能就不一样了。但是，我认为我宁可教孩子们圣经史也不愿出门四处奔走了。教圣经史多少让人觉得不担什么风险。每天，人们都要向上帝祈祷，都要谈起上帝。目前，关于上帝我谈得不多，但有了上帝的祝福和帮助，我的处境会变得好些的。

你问我是否还在教孩子们，大致说来，我上课到下午 1 点。1点以后，我出门去琼斯先生家，有时给琼斯先生的孩子或城里的几个孩子上课。晚上或工作间隙，我在布道书上作眉批。

琼斯先生答应我今后不必教那么多课，可以在他的教区多做些工作，访问教区居民，和他们交谈，等等。

明天，我将第二次领我做新的工作所得的那份微薄的薪金。我将用那点钱买双新靴子和一顶新帽子。琼斯先生答应给我在他的教区找份工作，因此我将置齐我所需要的东西。我无法向你形容我是多么高兴。

冬天很快就来到了。我感到非常愉快，圣诞节是在冬季来临的。愿上帝让我们在那时欢聚。我多么想见见母亲，多么想见见父亲，和他谈谈话。虽然我们很少见面，虽然我们不常见到双亲，但对家庭的感情和我们之间的手足之情竟如此强烈，以至于我的心直往上提，眼睛转向上帝，祈祷说："别让我浪游得离家太远，太远。啊，主啊。"

中学生卷

提奥，上星期天哥哥我第一次到上帝住的地方布道。关于这件事，我这样写道："在这个地方，我将奉献安宁。"

这是一个晴朗的秋日，我从这里步行到利奇蒙德。一路上景致美不胜收。已是满树黄叶的高大栗树和澄碧蔚蓝的天空，倒映在泰晤士河水面上。透过树顶可以瞭望位于山顶上的那部分利奇蒙德。

当我站在讲道坛上时，我觉得好像是从地下一个黑暗的洞里出现，重又回到友爱的太阳光下。一想到今后不论去到哪里，我将传播福音，一种喜悦之情油然而生。为了能很好地传播福音，一个人必须有部心上的福音,但愿上帝赐给我一部福音。

《效仿基督》是部给人以很多启示的绝好的书。为了追求神圣的做人的责任感多么有意义啊;为人宽厚慈悲,尽心尽责,将从中获得巨大乐趣;这些道理在书中得到很好的阐发。

每天都有每天的罪恶,每天都有每天的善行,事实确是如此。如果不靠信仰来加强生存能力和使生存无痛苦可言,那么生存一定会变得无比困难,特别当每天的罪恶随世俗现象的存在有增无减的时候,更其如此。

提奥,如果我不宣传福音,灾祸与我同在;如果我不矢志,笃信基督并对基督怀有期望,那么,我的情况将会更糟。不过,现在我已有些勇气。

上星期天,我一大早就去特恩海姆草地,在星期日学校教书。这是一个真正的英国的雨天,平常日子,我不得不培养自己对星期日学校的兴趣。学校有足够的学生,但很难使他们经常到齐。下午,琼斯先生和他的孩子们、还有我和教堂司事一起去取茶叶。

明天,我必须到伦敦市两个边远区去,到怀特彻帕尔①区去。在狄更斯的书里,你读到过怀特彻帕尔,这是个贫困区。在此之后,我还得乘小汽艇过泰晤士河到刘易斯海姆去。

上星期四,琼斯先生让我顶他的班。我到艾克顿草地去了。我从教堂司事的窗口可以看到艾克顿这块草地。草地非常泥泞。但天色渐晚,开始起雾的时候,那儿很美。人们可以看到草地中央的小教堂里透出的灯光。

我还得找个星期天晚上前往彼得斯海姆,到一个卫理公会教堂去。我对教堂会众说,他们将听到很蹩脚的英语。但当我开口演说时,我想起某个寓言故事中的人。他说:"请对我耐心些,我将向你们奉献一切。"

我坐在小房间里给你写信时,房里安静极了。我看着你的相

---

① 怀特彻帕尔,英文为 Whitechapcl,意为白色小教堂。小教堂多为贫困教徒设立。

片和墙上的图片:《基督的安慰者》、《耶稣受难日》、《访问坟墓的女人》、《老胡格诺派教徒》、谢菲尔画的《浪子》、《暴风雨大海中的小船》——当我想起你们大家,想起这里的一切,想起特恩海姆草地,利奇蒙德和彼得斯海姆时,我就在想:"主啊,让我成为神父的兄弟吧,①请在我身上完成你已开始的工作吧。"

我们是否找一天一起去教堂呢? 我们虽然满腹忧伤,却又总是幸福的,我们的心里有永恒的喜悦,因为我们是上帝天国中的穷人。

几天前,布拉特先生从多尔德特来看望文森特叔叔。叔叔问布拉特先生,如果我想干的话,在他的公司里能否给我留个位置。布拉特先生认为可以,说,我必须为这事前去谈谈。所以昨日清晨我到他那里去了。我们谈妥,新年后一周内我过来上任,先试试看,然后再定。有许多方面让人觉得这事求之不得,我因此而可以回荷兰,离双亲、离你和其他人近了。薪俸也肯定比琼斯先生给的高。我无法不考虑工资问题,因为今后需要更多的钱维持生活。

我们常盼望相聚在一起,在生病和忧愁的时刻,发觉我们相隔遥远,心里不由得十分恐惧;贫困的时候才意识到手头拮据也许就是使我们不能团聚的障碍。

至于宗教工作,我尚未放弃。父亲心胸开阔,多才多艺,我希望不管碰到什么情况,在我身上也能表现出一点这样的气质。将来如有变动,就是我不教孩子们了,我将在一个书店里工作。

我非常可能去那里工作。

① 凡·高的父亲是个乡村牧师。凡·高与父亲一度不睦,关系紧张。这句话有双关之意。

【多德雷赫特　　　　1877 年 1 月】

如果一个人毫无责任感,那么,如何能够聚精会神呢?责任感使一切变得神圣,将事物紧密联系在一起,使得做许多小事也成为一大义务。

我在书店里干得不错,只是很忙。我早上 8 点到店里,深夜 1 点才离开。尽管如此,我很高兴。工作总是一件好事。

有时,我觉得不胜喜悦之至,我们又生活在同一片国土上和说相同的语言了。透过我房间的窗口可见一个长有松树和白杨的花园。那些旧房屋的墙背上爬满了常春藤。狄更斯说:"奇特而又古老的植物就是常春藤。"从我的房间窗口看到的景致十分萧条,多少带点悲凉的气氛。你倒是应当看看朝霞洒在花园里的情景,这时的景致大不一样。

上星期天我到这里的法国教堂去了。这座教堂十分庄严、醒目,而且具有无比的魅力。做完礼拜,我在那条顺着一条磨坊延伸的堤坝上散步。草地上方那迷人的天空倒映在沟渠水面上。在其他国家有些景致使你觉得诧异。在法国迪耶普海岸边,岩石上覆盖着绿草。海洋。天空。港湾泊有带着褐色鱼网和船帆的旧船——就像是杜比尼画的一幅画。雨天伦敦的大街要点街灯,我在古老灰色的小教堂的台阶上过了一夜——这件事我是在夏日到拉姆斯盖特远足之后经历的。在另外一些国家,也有让人觉得异样的事情。……然而,上星期天我独自漫步在大堤上时,我在想,脚步迈在荷兰国土上令人多么惬意啊。我还觉得,"我在心底和上帝签订圣约"。我回想起所有童年时期的往事。在二月末的几天里,我们不是常和父亲步行去里斯伯根吗?听云雀在长着玉米苗的黑色田野里歌唱。阳光灿烂,天空蔚蓝,只有几朵白云。石头小径,两旁长着山毛榉树。——啊,耶路撒冷! 耶路撒冷! 啊! 曾德特! 曾德特!

今天,我很忙,因为有许多琐细之事要做,但都属于我的责任。如果一个人毫无责任感,那么,如何能够聚精会神呢?责任感使一切变得神圣,将事物紧密联系在一起,使得做许多小事也成为一大义务。

昨天晚上我1点钟离开书店,绕大教堂周围走过,然后沿运河走去,经过新教堂的旧大门,回到家里。天一直在下着雪,万籁俱寂。偶尔,从这里或那里的一些气窗口透出一线灯光。值夜更夫黑色的身影在大雪的映衬下更其明显。正当满潮时分,运河和船舶在白雪的烘托下都显得黑乎乎的。

在任何地方,任何情况下都想到耶稣,这是件有益的事。布拉班特农民的生活可真艰难啊。他们从哪里汲取力量呢?什么东西维系那些贫困妇女的生活呢?难道你不认为那位画家在他画的《世界之光》的那幅画里表现的正是这些问题吗?

你不知道我对《圣经》是如何地思之若渴。我天天读《圣经》,想把它熟记在心。我要怀着深情悉心研究那些古老的故事,特别要弄清人们对基督究竟了解多少。

一个人在他的一生中也许会有段时间对什么都感到厌烦,觉得似乎自己所做的一切都是错误的。其中抑或有点道理。你认为人们必须努力忘记或消除这种感觉吗?要不,这是不是一种"对上帝的思念",人们不必为之诚惶诚恐,而把它藏在心间,看看它是否会给人们带来好处呢?是不是这种"对上帝的思念"将引导我们作出我们永远也不会为之后悔的选择呢?

让我们保持勇气,尽量耐心而又温和。即使成为一个与众不同的人也不必在乎,但要分清是非善恶。

早上,我和科尔大叔去斯特里克大叔家,在他那儿谈了很长时间。我写了封家信告诉家人我们在阿姆斯特丹做了些什么和我们谈到的事情。今天我收到父亲的来信。上星期他身体不适。我知道,他为可能要发生使我能够从事他的职业的事情内心无比激动。父亲一直在这方面期待着我。啊,这种情况会出现的,上帝也为此事祝福。

在我们这个可谓百分之百的基督徒家庭里，据我们的记忆所及，一代接一代，代代都有人传播福音。难道作为这个家庭的一员，不应该觉得自己受到召唤去布道吗？我热情地祷告，热切地希望，愿父亲和祖父的精神传给我；愿他们的精神使我成为一名基督徒和一个为基督教出力的人；愿我的生活和父亲、祖父的生活越来越相似。发现旧酒好，我就不想要新酒。

提奥，亲爱的弟弟，我对此梦寐以求，但怎样才能如愿以偿呢？

啊！也许会有人给我指出比目前我所做的更有可能使我献身于为上帝服务和走上传播福音的道路呢。我为此不停地祷告，我想我的祷告上帝会听见的。我十分谦恭地祈祷。

提奥，要是我能在这方面成功该有多好！但愿我所从事的一切失败之后而产生的沉重的压抑感、为此我所听到的和感到的汹涌而来的责备都离我而去！但愿上帝赐给我机会和力量！我需要机会和力量来全面施展自己的才能并且坚持走父亲和我都应当为之向主表示热烈感谢的道路。

我今天为你的藏画集寄去另一幅仿多雷①的木版画和一幅仿布里恩的木版画。坚持收集下去，你迟早会拥有一部好画集的。请接受我为你的藏画集作的小小贡献。我多么希望通过这些小礼物与你保持联系。你的信使我感到高兴，就像妇女找回自己的小玩意儿时肯定会有的那种感觉一样，因为你告诉我古斯大婶的写字台让鲁斯夫人在春季大扫除时给找到了。我多么高兴啊。当我开始在阿姆斯特丹的生活时，我需要这张写字台。对我来说，这似乎是个新的证明和暗示——我最近已观察到许多——今后我将事事顺遂，我将在我所喜爱和追求的事业中获得成功。我的想法将得到证实，我的精神面貌将焕然一新——属于我过去所笃信的意念在我的心中发展了。在我的一生中将出现新的选择。

青少年文学读本

---

① 多雷，全名居斯塔夫·多雷（1833—1883），法国画家和雕塑家。

布拉特先生已物色到替换我的工作的人选。五月份我有可能开始从事一项新的工作。

我想，对一个"传播上帝的话"的人（我希望成为这样一个人）来说——对于一个在田野撒播种子的人也是一样，每一天都会产生许多邪恶——大地会长出很多荆棘和蓟——让我们互相帮助，互相索取手足之情。将来也许有许多美好的东西在等待我们，让我学着和父亲一起反复说，"我永不气馁"，和叔叔简一起说，"魔鬼从来如此凶恶，但你能逼视他"。

光阴似箭，日月如梭。我们将会在思想上、品格上、心灵上变得更加富有和坚强，我们对上帝的信念将会更加充实，我们将在纯金般的生活中，在相互的友爱中，在情感方面，变得更加富有。"然而，我并不孤独，因为上帝与我同在。"

工作间隙，我根据斯特里克大叔的一部教理问答书将有关基督的所有故事从头至尾作了研究，并抄录了经文；这些故事和经文使我想起了伦勃朗①和其他画家的许多画。

我希望并相信我不会对自己选择做一名基督徒和从事基督教工作而感到懊悔。是的，与过去有关的一切促成了这种选择。布雷东②、米勒、伦勃朗、博斯布姆③以及其他许多画家热爱工作和人生，承认这一点，会给我带来新的思想。父亲的工作和那些画家的工作和生活何其相似！但我对父亲的工作和生活评价更高。

【阿姆斯特丹　　　　　　　　1877 年 5 月】

当我们在干一件困难的工作，为追求美好的东西而奋斗时，我们就是在为正义作战，其直接的报偿就是我们与许多邪恶分手了。我们在生活中前进，生活也会变得越来越困

① 伦勃朗（1606—1669），荷兰著名画家。
② 布雷东（1827—1906），法国画家。
③ 博斯布姆（1817—1891），荷兰画家。

难。但是,在与困难作斗争中,内心深处的力量也得到了发挥。

没有一天不与文字和画稿打交道。天天都在写啊,工作啊,练画啊——持之以恒将使我最终成功。

虽然我有许多工作要做,但我仍坚定地期待成功。成功需要时间。不仅柯罗①这么说,人人都这么说:"要花费四十年来努力工作、思索和潜心研究。"从事像父亲和斯特里克大叔这些人的工作需要大量地学习,对于绘画亦是如此。

但有时候也会令人自言自语:我怎样才能达到目的地呢? 晚上我很疲倦,因此早上我没法按自己的愿望起得那么早。我有时觉得头昏脑涨,头部灼痛,思绪纷乱。经历了那段感情冲动的年月之后,要适应和坚持单一的有规律的学习常常不是件容易的事。

青少年文学读本

当我回顾过去,当我想到将来充满了几乎看不见的困难时,想到将来有许多艰难的我不愿做的工作时,我,或者倒不如说那个邪恶的自我,就想要对未来的工作退避三舍。当我想到那么多的人眼睛在盯着我……如果我没有成功,他们知道症结在哪里,但他们会不会对我求全责备呢? 因为他们在分辨是非曲直、道德品质方面经受过严峻考验,接受过良好教育,所以,他们会说——似乎要通过面部表情来说:我们帮助过你,我们给你送来光明,你是否认真地努力了呢? 想到这一切,想到让人伤心的事情,想到令人失望的事情,想到对失败的恐惧,想到耻辱,我就翘首以盼,盼望自己远离这一切。

可是,我仍继续走下去。只是要做到周密考虑罢了。我并且希望能有力量抗拒上述的一切,知道该如何回答那些朝我逼来的责备。我相信,尽管看来我不会事事如意,但我最终会达到我追求的目的。如果上帝有意,他将会发现为我所爱的人对我的青

---

① 柯罗(1796—1875),法国画家。

睐,以及那些日后会追随我的人对我的青睐。

有这么一句话:"举起你垂下的手,伸直你无力的双膝。"当信徒们工作一整夜什么鱼也没钓着时,主对他们说:"走到深海处,把鱼网撒入大海。"

如果我们累了,难道不是因为我们已经走了很长的路吗? 如果人活在世上就要拼搏挣扎,那么,困倦和头脑灼痛的感觉不也就是人一直在斗争的表象吗? 如果我过去把全部力量都用于人生斗争,那么,我现在就会前进得更远了。

今天早上,我在教堂看见一位瘦小的妇人,脚炉可能就是她提供的。她很使我想起伦勃朗的一幅蚀刻画,画面上一个在读《圣经》的妇女睡着了,头枕在手上。关于这幅画,布朗克写过很漂亮的文章,字里行间充满感情。我还想起米什莱的话,"il n´y a point de vieille femme"①。德·甘涅斯特的诗句"她在生命之路的尽头孤苦伶仃"也使我联想起伦勃朗的蚀刻画。

你也认为我们还未意识到人生迟暮来临就已进入了生命的黄昏吗? 如果我们感觉岁月越来越快地从我们身旁飞过,那么,持暮年易至的看法并牢记"谋事在人,成事在天",有时候却是对我有益的。

一位设法给我弄到我要的拉丁文和希腊文书籍的犹太书商有许多版面,我可以从中选购,而且价格便宜。我已买了一些,用以布置我的小房间,使小房间有个适当的气氛,要有新的构思和新的意念,这种气氛是必要的。

昨天在斯特里克家,他们让我讲讲伦敦和巴黎。我讲着讲着,仿佛又见到了伦敦和巴黎。我热爱那里的许多东西。是啊,不管在哪儿住下,我总是如此。当我在海牙的街道穿行或在曾德特居住时,对那里的一切,我感受多么深刻! 过去经历的一切,对我目前的工作是有帮助的。当我在那座荷兰新教徒教堂谋得一个并不重要的职位时,对往事的回忆将为许多布道的讲题充实

———————————
① 法文,意为"妇女永远不会老"。

内容。

我沿着布滕坎特和靠近铁路的沙滩散步。我无法向你描述薄暮时分这里有多美丽。伦勃朗、米歇尔①和其他画家曾就此景作画：大地笼罩在暮色苍茫之中，夕阳西下，余晖照亮天际，一排排房屋和教堂尖塔迎着夕阳，家家户户都已掌灯，水面倒映整个景致。来往行人和车辆的黑影憧憧，模糊不清。

我已经开始学习《圣经》，但只有在一天工作结束之后的晚上学，或在清晨学。总之，首要的是学《圣经》。不过，我还有责任学别的东西，我也在学别的东西。倘若可能，我真愿一下子度过数年，我的兄弟。

当我们在干一件困难的工作，为追求美好的东西而奋斗时，我们就是在为正义作战，其直接的报偿就是我们与许多邪恶分手了。我们在生活中前进，生活也会变得越来越困难。但是，在与困难作斗争中，内心深处的力量得到了发挥。确实，生活就是作战。我们必须捍卫和保护自己。为了有所进步，我们必须以乐观和勇敢的精神通盘规划，细致考虑。

有件事我们都应明白——我们两人从现在起必须努力生活到三十岁，而且要提防罪恶。我们现在生活在普通人中间，我们必须努力奋斗。我们一定要使自己成材。我们两人谁都没有成材。我的良知告诉我，将来会有番事业要干，我们和其他人不一样。

当我站在伊尔森的遗体旁，只见死亡带来的安详、庄严和肃穆与活着的人们的各种活动形成了鲜明的对照，以至于我认为他女儿以简洁的语言说的话是真理："他已经摆脱了生活的重负，而我们还得继续背着。"我们之所以如此依恋已经过去的日子，是因为我们尽管心情沮丧，仍有愉快的时刻。在这种时刻，就像清晨云雀情不自禁地歌唱起来那样，我们的身心都很欢悦。然而，我们也时常情绪非常低落，忧心忡忡。我们保留着对我们曾喜爱的

青少年文学读本

---

① 米歇尔(1763—1843)，法国风景画家。

一切的记忆,当迟暮之年来临,这些记忆就会向我走来。它们没有死去,只是睡着了。采集记忆中的珍宝是件有益的事。

今天早上4点3刻,这里遇上一场可怕的暴风雨。我直望着外边的造船场和船坞。白杨树、接骨木和矮灌木被强风吹得弯了腰,雨水倾泻在木材堆和船舶的甲板上。太阳很快钻出云层,将地面和造船场的梁木晒干,池塘水面倒映着冉冉升起的太阳照耀下的金光闪闪的天空。须臾,我看见最早上工的一伙工人走进造船的大门。大小黑色身影组成的长队先是出现在太阳光刚刚照射到的狭窄街道上,然后进入了工场。这确实是少见的情景。他们大约有3000人,脚步声好似大海的咆哮。

在狄克岛上也有许多造船场。我到那里去,聚精会神地观察工人们。谁要学会画画,谁就必须观察工人;假如他对工场了解甚少,尤其应该如此。在码头上画家们可以发现许多可以入画的主题。

我在给你写信时,间或也本能地画幅小画。今早我画了幅《沙漠中的以利亚》,画面上天空风雨大作,前景的地面上有几簇荆棘。这幅画没有什么特别之处,但摆在我的眼前它是那么生动。我想,在这种时刻,我说起话来也会充满激情。

我现在正忙于总结宗教改革史。那些岁月的历史非常令人兴奋,非常有吸引力。我想,如果一个人全神贯注地读过几本莫特利①、狄更斯、格鲁逊的书,读过有关十字军的书,那么,他对整个历史就会不知不觉地有了既正确而又简明的看法。

蒙德斯给我带来了希望,即如果一切进展顺利,三个月结束时,我们将完成他为我们安排的学习计划,但在位于阿姆斯特丹中心的犹太区中心所学的希腊语课除外。在闷热的夏日下午,我的心情就像是要迎接由一些学识渊博、足智多谋的教授所安排的许多考试一样。我可以告诉你,那些教授们还不如布拉班特的玉米地——在这样的天气里,布拉班特的玉米地看上去是美丽的。

① 莫特利(1814—1877),美国外交家和历史学家。

而他们却让人觉得受压抑。

从家信得知，你收到科斯特大夫一张总计为 40 盾的账单，这可不是一笔小数。倘若我能帮你一点该多好！但你知道我分文莫名。我必须想方设法挣钱——比如，在卖香烟的小店里用邮票换点零钱——来买教堂里的藏书藏画。但是，弟弟，只要奋斗，我们就能活下去。

我渴望得到许许多多的东西。如果我有钱，我也许会立即用来买书，买其它我不必非有不可的东西，但这些东西会使我从绝对必要学习中分心。即使现在，要使自己学习上不分心也常非易事。如果我有了钱，情况会更糟。

也许有一天我们能把钱花在比买最好的书还要值得的事情上。那时，我们也许会有自己的家，要照顾和想到别的什么人了。

蒙德斯上星期对我谈起这座城市最迷人的部分，即从靠近范德尔公园的莱德什·普尔特延伸到荷兰火车站的郊区。这片郊区布满了磨坊、锯木厂，带有小花园的工人棚屋，以及旧房子，等等。这里人烟稠密，许多小运河和水道穿过居民区，河面上船只来往如梭，还有各式各样美丽如画的小桥横跨两岸。在这样的区里当牧师是件光彩的事。

我多么想让你看看这里犹太区和其他区的一些情况。我常想起德·格罗①。这里有可以入画的伐木工、木匠、杂货店、铁匠作坊、药铺。德·格罗若看到这一切，定会高兴不已。

简大叔想于九月初去海尔瓦尔特待一个星期。我则希望在起居室写作到深夜，很好地利用一下这段时间。现在，我可以坐在寝室里写作了。但是，深夜时分，上床睡觉的诱惑也太强烈了。何况我的小书房里没有汽灯。

我正在抄写从科尔大叔那里借来的法文版的《效仿基督》全书。这本书无与伦比，写这本书的一定是个按上帝心意行事的人。几天前，我非常想得到这本书；或许这是由于我经常看仿雷

青少年文学读本

————————————————————

① 德·格罗（1825—1870），法国写实主义画家。

帕莱兹石印画的缘故。

这个星期蒙德斯出城去了,所以我有闲暇可以实行以前的计划,去看伦勃朗在特里彭修斯陈列的蚀刻画。有一个人多么像父亲,他经常,甚至在晚上提着灯笼走很远的路,去看望病人或一个濒临死亡的人,和病人谈起上帝。上帝的话甚至在充满苦难和痛苦的黑夜也是一道亮光——这位像父亲的人会如何看伦勃朗的蚀刻画,比如说,那幅题为《深夜逃往埃及》的画呢?

我终于找到了伦勃朗在布利斯特拉特的旧居。

不知为什么,整个星期我都在想伦勃朗的那幅蚀刻画和朱尔斯·古皮尔模仿这幅画作的蚀刻画《V 年的年轻公民》。《V 年的年轻公民》悬挂在我在伦敦居住的房间里。这幅画具有突出的艺术特点,将继续影响许多人。

许多关于法国革命时期的画,例如德拉洛什①画《吉伦特党人》、《恐怖的最后一名受害者》、《玛丽·安杜瓦涅特》,这些画和米什莱②、卡莱尔③写的那些书以及狄更斯的《双城记》形成多么和谐的统一。它们表现出一种复活和再生的精神—— 一种虽死犹生的精神,精神不会死去,只是睡着了。

我想大量阅读,但不可能做到,尽管事实上对这点我也不必过分地追求,因为一切都要按基督的训谕去做。为了求得帮助,我依附教堂和书店。只要可能,我就会设法找些事由前往那两个地方。

啊,圣诞节之前阴暗的日子已经不远。在它们之后就是圣诞节,就好像房子里透出的可爱的灯光照在岩石背面和水面之上,岩石背面和水面再将光线反射入夜空一样。

我将功课集中起来做,主要目的是为了使自己通过考试。我凡事皆与蒙德斯商量,根据他的做法来安排我的学习,因为我想

---

① 德拉洛什(1797—1856),法国历史画家。
② 米什莱(1798—1874),法国历史学家。
③ 卡莱尔(1795—1881),英国唯心主义哲学家、作家和历史学家。

以同样的方法行事。虽然拉丁语和希腊语的学习非常困难，但因为我在做我非常想做的事，我仍觉得高兴。我再也不能熬夜，因为大叔严禁我熬夜。我依然记得伦勃朗作的那幅蚀刻画下面的文字："深更半夜，灯光四射。"我通宵点着一盏拧得较暗的汽灯。我常常躺下，凝视灯光，计划第二天要做的事。

我去斯特里克大叔处，和大叔大婶谈了很长时间。几天前蒙德斯去看过他们。（人们一定不要轻易谈什么天才，即使相信世界上的天才比许多人想象的要多。但可以肯定，蒙德斯是个出类拔萃的人，和他接触，我将永远为之感到高兴。）我还要高兴地告诉你，他没有说我的不是。大叔问我是否觉得功课不难。我只得承认功课太难，并且又说我从各个方面尽了最大的努力以男子汉的气概坚持学下去。他要我保持足够的勇气。我真希望父亲对我取得的成绩感到满意。

现在还剩下可怕的代数和其它数学课程。圣诞节后，我还要上这方面的课。我一直在找一名代数教师，已经找到了。他是蒙德斯的表兄弟，叫马托斯，在犹太贫民学校执教。他给我带来希望，因为从他那里得知，考试明年 10 月左右举行，我们将事前准备好。倘若我通过考试，我的学习进度就比预期的要快。我刚开始时，他们对我说，修最初的四门课需要两年时间。

现在我仍在学习。虽然开销可能要多一点，但必须学好。对于我的一生，这真是一场不折不扣的竞争和搏斗。无论是谁，如果他经历过这样的学习过程并能坚持到底，他将终生难忘。完成学业是一件值得铭记在心的事情。谁想取得社会地位，谁就必须经历千辛万苦。成功取决于小事。如果一个人在考试时说错或写错一个字，也会成为失败的原因。愿上帝赐给我所需要的智慧，赐给我朝思暮想的一切：让我尽快完成学业并获得圣职，我于是就能去履行牧师的职责了。

昨天，我参加了早祷。听了关于"我将永远和人一起去奋争"的布道。经过一段时间的失望忧郁之后，生活中我们付出了昂贵的代价所追求和期待的即可实现的时刻到来时是怎样一番情景啊！你要不要听我在某个小教堂里布道呢？

又一年过去了。在过去的一年里，我碰到许多事情。我怀着谢天谢地的心情回顾过去的一年。我想起在布拉特家度过的日子和这里几个月的学习。我觉得，总起来说，这确是两次有益的经历。

薄暮降临。狄更斯称之为"令人愉快的黄昏"，狄更斯是对的。黄昏令人愉快，尤其是当两三个思想情趣一致，并有绘画同好的人聚在一起，各自拿出得意的旧作和新作之时。伦勃朗也明白这一点。他根据自己丰富的情感，用乌贼墨、炭笔和墨水创作了许多画，其中有一幅表现在贝桑尼的那幢房屋。

从我的房间窗口看工场，景致简直动人极了：但见一条小路两旁白杨林立，苗条的树干上纤细的枝条姿态优雅地指向傍晚灰暗的天空，用作仓库的旧建筑物倒映在水中，水面之平静，一如《以赛亚书》①中提到的"古老的池塘水"。仓库临近水边的那面墙长满绿苔，饱经风雨剥蚀。更靠近水的地方，有个小花园，围绕花园的栏杆旁是一簇簇玫瑰花丛。工场里到处可见工人的黑色身影。

想到还有个同在这世上生活和行走的兄弟，让人觉得愉悦。当我要考虑许多事情，要做许多事情时，我扪心自问：我到底在哪儿？我在做什么？我朝何处走去？——我晕头转向。这时你那熟悉的声音，或者说，你那熟悉的字迹使我复又觉得脚下仍是坚实的大地。

父亲来过这里。他的到来使我觉得非常高兴。对他的来访，令人最愉快的回忆，就是那天早上，我们一起待在我的小房间里，共同修改一些练习，并谈起好几件事情。你可以想见，日子过得多快。我到车站送他，目光追随火车，甚至火车的烟云，直到看不见为止。回到房间，看见父亲坐过的椅子仍立在小桌旁，桌上仍

―――――――――――――――

① 《以赛亚书》，《圣经》旧约全书中的一部。

摆着昨天的书和习字帖,虽然我知道不久我们又要见面,但我还是像个孩子似的哭了起来。

为了让我了解圣诞老人,蒙德斯将克罗狄阿斯的著作——一部严肃的好书给了我。我回赠他托马斯·康庇斯的《效仿基督》,在书的扉页上留言道:"在他心目中既无犹太人也无希腊人;既无仆人也无主人;既无男人也无女人;而基督就是一切,在所有人的心中。"

这个星期我和他进行了一次关于"不痛恨自己的生活的人,不能成为我的信徒"的谈话。蒙德斯断言道,这种说法过于偏激,但我宣称这是简单明了的真理。康庇斯不是在谈认识自己和憎恨自己时说过同样的话吗?当我们看到别人比我们自己做得更多,胜过自己时,我们就会立即开始痛恨自己的生活了。瞧人家托马斯·阿·康庇斯,他以简洁的文笔和真挚的情感写出了其他任何作家都无法与之相比的小书。在其它方面,请看看米勒的画作或杜佩雷①的《大橡树》——都属这类情况。

科尔大叔今天问我是否喜欢盖洛姆作的《弗莱恩》,我告诉他,我宁可看伊斯拉埃尔斯和米勒画的相貌丑陋的女人或弗雷尔画的老妇人。像《弗莱恩》这样美丽的躯体究竟有什么用呢?动物也有美丽的躯体,甚至超过人体。但是,伊斯拉埃尔斯、米勒或弗雷尔画的活在人身上的灵魂却是动物永远没有的东西。即使生活会使我们的外貌显示痛苦,但是,难道不是生活使我们在精神上变得富有吗?对于盖洛姆的肖像画,我不愿恭维,因为我没发现画中表现出什么精神来,一双表明是做过工的手也要比他的肖像画中的那双手美得多。

一个美丽的姑娘和一个像帕克或托马斯·阿·康庇斯这样的男人,或者和像梅索尼埃②画的那些男人之间的差异就更大了。正如一个人不能为两个主子服务一样,我无法喜欢两件差异很大

青少年文学读本

---

① 杜佩雷(1812—1889),法国风景画家。
② 梅索尼埃(1815—1891),法国画家。

的东西,并对他们都有好感。科尔大叔接着又问我是否对漂亮的女人或姑娘毫无兴趣,我对他说,我对她们很感兴趣。但我宁可接触一个或许丑陋,或许老迈,或许贫穷,或许在某方面不愉快,但通过经验和不幸得到了思想和灵魂的人。

上个星期天我和简大叔一起度过。这天我过得十分愉快。上午我到法国教堂去了。从里昂附近来的一位牧师在教堂里布道。他前来为一次传播福音的活动募捐。他布道的内容主要是从里昂工厂工人生活中得来的故事。虽然他讲得有点费劲,但他的话语很有感染力,因为他说的都是肺腑之言,而只有肺腑之言才有足够的力量去打动人的心。

父亲劝我想法认识一些人。最近两天早上,我起得很早,为了画一张保罗行程路线草图①。我打算将草图交给加格涅宾牧师。如有可能,我要对登门拜访他这件事有所重视,他是个有学问的人。如果他看出我想干什么都是诚心诚意的,今后也许能好好地指点我。我欲不时登门求教,要知道我能否成功是很值得怀疑的。我的意思是说,我决心通过所有的考试。如果学习开始得早一些,困难也就少一些了。说来倒也是事实,我现在能学习更长时间,也能更好地集中精力,其他许多人关心的事情对我毫无吸引力。尽管如此,学习耗费了我巨大精力。此外,即使我考试不及格,我也要挤出时间作些画。

从前有一个人,他一天去做礼拜,问道:"我的热情是不是欺骗了我? 我是否选错了路? 我是否没有计划好? 啊,但愿我能摆脱犹豫,但愿我坚信不疑,我最终会战胜一切并取得胜利。"这时一个声音回答他:"假定你已明确地知道这一切,你该做些什么呢? ——立即行动起来,好似你已胸有成竹,你不会感到惶惑。"于是,那人前进在自己的道路上,充满自信;重新开始学习,不再存疑虑,也不再动摇不定。

因此,我必须勇往直前,停滞不前或走回头路是毫不可能的;

---

① 《圣经》上说,保罗四处传教。

倘要那样做，只会使事情更加困难，最后一切又得重新开始。

　　一个人应该知道的事实在太多，太多。虽然他们一再要我放心，不过这反倒常常使我觉得焦急。只有一个良策，就是马上重又开始学习。既然明摆着我的任务就是学习，且莫管它开销多少。

　　我们已经就我们的责任，就怎样才能达到既定目标谈了许多。我们得出的结论是，首先我们得找到一份固定工作和一个我能为之奉献一切的职业。这样做是明智的，因为人生苦短，岁月易逝。如果一个人很好地掌握和理解某种学问，那么，他同时也就具有了洞察和理解许多知识的能力。

　　一个人特别要把目的牢记在心。人们以毕生工作和努力赢得的胜利比轻而易举得到的胜利要好。凡是认真地生活，遇到许多困难和挫折而不屈服的人要比总是开顺风船，只求相对的生活得好的人，活得更有价值。一个人事事顺遂如意时，可千万别相信情况就是如此。

　　对我来说，我一定要做一个好牧师。这个牧师要宣扬正确的东西，他在这个世上也许有用。我要是有很长时间来作准备，以使我被召去在众人面前布道时对自己坚信的东西更加笃信不疑，那也许会更好些。……只要我们努力做到认真地生活，我们就会万事如意，即使我们肯定会经历实际的忧伤和巨大的失望。我们还可能出现大的失误和做错许多事情，但有一点肯定是对的，即，甚至犯了很多错误，依然保持高昂的情绪，总要比心胸狭窄，过于谨小慎微为好。热爱许多事物是有好处的，惟此才有真正的力量。谁爱得多，谁就做得多，成就的也多。以爱心做事，事情就做得好。

　　如果一个人坚持忠心无二地热爱真正值得去爱的东西，而不在不重要、无价值、无意义的事物上浪费自己的爱情，他就会渐渐得到更多光明，变得更加坚强。有时，一个人最好深入社会和人民大众交谈，他常常也被迫这么做。但是，谁更喜欢安静地独自一人做自己的工作，几乎不需要朋友，谁就能最安全地走完人生之路并跻身于众生之中。甚至在风度高雅的人群中,在最好的环境里和条件下,一个人也必须保持隐士的某种本质,不然,他就失去了自己的根本。一个人千万别让灵魂里的火烧出来,但又必须让它永不熄灭。谁为自己选择了贫困并喜爱贫困,谁就拥有无穷的财富,并且永远听得见自己良心的呼唤;谁听得见并且服从良心的呼唤——那是上帝最好的礼物——谁就从那呼唤中找到了朋友,永远不会孤独。

听你谈你对巴黎的初步印象,我觉得有点不解。第一印象常会改变,此话不假。我们清楚地知道,虽然会有光辉灿烂的黎明,但也会有漆黑的午夜和阳光灼人,热气蒸腾,让人喘不过气来的正午。但正如清晨的时光是圣洁的时光一样,第一印象也总是圣洁的印象:虽然它们会成为过去,但它们的价值将保留下来,有时,一经证明它们曾是正确的,人们便又回想起它们。

当你清晨穿过街道向蒙特马特尔走去,看见许多作坊和小屋,就会想起《一名修桶匠》这幅画。时常看一看这类简单的画作是有好处的。你看到许多人出于各种各样的理由离开了一切自然的东西,这样一来,他们也就失去了真正的精神生活。你还会发现,许多人在悲苦和恐惧之中生活。夜晚,各种黑影到处徘徊,有男人也有女人,他们成了黑夜恐怖的化身。他们的苦难只能划归无法用任何语言表达的事物范围。

今天,我跨进科尔大叔家的门槛。他告诉我杜比尼已经死了。我可以告诉你,我听后很难过,就像我听说布里翁死去时一样难受。(布里翁的《祈福》仍挂在我的房间里。)他们这些人的作品,如果被人很好地理解,则有比人们意识到的更深的感人力量。一个人如果死前感觉自己实实在在地做了一些好事,知道自己是靠所做的工作才至少会活在一些人的记忆里,知道自己将给那些追随自己的人留下一个好榜样,这种情况该多么好啊。一项对他人有益的工作,虽然它不一定永恒,但其反映出来的思想是永恒的,工作本身无疑会存在很长、很长时间,如果今后其他人崛起,他们只能循着这些先驱的脚印前进,用同样的方式做先驱们所做的工作。

我爱那如此温柔的驴子

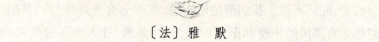

〔法〕雅　默

青少年文学读本

　　雅默(1868—1938)，法国诗人，他一生都在故乡法国南部的比利牛斯山区小城度过，晚年皈依天主教。外省宁静的生活和自然风光奠定了他独特的诗风，被巴黎诗坛推崇为"雅默主义"。主要作品有《从晨祷倒晚祷》、《报春花的哀悼》、《基督教农家诗》等。

　　我爱那如此温柔的驴子，
　　它沿着冬青树走着。

　　它提防着蜜蜂
　　又摇动它的耳朵；

　　它还载着穷人们
　　和满装着燕麦的袋子。

　　它跨着小小的快步
　　走近那沟渠。

　　我的恋人以为它愚蠢，
　　因为它是诗人。

它老是思索着。
它的眼睛是天鹅绒的。

温柔的少女啊，
你没有它的温柔；

因为它是在上帝面前的，
这青天的温柔的驴子。

而它住在牲口房里，
忍耐又可怜，

把它的可怜的小脚
走得累极了。

它已尽了它的职务
从清晨到晚上。

少女啊，你做了些什么？
你已缝过你的衣衫……

可是驴子却伤了：
因为虻蝇螫了它。

它竭力地操作过
使你们看了可怜。

小姑娘，你吃过什么了？
——你吃过樱桃吧。

驴子却燕麦都没得吃，
因为主人太穷了。

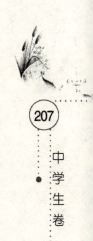

它吮着绳子，
然后在幽暗中睡了……

你的心儿的绳子
没有那样甜美。

它是如此温柔的驴子，
它沿着冬青树走着。

我有"长恨"的心：
这两个字会得你的欢心。

对我说罢，我的爱人，
我还是哭呢，还是笑？

去找那衰老的驴子，
向它说：我的灵魂

是在那些大道上的，
正和它清晨在大道上一样。

去问它，爱人啊，
我还是哭呢，还是笑？

我怕它不能回答：
它将在幽暗中走着，

充满了温柔，
在披花的路上。

严重的时刻·村子里立着最后一幢屋

〔德〕里尔克

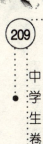

里尔克(1875—1926)奥地利诗人,对欧洲诗坛影响相当大。生于布拉格的官吏家庭。先后就读圣·波尔顿陆军学校、商业专科学校。1896 年高中毕业后在布拉格攻读文艺史和法学史。1899 年起漫游德、意、法、俄等国,1919 年定居瑞士。作品受法国现代派诗歌影响,带有相当的颓废情调和神秘色彩。艺术上讲究韵律,刻画细腻,比喻奇特,富有音乐美和雕塑美。主要作品有诗集《象征的书》、《时辰的书》、《新诗》,组诗《给奥尔菲斯的十四行诗》,长诗《杜伊诺哀歌》等。病逝于瑞士蒙特勒。

严重的时刻

此刻有谁在世上某处哭,
无缘无故在世上哭,
在哭我。

此刻有谁夜间在某处笑,
无缘无故在夜间笑,
在笑我。

此刻有谁在世上某处走，
无缘无故在世上走，
走向我。

此刻有谁在世上某处死，
无缘无故在世上死，
望着我。

村子里立着最后一幢屋……

村子里立着最后一幢屋，
那么孤单，像世界的最后一幢屋。

大路缓缓地延伸进黑夜，
小小的村子留不住大路。

小村子只是一条道道，
夹在两片荒原间，畏怯地，
神秘地，大道代替了房前的小路。

离开村子的人将长久漂泊，
也许，还有许多人会死在中途。

丽达与天鹅·随时间而来的智慧

〔英〕叶 芝

叶芝(1865—1939),爱尔兰诗人和剧作家,20世纪初叶爱尔兰文艺复兴运动的领导人之一,后期象征主义诗歌的主要代表,对现代英语诗歌的发展有过重大影响。主要诗集有《芦苇中的风》、《责任》等。1923年获诺贝尔文学奖。

丽达与天鹅①

遽然一击,巨翼仍扑打不停
少女摇摇欲坠,两股
为灰蹼抚挲,颈项为巨喙所攫,
无助的胸被拥,紧贴他胸口。

惊慌,茫然的手指,如何
推开羽翼的光辉,自松懈的股间?
置身白芦苇间,又如何
不感受那悸动的怪异之心?

---

① 叶芝应一家政治评论刊物的邀请写诗,因此他借用希腊罗马有关宙斯与丽达的神话,探索神(宙斯)的智慧与凡人(丽达)的美如果结合,下场将是如何。

腰间猛烈抖颤,产下
断垣残壁;橹燃城焚,
而阿格曼农死了。①

就这么被衔着,
被上天暴戾的血族驾驭着
在那漠然的巨喙未放松之前
她是否汲取了他那与神力并存的智慧?

随时间而来的智慧

虽然枝条很多,根却只有一条;
穿过我青春的所有说谎的日子
我在阳光下抖掉我的枝叶和花朵;
现在我可以枯萎而进入真理。

① 丽达后有身孕,生下海伦和克莱提纳斯,后者即阿格曼农之妻,后因丈夫杀死女儿,杀夫报仇。

诗 二 首

〔美〕狄更生

狄更生(1830—1886)，美国女诗人，生于安贺斯特。从二十五岁开始弃绝社交足不出户，在家务劳动之余埋头做诗。她生前只有八首诗公开发表过，其余部分都是她死后三十年内由亲友整理出版，对美国文学影响极大。

NO. 178

我仔细地审视我的短短的一生——
我把犹如昙花会很快消退的部分簸掉
留下永驻的，直到这一筛选弄得
我的脑子困顿得快要睡着。

我把后者放进谷仓——
而扇跑了前者。
一个冬天的早晨我去查看
噢——我那无价的收获①。

———————

① 原文是"hay"，是干草之意，这里指收获。

不在搁架上——
也没在"大梁"上悬搁——
从一个富足的农夫——
我一下子变成一个愤世嫉俗者。

我很想发现出这
到底是贼人所为——
还是风儿把它们吹走——
还是上帝在作祟!

于是我开始翻箱倒柜!
吾之精华,你们怎么样了?
你们还在这由吾爱提供给
你们的小小谷仓里吗?

NO. 609

我已离开家多年
现在到了家门前
我不敢走入,免得一张
我从未见过的脸

冷峻地把我直视
问我为何闯进了这里——
"我以前曾在这儿生活过
我来是想看看旧日的温馨是否还在?"

我心中满是畏惧——
过去在我脑中流连——
秒针的滴答声如大洋的翻卷

敲打着我的耳鼓——

我发出一阵撕裂的笑声
我竟然会害怕一扇门
我这个经历过千惊万险
而从未退缩过的人。

我把颤栗的手
小心翼翼地伸进门栓
担心这倒霉的门反弹回来
会把我撞倒在地——

然后移动我的手,轻轻地
仿佛在搬动一块玻璃,
我竖耳倾听,临了像个小偷一样
喘吁吁地逃离了那房子——

一条未走的道路

〔美〕弗罗斯特

弗罗斯特(1875—1963),美国诗人,出生于美国旧金山。他从十二岁起,没到假期就到皮鞋工厂、农场、毛纺厂当小帮工,中学毕业后做过小学教师、记者,上过两年大学,后长期居住在小城镇并经营农场。1913年才出版第一部诗集,以写新英格兰乡村风光知名,曾五次获得美国普利策文学奖。

金色的林子里有两条岔开的路,
很遗憾,我,一个过路人,
没法同时踏上两条征途,
伫立好久,我向一条路尽力望去,
直到它打弯,视线被灌木丛挡住。

于是我选了另一条,这一条也不差,
也许我还能说出更好的理由,
因为它绿草茸茸,还不曾被践踏——
虽然说到这一点,一经我走过,
同样难免把斑斑的足迹留下。

那天早晨,有两条路,相差无几,

都埋在还没踏上脚印的落叶底下。
啊,我把那第一条路留给另一天!
可是我知道,一条路又接上另一条,
将来能否重回旧地,这就难言。

隔了多少岁月,流逝了多少时光,
我将叹一口气,提起这当年的旧事:
林子里有两条路,朝着两个方向,
而我——我走上一条更少人迹的路,
于是带来完全不同的一番景象。

午 后 降 雪

〔美〕勃　莱

罗伯特·勃莱(1926—　)美国"深度意象派"的代表诗人,父母是挪威移民。二次世界大战期间曾服役于海军,战后在哈佛大学毕业,此后定居于明尼苏达州马迪森市附近的一个农场。已出版十多部诗集,三十多部译诗集。主要诗集有《身体周围的光》、《从两个世界爱一个女人》等。

1

草被雪掩埋了半身,
这是一种近黄昏才开始的雪,
现在青草的小屋已经变暗。

2

要是我伸出手,伸近地面,
我可以抓到一把黑暗!
黑暗一直在那儿,我们没注意。

3

雪越下越急,玉米垛渐渐消失,
而谷仓却渐渐靠近屋子。
在越来越大的风雪中,谷仓独自走近。

4

仓里全是玉米,正朝我们走来,
就像海上的暴风中巨舶漂向我们,
而甲板上的水手眼睛瞎了多年。

玉米的颂歌

〔智利〕聂鲁达

聂鲁达(1904—1973),智利诗人。生于铁路工人家庭。圣地亚哥智利教育学院法语专业毕业。曾任驻外大使。1946年后被迫流亡国外。1952年回国,1957年任智利作家协会主席。聂鲁达的诗作继承了智利民族诗歌的传统,又借鉴了西班牙民族诗歌的特色。他的早期诗作如诗集《霞光》(1923)、《二十首情诗和一支绝望的歌》(1924)带有浓厚的浪漫主义色彩。其著名长诗《西班牙在我心中》(1937),收入1950年出版的《诗歌总集》中的组诗《伐木者醒来吧》(1948),成为拉丁美洲文学史上具有高度思想性和艺术性的诗歌杰作,对拉丁美洲的诗歌产生了深远影响。1971年,聂鲁达获诺贝尔文学奖。

亚美利加,从一颗
玉米的种子,你站起来
直至以辽阔的大地
充满了
多泡沫的
海洋。
你的地理就是一颗玉米的种子。
种子

伸出一支绿色的长矛
绿色的长矛披覆着黄金
以金黄的胡须
打扮着秘鲁的高原。

但是,诗人,让历史
留在它的墓穴,
用你的弦琴赞美
谷仓里的种子:
歌唱厨房里的纯朴玉米吧。

起先是柔软的胡须
在菜园里飘动于
年轻的玉米穗的
稚齿之上。
然后是苞皮绽开
丰饶的孕育冲破
白纸的帷幕,
让玉米的欢笑
坠落于大地。
在你的巡游中,回到
石头里来吧。
不是那可怕的石头
那墨西哥的死亡的
血腥的三角石,
而是磨盘的磨石,
我们厨房里的
神圣石头。
在那里,你带着
牛奶以及糕饼的

中
学
生
卷

营养丰富的
作料和浆汁
搅和在
皮肤黝黑的妇女
那双奇妙的手里。

玉米，从那里你落进了
著名的鹧鸪的锅子
或者乡下的菜豆中间，
增添了菜肴的光彩，
使它更加接近于
你的本质的纯正滋味。

咬着你，
玉米烤的饼，就是和
遥远的合唱深沉的舞曲的海洋在一起。
煮着你，
你的香气四溢
漂向蓝色的群山。

但是，你的财富
到不了
哪些地方？

海边的土地，
石灰质的土地，
光秃秃的
智利沿海的岩石，
那里矿工的
空荡荡的餐桌上

有时候只能听到
你那作为商品的名声。

把你的光,你的粉,你的希望
遍布亚美利加的孤独吧,
让饥饿
在你的长矛面前
畏缩发抖。

在你的如同柔软菜肴的
长条叶片中间,
我们乡下孩子的
严肃的心成长起来
开始了播撒我们的种子的
生活。

重返蒂巴萨

〔法〕加　缪

加缪(1913—1960)法国小说家、戏剧家、评论家。生于阿尔及亚的一个贫困之家,幼年丧父,1931年入大学哲学系,以勤工俭学为生。从1932年起即发表作品,1942年因发表《局外人》而成名。人们常常将加缪归入存在主义作家之列,与萨特相提并论,其实他更倾心于以均衡与节制为主要内容的古希腊精神。主要作品有《局外人》、《鼠疫》、《流亡与王国》及哲学随笔集《西绪弗斯神话》等。1957年获诺贝尔文学奖。1960年因车祸去世。

你怀着一颗愤怒的灵魂,离家远航,穿过海上的岩礁,定居在异国的土地上。

——《美狄亚》

五天来,阿尔及尔一直下雨,最后竟连大海也打湿了。下不完的大雨,厚得发黏,从仿佛永不干涸的天空的高处,朝着海湾扑下来。大海像一块灰色的、柔软的海绵,在迷茫的海湾里隆起。但是,在持续的雨中,水面看起来似乎并不动。只是远远地有一种不易察觉的、宽阔的鼓荡,在海上掀起一片朦胧的水汽,朝着被围在湿漉漉的林荫道之中的港口漫去。城市本身也升起一片水汽，掠过水淋淋的白墙，去和海上的水汽相会。人无论朝哪个方向，呼吸的似乎都是水，空气终于能喝了。

面对这被水汽团团裹住的大海，我走着，等着，这 12 月的阿尔及尔，对于我仍然是一座夏天的城市。我逃离了欧洲的黑夜，逃离了人间的寒冬。然而这座夏天的城市也失去了笑声，只给我一些隆起的、发亮的脊背。晚上，我躲在亮得刺眼的咖啡馆里，从那些认得出却叫不出的人的脸上看出了我的年龄。我只知道他们跟我一起年轻过，而现在已不再年轻了。

然而我依旧固执地等着，也不大知道等什么，也许是重返蒂巴萨的时刻吧。当然，重返度过青年时代的地方，希望四十岁时重新体验爱过或二十岁时极大地享受过的东西，不啻是一种巨大的疯狂，而且几乎总要受到惩罚。不过我对这疯狂已有经验。我已经回过蒂巴萨，那是在战后不久，而那战争的年代，在我正标志着青年时代的结束。我想我那时是希望重获一种不能忘怀的自由。的确，在这个地方，二十年前，我常常整整一个上午都在废墟间徜徉，闻苦艾的气味，靠着石头取暖，寻找小小的玫瑰花，这些玫瑰谢得很快，只能活到春天。只是在正午，蝉也因不堪酷热而缄口，我才逃离吞噬一切的光明燃起的那一片贪婪的大火。入夜，我有时睁着眼睛躺在繁星密布的天空下。那时候，我是在生活。十四年后，我又看见了我的废墟在距离海浪几步远的地方，我沿着这座已被遗忘的小城的街道走着，穿过长满苦涩的树木的田野；在俯视着海湾的高地上，我像以往一样抚摸着焦黄的圆柱。然而，废墟已被围上了铁丝网，人们只能从被特许的入口进去。由于一些似乎被道德认可的理由，夜间在那里散步也被禁止了；白天，人们则会遇见一位宣过誓的守卫。大概是出于偶然吧，那天早晨，废墟上也下着雨。

我感到困惑，我在荒僻、潮湿的田野里走着，至少试图重获那种力量。这力量直到目前还是忠实的，它帮助我接受那些既成的东西，在我一旦承认不能加以改变的时候。的确，我不能在时间之流中逆行，不能把我爱过的、已在很久之前骤然消失的面貌重新给予世界。事实上，1939年9月2日，我没有去希腊，我原本是应该去的。相反，战争来了，后来战火又燃遍了希腊。有一天，在积满了黑水的石棺前，在沾满了污泥的柽柳下，我在自己身上又发现了那阻隔在炽热的废墟和铁丝网之间的距离和岁月。我先是在美的景象——我惟一的财富——中长大，又以丰富为开端，接着来的却是铁丝网，我说的是暴政，战争，警察，反抗的时代。不能不习惯于黑夜，因为白天的美仅只成了回忆。而在这泥泞的蒂巴萨，回忆本身也正越来越淡薄。这里说的就是美、丰富、青春！在熊熊大火的照耀下，世界顿时现出了它的皱纹和创伤，旧的和新的。它一下子老了，我们也一样。我来这里寻求的那种冲动，我知道它只能激起那种连自己也不知道就要迸发出来的冲动。没有点儿无邪，就绝不会有爱。然而无邪安在？王国崩溃了，民族和人互相揪住脖子噬咬，我们的嘴被玷污了。我们原先是无邪而不自知，现在则是有罪而不自愿：神秘随着我们的知识一道增长。这就是为什么我们关心起道德来了，真可笑啊。我因孱弱而梦想着美德！在那无邪的年代，我不知道德为何物。现在我知道了，但我不能根据它来生活。在我曾经喜欢的高地上，在倾颓的庙宇的潮湿的圆柱间，我仿佛跟着什么人在走，我听得见石板和瓷砖上的脚步声，却永远也赶不上了。我又去了巴黎，数年之后才回家。

226

青少年文学读本

　　然而，那些年中，我隐隐地感到缺了点儿什么。当人们一旦有机会强烈地爱过，就将毕生去追寻那种热情和那种光明。放弃美，放弃与美相连的官能幸福，专一地为不幸效劳，这要求一种我所缺乏的崇高。但是，无论如何，任何强迫人们排斥一方的东西都是不真实的。孤立的美最后要变成丑，孤独的正义最后要变成压迫。谁想为一方效劳而排斥另一方，那将不为任何人效劳，也不为自己效劳，最终将双倍地为不义效劳。有朝一日，由于过分的僵硬，将不再有什么东西引起人们的赞叹，一切都不足为奇，生活就要重新开始。那将是流放的时代，生命干枯的时代，灵魂死灭的时代。为了再生,必须有一种恩惠、忘我和一个祖国。有几个早晨,在路的拐角,一滴美妙的露珠落在心上,随即便消散了。然而那清凉还在,而心所一直要求的正是这清凉。我又该出发了。

在阿尔及尔,我第二次在同样的、仿佛从我以为是最终的离去那时候起就没有停过的雨中走着,在一种无尽的、散发着雨水和海水的气味的忧郁中走着;尽管天空大雾弥漫,背影在骤雨中逝去,咖啡馆的流光改变了人们的面容,我仍固执地希望着。难道我不知道阿尔及尔的雨看似无穷无尽却终有一刻要停止吗?就像我家乡的那些河流,两个小时内膨胀起来,淹没大片农田,却转眼间就干涸了。果然,一天晚上,雨停了。我又等了一夜。一个水淋淋的清晨从纯净的海上升起,光彩照人。天空像眼睛一样新鲜,被水洗了又洗,露出最细最疏的经纬,从那儿射下一道颤动的光,给了每幢屋、每株树一个鲜明的轮廓、一种令人赞叹的新奇。在世界的早晨,大地也该是从一片类似的光明中冒出来的。我又踏上了通往蒂巴萨的道路。

对于我,这条 69 公里的路,没有一公里不铺满了回忆和感受。狂暴的童年,卡车轰鸣中少年的梦幻,清晨,鲜丽的姑娘、海滩,总是处于巅峰状态的年轻的肌肉,晚上一颗十六岁的心淡淡的焦虑,生之欲望,光荣,还有那岁岁年年总是一样的天空,充满了汲不尽的力量和光明,永不满足,一连数月,一个一个地吞噬着在正午那阴郁的时刻摆在海滩上的,呈十字状的祭品。当道路离开萨赫尔及其长满古铜色葡萄的山丘而向着海岸伸展下去的时候,我立刻就在天际看见了那也总是一样的,在早晨几乎是不可察知的大海。可是我并没有停下来看它。我想看的是舍努阿这座沉重而结实的山,它是整整的一块,沿着蒂巴萨海湾向西延伸,然后进入大海。人们在到达之前,远远地就能看见它,裹在一片还与天空混沌不分的蓝色的、轻柔的水汽中。随着人们走近,它渐渐凝聚,直到获得包围着它的海水的颜色,仿佛不动的大浪,其神奇的奔涌突然被凝固在陡然平静下来的大海之上。再近些,快到蒂巴萨的时候，就看见它那高耸的主体，泛着棕色和绿色，这是一尊无可动摇的、浑身披着苔藓的老神灵，是它的儿子们的庇护所和避风港，而我正是它的儿子。

我一面望着它，一面穿过铁丝网，进入废墟间。在12月耀眼的光亮中，我又一丝不爽地发现了我前来寻找的东西；尽管光阴流逝，世事沧桑，在这片荒凉的大自然中，这些东西的确是只奉献给我一个人的；人的一生倘若有这么一二次，也就可以认为是圆满的了。从长满橄榄树的广场上，可以看见下面的村庄。那儿无声无息，只有轻烟在明净的天空中升起。大海也不声不响，仿佛在灿烂而冰冷的光的不断冲洗中窒息了。只有远远地来自舍努阿的鸡鸣在赞颂这白昼的脆弱的荣光。废墟那边，极目望去，也只能在一片水晶般透明的空气中看见斑痕累累的石头、苦艾、树木和完美的圆柱。在一段无法计数的时刻内，清晨仿佛凝固了，太阳仿佛站住了。在这光明、这寂静中，多少年的愤怒和黑夜慢慢地消融了。我在我身上听见了一种几乎被忘却的声音，仿佛我那久已停歇的心又开始轻轻地跳动了。现在我醒了，我一个一个地认出了寂静造成的难以察觉的声音：鸟儿的持续的低音，悬崖下大海轻而短促的呻吟，树的颤动，圆柱的盲目的歌唱，苦艾的摩擦，倏忽即逝的蜥蜴。我听见了这一切，我也在倾听我身上涌起的幸福的波涛。我好像终于进了避风港，至少是一段时间，而这段时间将从此不再结束。不过，片刻之后，太阳明显地在天上又爬了一步。一只乌鸦唱着简短的前奏，紧接着四面八方就爆发出一阵鸟鸣，有力，热烈，带着欢快的杂乱和无限的陶醉。白昼重新上路了。它要带着我直到晚上。

正午，我站在半沙半土的山坡上，望着大海。山坡上长满了天芥菜，那一片片的天芥菜，仿佛近几个月激浪退下时留下的水沫。大海这时已精疲力竭，翻腾不动了。我消除了两种干渴，这两种干渴是不能长久欺骗的，除非一个人变得冷酷无情。这两种干渴就是美和赞叹。因为惟有不被爱才是厄运，惟有不爱才是不幸。今天，我们大家都死于这种不幸。因为鲜血和仇恨使心失去

青少年文学读本

血肉,对于正义的长久要求耗尽了爱,而正义却恰恰产生于爱。我们生活在喧嚣中,在这喧嚣中,爱是不可能的,而只有正义也是不够的。因此,欧洲憎恨白昼,只知道给自己以不义。但是,为了不使正义变得萎缩,变成一枚果肉干而涩的橙子,我在蒂巴萨重新认识到,必须在自己身上保留一种新鲜和一股快乐的源泉,使之不受污损,必须钟爱逃脱了不义的白昼,必须怀着这种争得来的光明投入战斗。我在这里重新发现了过去的美和一片年轻的天空,我掂量着我的运气,终于明白了,在我们的疯狂肆虐的那些年里,对于这一片天空的回忆从未离开过我。是这回忆最终使我不绝望。我一直清楚蒂巴萨的废墟比我们的工地和瓦砾都年轻。在这里,世界每天都在一片常新的光明中重新开始。啊,光明!这是古代戏剧中所有人物面对着命运发出的呼喊。这最后的依靠也是我们的依靠,我现在明白了。在隆冬,我终于知道了,我身上有一个不可战胜的夏天。

　　我又离开了蒂巴萨,又看见了欧洲和她的斗争。然而,对这一天的回忆仍然支持着我,帮助我以同一种心情接受令人振奋的东西和令人沮丧的东西。在我们所处的这一困难时刻,除了不排斥任何东西,学会用白线和黑线打同一根绷得要断的绳子,我还能希望什么? 在迄今我所有做过的事和说过的话中,我觉得我清楚地认出了这两种力量,就是在它们相互对立的时候也是如此。我不能否定我生于其中的光明,但是我也不愿拒绝这个时代的奴役。在这里用其他一些更响亮更残暴的名字来与蒂巴萨这甜蜜的名字相对抗,简直是太容易了:今日之人有一条内心之路,这条路我很熟悉,因为我在两个方向上都走完过,它从精神的山丘通向罪恶的都会。无疑,人们可以永远休息,酣睡在山丘上,或者寄居在罪恶之中。然而,倘若人们放弃存在的一部分,他就必须放弃存在,也就必须放弃生活或者直接的爱。于是就有了一种不拒绝生活的任何东西的生之意志,而生活是我在这个世界上最敬重的美德。我的确希望我已经发扬过这一美德,哪怕是相隔很久。

既然很少有时代像我们的时代这样要求人们以同样的态度正视甘与苦,我就愿意不回避任何东西,准确地保留这双重的回忆。是的,有美,也有屈辱。无论做起来多么难,我愿永不背叛任何一方。

然而,这仍像是一种道德,而我们活着是为了一种比道德更深远的东西。假使我们能说出它的名字,那将是怎样一种寂静。在蒂巴萨东面的圣萨尔萨山上,晚上是有人的。说真的,天还很亮,但是在亮中已有一种看不见的衰弱宣告了白昼的结束。起风了,夜一般轻,突然,无浪的大海朝着一个方向,如一条平静的大河般从天际的一端向另一端流去。天暗下来了。这时,出现了神秘,夜之精灵和快乐之彼岸。然而如何解释这一切?我从这里带走的一枚小钱币有一面很清晰,是一张美丽的女人面孔,它向我重复着我在那一天里知道的一切,另一面已经锈蚀了,我在归途中于指间感觉得到。这张无唇的嘴能向我说些什么,除了另一个神秘的声音告诉我的东西,这声音在我身上,它每天都让我知道我的无知和我的幸福:

“我所寻找的秘密深藏在一条长满橄榄树的山谷里,在草下,在冰冷的董下,一幢古旧的、散发着葡萄嫩枝气味的房屋周围。二十多年中,我跑遍了这条山沟,跑遍了相像的另一些山沟,我询问过沉默的牧羊人,我敲过无人居住的废墟的大门。有时,在第一颗星缀上还很亮的天空的时候,在一片细腻的光雨下,我以为我明白了。我也的确明白。也许我一直是明白的。然而没有人愿意要这秘密,大概我自己也不要,但我离不开我的秘密。我生活在我的家庭之中,这个家庭以为统治着富有而丑陋的、用石头和雾建立起来的城市。日日夜夜,她高声说话,万物在她面前折腰,而她不向任何东西折腰,因为她对任何秘密都充耳不闻。她的力量支持着我,却使我厌烦,有时她的呼声令我疲倦。然而她的不幸就是我的不幸,我们流着同一种血。我也是孱弱的、吵闹的,和她一个鼻孔出气,我不也是在乱石间呼喊过吗?所以,我竭力忘却,在我们的铁与火的城市中徜徉,我对着黑夜勇敢地微笑,我呼唤风暴,我将是忠诚的。我果然忘了,从此变得活跃,但却两耳失聪。也许有一天,当我们准备因衰竭和无知而死去的时候,我将能放弃我们的刺眼的坟墓,去躺在山谷中,沐浴着同一种光明,最后一次学会我已经知道的东西。"

高 地 乐 园

〔美〕约翰·缪尔

约翰·缪尔,1838 年出生于苏格兰,十一岁时随家人移民至美国,曾以打零工的方式四处旅行,从 1874 年起开始撰写一系列有关完达山区的作品,出版了三百篇文章和十本重要书籍,主要为其自然哲学之阐述以及旅行纪录。直至 1914 年去世之前,他都在为自然美育而奋斗不懈。

想想看在这里欣赏的壮丽云景,
它们每天都呈现了一个新的天堂、新的人间。
若是住在这儿,绝对不会有任何无聊的时刻;
这种生活象征一种令所有感官都觉醒的健康,
就像欣赏一出由上帝导演的永恒戏剧,
其中有无数演说、音乐、演技、布景和灯光——
日、月、星辰和晨曦。创造才刚开始,
晨星依旧合唱着,而所有上帝的子民则同声欢呼。

8 月 7 日

今天清晨时告别了熊及快乐的银冷杉营地,缓慢地沿着莫诺山道朝东前进。日落时,我们选了一小块繁花盛开的草地,在上面扎营,我前往坦纳亚湖的短暂旅途中,就曾在这些小草地上有过极快乐的时光。风尘仆仆、喧嚣不断的羊群在这些天然花园中像是格格不入的异客,比熊入羊群的景象还要不相称。它们对这些花园的摧残令人伤心,还好在这些烟尘与噪音中仍存在着令人鼓舞的希望,让我对即将来临的好日子有所期待;因为我将会赚到足够的钱让我能随心所欲地在纯净的野地中漫步,带着饱满的行囊出发,面包吃完时,就到山下最近的食物补给站去领取更多的面包。而且不论是上山或下山,这些路程绝对都不会是白费的,因为在这神圣山区中的每一步、每一个纵跃,都充满了绝佳的启示。

8月8日

今天在坦纳亚湖的西端扎营。我们很早就抵达这里,所以我沿着湖北岸被冰河磨得光亮的山路散步,到了湖的东端后,又爬上在黄昏余晖下闪闪发光的巨大山岩。这块巨岩的表面,几乎每一英寸都有庞大的冰河留下的刻蚀与磨擦痕迹,显示这块巨岩虽然耸立于湖岸两千英尺高、海平面以上一万英尺的地方,但仍逃不过冰河的覆盖,其顶端亦曾被千钧之力横扫而过。从它表面上的刻蚀与压碾痕迹看来,这条远古时代的巨大冰洪来自东方。甚至在湖面下有些岩石的表面上也有凹槽和磨擦的痕迹;虽然重重的波涛有剥蚀作用,但仍未能磨平冰蚀作用在岩石表面留下的记号。在一些被磨蚀成陡坡的地方,我甚至得脱掉鞋袜才爬得上去。若要研究冰河作用在造山过程中扮演的角色,这里是个绝佳的地点。我在这儿也发现了一些迷人的植物:北方雏菊、天蓝绣球属、白色的绣线菊属、比安花属,以及岩蕨——包括旱蕨属、碎米蕨属植物——它们在风吹雨打后形成的裂缝中求生存,一直延伸到岩石顶端;四下还可以看到强壮的圆柏像巨大老旧的灰棕色纪念物一样,勇敢地挺立在布满裂缝的岩石上,无言地倾诉着数百年来寒冬中所发生的暴风雨和雪崩故事。从这上面看到的湖面风光是最美丽的。在湖口处单独矗立着另一块巨岩,甚至比我

中学生卷

脚下这块巨岩还要醒目，但高度不及其一半。它是一块被磨得光亮的圆形花岗岩，高度大约一千英尺，它的构造显然完美无瑕而且坚固强悍，就像在波浪的耗磨下形成的圆石一样，也许它能屹立至今是因为具有卓越的抗蚀力，才能抵御掩盖这片大地的冰洪作用。

画了湖的素描后，我悠闲地散步回营地，脚上裹了铁皮的鞋子在山路上铿锵作响，打扰了不少花鼠和小鸟。天黑后，我走到湖岸边——四野宁静无风，湖水像一面完美的镜子般倒映着穹空和山峦，星辰、树和完美的刻蚀之功，在湖水中去芜存菁后显得更加壮丽——这幅令人屏息的美丽图画，似乎只应天上有，而不似在人间了。

8月9日

我今天带头走在羊群前面，通过麦瑟德河和土欧鲁米河流域的分水岭。霍夫曼山支脉的东端和主教峰附近有一大片巨岩分布的地区，中间有一道峡谷，虽然因山脊和起伏不定的褶曲而显得崎岖不平，但远古的宽阔冰河流下山脉的各个峰顶后，似乎也曾经通过那儿。这道冰河从土欧鲁米河附近的草地越过分水岭后，上升了五百英尺左右；可见冰河一定曾横扫过这一整片区域。

从分水岭顶端或是广大的土欧鲁米河草地（Tuolumne Meadows）上，可以看到美丽的主教峰。无论从任何角度来欣赏，它都具有独特的个性。这块从原生岩石中劈砍出来的巨岩，独自形成了一个庄严的圣殿，其上的尖峰和石塔都使它呈现出一般大教堂的风格。在岩顶上的矮松看起来像是一片苔藓。我希望以后能找个时间爬到上面，在那儿祈祷并聆听石头讲道。

广大的土欧鲁米河草地沿着该河的南支流分布，草地上繁花簇簇，高度约在海平面以上八千五百到九千英尺左右，有部分地方因森林和凸立的冰蚀花岗岩而稍有间断。仿佛有人曾刻意地清除掉这儿的山峦，以便能在四面八方都获得开阔的视野。这片草地的上缘与赖尔峰（Mount Lyell）底相接，下缘则在霍夫曼山脉东端的下方,因此草地的总长度约有十至十二英里。但其宽度的变化则较大,有些地方宽仅四分之一英里,有些则达四分之三英里,此外还有许多草地横向延伸至各支流的两岸。这里是我所见过最辽阔、最令人愉快的高地乐园。空气凛冽而沁人心脾,但在白天时带着暖意;而它虽然高高坐落于穹空下,但四周环伺的山峦却更为高壮,让人有置身雄伟大厅中的安全感。巨大的红色山峦达纳峰(Mount Dana)和吉布斯峰(Mount Gibbs)挡住东边的视野,高度约在一万三千英尺以上;主教峰和独角峰(Unicorn Peak)以及许多无名的山峰环列于南方;霍夫曼山脉则坐落西方,另外还有无数据我所知尚未命名的山峰矗立于北方;这群无名山峰中有一座长得非常像主教峰。这片广大草地上的绿草大部分都很纤细且如丝般光滑,叶片非常细长,使这片草地显得相当稠密,草上有许多成圆锥花序排列的紫色小花,像雾中飞花般轻盈地飘摇着;除此之外,草地上还有至少三种以上的龙胆属植物,以及一样多或更多种类的直果草属、委陵菜属、伊薇莎属、一枝黄花属和钓钟柳属植物,它们艳丽的色彩——紫、蓝、黄与红——使草地增色不少,我想再过不久我就能更了解它们。我们可能会在这一带建立主要营地,若真如此,我希望能去周围的山峦尽情畅游一番。

回程时,我在坦纳亚湖东边三英里左右的地方遇到羊群。我们在分水岭上旋叶松林中的小湖旁扎营过夜;现在的位置约在海平面以上九千英尺左右的地方。每一种地形——无论是分水岭上、山坡上或冰碛砾石堆中——都有小湖的存在,不过大多数都只能算是池塘。只有在山坡脚下较大的溪谷中才看得到大且深的湖泊,因为在那些地方,冰河向下冲力是最大的。若是能追溯它们的源头并研究一番的话,一定是件很快意的工作!这些湖水都相当纯净,就像放在光洁石盆中的水晶一般!到目前为止,我还没有在任何湖中看到鱼,也许是因为瀑布太多所以无法接近。然而,也许有一天鱼卵会在无意中被带到这儿,也许是沾在鸭子的脚上、嘴中或是嗉囊上,就像植物种子的传播一样。大自然有许多完成这一类事情的方式。无论地势有多高,为什么总是能在沼泽、池塘和湖泊中发现青蛙,它们是怎么到达那些高山上的?当然不是跳上去的,因为对青蛙来说,要穿越长达数英里的干燥灌木丛和砾石堆相当困难。所以这些黏稠胶冻状的青蛙卵,也许是在偶然的情况下缠在或黏在水鸟的脚上而抵达这里的。无论如何,它们已经在这儿,健康强壮,还会发出充满活力的声音。我喜欢它们活泼快乐的高低鸣声,而且必要时,它们甚至可以取代会唱歌的鸣禽。

8月10日

又是迷人快乐的一天,让人全身充满活力、雀跃不已,而且精神抖擞,几乎像是不朽之身似的。我今天再度造访曾被冰河耕耘过的辽阔分水岭,并一再凝望这座内华达圣殿和草地东边壮丽的红色山脉。

青少年文学读本

我们在河流北边的苏打山泉(Soda Springs)附近扎营。我们花了很多功夫才让羊群渡过这条河;它们被赶进马蹄形的河流弯道处,并在巧妙地推挤下被赶下河岸。虽然它们在必要时能游得相当好,但它们却似乎宁死也不愿冒着被弄湿的危险。我不知道为什么羊会毫无道理地惧水如虎,但它们似乎从一出生或甚至更早以前就很怕水。有一次我看到一只出生仅几小时的小羊,一生的旅途也才不过走了一百码左右,就得渡过一条约两英尺宽、一英寸深的浅溪。那时其他的羊都已经过溪而去,只剩这只小羊和它的母亲,而我刚好趁这个好机会仔细地观察它们。焦急的母羊等前面的羊群都离开后就开始渡河,口中一边呼唤着小羊。但是小羊谨慎地走近溪边,眼睛瞪着水,口中可怜地鸣叫着,拒绝冒险过河。耐心的母羊一再地回到孩子身边鼓励它,但过了好久仍徒然无功。那只小羊就像得在暴风雨中渡过约旦河的朝圣者一样,因为太害怕而不愿踏出第一步。最后,它终于决定进行这项大事,只见它把还没走出多少路且不停颤抖的腿并拢,猛扬起头,像是对溺水一清二楚似的急于把鼻子保持在水面上,接着奋力一跳,刚好落在这条只有一英寸深的溪水中央。它似乎很惊讶地发现水不仅没有淹过它的头和耳朵,反而只有沾湿脚趾而已,它直直地瞪视着闪烁的水面,好几秒后才跳到安全干燥的溪岸上,结束这趟可怕的冒险。所有野生羊都是以山为家的动物,它们的后代竟会如此怕水实在是令人费解。

8 月 11 日

美丽闪耀的一天,中午时下了十分钟的雷雨。我一整天都在河的北岸闲逛,熟悉那儿的景物。我发现一个小湖,并在广阔的旋叶松林中找到许多迷人的冰川草地。这片松林生长在宽广且几近连续的冰碛沉积物上,生长的情况相当平均,而且树的间距比更下方的冷杉林或松林要小许多。这种生长平均的情形,代表这些树的年龄可能一样多或差不多;这种规律性绝大多数都是火灾造成的结果。我在几个地方看到成块状或带状分布的退色枯木,其下方分布着生长阶段差不多的幼树。这些树林会遭祝融肆虐,不仅因为它们的薄树皮不断地滴落松脂,也因为它们的生长阶段差不多,且树下肥沃的土壤上长了许多高大宽叶的草,所以即使没有风,火势还是能够蔓延。除了这些葬身火舌的树丛外,四下还有许多拔根而起的树木倒在地上,有些树上仍留有树皮和球果,仿佛最近才在雷雨中被吹倒在地。此外我还看到一只高大的黑尾公鹿,它头上的叉角很像倾倒的树上向上翻转的树根。

当我花了许多时间穿越滞碍难行的密林后,一片平整的草地蓦然出现眼前,灿烂的阳光洒落了一地,像是一湖的阳光般耀眼;它的长度约为一英里半,宽约四分之一英里至半英里,四周为高大箭状的松树所包围。这片草地和附近大多数的冰川草地一样,主要由丝绸般的剪股颖属和拂子茅属所构成,成圆锥状排列的紫花和紫茎非常轻盈,像一层薄薄的澹烟流云般飘浮在绵柔的绿草上,此外数种不同的龙胆、委陵菜属、伊薇莎属、直果草属,以及飞舞其间的蜂儿蝴蝶,更增添了这片草地的鲜亮姿采。所有冰川草地都是美丽的,但很少像这一片草地这么完美。与之相较,就算是经过精修细剪、受到最细心呵护的人工草坪也变得粗糙不堪。

我希望能永远住在这儿。这里是如此地宁静、遗世独立，但却又敞开胸怀接纳整个世界、享有一切美好的事物。我在这片如茵草地的北方发现一个印第安猎人的营地。他们的营火仍在燃烧，但可能还在追赶猎物，尚未返回。

我在一块块草地间流连，享受笔墨难以形容的美，从一个湖走到另一个湖，穿越无数松林地带，朝北边的康尼斯峰（Mount Conness）前进，寻找处处流露的美，而环抱四周的山峦则不断地呼喊着："快来。"希望我有攀爬每一座山的机会。

8月12日

虽然高度改变了，但天景却没什么变化。今天的云大约占天空的百分之五。美丽的珍珠色积云带着一抹紫，色调之优美令人难以形容。我们今天把营地迁到先前提过的冰川草地旁。让羊群摧残这么神圣细致的地方似乎是种野蛮之事，还好它们偏好宽叶多汁的小麦属植物和其他林下草地，所以很少啃咬草地上如丝绸般的草种，或是践踏它们。

牧羊人和"唐吉诃德"在如何牧羊方面意见不合。"唐吉诃德"认为比利太常叫他的狗杰克去牧羊，而比利则大声地宣称他有权随心所欲地用狗牧羊；在争论一天后，比利就回大平原去了。我想现在照顾羊群的工作大概要由我担起了，虽然狄蓝尼先生承诺他会先做一些牧羊的工作，再回低地去找别的牧羊人上来，让我能自由地继续漫游。

今天的漫步依旧收获丰硕。我越过北边的森林前往流域的源头，冰河作用的痕迹在那儿清晰可见，而且相当有趣。山峰间的凹谷看起来很像石矿场，冰碛屑片和砾石非常原始粗糙，四下散落在大自然的冰河工场里。

我回到营地后不久，就来了一位印第安访客，可能是我昨天发现的那个印第安营地的猎人之一。他说他和其他族人从莫诺到这里来猎鹿。他背在背上的死鹿，就是在距离这里不远处猎杀的，它的脚被绑在一起，像装饰品一样挂在他额前。他把死鹿放下,以印第安人特有的方式沉默地瞪视我们几分钟后,就割下八至十磅左右的鹿肉给我们,希望能换一点他看得到或想得到的东西——像是面粉、面包、糖、烟草、威士忌和面条等物品。我们很公平地用面粉、糖和一些面条换他的鹿肉。这些黑眼睛、黑头发、半快乐的野蛮人,在如此干净的野地中却过着肮脏散漫的生活,令人感到很不可思议——时而饥饿、时而富足,有时呈现死亡般的沉静与怠惰,有时又有令人赞叹、勤奋不倦的表现,而这一切都以暴风雨般的强烈节奏接续地交替着,就像冬天与夏天一样。他们拥有两样会令文明世界的劳动者钦羡不已的东西——纯净的空气和水。这两样东西就足以弥补与治愈他们生活中的苦涩。他们大多食用新鲜的莓果、松实、苜蓿、百合鳞茎、野生的山羊、羚羊、鹿、松鸡、艾草榛鸡,以及蚂蚁、黄蜂、蜜蜂和其他昆虫的幼虫。

8月13日

阳光普照的一天,黎明和傍晚时的天空是紫色的,中午时则是一片金黄,万里无云,沉静无风。狄蓝尼先生带着两名牧羊人回来,其中一位是印第安人。他们在从大平原上来的路上,把一些补给品留在豪猪溪附近的葡萄牙营地,那儿离我们在优胜美地的旧营地不远,因此我在早上带着一匹马出发,去把它们载上来。我在中午时抵达那儿,本来应该在黄昏时回到土欧鲁米河的营地,但是在葡萄牙牧羊人的盛情邀请下,我决定留下来过夜。他们告诉我一些可悲故事,都是有关熊造成的损失之事,这些事令他们非常灰心,甚至已经到了想离开优胜美地的地步,因为尽管他们尽了一切的努力,每天晚上那些熊却依旧光临,自行取用一只或数只的羊。

一整个下午我都沿着优胜美地山谷的谷壁漫游。我爬到三兄弟岩石(Three Brothers)的最高点,饱览四周壮丽的景色,不仅是谷底的上半部,谷地两侧及谷口的岩壁也几乎全都尽收眼底,远方还可看到皓白的雪峰。佛纳瀑布和内华达瀑布也在视野之内,构成一幅美丽万分的图画——岩石的沉猛威势与恒常不变,搭配着美丽植物的细致脆弱与短暂易逝的生命;瀑布发出隆隆的吼声飞坠而下,但这股同样的水流却又在穿过草地和树丛时呈现出最温柔的美丽。我立足之处约在海平面以上八千英尺高、或是距谷底四千英尺高的地方,虽然每棵树看起来都很矮小,且如羽毛般轻薄,但它们的姿态却异常鲜明,连树荫的轮廓都清晰分明,仿佛相距不过数码而已。它们的外观更是如此。这座山间公园精致的美丽与魅力是笔墨难以形容的——这片大自然精心创造的园林既有温柔的美丽,又兼具庄严与肃穆。难怪它能吸引全世界爱好自然的人士。

冰河作用在此巍峨的高峰甚至也清晰可见。现在这片在灿烂阳光中绽放着笑意的美丽山谷,不仅曾全部被冰所填满,甚至曾深深埋在冰川之下。

我今天也回去看了在印第安峡谷口的旧营地,发现那儿已被熊踏平,处处布满它们的足迹。这些魁梧的熊也把所有在羊栏里窒息而死的羊吃掉了,不过其中一些熊现在必定也已经死了,因为狄蓝尼先生在离开前,在羊尸上放了大量的毒药。所有牧羊人都会随身携带马钱子碱,以便毒死郊狼、熊和美洲豹,虽然郊狼和美洲豹在较高的山区数量并不多。外形像狗、体形小的郊狼,在山麓地带和大平原上的数量则多出许多,因为它们在那儿的食物较充裕;我在八千英尺以上的地区只看过一次美洲豹的足迹。

日落后我回到葡萄牙营地时,发现牧羊人为了那些爱上羊肉的熊而激愤不已。他们痛惜地说:"它们愈来愈恶劣了。"那些熊甚至不愿等到吃晚餐的时间,而是在光天化日之下就过来进行杀戮并饱餐一顿。在我抵达的那个傍晚,这两名牧羊人在离日落还有半小时的时候悠闲地把羊群赶向营地,结果一只饥饿的熊从距他们仅数码的灌木丛走出来,从容不迫地慢慢接近羊群。"葡萄牙乔"总是随身携带一把装了大型铅弹的枪,见状立即激动地射击,但是没有看开枪的结果就直接丢下枪,逃向最近一棵适合躲避熊的树,爬到安全的高度上。他的同伴也逃走了,但他说看到那只熊站起来,像在表达感情似的伸出手臂,然后就跑进灌木丛里,仿佛受了伤。

他们在附近另一个地方扎营时,有一天日落前羊群正要回羊栏时,遭到一只母熊和两只小熊的攻击。乔立即爬到安全的树上躲避危险,而安东尼则指责乔懦弱胆小,竟然抛下自己的职责不顾,并说他不会让这些熊在光天化日之下"吃光他的羊",所以他冲向那些熊,大吼大叫,并放狗去咬它们。受惊的小熊爬到树上,母熊则跑向他,好像急于战斗似的。安东尼惊恐地呆立了一会儿,看到熊愈来愈近才转身奔逃,而且差点被追上。由于他找不到适合躲熊的树,就跑向营地,手忙脚乱地爬到小木屋的屋顶上。母熊也追过来,但没有爬上屋顶,只是站起来怒目瞪着他、威胁他,让他在极度惊恐中担惊害怕,持续了几分钟后它才走向小熊,把它们从树上叫下来,接着到羊群中捉了一只羊当晚餐,才消失在灌木丛中。熊一离开小木屋,觳觫不已的安东尼立刻拜托乔帮他找一棵安全的树,结果乔替他找了一棵几乎没有枝叶的树,但安东尼以水手爬桅杆的身手三两下就爬了上去,并攀在上面待了很长一段时间。经历这些灾难后,这两位牧羊人砍了许多干柴并叠成数个大柴堆,每天晚上都绕着羊栏点起一圈的营火,并在附近一棵能清楚看到羊圈的松树上盖了一个舒适的平台,每晚都由一个人拿枪在上面守望。今晚那圈营火呈现出极美的效果,不仅周围的树木在火光的照耀下显得格外醒目,连羊群的眼睛都闪闪发光,像是数千颗璀璨的钻石。

中学生卷

8 月 14 日

昨晚直到上床睡觉时一切都很平静,不过我们仍预期那些熊强盗随时都会出现。直到午夜时分,才有一对熊来到营地,它们勇敢地穿越两大堆营火,爬进羊栏,杀了两只羊并造成十只羊窒息而死,然而惊恐的看守者却待在树上一枪都没开,后来他解释那是因为在他能清楚地看到熊之前,它们已经进入羊栏了,他怕误射到羊,所以才没开枪。我劝他们立刻把羊群迁到别的营地去。"没用的,"他们悲伤地回答,"无论我们去哪里,它们一定会跟来。我这些死去的羊真可怜——其他的羊很快也会死光。迁营地没有用，我们决定下去大平原。"我后来得知他们被迫比平时提早一个月离开山区。若是熊的数目多出很多或是破坏性大许多，大概所有的羊都不会再被赶到山上来。

有件事非常奇怪，熊喜欢吃各种肉，甚至愿意冒着枪弹、营火和毒药的危险来获取食物，但是除非是为了保护小熊，它们却从来不会攻击人类。它们若要趁我们睡觉时攻击我们，其实是多么容易和安全的事！似乎只有狼和老虎学会猎食人类，或许还可以算上鲨鱼和鳄鱼。在世界上的某些角落，也许蚊子和其它昆虫会把无抵抗力的人生吞活剥，其它像是狮子、豹、狼、土狼和美洲豹等，在饥饿难忍的情况下，也许偶尔也会攻击人类——但是在正常的情况下，所有的陆地动物中，据说只有老虎是食人动物——当然，这是指不把人类算进去的情况。

今天的云和平时一样，大约只占天空的百分之五，而且和其他日子一样光辉灿烂，透着暖意却又清爽宜人，处处漫着香气、明朗宁静。现在已有许多开花植物开始结果实，也有许多正逐日绽放娇颜，冷杉和松树的香气则比以前更为馥郁。它们的种子现在已接近成熟阶段，很快就会成群结队地展翅飞翔，快乐地发展自己的新天地。

我在回土欧鲁米河营地的路上所欣赏到的风光，甚至可说比我第一眼看到它们时更美丽。每一个景致都很熟悉，仿佛我一直住在这儿似的。我可以永不厌倦地凝视美妙的主教峰，它是我所见过最有个性的岩石和山峰，也许只有优胜美地的南穹丘能与之媲美。森林、湖泊、草地和唱着歌的快乐溪流，似乎都有股贴心的熟悉感。我希望能永远与它们为伴。在这里，我只要有面包和水就满足了。即使不能漫游或爬山，而是被拴在草地或树林间的木桩上或树干上，我仍会永远满足。沉浸在这种美当中，观赏山峦千变万化的面貌，凝视低地人梦想不到的灿烂星辰，看着四季的循环，倾听水、风与鸟的歌声等等，都是种无穷无尽的愉悦。

此外，想想看在这里能欣赏到的壮丽云景，无论是狂风暴雨，亦或宁静无风之时，它们每天都呈现出一个新的天堂、新的人间，有永久的居住者，亦有新加入的伙伴。再想想看这里无数的访客！我相信若是住在这儿，绝对不会有任何无聊的时刻。这种生活怎么会是奢华的呢？只要有常识的人都知道它并不奢华，而是象征健康，一种真实自然而且会令所有感官都觉醒的健康。就像欣赏一出由上帝导演的永恒戏剧，其中有无数演说、音乐、演技、布景和灯光！——日、月、星辰和晨曦。创造才刚开始，晨星"依旧合唱着，而所有上帝的子民则同声欢呼。"

傻瓜吉姆佩尔

〔美〕辛 格

艾·巴·辛格(1904—1991),美国作家,出生于当时沙皇统治下波兰一名犹太人家庭,父亲和祖父均是犹太教的拉比。少年时随家人迁居华沙,学习希伯来文和意第绪文,后来又用意第绪文写作并向报刊投稿,1935年发表第一部长篇小说《散旦在戈雷山》;同年移居美国,1960年出版重要的长篇小说《魔术师》,1966年出版《辛格短篇小说集》,1978年获诺贝尔文学奖。

青少年文学读本

1

我是傻瓜吉姆佩尔。我不认为自己是个傻瓜。恰恰相反。可是人家叫我傻瓜。我在学校里的时候,他们就给我起了这个绰号。我一共有七个绰号:低能儿,蠢驴,亚麻头,呆子,苦人儿,笨蛋和傻瓜。最后一个绰号就固定了。我究竟傻些什么呢?我容易受骗。他们说:"吉姆佩尔,你知道拉比的老婆养孩子了吗?"于是我就逃了一次学。唉,原来是说谎。我怎么会知道呢?她肚子也没有大。可是我从来没有注意过她的肚子。我真的是那么傻吗?这帮人又是笑,又是叫,又是顿脚又是跳舞,唱起晚安的祈祷文来。一个女人分娩的时候,他们不给我葡萄干,而在我手里塞满了羊粪。我不是弱者。要是我打人一拳,就会把他打到克拉科夫去。不过我生性的确不爱揍人。我暗自想:算了吧。于是他们就捉弄我。

我从学校回家,听到一只狗在叫,我不怕狗,当然我从来不想去惊动它们。也许其中有一只疯狗,如果它咬了你,那么世上无论哪个鞑靼人都帮不了你的忙。所以,我溜之大吉。接着我回头四顾,看见整个市场上的人都在哈哈大笑。根本没有狗,而是小偷沃尔夫－莱布。我怎么知道这就是他呢? 他的声音像一只嗥叫的母狗。

当那些恶作剧和捉弄人的人发觉我易于受骗的时候,他们每个人都想在我身上试试他的运气。"吉姆佩尔,沙皇快要到弗拉姆波尔来了;吉姆佩尔,月亮掉到托尔平去了;吉姆佩尔,小霍台尔·弗比斯在澡堂后面找到了一个宝藏。"我像一个机器人一样相信每一个人。第一,凡事都有可能,正如《先人的智慧》里所写的一样,可我已经忘记书上是怎样说的。第二,全镇的人都对我这样,使我不是不相信。如果我敢说一句"嘿,你们在骗我!"那就麻烦了。人们全都会勃然大怒。"你这是什么意思? 你要把大家都看做是说谎的?"我怎么办呢? 我相信他们说的话,我希望至少这样对他们有点好处。

245

我是一个孤儿。抚养我长大的祖父眼看快要入土了。因此他们把我交给了一个面包师傅,我在那儿过的是什么日子啊! 每一个来烤一炉烙面的女人或姑娘都至少要耍弄我一次。"吉姆佩尔,天上有一个市集;吉姆佩尔,拉比在第七个月养了一只小牛;吉姆佩尔,一只母牛飞上屋顶,下了许多铜蛋。"一个犹太教学堂的学生有一次来买面包,他说:"吉姆佩尔,当你用你那面包师傅的铲子在刮锅的时候,救世主来了。死人已经站起来了。""你在说什么?"我说,"我可没有听见谁在吹羊角!"他说,"你是聋子吗?"于是大家都叫起来:"我们听到的,我们听到的!"接着蜡烛工人里兹进来,用她嘶哑的嗓门喊道:"吉姆佩尔,你的父母已经从坟墓里站起来了。他们在找你。"

说真的,我十分明白,这类事一件都没有发生;但是,在人们谈论的时候,我仍然匆匆穿上羊毛背心出去。也许发生了什么事情。我去看看会有什么损失呢?唔,大伙儿都笑坏了!于是我发誓不再相信什么了,但是这也不行。他们把我搞糊涂了,因此我连粗细大小都分不清了。

我到拉比那儿去请教。他说:"圣书上写着,做一生傻瓜也比作恶一小时强。你不是傻瓜。他们是傻瓜。因为使他的邻人感到羞辱的人,自己要失去天堂。"然而拉比家的女儿叫我上当。当我离开拉比的圣坛时,她说:"你已经吻过墙壁了吗?"我说:"没有,做什么?"她回答道:"这是规矩。你每次来以后都必须吻墙壁。"好吧,这似乎也没有什么害处。于是她突然大笑起来。这个恶作剧很高明,她骗得很成功,不错。

我要离开这儿到另外一个城市去。可是这时候,大家都忙于给我做媒,跟在我后面,几乎把我外套的下摆都要撕下来了。他们盯住我谈呀谈的,把口水都溅到我的耳朵上。女方不是一个贞洁的姑娘,可是他们告诉我她是一个纯洁的处女。她走路有点一瘸一拐,他们说这是因为她怕羞,故意这样的。她有一个私生子,他们告诉我,这孩子是她的小弟弟。我叫道:"你们是在浪费时间,我永远不会娶那个婊子。"但是他们义愤填膺地说:"你这算是什么谈话态度!难道你自己不害羞吗?我们可以把你带到拉比那里去,你败坏她的名声,你得罚款。"于是我看出来,我已经不能轻易摆脱他们。我想他们决心要把我当做他们的笑柄。不过你结了婚,丈夫就是主人,如果这样对她说来是很好的话,那么在我也是愉快的。再说,你不可能毫无损伤地过一生,这种事想也不必想。

我上她那间建筑在沙地上的泥房子走去;那一帮人又是叫,又是唱,都跟在我后面。他们的举动像耍狗熊的一样。到了井边,他们一齐停下来了,他们怕跟埃尔卡打交道。她的嘴像装在铰链上一样,能说会道,词锋犀利。我走进屋子,一条条绳子从这面墙拉到那面墙,绳子上晾着衣服。她赤脚站在木盆边,在洗衣服。她穿着一件破破烂烂的旧长毛绒长袍。她的头发编成辫子,交叉别在头顶上。她头发上的臭气几乎熏得我气也喘不过来。

显然她知道我是谁，她朝我看了一下，说："瞧，谁来啦！他来啦，这个讨厌鬼。坐吧。"

我把一切都告诉她了，什么也没有否认。"把真情实话告诉我吧，"我说，"你真的是一个处女，那个调皮的耶契尔的确是你的小兄弟吗？不要骗我，因为我是个孤儿。"

"我自己也是个孤儿，"她回答，"谁要是想捉弄你，谁的鼻子尖就会弄歪。他们别想占我的便宜。我要一笔五十盾的嫁妆，另外还要他们给我募一笔款子。否则，让他们来吻我的那个玩意儿。"她倒是非常坦率的。我说："出嫁妆的是新娘，不是新郎。"于是她说："别跟我讨价还价。干脆说'行'，或者'不行'——否则你哪里来就回哪里去。"

我想：用"这个"面团是烤不出面包来的。不过我们的市镇不是穷地方。人们件件答应，准备婚礼。碰巧当时痢疾流行。结婚的仪式在公墓大门口举行，在小小的洗尸房的旁边。人们都喝醉了。当签订婚书的时候，最高贵、虔诚的拉比问："新娘是个寡妇还是离婚了的女人？"会堂执事的老婆代她回答："既是寡妇又是离婚了的。"这对我是个倒霉的时刻。可是我怎么办呢，难道从婚礼的华盖之下逃走吗？

唱啊，跳啊，有一个老太太在我对面紧抱着一只奶油白面包。喜事的主持人唱了一出《仁慈的上帝》以纪念新娘的双亲。男学生们像在圣殿节①一样扔果果。在致贺词之后有大批礼物：一块擀面板、一只揉面槽、一个水桶、扫帚、汤勺以及许多家用什物。后来我一眼看见两个魁梧的青年抬着一张儿童床进来。"我们要这干吗？"我问。于是他们说道："你别为这个绞脑汁了。这东西很好，迟早要用的。"我认识到我是在受人欺骗。然而，从另一方面看来，我损失点什么呢？我沉思着：且看它结果如何吧。整个市镇不可能全都发狂。

---

①　圣殿节：在阿甫月（犹太历十一月）九日，纪念古代耶路撒冷圣殿之毁灭。

2

晚上我到我妻子睡的地方,可是她不让我进去。"唷,得了,要是这样,他们干吗让我们结婚呢?"我说。于是她说:"我月经来了。""可是昨天他们还带你去行婚前沐浴仪式,那么月经是以后来的啰,是这样吗?""今天不是昨天,"她说,"昨天也不是今天。如果你不高兴,你可以滚。"总而言之,我等着。

过了不到四个月,她要养孩子了。镇上的人都捂住嘴窃笑。可是我怎么办?她痛得不能忍受,乱抓墙壁。"吉姆佩尔,"她叫道,"我要死了,饶恕我!"屋子里挤满女人。一锅锅开水。尖叫声直冲霄汉。

需要做的是到会堂里去背赞美诗,这就是我做的事。

镇上的人喜欢我这样做,那很好。我站在一个角落里念赞美诗和祈祷文,他们对着我摇头。"祈祷,祈祷!"他们告诉我,"祈祷文永远不会使任何女人怀孕的。"一个教徒在我嘴里放一根稻草,说:"干草是给母牛的。"另外还有些类似的事情。上帝作证!

她养了一个男孩。星期五,在会堂里,会堂执事站在经书柜前面,敲着读经台,宣布道:"富裕的吉姆佩尔先生为了庆祝他养了个儿子,邀请全体教友赴宴。"整个教堂响起一片笑声。我的脸上像发烧一样。可是我当时毫无办法。归根到底,我是要负责为孩子举行割礼仪式的。

半个镇上的人奔跑而来。挤得你别想另外再插进一个人来。女人拿着加过胡椒粉的鹰嘴豆,从菜馆里买来一桶啤酒。我像任何人一样吃啊,喝啊,他们全都祝贺我。然后举行割礼,我用我父亲的名字给孩子取名,愿我父亲安息。大家都走了以后,只剩下我和我老婆两人。她从帐子里伸出头来,叫我过去。

"吉姆佩尔,"她说,"你为什么一声不响?你丢钱了"。

"我还能说什么呢?"我回答。"你对我干的好事!如果我的母亲知道这件事,她会再死一次。"

她说:"你疯了,还是怎么的?"

我说:"你怎么能这样愚弄一家之主?"

"你怎么啦?"她说,"你脑子里想到什么啦?"

我看我得公开地、直截了当地说出来。"你以为这是对待一个孤儿的办法吗?"我说,"你养了一个私生子。"

她回答:"把你这种愚蠢的想法从头脑里赶出去吧。这个孩子是你的。"

"他怎么可能是我的呢?"我争辩说,"他是结婚后才十七个星期就养下来的。"

她告诉我孩子是早产的。我说:"他是不是产得太早了?"她说,她曾经有一个祖母,怀孕也是这么些时间,她类似她的这位祖母,好像这一滴水同那一滴水一样。她对此起的誓赌的咒,如果一个农民在市集上这样做了,你也会相信他的。坦白地说句老实话,我不相信她。不过第二天我跟校长说起这件事,他告诉我,亚当和夏娃也发生过一模一样的事情。他们两个人睡到床上去,等到他们下床时,已经是四个人了。

"世上的女人没有一个不是夏娃的孙女。"他说。

这就是事情的原原本本。他们证明我愚蠢。但是谁真正知道这些事情的原由呢?

我开始忘记我的烦恼。我着迷地爱这个孩子,他也喜欢我。他一看见我就挥动他的小手,要我把他抱起来。如果他肚子痛,我是惟一能使他平静下来的人。我给他买了一个小小的骨环①和一顶涂金的小帽子。他总是受到某个人的毒眼②,于是我就得赶快去为他求取一张符箓,给他祛邪。我像一只牛一样做工。你知道家里有个婴儿要增加多少开支啊。关于这个婴儿的事我不想说谎。我也没有为此而厌恶埃尔卡。她对我又发誓又诅咒,我没有对她感到腻烦。她有何等的力量!她只要看你一眼,就能夺去

---

① 骨环是给婴儿长牙齿时咬嚼的。
② 按照迷信说法,有一种毒眼能使人遭殃。

你说话的能力。还有她的演说！油嘴滑舌，出口伤人，不知怎么的还充满了魅力。我喜欢她的每一句话，纵然她的话刺得我遍体鳞伤。

晚上我带给她我亲自烤的一只白面包，还有一只黑面包以及几只罂粟籽面包卷。为了她，每一样能抓到手的东西我都要偷，都要扒：杏仁饼，葡萄干，杏仁，蛋糕。我希望我能得到饶恕，因为我从罐子里偷了安息日的食物，那是妇女们拿到面包铺的炉灶里来烤烤热的。我还偷肉片，偷一大块布丁，一只鸡腿或鸡头，一片牛肚，凡是我能很快地夹起来的我都偷。她吃了，变得又胖又漂亮。

整个星期我都得离家住在面包房里。每逢星期五晚上，我回家来，她总要找一点借口，不是说胃痛，就是说胁痛，或者打呃，或者头痛。你也知道这些女人的借口到底是怎么回事。我有一段痛苦的经验。真叫人受不了。再说，她的那个小兄弟——私生子，渐渐长大了。他打得我一块块肿起来，等到我要打还他时，她就开口了，狠狠地骂咒，使我只觉得一阵绿雾在我眼前飘荡。一天有十来次，她以离婚来威胁我。换一个人处在我的地位就要不告而别，不再回家。但是我却是忍受这种处境而一声不吭的人。一个人要干点什么？肩膀是上帝造的，负担也是上帝给的。

有一天晚上，面包铺发生了一桩灾难。炉灶炸了，我们铺子里几乎起火。大家没事可干，只得回家。于是我也回家了。我想，让我也尝尝不是在安息日前夜躺在床上的乐趣。我不想惊醒睡熟了的小东西，踮着脚走进屋子。到了里面，我听到的似乎不是一个人的鼾声，而仿佛是两个人在打鼾，一种是相当微弱的鼾声，而另一种仿佛是快要宰的公牛鼾声。唉。我讨厌这种鼾声！我讨厌透了。我走到床边，事情忽然变得不妙了。埃尔卡身旁躺着一个男人模样的人。另外一个人处在我的地位就要嚷叫起来，闹声足够把全镇的人都吵醒。可是我想到了，那样会把孩子惊醒。我想，像这样一点点小事情为什么要使一只小燕子受惊呢。那么，好吧，我就回到面包房去，躺在一只面粉袋上。一直到早晨不曾闭眼。我直打哆嗦,好像患上疟疾。"我蠢驴当够了,"我对自己说,"吉姆佩尔不会终身做一个笨蛋的。即使像吉姆佩尔这样的傻瓜,他的愚蠢也有个限度。"

早晨,我到拉比那里去求教。这事在镇上引起很大的骚乱。他们立刻派会堂执事去找埃尔卡。她来了,带着孩子。你猜她怎么样?她不承认这件事,什么都不承认,语气硬得像骨头和石头!"他神经错乱了,"她说,"我是不懂梦里的事情的,不懂见神见鬼的。"他们对她叫嚷,警告她,拍桌子,但是她却开她的炮:这是诬告,她说。

屠夫和马贩子站在她一边。屠宰场的小伙子走过来对我说:"我们一直在注意你,你是一个可疑的人。"这时候孩子把屎拉在身上了。拉比的圣坛①那儿有约柜,那是不准亵渎的,因此他们把埃尔卡送走了。

我问拉比说:"我该怎么办?"

"你得立刻跟她离婚。"他说。

"如果她不答应怎么办?"我问。

他说:"你务必和她离婚,这就是你必须做的一切。"

我说:"呃,好吧,拉比,让我考虑考虑。"

"没有什么要考虑的,"他说,"你不能再和她同住一间房了。"

"如果我要去看孩子呢?"我问。

"别管她,这个婊子,"他说,"别管那一窝跟她在一起的杂种。"

他作的决定是我连她的门槛都不可跨进去——在我这一生中永远不能再进去。

白天我还不感到怎么烦恼。我想该发生的事情必定要发生,疮必定要出脓。可是到了晚上,当我躺在面粉袋上的时候,我觉得这一切太伤心了。我难以抑制地渴念着她,渴念着孩子。我需要的是发怒,可是那恰恰是我的不幸,我不能使这件事在我心里

---

① 圣坛是会堂里信徒座位前的地方。拉比就在那里主持宗教仪式。

产生真正的愤怒。首先——我就是这样想的——谁也免不了有时候会犯错误。在你的生活中不可能没有错误。大概和她在一起的那个小伙子引诱她,送她礼物等等。而女人是头发长见识短的,所以他哄得她同意了。不过后来她既然否认这件事,也许我看到的只是一些幻象?幻觉是有的。明明看见一个人影,或者一个侏儒,或者什么东西,但是等你走近了,却没有了,什么东西也没有。要是真的这样,我对她太不公正了。当我想到这里,我就开始哭了。我啜泣着,眼泪流湿了我睡的面粉袋。早晨我到拉比那里去,告诉他我弄错了。拉比用羽毛笔写下来,他说,如果事情是这样,他必须重新审理整个案子。在他结案之前,我不能去接近我的老婆,但是我可以请人给她送面包和钱去。

3

九个月过去了,所有的拉比才达成协议。信件来来往往。我没有想到,关于这样一件事情,需要那么多的学问。

在这期间,埃尔卡另外还养了一个孩子,这次是一个女孩。安息日我到会堂里祈求上帝赐福给她。他们叫我走到摩西五书①跟前,我给这孩子取了我岳母的名字——愿她安息。镇上那些爱开玩笑的人和多嘴的人,到面包房来臭骂了我一顿。由于我有了烦恼和悲伤,全弗拉姆波尔镇的人都兴高采烈。但是我决心永远相信人家对我说的话。不相信又有什么好处?今天你不相信你的老婆,明天你就会不相信上帝。

我们铺子里有一个学徒是她的邻居,我请他每天带给她一只面包或者玉米面包,或者一块蛋糕,或者一些圆面包或者烤面包圈,只要有机会,就给她一块布丁,一片蜜糕,或者是结婚用的果子卷——凡是我能搞到的就给。学徒是一个好心的小伙子,有好

青少年文学读本

---

① 摩西五书:即《圣经·旧约》开头五卷《创世纪》、《出埃及记》、《利未记》、《民数记》和《申命记》。

几次他自己加上一些东西。他过去惹我生很大的气,拉我的鼻子,戳我的肋骨,但是他到我家里去了以后,他变得又和气又友好了。"好啊,吉姆佩尔,"他对我说,"你有一个非常体面的娇小的老婆,还有两个漂亮的孩子。你不配跟他们在一起。"

"可是人家说她有一些事儿呢?"我说。

"哦,他们就是喜欢多嘴多舌,"他说,"他们除了胡说八道就没有别的事可干了。你别去理它,就像别理上一个冬天有多冷一样。"

有一天,拉比派人来叫我去,他说:"吉姆佩尔,关于你老婆的事情,你肯定是你搞错了?"

我说:"我肯定。"

"哦,不过你要注意! 你是亲眼看见的。"

"一定是个影子,"我说。

"什么影子?"

"我想,就是一根横梁的影子。"

"那么你可以回家了。你得谢谢扬诺弗拉比,他在迈莫尼迪兹①著作中找到了对你有利的冷僻的资料。"

我抓住拉比的手,吻它。

我要立刻跑回家去。和老婆孩子分离了这样长一段时间可不是一件小事情。后来我考虑:现在我还是先回去工作,到晚上再回家。我对什么人也不说,然而在我心里却把这一天当做一个节日。女人们照例地取笑我,挖苦我,她们每天都是如此的。可是我心里想:你们这些饶舌的人,尽管去胡说吧。已经真相大白了,就像油浮在水面上。迈莫尼迪兹说过这是对的,那么这就是对的了!

晚上,我盖好面团让它发酵,带着我那一份面包和一小袋面粉,就向家里走去。月亮很圆,群星闪烁,不知道什么事使人感到毛骨悚然。我急急向前走着,在我前面有一道长长的影子。这是

---

① 迈莫尼迪兹(1135—1204):犹太血统的西班牙人,拉比,医生,哲学家。

冬天,刚刚下过雪。我想唱支歌,但是时间已经晚了,我不想惊醒居民们。于是我想吹口哨,不过我记起一句老话:你在晚上不要吹口哨,它会把精灵引出来。因此我悄悄地尽快走着。

当我走过那些基督徒的院子时,里面的狗对我吠了起来。但是我想:你们叫吧,叫掉你们的牙! 你们算什么东西,不过是狗! 而我是一个人,一个漂亮妻子的丈夫,两个有出息的孩子的父亲。

当我走近我老婆的房子时,我的心开始剧烈地跳动,好像一个犯罪的人的心一样。我不怕什么,可是我的心却怦怦地跳着! 跳着! 嘿,不能往回走。我悄悄地抬起门闩,走进屋去。埃尔卡睡得很熟。我瞧着婴儿的摇篮,百叶窗关着,但是月亮光从裂缝里穿进来。我看见新生婴儿的脸,我一看到她,立即就爱上她,她身上的每一部分我都爱。

随后我走近床边。我看到的只是睡在埃尔卡旁边的学徒。月光一下子没有了。房间里一片漆黑。我哆嗦着,我的牙齿直打战。面包从我手中落下来,我的老婆醒了,问:"是谁呀?"

我喃喃地说:"是我。"

"吉姆佩尔?"她问,"你怎么会在这儿的? 我想你是禁止到这儿来的。"

"拉比说过了。"我回答,像发烧一样抖着。

"听我说,吉姆佩尔,"她说,"出去到羊棚里看看羊好不好,它恐怕是病了。"我忘记说了,我们是有一只山羊。当我听说山羊有病时,我就走到院子里,这只母山羊是一只很好的小生物。我对它几乎有一种对人的感情。我犹豫地举步走到羊棚前,打开小门,山羊四脚直立在那里。我把它浑身摸遍了,拉拉它的角,检查了它的乳房,没有找到任何毛病,它大概是树皮吃得太多了,"晚安,小山羊,"我说,"保重。"这个小小的牲畜用一声"咩"来回答,仿佛感谢我的好意。

我回到房里,学徒已经不见了。

"小伙子在哪儿?"我问。

"什么小伙子?"我老婆回答。

"你是什么意思?"我说,"学徒。刚才你和他睡在一起的。"

"今天晚上,昨天晚上我都梦见过精灵,"她说,"他们会显灵,把你杀死,连肉体带灵魂! 一个恶鬼附在你身上了,使你眼花缭乱。"她叫道,"你这个讨厌的畜生! 你这个白痴! 你这个幽魂! 你这个野人! 滚出去,否则我要把全弗拉姆波尔镇上的人都从床上叫起来!"

我还没有移动一步,她的弟弟就从炉灶后面跳出来,在我后脑上打一拳。我以为他已经把我的脖子打断了。我觉得我身上有个地方被打坏了,于是我说:"不要吵架。这样吵会让人家怪我把幽魂和鬼都引来了。"她就是要达到这个目的。"没有人愿意再碰我烘的面包了。"

总之,我好歹使她安静下来了。

"好吧,"她说,"够了,你躺下来。让车轮把你碾碎吧。"

第二天早晨,我把学徒叫到一边。"你听我说,小兄弟!"我说。我把他的事情揭穿。"你说什么?"他两眼盯着我,好像我是从屋顶或者什么东西上掉下来似的。

"我发誓,"他说,"你最好还是去找个草药医生或者找个巫医。我怕你脑子出毛病了,不过我给你瞒着。"事情就这样过去了。

长话短说,我和我老婆过了二十年。她给我养了六个孩子,四女两男。各种各样的事情都发生过,但是我既没有听到过,也没有看见过。我相信她,这就完啦。拉比最近对我说:"信仰本身是有益的,书上写着,好人靠信念生活。"

我老婆突然生病了。开始时是一个小东西,乳房上有一个小肿瘤。但是显然她是注定活不长的,她没有寿命。我在她身上花了很大一笔钱。我忘记说了,这时候,我自己开了一家面包房。在弗拉姆波尔镇上也算是个富翁了。巫医每天来,邻近地区所有的女巫医也都请来过。他们决定用水蛭吸血,随后试用拔火罐。他们甚至从卢布林请了一个医生来,但是已经太晚了。在她死以前,她把我叫到她床边,说:"饶恕我,吉姆佩尔。"

我说:"有什么要饶恕的? 你是一个忠诚的好妻子。"

　　"唉,吉姆佩尔!"她说,"想到所有这些年来,我是怎样欺骗你的,我感到自己是多么丑啊。我要干干净净去见我的上帝,因此我必须告诉你这些孩子都不是你的。"

　　她的话使我迷惑不解,不亚于挨了当头一棒。

　　"他们是哪个的呢?"我问。

　　"我不知道,"她说,"我有一大批……不过孩子,都不是你的。"她说时,她的头往旁边一倒,她的眼睛失去神采,埃尔卡就此结束生命。在她变白了的嘴唇上留着一丝微笑。

　　我想,她虽然死了,仿佛还在说:"我欺骗了吉姆佩尔,这就是我短短一生的意义。"

4

青少年文学读本

　　埃尔卡的丧事完毕以后,一天晚上,当我躺在面粉袋上做梦的时候,恶魔自己来了,对我说:"吉姆佩尔,你为什么醒了?"

　　我说:"我该做什么呢? 吃肉包子吗?"

　　"全世界都欺骗你,"他说,"所以你应该欺骗全世界了。"

　　"我怎么能欺骗全世界呢?"我问他。

　　他回答:"你可以每天积一桶尿,晚上把它倒在面团里,让弗拉姆波尔的圣人们吃些脏东西。"

　　"将来的世界要审判我怎么办呢?"我说。

　　"没有将来的世界,"他说,"他们用花言巧语来欺骗你,说得你相信你自己肚子里有一只猫。尽是胡说八道!"

　　"那么,好吧,"我说,"不是还有一个上帝吗?"

　　他回答:"根本没有上帝。"

　　"那么,"我说,"那儿是什么呢?"

　　"黏糊糊的泥沼。"

　　他站在我的眼前,长着山羊胡子和角,长长的牙齿,还有一条尾巴。我听了这些话,要去抓他的尾巴,但是我从面粉袋上摔下来,几乎摔断肋骨。现在我得对造化的召唤作出答复,我走过去,看见发好的面粉团,它似乎在对我说:"干吧!"简单地说,我让自己被魔鬼引诱了。

黎明时,学徒进来。我们做面包,撒上香菜籽,放到炉灶上烘。于是学徒走了,我留着,坐在炉灶前小沟内的一堆破布上。好啦,吉姆佩尔,我想,对于他们加在你身上的全部羞辱,你已经报了仇。外面浓霜闪烁,然而在炉灶旁是温暖的,熊熊的火焰使我的脸感到热呼呼的。我垂着头,打起瞌睡来。

忽然我在梦中看见埃尔卡,她穿着尸衣。她叫我:"你干了什么,吉姆佩尔?"

我对她说:"这都是你的过错。"接着就哭起来。

"你这傻瓜!"她说,"你这傻瓜! 因为我弄虚作假,难道所有的东西也都是假的吗? 我从来骗不了什么人,只骗了自己。我为此付出了一切代价,吉姆佩尔。他们在这儿什么都不会饶恕你的。"我瞧着她的脸,她的脸是黑的;我一吓,就醒了,依然默默地坐着。我意识到一切都处于成败关头。眼前踏错一步,我就会失去永久的生命。但是上帝保佑我。我抓起一柄长铲,把面包从炉灶里取了出来,拿到院子里,开始在冰冻的土地上掘一个洞。

当我正在掘洞的时候,我那学徒转来了。"你在干什么,老板?"他问,脸色变得灰白,像一具死尸。

"我的事,我自己知道。"我说,我当着他的面,把面包全部埋掉。

然后我回到家里,从隐藏的地方取出我的积蓄,分给我的孩子们。"我今天晚上见到你们妈,"我说,"她变黑了,可怜的家伙。"

他们惊讶得说不出一句话来。

"好吧,"我说,"忘记一个叫吉姆佩尔的人曾经存在过。"我披上我的短大衣,穿上靴子,一只手拿着装祈祷披巾的袋子,一只手拿着我的手杖,吻了一下门柱圣卷①。人们在街上看见我时,感到万分诧异。

"你要去哪里?"他们问。

我回答道:"去见见世面。"我就这样离开了弗拉姆波尔。

我漫游各地,好人没有不理我。过了好多年,我老了,白发苍苍;我听到了大量的故事、许多谎言和弄虚作假的事情,但是随着年岁的增长,我越来越懂得实际上是没有谎言的。现实中没有的事情晚上会在梦中遇见。这个人遇到的事,也许另一个人不会遇到;今天不遇到,也许明天遇到;如果来年不遇到,也许过了一世纪会遇到。这有什么区别呢?我常常听到一些故事,我会说:"这种事情是不会发生的。"然而不到一年,我会听到那种事情竟然在某处发生。

从这个地方到那个地方,在陌生的桌子上吃饭,我常常讲些永远不会发生的、不可信的故事:关于魔鬼,魔术师,风车之类。孩子们跟在我后面,叫道:"爷爷,给我们讲个故事。"有时他们指名要我讲一些故事,我尽可能使他们满意。一个胖小子有次对我说:"这就是你以前对我们讲过的故事。"这个小淘气,他说得对。

梦里的事情也是跟以前一样的。我离开弗拉姆波尔已经好多年了,但是我一闭上眼睛,我就到了那儿,你想我看见谁了?埃尔卡。她站在洗衣盆旁边,像我们初次见面时一样。但是她容光焕发,她那双眼睛像圣徒的眼睛一样神采奕奕。她对我说些稀奇古怪的话,讲些奇异的事情。我一醒过来,就完全忘记了。但是只要梦不断做下去,我就感到安慰,她回答我全部疑问,她的话结果都是对的。我哭着恳求她:"让我和你在一起。"她安慰我,告诉我要忍耐。这日子不会太远了。有时她抚摩我,吻我,贴着我的脸哭泣。当我醒来时,我还感觉到她的嘴唇,尝到她的眼泪的

258

青少年文学读本

---

① 门柱圣卷(Mezuzah):一块长方的小羊皮卷,一面记有《圣经·旧约·申命记》第九章四至九句和第十一章十三至二十一句,另一面写着上帝名字,纸卷盛在小匣内,挂于门桩上,作为一种避祸的辟邪物。犹太教徒进出大门时,用右手手指按一按圣卷,然后吻一吻手指。

盐味。

　　毫无疑问,这世界完全是一个幻想的世界,但是它同真实世界只是咫尺之遥。我躺在我的茅屋里,门口有块搬运尸体的木板。掘墓的犹太人已经准备好铲子,坟墓在等待我,蛆虫肚子饿了;寿衣已准备好了——我放在讨饭袋里,带在身边。另一个要饭的等着继承我的草垫。时间一到,我就会高高兴兴地动身。这将会变成现实,那儿没有任何纠纷,没有嘲弄,没有欺骗。赞美上帝:在那儿,连吉姆佩尔都不会受欺骗。

女歌手约瑟芬或耗子民族①

〔奥地利〕卡夫卡

卡夫卡（1883—1924），奥地利小说家。出生于犹太商人家庭，18岁入布拉格大学学习文学和法律，1904年开始写作，主要作品为四部短篇小说集和三部长篇小说。可惜生前大多未发表，三部长篇也均未写完。卡夫卡是欧洲著名的表现主义作家。作品大都用变形荒诞的形象和象征直觉的手法，表现被充满敌意的社会环境所包围的孤立、绝望的个人。成为席卷欧洲的"现代人的困惑"的集中体现，并在欧洲掀起了一阵又一阵的"卡夫卡热"。其最著名的作品有短篇小说《地洞》(1923)，《变形记》(1912)，长篇小说《城堡》、《审判》等。

我们的女歌手名叫约瑟芬。谁没有听过她的歌唱，谁便不会获得歌唱的魅力。谁都会被她的歌唱迷住，这一点，由于我们这一代什么音乐都不喜爱，因此格外值得赞誉。我们最喜爱的音乐，即宁静平和；我们的生活艰难，即使我们设法摆脱了日常生活的忧烦，我们也不可能使自己攀登如同音乐般的境地，这种境地距离我们往常的生活太远。但是我们不会因此而大发怨言；我们

---

① 这篇小说写于1924年3月，是卡夫卡最后一个作品，1924年4月20日首次发表在《布拉格新闻》"复活节附刊"上，同年收在《饥饿艺术家》短篇小说集中。

从未到过这种地步;我们认为自己最大的优点是某种务实的精明态度,这自然也是我们极须的态度,我们不论遇到什么事,都惯于以精明的一笑来安慰自己,即使我们有朝一日理应要求得到来自音乐的幸福的时候,只是我们还从未有过这种要求。惟独约瑟芬是个例外,她热爱音乐,并且懂得怎样传播音乐;她是惟一的一个;如果她死了,音乐也会随之从我们的生活中消失,谁知道会消失多长时间。

我时常回顾并思索,这种音乐究竟是怎么回事。我们毫无音乐才能;我们理解了,或者至少自以为(因为约瑟芬否认我们有理解能力)理解了约瑟芬的歌唱,这又是怎么回事呢? 最简单的回答也许是:她的歌唱实在太美了,就连最迟钝的感官也不会拒却。不过这种回答不能让大家满意。假如果真如此的话,那么,大家一听到她的歌唱,就会立即觉得不同凡响,而且始终会有这样的感觉,仿佛从她的喉咙里发出的声音是我们从未听到过的,甚至是我们没有能力听到的,而惟有这个约瑟芬才能使我们听到,别个谁都没有这种能耐。然而依我看,情况恰恰不是这样,我没有这种感觉,也没有察觉到别个有类似的感觉。在知己者的圈子里,我们相互坦白地承认,就歌唱而言,约瑟芬的歌唱毫无不同凡响的特点。

这究竟是不是歌唱呢? 虽然我们没有音乐才能,我们却有歌咏的传统;在我们这个民族的古代就有歌唱;传说里讲到,甚至歌曲还保存了下来,今天自然不再有谁会唱了。所以说,究竟什么是唱歌,我们毕竟略知一二,可是约瑟芬的唱歌实在不符合我们的这种约略的了解。那么,她真的在唱歌吗? 会不会只是在吹口哨? 吹口哨我们大家当然都熟悉,这是我们民族固有的艺术本领,或者更确切地说,根本不是本领,而是一种有特色的生活表现形式。我们大家都会吹口哨,自然谁也不会想到把它当做艺术来表现,我们吹口哨时,并不注意到这一点,甚至没有觉察到这一点,许多同胞根本不知道吹口哨是我们这个民族的特征。假如约瑟芬当真不是歌唱,而只不过是吹口哨,也许,至少在我看来,她没有越出一般吹口哨的范围——她也许连通常吹口哨的气力都没有，相反，一个挖土工倒能一边干活，一边轻松自如地吹上一整天——假如当真如此，那末，约瑟芬的所谓艺术家的身份虽说要被取消，然而，这样才有理由去解开她为什么会具有巨大影响这个谜。

可是，她发出的声音又不仅仅是吹口哨。倘使你站在离她很远的地方侧耳倾听，或者最好是你有意识地去测试一下自己在这方面的判断力，比如让约瑟芬杂在别个中间唱几句，由你去辨别出她的声音来，这时你能听出来的，肯定只是一种平平常常的口哨声，至多由于纤细或柔弱而稍显突出罢了。但是，你若站在她面前，你就会感到她不只是在吹口哨了；总之，要了解她的艺术，不仅要听她唱，而且还要看她唱。即便这只是我们日常的吹口哨，那么，她的不同寻常之处就在于：她郑重其事地去做的却无非是一件最普通的事情。敲开一个核桃确乎不是艺术，因此也没有哪个敢于召集观众，在他们面前敲核桃来娱乐他们。如果有谁居然这么做了，而且如愿以偿，那么这就不仅仅是单纯地敲核桃了。就算是敲核桃吧，可结果却会证明我们忽视了这种艺术，因为我们谁都会敲核桃，同时还证明，正是这位敲核桃的新手第一次使我们看到了敲核桃的真正诀窍，假如他敲核桃甚至不如我们中的大多数熟练，那效果反倒会更好呢。

或许这与约瑟芬的唱歌类似；同样的特长，在她身上我们就欣赏，若是在我们自己身上，我们是不会去欣赏的；在这一点上，她跟我们的意见完全一致。有一次正巧我在场，不知哪个提醒她——这自然是经常会有的事情——注意全民族都在吹口哨，尽管他话说得很婉转，但对约瑟芬来说这已经太过分了。她当时露出的那样狂妄自大的冷笑，是我以前从未见过的；本来分外娇柔的她，即使在我们这个不乏这类女性的民族里，也算得上是突出的，但是在当时却显得格外卑劣；顺便提一下，她自己也非常敏感地立即觉察到了，便连忙加以克制。总而言之，她矢口否认自己的艺术同吹口哨有任何瓜葛。对于持相反意见的人，她嗤之以鼻,还可能怀恨在心。这不是一般的虚荣心,因为反对她的一派(我也一半属于这一派),钦佩她的程度肯定不下于多数群众,但是约瑟芬不仅仅要大家钦佩,而是要大家严格按照她规定的方式钦佩她,对她来说,单单钦佩是一钱不值的。总之,如果你坐在她面前,就会理解她;只有在你远离她的时候,才会反对她;当你坐在她面前时,你便懂得:她在这儿发出的口哨声并不是吹口哨。

由于吹口哨纯属我们不假思索的习惯,你也许会认为,约瑟芬的听众里也会有哪个吹起口哨来;她的艺术使我们快活,而当我们快活的时候就会吹口哨;但她的听众从不吹口哨,而是像耗子一般悄然无声,仿佛我们得到了盼望已久的、至少由于我们自己吹口哨而无法得到的宁静平和,我们沉默着。使我们销魂的,是她的歌唱呢,还是她那细弱的小嗓子周围的肃穆的宁静呢?有一次发生过这么一件事:正当约瑟芬歌唱的时候,有个傻女孩也天真烂漫地吹起了口哨。而这与我们听到的约瑟芬的歌声竟然一模一样;前面是虽然熟练却仍旧怯生生的口哨声,听众中则是那个不由自主的孩子的口哨声;要把两者加以区别,简直是不可能的;不过我们立即向这个小捣蛋发出一片嘘声和嗯哨声,她便不再出声了,尽管根本不必这样做,因为当约瑟芬洋洋得意地吹起口哨,忘乎所以地张开双臂,把脖子伸得长得不能再长的时候,这个小女孩自会又羞又怕地住声的。

她一贯如此,每件小事,每件意外的事情,每样别扭事,比如正厅前排嘎吱一声响,咬一下牙齿,灯光晃了一下眼睛,她都认为恰好能提高她演唱的效果,她认为自己是在唱给聋子听呢;尽管听众并不缺乏热情,鼓掌喝彩,可她认为,她早就不指望会有什么知音了。她觉得有种种干扰反倒更好;稍作斗争,甚至不必斗争,仅仅用对阵就能战胜外来的、与她的歌唱的纯洁性相对立的种种干扰,这有助于唤醒大众,虽然不能教会他们理解,却也能使他们学会肃然起敬。

小事尚且能给她如此的帮助,大事就更不用说了。我们的生活很不平静,每天都带来惊异和忧虑,希望和恐惧,谁个若不能日日夜夜得到同伴的支持,他便不可能承受这一切;即使得到支持也常常相当艰难;有时原来该由一个去承担的重负,甚至能把成千分担者的肩膀压得颤颤巍巍的。这时,约瑟芬认为她的良机到了。她早已站在这里,这个纤弱的家伙,胸脯以下抖动得尤其厉害,令人不禁要为她担心,仿佛她在使出浑身的劲来歌唱,仿佛她把不直接有助于歌唱的一切,把每一份力,几乎把点滴的生机都使了出来,仿佛她被榨干了,被抛弃了,惟有善良的神灵保护着她,当她如此付出整个身心,忘情地歌唱时,仿佛一丝冷风吹过就能使她一命归天似的。但是,在目睹此情此景的时候,我们这些所谓的反对派却习惯于对自己说:"她连吹口哨都不会呢;她得费这么大的劲儿,却不是为了歌唱——我们说的不是歌唱——而是为了吹出几声个个都会吹的口哨声来。"在我们看来就是这样,然而,如上所说,这是一种虽说不可避免、但又转瞬即逝的印象。我们很快也就淹没在大众的热情里了,他们身子挨着身子,暖乎乎地挤在一起,屏息谛听。

我们这个民族几乎总是在忙碌活动,经常目的不很明确地到处奔波。要把他们聚集到自己周围来,约瑟芬多半只有一个办法,那就是后仰着小脑袋,半张着嘴巴,眼睛向上瞧,摆出一副即将歌唱的姿势。她随时随地都可以这样做,不一定要在让别人老远就看得见的地方,任何一个偏僻的、一时高兴选中的角落都行。她要歌唱的消息马上就会传开去,大家立刻蜂拥而至。但有时也会发生故障,约瑟芬最喜欢在激动不安的时候歌唱,那时,多种麻烦和困难的事情正好迫使我们到处奔波,即使大家都非常愿意去听,那也不能像约瑟芬所希望的那样迅速集合,于是,她站在那儿摆足功架,但过了好久,听众却寥寥无几——她自然会大发脾气了,使劲跺脚,破口大骂,完全不像个少女,她甚至还咬牙。即使这样的行径也无损于她的名声;大家非但丝毫不遏制她的过分要求,反而极力迎合她;派信差去召集听众这可是瞒着她干的;然后就可以看到,在周围各条路上布置了岗哨,向来者示意,让他们加快步子;这一切不断进行着,直到最后凑齐了相当数量的听众。

究竟是什么促使这个民族为约瑟芬这样卖力呢？比起关于约瑟芬究竟算不算在歌唱那个问题来，这个问题不见得容易回答，而且这两个问题是密切相关的。假如断言这个民族正是由于约瑟芬的歌唱才无条件地顺从她，那就可以取消这个问题，把它跟第二个问题合并。但情况恰恰不是这样，我们这个民族几乎不懂得什么叫无条件的顺从；这个民族喜欢遇事就耍点无恶意的小聪明，稚气十足地嘁嘁喳喳，扯些算不得罪过的闲话，活动活动嘴皮子，这样一个民族无论如何不会无条件地顺从的，约瑟芬恐怕也感觉到了这一点，她竭力拔高她那小嗓门与之作斗争。

这种泛泛而论自然得有个限度，这个民族还是顺从约瑟芬的，只不过不是无条件罢了。比如他们没有能力嘲笑约瑟芬。大家可以承认：约瑟芬身上有若干可笑之处；而笑本来一向与我们有缘；尽管我们生活中有种种不幸，但我们在某种程度上始终善于微微一笑；但是我们不嘲笑约瑟芬。我常常有这样的印象，这个民族是这样理解他们与约瑟芬的关系的：这个小东西，脆弱，需要爱护，在某些方面是出类拔萃的，按照她本人的意见是由于她的歌唱而出类拔萃，她是托付给这个民族照管的，因此必须好好照顾她；至于原因是什么，谁也不清楚，但实际情况看来就是如此。既然受托照顾她，就不能嘲笑她；若是嘲笑她，就是辜负信托，亵渎义务；我们中间最恶的会说："看见约瑟芬就笑不起来了。"这可算作对约瑟芬的最大的恶意了。

总而言之，这个民族照顾约瑟芬，就像父亲照顾孩子，孩子向父亲伸出小手——谁也说不清，这是请求呢还是要求。也会有这样的意见，认为我们这个民族没有能耐尽这种父亲的义务，但实际上他尽着这些义务，至少在照顾约瑟芬上堪称楷模；在这方面，作为整体的民族所能做到的，是任何个体所做不到的。民族与个体之间力量的差别自然是巨大的，这个民族有足够的力量把被保护者拉到自己身边来温暖她，而她也可以受到充分的保护。当然大家不敢对约瑟芬讲这些事情。"谁要你们的保护，"她会说。"对，对，你不在乎。"我们心里这样想。此外，当她违抗时，实际上也不是真正的违抗，而只是一派孩子气和孩子式的感谢罢了，而父亲的态度是随她去。

随之而来的还有另一个问题，它更难由这个民族同约瑟芬的关系来作解释。那就是约瑟芬的想法恰恰相反，她认为是她在保护这个民族。也即她的歌唱能把我们从政治的或经济的逆境里解救出来，它的作用就在于此，她的歌唱即使不能除灾，那至少也能给我们力量去承受不幸。她并没有这样讲出来，也没有换成别的说法讲出来，她一般很少说话，在喋喋不休的一群当中，她是沉默寡言的，但是她的闪烁的目光却表达了出来，从她紧闭的嘴上——我们这儿很少能有闭嘴缄默的，她却可以——可以知道她的那种想法。每当坏消息传来时（在有些日子里，这种消息接二连三传来，还搀杂着假的和半真半假的），她会立刻挺身而出，而往常她总是无精打采地几乎站不起来；这时她挺直身子，伸长脖子，想要像牧羊人在暴风雨将临前察看羊群似的，把她的同类全收眼底。诚然，孩子们也会以他们那种没教养的野劲提出类似的挑战，但是约瑟芬这样做时不像孩子们那么没有道理。自然啰，她拯救不了我们，也给不了我们力量，装扮成这个民族的救星是轻而易举的，因为这个民族吃惯了苦，毫不顾惜自己，当机立断，视死如归，只是由于长期生活在好勇斗狠的气氛中，只是表面上显得怯懦罢了，此外，这个民族既繁殖力强而又大胆——我是说，事后装扮成这个民族的救星是轻而易举的，这个民族始终还在设法自救，尽管要作出牺牲，牺牲之大，是历史学家也触目惊心的——而我们一般说来是完全忽视历史研究的。然而我们恰恰在危急时刻会比平时更加专心地倾听约瑟芬的声音，这也是事实。即将临头的威胁使我们变得更安静，更谦恭，更顺从约瑟芬的指挥；我们乐意聚集在一起，挤作一堆，特别是因为促使我们这样做的机缘与折磨着我们的大事完全无关；仿佛我们是在战斗前夕匆匆共饮一杯和平酒——是的，必须抓紧时间，可惜约瑟芬经常忘记这一点。这不太像歌唱演出，而像一次民众聚会，虽说在这个集会上，除了前面轻轻的口哨声之外，四下里一片沉寂；这一

青少年文学读本

时刻实在太严肃,谁也不想再嚼舌了。

当然,这样一种关系决不会使约瑟芬满意的。她的地位从未明确过,因此她总是神经质地感到不快,尽管如此,她却因为受自信心的迷惑而看不到某些事情,而且不必费大劲就能使她忽视更多的事情;总有一群谄媚者在活动,并起到了这种作用,而且是有效的作用——但是仅仅让她在一个群众集会的角落里歌唱,可有可无,不受重视,尽管这并不算贬低她,她肯定也不会甘心把自己的歌唱奉献出来的。

但是她也不必如此,因为她的艺术并非不受重视。尽管我们牵挂着完全不同的事情,场内的寂静也根本不是单单为了听歌唱,有的根本不抬头,而是把脸埋进旁边那个的毛皮里,看来约瑟芬在台上是白费力气了,然而——不可否认——她的口哨声却不可避免地多多少少灌进了我们的耳朵。这口哨声响起时,所有其他的人都沉默无言,于是,它就像全民族向每个成员发出的信息;约瑟芬尖细的口哨声周围是正在作困难的决断的我们,这如同我们这个可怜的民族生存在充满敌意的世界的混乱之中似的。尽管约瑟芬坚持着,这声音微不足道,这歌唱毫无成就,但她仍坚持着,并且传到了我们的耳边,这也许是值得回想的。在这种时候,如果有一个真正的歌唱艺术家出现在我们中间的话,我们肯定是不能容忍的,我们会一致认为在这种时候表演简直是乱弹琴,并加以拒绝。但愿约瑟芬没有认识到,我们愿意听她唱歌这一事实,证明她的歌唱并非歌唱。她大概是通过直觉感到了这一点,否则她又为什么极力否认我们是在听她歌唱呢?但她又一再地歌唱,不理会这种直觉。

不过,她总还可以聊以自慰的是,我们确实在某种程度上是在听她歌唱,可能类似于听一位歌唱艺术家的演唱;约瑟芬达到了一个歌唱艺术家在我们这里费尽力气也达不到的效果,这些效果又偏偏产生于她的功夫欠缺的技巧。这恐怕主要与我们的生活方式有关。

我们这个民族的成员没有青年时代,也几乎没有童年时代。

虽然一再提出这样的要求：应当保证让孩子们得到特殊的自由，特殊的爱护，让他们有权利稍微自在些，稍微胡闹几下，多少玩一玩，应当承认孩子们有这些权利，并且帮助实现这些权利；这些要求提出来了，几乎个个都赞成，没有比这些要求更应该得到赞成的了，但是在我们的现实生活里，没有比这些要求更不能兑现的了，大家赞成这些要求，尽力满足这些要求，但随即又一如往昔。我们的生活就是这样，一个孩子刚会跑几步，刚能稍稍辨别四周环境，就得像成年者那样照料自己；我们出于经济上的考虑而分散居住的地区过于辽阔，我们的敌人过多，危机四伏，防不胜防——我们无法使孩子们逃避生存竞争，不然他们就会过早被淘汰而夭折。在这个可悲的原因之外，自然还有另一个重要的原因：我们这个族类繁殖力非常强，每一代都不计其数，一代排挤一代，儿童没有时间当儿童。在其他民族里，儿童会受到尽心的照料，会替儿童办起学校，儿童们，民族的未来，天天从学校里蜂拥而出，然而，在较长的一段时间内，天天从学校里蜂拥而出的，始终是同一批儿童。我们没有学校，每隔极短的时间，便从我们的民族中涌现出大群的儿童，简直数不清。他们还不会吹口哨的时候，便快活地发出哑哑细声；他们还不会跑的时候，便打滚，挤来挤去滚个不停；他们还看不见的时候，便合伙笨拙地把一切都拽走，我们的儿童啊！不像在那些学校里，总是同一批儿童，不，我们的儿童一而再、再而三地更新，没完没了，没有间断，一个孩子刚出世，他便不再是孩子了，在他的后面已经有新的孩子的脸，数目众多，匆匆出世，欢欢喜喜，红通通的，难以分辨。尽管这是好事，尽管别的族类因此而妒忌我们，我们就是无法给孩子们一个真正的童年。这自有其后果。我们这个民族渗透着某种扑不灭也除不掉的孩子气；这同我们最大的优点——可靠的讲究实际的思维方式，恰恰是矛盾的，有时我们的行为愚蠢到极点，跟孩子干傻事一模一样，没有意义、浪费、慷慨、轻率，而所有这些行径常常是为了开一个小小的玩笑。我们因此而得到的乐趣自然及不上孩子的乐趣，但其中必定还有那么一点成分。约瑟芬向来从我们

268

青少年文学读本

民族的这股孩子气中得到好处,占了便宜。

然而,我们的民族不仅有孩子气,它在某种程度上还未老先衰。童年与老年的概念在我们这儿与在其他民族那儿不一样。我们没有青年时期,我们一下子就变为成年,而成年阶段又太长,因此某种厌倦和失望的心情又在我们这个民族的从整个来说是如此坚强和充满希望的性格中留下了不小的痕迹。我们缺乏音乐才能或许与此有关;我们太老成,搞不了音乐,音乐的激情与亢奋,与我们的艰难不合拍,我们疲惫不堪地拒绝音乐;我们退而吹口哨,偶尔吹几声口哨,我们就心满意足了。我们中间有没有音乐天才,谁也说不准,但是即使有的话,想必也早在他们的才能得到发展之前,就被我们这种性格的同胞扼杀了。相反,约瑟芬却可以随心所欲地吹口哨或者唱歌,随她怎么说都行;她吹口哨并不打扰我们,而且正适合我们,我们完全能受得了;要是其中包含了点儿音乐成分的话,那也是微乎其微的;这保持了某种音乐传统,但是丝毫也没有加重我们的负担。

但是,约瑟给这个如此情绪的民族带来的不只是这些。在她的音乐会上,特别是形势严重的时候,只有那些小伙子才对这位女歌手感兴趣,只有他们惊奇地瞪眼瞧着她怎样噘起嘴唇,从小牙齿缝里吹出气来,欣赏着她自己发出的声音,又轻下来,并且利用放低声音重新把她那愈来愈费解的演唱推向新的高潮,可是,大部分听众只顾自己沉思,这是一目了然的。这个民族在斗争的间歇里做着梦,仿佛各自的四肢都松开了,仿佛不得安宁者终于可以舒舒服服地躺在这个民族的温暖的大床上摊开手脚伸展一下身子了。约瑟芬的口哨声进入这个或那个的梦乡;她称之为珠落玉盘,我们则称之为声如裂帛;但是无论如何此时此地这声音可谓恰到好处,而在其余的场合就不成,一如音乐就几乎从未有过这份机缘。她的口哨声里含有一些我们短暂而惨淡的童年情景,含有一去不复返的幸福,但也反映出一些日常的现实生活,含有生活中小小的、不可理解的、又确实存在并且不可抑制的欢欣。这一切不是以洪亮的声调,而是以轻柔的、耳语般的、亲切的、有时有点沙哑的声音表达出来的。这自然是吹口哨。怎么会不是呢？吹口哨是我们民族的语言，只不过有些同胞终生吹口哨而不知道这一点，但在这里吹口哨却摆脱了日常生活的桎梏，并且也使我们得到了短暂的解脱。诚然，我们不想错过这样的演出。

但是，这同约瑟芬所断言的她在这样的时刻给了我们新的力量云云，却有很大的距离。当然这是对一般公众而言，对约瑟芬的诌媚者来说又当别论。"怎么会不是这样呢，"——他们厚颜无耻地说——"对于听众云集的现象，尤其在危机临头时听众云集的现象，还能作别的解释吗？这种情形有时候甚至妨碍了采取充分而及时的措施来防备危机。"最后这句话不幸倒是说对了，然而并不能给约瑟芬增添光彩，更不用说再补充这样一个情况，即这些集会突然遭到敌人的冲击，我们的若干同胞不得不因此而丧命，那么，应负完全责任的便是约瑟芬，甚而至于很可能就是她的口哨声把敌人招引来的，可是她却始终待在最安全的地方，并且由她的追随者保护着，头一个悄悄地迅速溜走了。这一点本来是众所周知的，然而当约瑟芬下一次任其所好在某时某地演唱，大家照旧匆匆赶去。可以这样说，约瑟芬几乎是不受法律管束的，她可以为所欲为，即使让全民族遭殃，她也会得到宽恕的。假如是这样的话，那么约瑟芬的要求也就完全可以理解了，是的，从这个民族给予她的这种自由中，从这种特殊的、除她而外谁都得不到的、完全违背法律的馈赠中，在某种程度上可以看出，如约瑟芬所说，这个民族并不了解她，而是无能地对她的艺术表示惊异，感到自己不配欣赏，并给约瑟芬造成了痛苦，于是他们便企图以一种近乎绝望的努力来补偿她的这种痛苦，而且正如她的艺术超出了他们的理解能力那样，他们也把约瑟芬和她的愿望都置于他们的管辖之外。然而，这是完全的错误的做法，也许这个民族的个别成员会轻易地拜倒在约瑟芬脚下，但是整个民族是不会无条件地向谁投降的，他同样也不会拜倒在她的脚下的。

很久以来，大概从她开始艺术生涯的那天起，约瑟芬就力争

270

青少年文学读本

要大家照顾她，让她歌唱，免去她的任何工作；就是说让她不必去为每天的面包操心，也不必去参加与我们的生活竞争有关的一切活动，而这些想来应该交给整个民族去负担。一个轻信者——也确有这种轻信者——单单根据这种要求的特殊，根据能够想出这种要求的精神状态，就会得出结论说，这种要求有其内在的合理性。我们的民族却得出了不同的结论，并且心平气和地拒绝了她的要求。他们也并不费力去反驳她列举的理由。比如说，约瑟芬提出，紧张的劳动有害于她的嗓子，虽说劳动时花的力气比歌唱时花的力气小多了，但毕竟会使她在演唱之后得不到充分休息的机会，为下一次演唱养精蓄锐，她歌唱时必须竭尽全力，可是在还需劳动的情况下，她即使尽力也从未达到她的最佳状态。公众听她争辩，权当耳旁风。这个很容易受感动的民族有时候也会无动于衷的。他们有时会斩钉截铁地拒绝，连约瑟芬都大吃一惊，于是她装作服从，乖乖地干她那份活儿，尽其所能地唱好歌，但这只不过是片刻工夫，接着她又抖擞起精神重新投入战斗了——看来她在这方面有着无穷的力量呢。

现在清楚了，约瑟芬力争的并不是她嘴上所说的要求。她很明智，她不怕干活，逃避劳动在我们这儿是不曾听说过的，即使批准了她的要求，她肯定也不会过一种不同于以前的生活，劳动一点也不妨碍她的歌唱，她的歌唱当然也不会变得更美。她所力争的，只是要大家公开地、明确地、永久地、打破一切先例地承认她的艺术。尽管她几乎在任何事情上都能达到目的，可是这件事她始终办不到。或许她从一开始就应该把进攻的目标指向另一个方向，或许她现在已经明白了自己的失策，但她现在无法回头了，退却意味着背叛自己，她必须坚持要求，否则就得垮台。

倘若如她所说的那样，她确有敌人的话，那么，她的敌人满可以幸灾乐祸地袖手旁观这场斗争，无须自己动手。但事实上她并没有敌人，即使有谁在某些场合指责她，这种斗争也不会使任何一个感到高兴的。那原因是，这个民族在这样的场合会表现出一种严峻的法官似的姿态，这平常在我们这儿是极其罕见的。尽管你可以赞成在这种场合下采取这种态度，可是当你想到，有朝一日这个民族也会对你自己采取类似的态度时，你就丝毫不会感到高兴。无论是这个民族的拒绝，还是约瑟芬的要求，问题都不在于事情本身，而在这个民族竟能以这样一副铁石心肠来对待一位同胞，而以往这个民族却是慈父般地，甚至是慈父所不及地，简直是低声下气地关怀这位同胞，相形之下，就显得更加无情了。

在这个问题上，假如整个民族换成某个成员的话，那就可以设想，这个个别成员会一直对约瑟芬提出的一个接一个逼人的要求作出让步，直到最后结束这种让步为止；他作出了过多的让步，同时却坚信让步总会有个真正的限度；更何况，他之所以作出不必要的让步，只是为了加快事情的进程，只是为了纵容约瑟芬，促使她得寸进尺，提出越来越多的新的要求，直到她真的提出了这最后的要求；这时他自然一劳永逸地一口拒绝了，因为他早已准备好了。然而，实际情况完全不是这样，这个民族不需要耍这种手腕，此外，他对约瑟芬的尊敬是发自内心的，是经受了考验的，何况约瑟芬的要求的确过高，每个天真的孩子都能告诉她会有怎样的结果；尽管如此，约瑟芬对这件事的看法还是包含了那种揣测，即这个民族在耍手腕，因此她在遭到拒绝的痛苦之上又加上了一层怨恨。

青少年文学读本

即使她这样揣测，她却并不因此而害怕斗争。最近斗争甚至还加剧了；迄今为止，她只是进行舌战，而现在她开始采取别的手段了，她认为这样更有效，我们却认为这对她自己会更危险。

有些同胞认为，约瑟芬之所以变得这样急不可耐，是因为她感到自己正在衰老，声音不行了，因此在她看来，现在是为得到承认而进行最后斗争的关键时刻了。我可不相信。如果真是这样，约瑟芬就不成其为约瑟芬了。对她来说，不存在什么衰老的问题，她的声音也不会不行。如果她提出什么要求的话，那并非由于外部原因，而是出于内在逻辑。她要争得放在最高处的桂冠，决不是因为这桂冠眼下恰巧挂得低了一点儿，而是因为它确实挂在最高处；倘若她有这样的权力，她还会把它挂得更高些。

对外界困难的蔑视当然并不妨碍她使用最卑劣的手段。在她心目中,她的权力是不容置疑的;至于她的权力是怎样得来的,那又有什么关系呢! 尤其是在她眼里的这个世界上,采取体面老实的办法偏偏行不通。大概由于这个原因,她甚至把争取权力的斗争从歌唱方面转移到另一个对她说来不太重要的领域。她的追随者们将她的话到处散播,据说她自认为完全有能耐,能凭她的歌唱使这个民族的各个阶层,直至隐蔽得最深的反对派,都感到真正的乐趣;不过这不是指这个民族所认为的真正的乐趣(因为他断言,他向来从约瑟芬的歌唱中感受到了这种乐趣),而是指约瑟芬所要求的那种乐趣。不过她还说,她不能假充高尚,也不能迎合低级趣味,所以她只能原来怎么唱就怎么唱。至于她为摆脱劳动而进行的斗争,那又是另一回事了,虽然这一斗争也是为了歌唱,但是她没有直接用歌唱这个珍贵的武器去进行这一斗争,因此,凡是她所使用的手段都是十分有效的。

比如流传着这样的谣言:如果不对约瑟芬让步的话,她就要减少唱装饰音。我对装饰音一窍不通,在她的歌声中也从未听出过有什么装饰音。约瑟芬却要减少装饰音,暂时不完全去掉,只是减少而已。据说她已经实际进行这种威胁了,我可是听不出她现在的演唱同她从前的演唱有什么区别。整个民族也一如既往地倾听着,并没有对装饰音发表任何意见,也没有改变他们对约瑟芬的要求所持的态度。此外不可否认,约瑟芬的想法犹如她的形体,有时也有些颇为不俗之处。比如她在那次演出之后宣布,下次她将重新加上所有的装饰音,仿佛她先前关于装饰音的决定对于公众来说是过于严厉或者过于突然了。但是,下一次演唱会后,她又改变了主意,终于决心再也不唱了不起的装饰音了,除非大家作出一个有利于她的决定,否则她决不再唱。而这个民族呢,把所有这些声明、决定、改口都当做耳旁风,犹如一个陷入沉思的成年人不理睬一个小孩的饶舌,尽管态度和蔼,但孩子的话一句也进不到他的耳朵里去。

约瑟芬却不肯罢休。比如她不久前又声称,在干活时碰伤了脚,站着歌唱有困难;可是因为她只会站着唱,所以现在只好缩短演唱时间。尽管她一瘸一拐,让她的追随者搀扶着,却谁也不相信她真的受了伤。甚至她的身体的特别的敏感,也表明,我们是个劳动的民族,约瑟芬也是我们这个民族的一员。要是我们擦破点皮就要一瘸一拐,那么整个民族就会没完没了地瘸着走道了。尽管她像个跛子似的让人扶着,尽管她比以前更经常地以这副可怜相露面,这个民族仍旧感激地听她唱,一如既往地兴高采烈,并不因为缩短时间而大惊小怪。

她不能老是瘸着腿,于是又想出别的点子来了,她借口累了,心情不好,身子虚弱。这下我们除听音乐外还能看演戏了。我们看到约瑟芬背后的追随者们怎样央求她,请她唱。而她也很愿意唱,但又唱不了。他们安慰她,拍她的马屁,几乎把她抬到事先找好的演唱地点。最后,她莫名其妙地流着眼泪总算让步了,可是正当她想要凭着显然是最后的毅力开始唱时,她显出一副弱不禁风的样子,两条胳膊不像往常那样前伸,而是有气无力地垂在身边,使人感到好像短了一截似的——正当她想要开始唱的时候,却又不行了,恼怒地一扭头,就瘫倒在我们眼前了。不过她又挣扎着站了起来,唱了,在我听来与以前没有很大不同;听觉灵敏,能分辨出细微差异的,也许会从中听出一点儿不寻常的激情来,这当然是件好事。唱到最后她甚至不像开始那样疲倦了,她迈着矫健的步子退场了,如果可以这样形容她那一溜烟的小跑的话,她不要追随者的任何帮助,用冷冷的目光扫视着那些毕恭毕敬地给她让路的群众。

那都是过去的事了,可是最近的一次,该她登台演唱的时候,她却失踪了。不仅她的追随者在找她,许多同胞都投入了寻找工作,但纯属徒劳;约瑟芬失踪了,她不愿意唱,她再也不愿意人家请求她唱,她这次是彻底离弃我们了。

真奇怪,她怎么会打错算盘,这个精明的家伙,竟会如此失策,甚至让大家觉得,她根本就没有打过什么算盘,只不过是在听凭命运的摆布,而在我们的世界里,她的命运要算是非常悲惨的命运了。她自动放弃歌唱，自动破坏了她征服民心而到手的权力。真不知她怎么会获得这种权力的，其实她很少了解民心。现在她躲起来了，不再唱了，而这个民族却那么平静，看不出任何失望的表情，镇定自若，真是四平八稳的群众，尽管外表给人以假象，实际上他们天生只知道馈赠，从来不会接受馈赠的，哪怕是约瑟芬的馈赠；这个民族在继续走他的路。

约瑟芬可不得不走下坡路了。离她吹出最后一声口哨，然后变得无声无闻的日子已经相去不远了。在我们这个民族的永恒的历史中，她不过是一段小小的插曲而已，而这个民族终将弥补这个损失。对于我们来说，这将不是件容易事；集会怎么会变得鸦雀无声的呢？自然啰，约瑟芬在时，集会不也是静悄悄的吗？难道她的真实的口哨声要比回忆中的更响亮、更生动吗？难道她在世时的口哨声当真强似回忆中的口哨声吗？难道不是这个民族以其聪明智慧把约瑟芬的歌唱抬得这样高吗？而那原因正是由于这种歌唱是不可缺少的。

我们也许根本不会失去很多东西，约瑟芬倒是会幸运地消失在我们这个民族无数英雄的行列里，摆脱了尘世的烦恼，而按照她的看法，凡是出类拔萃者都得经受这种尘世的烦恼；由于我们并不推动历史，因此她不久就将像她所有的兄弟一样，升华解脱，并被遗忘。

巴比图书馆①

〔阿根廷〕博尔赫斯

博尔赫斯(1899—1986),阿根廷诗人,小说家,文学评论家。当过图书馆馆长和家禽检察员。曾十多次被列为诺贝尔文学奖候选人,还获得过数十种国际上有影响的文学奖。主要作品结集有《曲径分岔的花园》、《杜撰集》等,另有诗集《老虎的黄金》等大量作品。博尔赫斯的创作开辟了文学的新型空间,被誉为20世纪具有划时代意义的作家,有"作家中的作家"之称。

> 靠着这种艺术,你就能看懂二十三种不同的文字……
> ——《忧郁的分析》,第二部,第二节,第四段②

　　宇宙(别的人把它叫做图书馆)是由一个数目不明确的,也许是无限数的六面体回廊所构成,中央有宽大的通风井,环绕着极为低矮的栏杆。从任何哪一层的六面体,都能看见下面和上面的各层,没有止境。回廊的布置是一成不变的。二十只长书架,每边五只,排满四边,留下两边空着。它的高度与每一层的高度相等,刚刚超过一个普通图书馆员的身长。空着的两边中,有一边

---

① 《圣经》上写到有许多不同语言的人曾修筑一座摩天高塔,叫巴别塔。
② 英国作家罗勃脱·勃顿(1577—1640)的著作。

是一个狭窄的门道，通向另一个回廊，其模样跟第一个回廊和所有的回廊都相同。门道的左右两旁，有两间很小的房间。一间可供站着睡觉，另一间则供排泄的需要。从这里，通向一道盘旋的梯子，往下，达到无底的深渊，往上，升到遥远的高处。门道里有一面镜子，忠实地重复着映照的事物。人们总是根据这面镜子，说这个图书馆不是无限的。（如果真是这样的话，为什么会有这重复的映象呢？）我则宁愿做梦，梦中一切光亮的表面都能反照，从而达到了无限……光线来自一些球形的果子，名字叫做灯。每一层六面体内有两只，横排。它们发出的光不充分，然而也不中断。

　　我跟这个图书馆里所有的人一样，年轻的时候浪迹四方。我到处漫游，为的是寻求一本书，也许是一本目录的目录。现在我的眼睛几乎认不出我自己写下的字，我准备在离开我降生的六面体几里路的地方死去。死了之后，不会没有慈悲的手来把我抛到栏杆之外去。我的坟墓将是无底的空气。我的躯壳深深地坠落下去，被无尽无休的坠落所产生的疾风所腐蚀，所溶化。我证实，这个图书馆是无限的。理想主义者们抗辩说，六面体的大厅是绝对空间的一种必要形式，或者，至少可以说，是我们对于空间的直觉。他们认为，一间三面体的或者五面体的大厅是不可思议的。（那些神秘主义者则声称，他们在心醉神迷的时候，向他们显现了一间圆形的房间，里面有一本书脊连在一起的圆形大书，遍绕着周围的墙壁。但是他们的证言是可疑的，他们的话也是难懂的。这本圆形的循环的书，就是上帝。）现在，我觉得，只要重温一下这个古典的定义就够了：图书馆是一个球体，其完整的中心是一个任意的六面体，其周围则无可企及。

　　每一个六面体的每一边墙，排列着五只书架；每一只书架上插着三十二册开本相同的书；每一本书有四百页；每一页有四十行；每一行大约有八十个黑色的字母。每一本书的书脊上也有字母；这些字母并不指明或者说明书页中的意思。我知道，这样缺乏联系，有时候会显得神秘。在说明解决的办法之前（这个解决办法的发现,尽管带有悲剧性,却也许是这个故事的主要情节),我要回忆一下某些原理。

第一,这个图书馆的存在是 *ab aeterno*[①]。从这条真理,立刻可以得出的结论是:世界的未来是无穷无尽的,任何有理性的头脑不能对此怀疑。人,这个不完整的图书馆员,可能是偶尔造成的,也可能是恶作剧的造物主造成的。而宇宙,以其内涵精美的书架,谜一般的书籍,供巡游者用的无穷尽的楼梯,供闷坐的图书馆员用的厕所,只可能是一个神的产物。为了领会神圣的东西和人间的东西之间存在着的距离,只要把我这虚妄的手在一本书的末尾乱涂的歪扭符号,与书中和谐的字母相比较,就足够了。那些字母准确,精致,乌黑,而且无可比拟的均匀。

第二,拼写和书法的符号,其数目为二十五[②]。由于这个证明,三百年来才有可能形成这个图书馆的总的理论,并且满意地解决了任何揣测所不能解决的一个问题:几乎所有的书籍都是性质混乱而且无形。其中有一本书,那是我父亲在循环号 1594 的一层六面体里看见过的,全部由 *MCV* 三个字母构成,顽固地从第一行一直重复到末一行。另一本(是这个部分经常有人查阅的),则纯粹是字母的迷宫。不过在倒数第二页上,却可以读懂一行字:啊,时间,你的金字塔。这就可以明白,为了得到一句合乎情理的话,或者一个直截了当的注解,需要经过多少无意识的诘屈聱牙,语言上的废话连篇,以及前后不相连贯的文字。(我知道有一个野蛮的地区,那里的图书馆员反对在书籍里面寻找解答这种迷信而徒劳的习惯,把它跟在梦中寻找,或者在复杂的手纹中寻找同样看待……他们承认,发明书写的人模仿了自然的二十五个符号,但是他们坚持,这是出于偶然,书籍本身没有任何意义。这种见解,我们将会看到,并非完全虚假。)

青少年文学读本

---

① 拉丁文:永恒的。

② 此文原来手稿并不包括数字和大写。其标点符号仅限于逗点和句点。这两个符号,加上空格,以及二十二个字母,一共为二十五,正好是这个不知名作者所说的数目。——原注

长久以来，都以为这些无法可读的书籍是用从前的语言或者远方的语言写成。这是真的，最古老的人，开初的图书馆员，他们使用这一种语言，跟我们现在讲的很不相同。这也是真的，向右走几里路，说的话就成了方言；向上走九十层楼，说的话就听不懂了。所有这些，我再说一遍，都是真的，但是四百页都是一成不变的 *MCV*，却并不跟任何语言相符，尽管它可能是一种方言或者原始语言。有人暗示说，每一个字母能够影响后续的字母，第七十一页第三行 MCV 的价值，与另一页另一个地方的另三个字母不一样。但是这种模糊的论点并不能叫人信服。另外有些人想到了密码；这种猜测普遍地被接受，尽管其发明者在写成它时并不会这么想。

五百年以前，有一位上层六面体的主管①，遇到了一本与其他书籍同样难懂的书籍，但是里面几乎有两页是行行相同的句子。他把这个发现给一位流浪的释读专家去看。这个人说是用葡萄牙文写的。另外一些人则对他说是意第绪文。都快要一个世纪了，才算弄清楚，这种文字是瓜拉尼的萨摩亚－立陶宛文，并且带有古典阿拉伯文的变体。它的内容也释读出来了：综合性分析的基本原理，以无限反复的多种例证加以说明。这些例证使一个有才能的图书馆员得以发现这个图书馆的基本规律。这位思想家注意到：所有的书籍，尽管形形色色的都有，却包含着同样的要素：空格，句点，逗点，二十二个字母。他也引证了所有旅行家都证明了的一个事实：在宏大的图书馆里，没有两本相同的书。在这些无可争议的前提之下，他推断说，这个图书馆是完全的，它的书架上收藏着二十多个书写符号的（数目尽管很多，却并不是无限的）全部可能实现的组合，或者全部可能表现的一切，包括所有的语言文字。所谓全部，指的是：将来的详细历史，大天使们的自

中学生卷

---

① 从前，每三个六面体有一个人。自杀和肺病使这样的安排遭到了破坏。我满怀难以名状的忧伤记得，有时候我在这些磨得精光的回廊和楼梯上连走几夜，也没有逢到一个图书馆员。——原注

传，图书馆的准确的目录，上千上千的假目录，对这些目录的虚假证明，对真目录的虚假证明，诺斯替教派的巴西利德福音，对这个福音的注释，对这个福音的注释的注释，对你的死亡的真实记叙，每一本书的所有各种语文的版本，每一本书在所有的书里的审改。

一旦宣布说，这个图书馆收藏着全部的书籍，起初的印象是出奇的幸福。每一个人都觉得自己是一份未触动过的秘密财宝的主人。没有任何个人的或者世界的问题，不存在多种解决办法——在某一个六面体里，宇宙得到了证明；宇宙突然篡夺了希望的无限领域。在那个时候。关于伸冤谈论得很多。出现了辩护和预言的书籍，总是在为宇宙的每一个人的行为辩解，而且为他的未来保留着奇妙的秘密。成千上万贪心的人抛弃了甜蜜的生身的六面体，冲向往上的楼梯，急切的追求使他们能以脱颖而出的虚荣目标。这些追求者在狭窄的回廊里争论不休，互相恶骂，互相在神圣的楼梯上打架，把骗人的书扔进地洞的深处，而自己则被远处地区来的人推进深渊而死。另外有些人则发了疯……伸冤的书确实是存在的（我看见过两本，讲的都是未来的人，也许并非是想象的人），但是那些搜寻者并不记得，一个人要找到他的那一本，或者他的那一本的不忠实异本，其可能性是否接近于零。

青少年文学读本

那时候，人们也在期待着对于人类的根本奥秘，即图书馆的来历和时间的来历作出澄清。可以设想，这种重大的秘密是能够用语言说明的；要是哲学家的语言不够，那么图书馆的多种形状就可以产生合乎要求的前所未闻的语言，以及这种语言的词汇和文法。人们对这些六面体感到厌烦，已经有四个世纪……也有一种官方的搜寻者，叫做查阅人。我曾经看见过他们怎样从事他们的工作：他们总是垂头丧气；他们谈到一道没有梯级的楼梯，几乎把他们摔死；他们谈到有图书馆员的回廊和楼梯；有时候，他们就近抓一本书过来，随意翻翻，寻找下流的话。显然他们谁也不盼望找到什么。

过度的希望,自然而然地产生了极度的失望。肯定在某个六面体的某个书架上,藏着宝贵的书籍,肯定这些宝贵的书籍无法企及,简直使人难以忍受。有一个亵渎神圣的派别跳出来,主张停止探寻,所有的人都来把字母和符号打乱,靠着难以令人相信的偶然才能,构成这些经典书籍。行政当局因此不得不发布了严厉的命令。这个派别消失了,但是在我孩提时代,我还曾经看见过老人们长时间地躲在厕所里,把金属圆片放进被禁止的骰子杯,有气无力地模仿这种神圣的混乱。

另外一些人,则正好相反。他们认为首要的任务是把无用的著作消灭。他们进入六面体,拿出并不总是伪造的委托书,吹毛求疵地翻翻一本书,然后把整个书架宣布为无用。由于他们这种清心寡欲的义愤,数百万册书籍消失不见了。他们的名字受到咒骂,但是那些悲叹被他们的狂暴所毁灭的"珍宝"的人,却忽视了两个尽人皆知的事实。第一,这个图书馆是如此庞大,任何人为的缩减,相比之下都显得极为微小。第二,每一本书都是惟一的,无法递补的,然而(由于图书馆是完全的)总有成百上千的不完整的复本,这些复本,除了一两个字母,或者一两个逗点有出入之外,没有太多的区别。与一般的意见相反,我敢于设想,这些查抄者劫掠的后果被夸大了,是被他们的狂热所引起的恐怖夸大了。是他们想征服粉红色六面体的妄想促使他们这么干的。这个六面体的书籍,开本都一般的小,然而无所不包,配有插图,而且具有魔力。

我们也知道,那个时候还有另一种迷信,就是:书中人。在某个六面体的某个书架上(人们都这样认为),一定存在着一本书,它是其他所有一切书的完整缩本或概要。有一个图书馆员看见过它,说它是一种神的类似物。在这个区域的语言里,仍然存在着崇拜这种遥远功能的痕迹,许多人到处流浪,去寻找"它"。他们徒然地向各种不同的方向走了一个世纪。怎么才能找到藏着它的那个可敬的秘密的六面体呢? 有人提出一种退一步的方法:为了找到甲书,先查阅指明甲书所在地的乙书。为了找到乙书,先查阅丙书。就这样查阅下去，一直到无限……我就是在这样的冒险中浪费和消磨了我的岁月的。我认为，宇宙的某个书架上，未必见得有一本完全的书。① 我祈求我不认识的神，让一个人——即使只有一个人，花几千年！——来把它翻阅一下，读一下。如果荣誉、知识和幸福轮不到我，那就归别的人吧。但愿天堂存在，尽管我的地方是在地狱。但愿我被蔑视，被消灭，然而你的庞大的图书馆要在一瞬间，在一个人的身上，得到证明。

不信神的人断言，在这个图书馆里，胡言乱语是正常的，而合情合理（甚至谦虚和纯粹的连贯性）却几乎是神奇的例外。他们谈论（我知道）"那个狂热的图书馆，它里面的那些惶惑不安的书籍，冒着随时使自己变成别的书籍的意外，肯定一切，否定一切，扰乱一切，就像一个精神错乱的神"。这些话，不仅谴责了混乱，而且是很好的例子，足资证明这些人的低劣趣味，以及无可救药的无知。事实上，这个图书馆包含着一切语文的构造，一切二十五个书写符号所允许的变化，但是没有一句绝对的胡言乱语。观察一下我所管理的许多六面体里最好的书，如：有一本书名叫做《梳头发的雷》，另一本叫做《石膏的抽搐》，还有一本叫做《阿哈哈哈斯·姆洛》，就会发现这种观察完全是徒劳无益的。这些题目，初看起来是不通顺的，然而无疑却是一种密码或者比喻的证明。这种证明既然是语文的，那就 *ex hypothesis*② 在图书馆里会有所表示。我不能组合这样一些字母：

d h c m r l c h t d j

那是这个神圣的图书馆没有预见到的，在它的某种秘密的语文里也不包括什么可怕的意义。谁也不能发出一个音节而不充满着温柔和可怕，而这个音节也并不是某种语文里强有力的神的名字。一句话说了出来就会引起重复。这一段无用的噜苏的话，已

青少年文学读本

---

① 我重说一遍：可能有一本书存在就足够了。只是不包括不可能。例如：哪本书也不会同时是一道楼梯，尽管毫无疑问，有这样的书籍在讨论，否认，而且证明有这种可能性：也有这样的书籍，其结构就跟一道楼梯相同。——原注

② 拉丁文：理所当然。

经存在于无法计数的六面体之一的五个书架上的三十本书的一本之中——还包括其论据。（n 数的语文，可能使用同样的字母；在某些语文里，"图书馆"这个符号承认这样的正确定义：六面体回廊体系是遍布的、永存的。可是，图书馆就是面包，就是金字塔，就是任何别的东西，于是，给它下定义的十一个字就具有了另外的价值。你，看我这篇文章的人，你是否肯定懂得了我的话？）

有条不紊的写作，使我脱离开了人们的眼前的状况。可以确定的是，所有这些写下的东西，取消了我们，或者使我们变成了幽灵。我知道有些地区的年轻人在书籍面前膜拜，野蛮地亲吻书页，然而却不会释读一个字母。瘟疫，教派的分歧，必然会堕落成为匪帮的流浪生活，使居民减少十分之一。我相信我提到了自杀，它一年一年地越来越多。也许年老和害怕蒙骗了我，可是我怀疑，人类——这惟一的种族——正在自行消灭，而这个图书馆却会继续存在：光亮，孤单，无限，一动不动，装满着宝贵的书籍，既无用，也不朽，保守着秘密。

刚才我写下了"无限"两个字。我并不是仅仅由于修辞的习惯而加上这个形容词的；我是说，把世界想成无限，并非不合逻辑。谁把它判断为有限的，那就是自以为远处的回廊和楼梯以及六面体会不可思议地停止——这是十分可笑的。谁把它想象成为无限的，那就是忘掉了书籍可能有一定的数目。我敢于提出解决这个古老问题的建议：这个图书馆是无尽头的，周期性的；如果有一个永恒的游客，从任何哪个方向穿过去，经过几个世纪之后，他会得到证实：同样的一些书籍，以同样的杂乱无章在重复（一次一次地重复，就会构成次序，也就是成为次序本身）。我的寂寞，由于有了这样美好的希望，竟然变成了快乐。①

---

① 莱蒂西亚·阿尔瓦雷斯·德·托雷多曾经说过：庞大的图书馆是无用的。严格地讲，单独一本书就已足够。一本普通开本的书，用九磅或十磅的字体印刷，包括无限薄的纸的无限数书页（17 世纪初，卡瓦利埃里说过：所有的固体，都是一个无限数平面的重叠），可是这本丝绸一样的袖珍本读起来很不方便。每一页明显的书页，会分开成类似的许多页，那不可思议的中间的一页，则是没有反面的。——原注

我们分到了土地

[墨西哥] 胡安·鲁尔福

胡安·鲁尔福(1918—1986),墨西哥作家,出生于哈利斯科州一个叫萨约拉的小村镇,六岁丧父,不久母亲又去世,不得不进入了孤儿院,没有正式受过高等教育。1942年创作了第一部短篇小说集,1945年发表《我们分到了土地》,之后,发表了一系列反映自己故乡情景的短篇小说1953年结集为《烈火平原》出版,其深刻而富有现实意义的题材和别具一格的写作方法引起了评论界的广泛关注。1955年出版的中篇小说《佩德罗·巴拉莫》,被认为是"拉丁美洲文学的颠峰小说之一"。作者因此而成为以少数作品确立自己在世界文坛上无可争议的地位的典范。

经过这么多个小时的长途跋涉,既见不到任何树影,也见不到任何树的种子和树皮草根,终于听到了犬吠声。

在这条没有尽头的道路上,人们有时会认为,走完了这条路后,也就是在那土地龟裂,河水干涸的高原的另一端是不会有什么东西的。然而,情况并不是这样,那儿有一个村庄。人们听到狗在吠叫,还在空气中闻到了炊烟味。闻到这种炊烟味儿仿佛是一种希望。

然而,村庄离那儿还远着呢,是风使人们感到它就在近处。

我们从大清早起就上路了,眼下大概是下午四时光景。有人

抬头看了看天,目光注视着高悬空中的太阳,说:

"现在大约是下午四点钟。"

这个人是梅利顿,与他一起的还有福斯地诺、埃斯特凡和我。我们一行四人。我数了一下:前面两人,还有两人在后边。我再朝后看了一眼,已见不到任何人了。于是,我自言自语地说:"我们是四个人。"不久前,大约在上午十一时左右,我们还有二十来个人呢。后来,三三两两地边走边溜,现在只剩下我们这几个人了。

福斯地诺说:

"天可能要下雨。"

我们抬起头来,看见一片黑沉沉的乌云从我们头上飘过。我们想:"可能是要下雨了。"

我们没有说出心里想的事。我们早就不想说话了。天热,我们都已精疲力竭。一个平时十分健谈的人到这里也开不得口。在这里说起话来,炎热的天气会使词语本身在口中发热,弄得你口干舌燥,最后只好直喘粗气。这里的情况便是这样,因此,谁也不想开口。

这时,落下一滴又大又肥的雨点,在地上打了一个洞,出现了一团泥浆,像是吐了一口唾沫。雨就只下了这么一滴。我们都希望再下,便放眼四望寻找雨点,然而,连一滴也没有了,天不再下雨。此时若再看看天空,便会看到那片载雨的乌云正在飞速地向远处飘去。从村庄里吹来的这阵风将乌云朝那些蓝色山峦的背阴处刮去。刚才这滴错下的雨早已被土地喝掉以解其渴了。

这么大的一块平原是哪个鬼家伙造出来的? 这又有什么用呢?

我们又继续上路了。刚才我们停下来是想看下雨的,但雨没有下,我们又赶路了。我觉得我们今天走的路比过去走的总和还要多。这是我的看法。刚才如果下了雨,那我就可能不这么认为了。不管怎么说,我明白,从我小时起我从来没有在平原上见到下过能称之为雨的雨。

不,这平原不是有用的土地。这儿既无兔子也无鸟类,这儿一无所有。要不是还有那么几棵三叶草和草叶子已晒卷了的几小块枯草地,这儿真的是一无所有。

我们就在这儿走着,四人徒步行走。开始出发时我们还骑着马,斜背着一枝卡宾枪,现在连枪也不带了。

我一直认为有人夺走了我们卡宾枪这件事做得对,因为在这一带携带武器十分危险。人们要是见到你成天背着一枝有皮带的 30 型卡宾枪,可以连招呼也不打一下就把你给干掉。然而,马却是另一回事了。我们要是骑了马来,此时早就喝到了碧绿的河水了,并在那座村庄的街道上蹓跶了,以便让食物消化掉。我们要是还拥有我们出发时骑的这几匹马,我们就能做到上面说的这一点了。可是,在夺去卡宾枪的时候他们把我们的几匹马也夺走了。

我极目四望,注视着这块平原。这么大的一块土地寸草不生,在我们目力所及的范围内竟没有任何物体阻挡住我们的视线,使我们一览无遗。只有几条小蜥蜴在它们的洞口探出脑袋来,一遇到烈日的烘烤,便赶紧躲到石头底下纳凉去了。然而,我们呢?我们将来必须在这儿干活,却又怎能躲避烈日呢?因为正是政府把这块沙漠般的不毛之地分给了我们,让我们耕种。

他们对我们说:

"从村庄到这儿这一块土地是你们的了。"

我们问道:

"是那块平原吗?"

"是的,是平原,整个格朗德平原都给你们。"

我们想告诉他们,我们不要这平原,我们要河边那块土地,要从河边到那长有卡苏阿里那树和巴拉内拉树那一带的好地,我们不要这块名为"平地"的硬牛皮。

但当局没有让我们说出我们的想法。那个代表不是来和我们谈判的。他把几张土地证交给我们后,对我们说:

"你们可别给吓坏了,光你们这么几个人就分得了这么大一片土地。"

"代表先生，但是这平原……"

"它的价值相当于成千上万对牲口。"

"可是这儿没有水，连润润口的水也没有。"

"不是有雨季吗？谁也没有告诉过你们将会给你们水浇地。那儿只要一下雨，玉米就会像往上拔一样快地长起来。"

"但是，代表先生，表土被冲刷光了，土地板结得厉害，我们认为犁头根本插不进这块像石板那么硬的土地。看来只好拿锄头挖几个坑，把种子播在坑内。即使这么干也不见得会长出什么东西来，玉米长不起来，别的庄稼更不行。"

"这方面的意见你们可以书面提。现在你们走吧。你们应该加以攻击的是大庄园制，而不是分土地给你们的政府。"

"请等一等，代表先生，我们可没有说过任何反对中央政府的话。我们说的话都是针对这块地的。不能反对的事我们是不会反对的。这就是刚才我们说的意思……请等一等，让我们来跟你解释一下。我们还是回到原来的话题……"

但是，他不想听我们说下去。

就这样我们分到了土地。当局要我们在这只灼热的烤盘上种庄稼，看看能不能发芽生长。但是，这儿种什么也长不起来，连秃鹰都不会飞到这里来。人们常常见到那些秃鹰在高空疾飞，试图尽快地逃离这片白茫茫的龟板地。这儿的一切都是静止不动的，人在上面走好像在往后退一样。

梅利顿说：

"这就是他们分给我们的土地！"

福斯地诺说：

"你说什么？"

我没有说什么，只是想：梅利顿的脑子不管用了，一定是天气太热使他说出这样的话来。烈日晒穿他的草帽，使他头脑发烧。否则，他怎么会说出刚才说的话？梅利顿，他们给了我们什么土地？这儿压根儿就没有土，连旋风也刮不起土来。

"总会有点用处的，哪怕用来遛遛马也好嘛。"梅利顿又说。

"遛什么马？"埃斯特凡问道。

我一直没有注意到埃斯特凡。这次他说了话，我当然注意起他来了。他身穿一件长仅及肚脐的大衣，在这件短大衣的下面露出仿佛是一只母鸡的鸡头。

不错，他大衣里面确实藏着一只花斑母鸡。这只鸡睡眼朦胧，张着嘴好像是在打呵欠。

"喂，特凡①，从哪儿搞来的这只母鸡？"我问他。

"是我自己的。"他说。

"出发时你没有带来，你在哪儿买来的？"

"不是买的，是自家鸡窝里的。"

"这么说，你是带来吃的，是吗？"

"不，是带来养的。家里只剩下空房子，没人喂它，我就带来了。我每次出远门总是带着它的。"

"藏在这里面会给闷死的，最好让它出来透透空气。"

于是，他将它挟在胳膊下，对它吹了一口热气，然后说：

"我们快到平原的边缘了。"

埃斯特凡还在说些什么，但我没有听见。我们排成一行，走下土坡。埃斯特凡远远地走在前面。只见他提着母鸡的两条腿，不时地往上提一提，免得让它的脑袋碰撞在石头上。

我们越往下走，土地的本质越来越好。我们像一群骡子一样，走下山坡时扬起一片尘土。尽管我们身上沾满了尘土，心里很高兴，确实很高兴。我们在坚硬的平原上走了整整十一个小时，此时置身于向我们迎面扑来的散发着泥土芳香的土地上，该是多么的愉快！

在河流的上空，在一丛丛绿茵茵的卡苏阿里那树的树冠上，成群的绿色的却却拉卡鸟在飞翔，这也使我们心情欢畅。

此时我们又听到了犬吠声，就在我们身边。这是由于村子里

青少年文学读本

---

① 埃斯特凡的小名。

吹来的风被土坡所阻,以致使整个平原的边缘充满了狗叫声。

当我们走近前面几幢房子时,埃斯特凡又抱起了他的母鸡。他解开绳子,松开它的双脚,接着他便与他的母鸡一起消失在几棵德姆皮斯克树的后面了。

"我就从这儿走了。"埃斯特凡对我们说。

我们继续前进,向村子里走去。

然而,当局分给我们的土地却在那上面。

一个长翅膀的老头

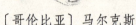

〔哥伦比亚〕马尔克斯

青少年文学读本

加西亚·马尔克斯,哥伦比亚作家,1928年3月6日生于阿拉卡塔卡。他善于从民间文化和记者生活中提取素材,将现实与幻想结合起来,创造出一部风云变幻的哥伦比亚和整个南美大陆的神话般的历史。代表作品有《家长的没落》(1975)、《没有人给他写信的上校》(1961)、《恶时辰》(1962)和《一桩事先张扬的凶杀案》(1981)。1982年,加西亚·马尔克斯由于其小说《百年孤独》(1967)获得诺贝尔文学奖。

雨下到第三天,佩拉约两口子在屋里打死了成堆的螃蟹。后来,佩拉约只好穿过被雨水淹没的院子把它们扔到海里去,因为他刚刚出世的孩子发了一夜烧,他寻思都是这些螃蟹招来的晦气。从星期二开始,天气就一直阴沉沉的。水天苍茫,到处是灰蒙蒙的一片。海边的沙滩在三月的夜晚还曾像火星一般熠熠发光,如今却到处泛着泥汤和臭鱼烂虾。中午,光线十分微弱,佩拉约扔完螃蟹回到家里,模模糊糊地看见院子当中有一个什么东西在蠕动和呻吟。他走近一看,原来是一个老头儿趴在泥水里,他身上长着一对巨大的翅膀,很碍事,无论怎么挣扎都站不起来。

佩拉约被眼前可怕的情景吓坏了,赶紧跑去找他的女人埃利森达。他女人当时正把凉毛巾敷在生病的孩子的头上,被佩拉约一把拉到院子中间。两个人惊愕地望着倒在地上的人。那人衣衫褴褛,歇了顶的后脑勺上挂着几缕颜色模糊的布丝儿,口中的牙齿稀稀落落,他那像落汤鸡似的老态龙钟的样子显得格外可怜。身上那对大兀鹫翅膀又脏羽毛又稀疏,一动不动地摊在泥水里。佩拉约两口子仔仔细细地把他打量了一番,很快便恢复了镇静,并且终于觉得他没有什么可怕的了。他们壮着胆子同他讲起话来,而他却用一种听不懂的土语回答。不过,那人有一副洪亮的海员的嗓子。于是,他们便不再介意那对翅膀,并且想当然地判断出,这个人是某艘遇难外轮上的幸存者。但是他们还是叫来了一位能掐会算的邻居来看看他。她只看一眼便纠正了他们的错误看法。

"他是一个天使,"她告诉他们说,"我可以肯定,他是为你们的孩子来的。只是因为这个可怜的家伙太老了,结果被雨打倒在地上。"

第二天,大家都知道了佩拉约家里捉到一个活脱脱的天使。据那位有学问的邻居说,这时候来的天使都是躲避天国阴谋内乱的幸存者。不过,佩拉约两口子没有听信她那套话,他们不忍心用棍子打死这个天使。整整一下午,佩拉约拿着他那根警棍站在厨房里守着,临睡前还把他从泥水里拽出来,同母鸡一起关进铁丝编的鸡笼里。半夜,雨停了,佩拉约和埃利森达继续打螃蟹。过了一会儿,孩子醒了,烧退了,想吃东西了。于是两口子大发慈悲,决计把天使放到一个竹筏上,给他够三天吃喝的淡水和食物,任他到大海上去碰运气。但是,当他们趁着晨曦走到院子里的时候,看到左邻右舍全都聚集在鸡笼前逗天使玩儿。这帮人对天使毫无敬畏之心,竟还从铁丝网往里给他扔吃的东西,仿佛他不是什么神灵,倒是马戏团里的一个动物。

这个耸人听闻的消息传开,惊动了贡萨加神父,他七点前也赶到了。这时候早已来了一些专好打听奇闻轶事的人,他们不像清晨来的那些人那么无知,纷纷对这个捕获物的命运作出种种预测。头脑最简单的人想:他会被任命为全世界的市长。另外一些好勇斗狠的人估计他会被晋升为五星上将,好打赢所有的战争。还有一些有远见的人则建议把他留来配种,好在人间繁衍一支生翼的、聪明的种族来统治天下。但是贡萨加神父在担任神职之前曾经是一个结实的樵夫。他弯身探向鸡笼,查对了一番《圣经》,还要求打开鸡笼门好让他在近处检查一下那个倒霉的家伙。在一群惊恐的母鸡中间,那东西活像一只巨大的老母鸡。只见他趴在一个角落里,在早上那帮人扔给他的果皮和剩饭中间摊晒翅膀。对众人的无理举动他毫不理会,甚至连那双探询的眼睛都不抬一抬,只是当贡萨加神父钻进鸡笼并用拉丁语向他问好时,他才用他的土语嘟囔了几句。当证实了那东西并不懂得上帝使用的语言,也不知道问候上帝的使臣之后,神父开始怀疑他在作假。后来神父发现,从近处看那家伙非常像个人:他身上散发着一股叫人受不了的臊臭,翅膀下面长满了寄生的海藻,巨大的羽毛被风吹得十分零乱,他那副可怜的模样与高贵的天使毫无共同之处。于是神父离开了鸡笼,简短地告诫好奇的人们,叫他们不要被天真蒙住了眼睛,并提醒他们说魔鬼有一种恶习,常常利用狂欢节戴上假面具来欺骗爱上当的人。神父还论证说,假如翅膀不是区别一只鸟和一架飞机的根本标志的话,就更不能用它来鉴别天使了。不过,他还是答应给主教大人写封信,再由主教给大主教写信,最后由大主教呈报教皇,好让教廷作出最后的裁决。

神父的慎重态度在无知的人们心中并未奏效。捉住天使的消息不胫而走,几个小时之后,院子里便像熙熙攘攘的市场一般,佩拉约两口子只好请来军队用刺刀驱散差点将他们家挤塌了的人们。为了清扫看热闹的人扔下的果皮纸屑,埃利森达把脊椎骨都累弯了。于是她想了个好主意:把院子筑起围墙,收五分钱门票看天使。

好奇的人们从老远的地方赶到这里。还来了一个带空中飞人的流动货摊。那个杂耍演员嗡嗡地在人们头顶上飞了好几圈,可谁也不理睬他,因为他的翅膀不是天使的翅膀,而是天国里的蝙蝠的翅膀。世上最不幸的病人也都赶到这儿求医问卜。比方

青少年文学读本

说有一个可怜的女人,她从孩提时起就一直数自己的脉搏,如今已找不到数可数了;还有一个葡萄牙人,他总是睡不着觉,因为星星的噪声搞得他心烦意乱;一个夜游病患者常常半夜爬起来推翻自己白天所干的事;此外还有一些小灾小病患者。在那场惊天动地的动乱中,佩拉约和埃利森达甭提多高兴了,因为不到一个星期,家里所有的房间都堆满了钱,而等着朝圣的香客已经排得一眼望不到边了。

惟有天使对自己身上发生的事情漠不关心,他被人们端到笼子旁边的油灯和香火的酷热烤得心烦意乱,在寄居的笼子里坐卧不宁。起初,人们曾打算叫他吃樟脑片,因为据那位有学问的邻居的高见,这是天使们吃的特殊食物。但是,像对香客们给他带来的美味食物嗤之以鼻一样,他对樟脑片也眯都不眯。后来始终也没搞清楚是因为他是天使呢还是因为年老的缘故,他最后只喝土豆汤。他惟一的超人之处似乎是有耐性。特别是在最初的一段时间,母鸡纷纷啄他,寻找他翅膀底下滋生的从天国带来的寄生虫,残废的人揪他的羽毛用来遮掩自己的生理缺陷,而那些心狠的人则向他扔石头,想把他轰起来看看他全身究竟是什么样子,这种时候他更有耐性。只有一次,当人们用一块给小牛打印记的烙铁烫他的肋骨时才使他挪动了一下,因为他有半晌动都不动,以至人们还以为他死了。他惊醒了,用深奥的语言咒骂着,眼睛里充满了泪水,扇动了两下翅膀,扬起好一片鸡粪,一股似乎是月球上的灰尘和一阵可怕的不像是这个世界的狂风。虽然许多人认为他这不是愤怒的反应而是痛苦的表示,可是从此以后大家都留心不去招惹他,因为大多数人都相信,他这样无动于衷并不是天使蛰伏,而是正在孕育着一种灾难。

贡萨加神父一面等待着对这个捕获物的属性的最终判决,一面用女佣人那种随心所欲的方式来解答人们提出的各种问题。

可是，罗马教廷却杳无音信，时间都浪费在被告是否有肚脐眼儿[1]，他讲的话是否与阿拉梅奥语[2]有关，是否能多次钻进别针的针尖[3]。否则他就是一个有翅膀的挪威人。要不是一件偶然的事件结束了神父的烦恼，那些措辞谨慎的来往信件也许会一直没完没了地继续下去。

原来，这些日子在展览会上众多吸引人的节目中，有人在村里搞了一个巡回展出，展出的是一个由于违背父母之命而变成蜘蛛的少女。看蜘蛛的门票不仅比看天使的门票便宜，而且允许观众就她的痛苦遭遇提出任何问题，还允许颠来倒去地观察她，好让所有的人都不怀疑这桩可怕的事实的真实性。这是一只可怕的意大利狼蜘，身体有一只绵羊大小，长着一个忧伤的少女的脑袋。但是，最叫人揪心的还不是她那离奇的外表，而是她原原本本地讲述她不幸的经历时那种痛心疾首的表情。当几乎还是一个小姑娘时，有一次她偷偷地溜出家门去参加一个舞会，当她跳了一宿舞从森林里回来的时候，突然一声炸雷劈裂长空，从裂缝中迸出一道可怕的闪电将她变成了蜘蛛。她惟一的食物是那些慈悲的人扔到它嘴里的碎肉块。这种充满人生哲理和可怕教训的表演无可争议地取代了天使的表演，因为那天使十分矜持，对人类几乎不屑一顾。此外，可以归因于天使的、为数极少的几件奇迹已经在人们的头脑中引起某种混乱。比如说，一个盲人虽然没有重见光明，但是却长了三颗新牙。再比如，有一个瘫痪病人仍不能走动，但是却差点中了头彩。还有一个麻风病人，病没有好，可身上的疮口里却长出了向日葵。当那个变成蜘蛛的女人名声大噪的时候，这些与其说安慰人不如说是戏弄人的奇迹早已使天使声名狼藉了。于是乎贡萨加神父彻底治愈了自天使出现以

青少年文学读本

---

① 中世纪宗教上两派争论不休的问题。一派认为天使是神灵，不是生出来的，所以没有肚脐眼；另一派认为天使也像人一样，是由母体脱胎而来，因此有肚脐。

② 古希伯莱文，曾用来写《圣经》。

③ 也是中世纪宗教上争论不休的问题。当时讨论天使有没有灵魂，灵魂寄居何处。有人认为寄居在针尖上。

来所患的失眠症。而佩拉约家的院子就又变得像连下三天暴雨时那么冷清，空无一人，只有螃蟹在屋里到处爬。

房东两口子对此毫不惋惜。他们用收的门票钱造了一幢两层的住宅，有阳台花园，门槛修得高高的，为的是防止冬天螃蟹钻进来，窗户也都安上了铁栅栏，免得天使飞进来。佩拉约还在村子附近建了一个养兔场，并且索性辞去他那个薪水微薄的乡村警长职务。埃利森达给自己买了几双高跟皮鞋和许多闪光绸衣服；那时，只有最贪婪的女人在节假日才穿这种衣服。惟一未曾受关照的是鸡笼。偶尔佩拉约两口子会用克辽林消毒水清洗鸡笼或熏点卫生香，但这并不是为了恭维天使，而是为了驱除已经神不知鬼不觉地在全家蔓延的恶臭。起初，当孩子学走路时，两口子特别当心不让他太靠近鸡笼。可是后来便渐渐忘记了恐惧，并且也习惯了臭味。孩子在换牙之前，有一次还钻进锈烂了的鸡笼里去玩耍。天使就像对待其他人一样，也不答理那孩子，但是，他却像一条绝望的狗一样，对孩子的百般捉弄逆来顺受。这倒使埃利森达可以腾出更多的时间来处理家务。结果，天使和孩子一下子都传染上了水痘。给孩子瞧病的医生忍不住好奇心，也给天使听了听。结果发现他心脏就像风箱一样呼噜呼噜直响，肾脏中也有很多杂音，以至于医生觉得他不可能还活着。但是，最叫医生惊异的是天使的翅膀长得很匀称，在他那完全是人形的身体上显得如此自然，使得医生不能理解为什么其他人没长翅膀。

孩子上学的时候新房子早就变旧了。日晒雨淋把鸡笼也弄塌了。被释放出来的天使像一头垂死的动物四处爬着，结果把菜地都毁了。佩拉约两口子用扫帚把他从屋里赶了出去，没过一会儿又在厨房里发现了他，他似乎同时在很多地方出现。佩拉约两口子甚至怀疑他在家里施分身法，而激怒了的埃利森达则怒不可遏地嚷嚷起来，说什么她真倒霉，竟生活在那样一个到处都是天使的地狱里。这年冬天，不知怎的，天使一下衰老了许多。他几乎都不能动弹了。那双探询的眼睛布满阴翳，使他常常撞到木桩上，仅有的几根羽毛也脱得光光的。佩拉约大发慈悲，用一条毯子把他包了起来，把他弄到棚子里睡觉。这时他们才发现，他夜里常常发烧，还不断地哼哼，毫无老挪威人的那种风度。佩拉约两口子一向很镇静，这次也慌了神，因为他们想到他就要死了，而就连有学问的邻居也无法告诉他们怎样处置死天使。

　　但是，天使不仅熬过了那个严酷的冬天，而且随着春天的到来开始恢复起来。有好几天他都趴在院里最偏僻的角落一动不动。原来，在十二月份他那布满阴翳的瞳仁又渐渐地变得明亮起来，翅膀上开始长出又大又硬的羽毛。不过这是老鸟的羽毛，长出这种羽毛与其说是为了展翅高飞，不如说是回光返照。有时，当大家都不注意的时候，他便在星空下唱起海员的歌子。

　　一天早上，埃利森达正在切洋葱片准备午饭，似乎觉得一阵海风吹开了阳台门的插销，刮进屋里。于是她从窗口探出头去，惊讶地看到天使正展翅欲飞。他十分笨拙，结果把菜地弄得一塌糊涂，好像指甲上带着犁铧一样。那翅膀在阳光下一阵乱扑腾，差点没把棚子打翻。最后总算飞了起来。在看见他颤巍巍地扇动着老兀鹫翅膀飞过最后几家的房顶后，埃利森达为自己也为他长长地出了一口气。她一面切着葱头，一面盯着他，直到再也无法看见为止，因为这天使再也不会扰乱她的生活，而只是地平线上模模糊糊的一个小点了。

你在圣·弗兰西斯科做什么

〔美〕雷蒙德·卡弗

中
学
生
卷

雷蒙德·卡弗(1939—1988),美国小说家。六七十年代美国社会动荡、思潮澎湃之际,他从忧患困顿中脱颖而出,十年间发表了好几部集子(《请你安静些,好吗?》《愤怒的季节》《谈恋爱时说些什么?》《大教堂》等),成为70年代以来美国短篇小说复兴中的一员主将,卡弗的作品写的几乎全是社会中下阶层,失业无告、婚变心碎、贫病自弃之人,在家庭邻里的小圈子里饱尝酸辛、落寞、紧张、惶恐的最后岁月。卡弗的短篇看似无奇,实为奇极归平,更为入骨,系"极简派"的代表作家。

这件事跟我一点关系也没有,它和一对年轻夫妇和他们的三个孩子有关。去年夏季的第一天,他们搬进我那条投递线上的一座房子。我再想到他们,是我拿起上星期的报纸,看见上面一个年轻人的照片,他因为用棒球棍杀死了他妻子和她的男友而被监禁在圣·弗兰西斯科。当然,不是同一个人,只不过他们的胡子让他们看着很像。不过,由于情形十分相似,我想了很多。

我叫亨利·罗宾逊,是邮递员——联邦公民的公务员,我从1947年起干这工作。我一辈子都住在西部,除了战争时在军队服役的那三年。我离婚已经二十年了,有两个孩子,也几乎有二十年没见过面了。我不是个轻薄的人,平心而论,我也不是个严肃的人。我的信条是：一个男人在现在这个时代就该二者兼备。我还相信工作的价值——越辛苦越好。不工作的人时间充裕，因此就会有太多的时间沉溺于自己和自己的烦恼。

我相信这一点，部分由于住这儿的一个年轻人——他就不工作。不过我认为她也有责任——那女人，她纵容了他。

"垮掉的一代"——我想你们如果见了他们就会这样叫他们的。那男的下巴上长着密密麻麻的褐色胡髭，好像他急需坐下来好好吃顿饭，再抽根烟。那女的挺迷人，一头长长的黑发，皮肤细润，一看就知道是个美人。不过请记住我的话，她可不是个贤妻良母。她是个画家。那年轻人，我不知道他是做什么的——可能也干这行。他们两个人都不工作，但他们付房租，而且也能勉勉强强过下去——至少那个夏天是这样。

我第一次见到他们，是在一个星期六的上午，十一点左右，十一点一刻。我已经跑完我那条邮线的三分之二，到他们房前，发现院里停着一辆福特56轿车，后面一辆U形拖车正敞着门。松树街上只有三幢住宅，他们是最后一户，另外还有默契森一家——他们来阿卡塔快一年了，格兰特一家——他们住这儿快两年了。默契森在辛普森·瑞德伍德公司工作，吉恩·格兰特是邓尼公司的早班厨师。两所住宅，先开始是空地，是属于柯尔家的，后来盖成了住宅。

那年轻人站在院中那辆拖车的后面。她正打前门走出来，嘴上叼着烟，穿一条紧身白色牛仔裤和一件男式白汗衫。她看见我，就站住，停在那儿看我从便道上走过去。尽管我拿着他们的信箱，我还是放慢脚步，朝她点点头。

"收拾妥当了吗?"我问。

"快了，"她说，把额前的一缕头发撩开一边仍继续抽着烟。

"这很好，"我说，"欢迎你们到阿卡塔来。"

说完这话，我感到有些窘迫。我不知道为什么。每次我在这个女人旁边，都发现自己很窘迫。这也是让我从一开始就反感她的原因之一。

她对我淡淡一笑,我转身要走,那年轻人——他名叫马斯顿——从那辆拖车后面走过来,手里提着一大纸盒玩具。现在,阿卡塔不是个小镇了,倒也不是什么大城市,尽管我想你可能不得不说它还是属于小镇之列。可无论如何,阿卡塔不是世界末日,大多数住在这儿的人不是在锯木厂干活,就是和渔业打交道,再不然就是在商业区的某家商店里工作。这儿的人不习惯看见男人留胡子——或留胡子而不做工。

"你好,"我说。当他把纸盒放在前挡泥板上,我伸出手。"我叫亨利·罗宾逊。你们刚到是吗?"

"昨天下午。"他说。

"这趟旅行真够受的!从圣·弗兰西斯科到这儿用了十四个小时,"那女人在走廊上说道,"他妈的拉住那辆拖车。"

"我来吧,我来吧,"我边说,还边摇着头。"圣·弗兰西斯科?我刚还在圣·弗兰西斯科呆过。让我想想,是去年四月或三月。"

"是吗?"她说,"你到圣·弗兰西斯科做什么?"

"噢,不做什么,真的。每年我都要去一两趟。到渔夫码头走走,或看看巨人戏剧。就这些。"

片刻的停顿。马斯顿在草地里寻找着什么。我准备走了。就在这时,孩子们从前门飞跑过来,吵吵嚷嚷地狂奔到走廊尽头。当那扇屏风门哐的一声打开时,我想马斯顿一定吃了一惊,而她只是抱着胳膊站在那儿,十分冷静,连眼睛都没眨一下。他看上去很糟糕。每次他准备做点儿什么,总会快速地痉挛一下。他的眼睛——一会儿盯着你,一会儿滑向一边,一会儿又盯住你。

那边有三个孩子,两个四五岁左右的鬈头发的小姑娘,还有一个小点儿的男孩儿紧跟在后面。

"可爱的孩子,"我说,"好吧,我要走了。你们得换换这信箱上的名字吧。"

"当然,"他说,"当然。一两天内我就换过来。不过最近我们不会有什么信的。"

"你不知道，"我说，"你不知道这只老邮袋里会钻出个什么来。准备准备无碍的。"我转身正要走。"对了，如果你想到工厂找活儿干，我可以告诉你到辛普森·瑞德伍德公司找谁。我的一个朋友是那儿的领班。他可能有……"我发现他们不太感兴趣，声音就低下来。

"不必了，谢谢，"他说。

"他不用找工作，"她插话道。

"那好吧。再见。"

"再见。"马斯顿说。

她没再说什么。

我刚才说过，那天是星期六，烈士纪念日的前一天。我们星期一休息，直到星期二，我才又去那儿。见那台 U 形拖车还在前院，我并不吃惊。不过，他还没有卸完车却挺让我吃惊的。我得说，有四分之一的东西已经搬到了前廊上——一把装满东西的椅子，一把铬黄色的餐椅以及一大纸盒的衣服，有些还耷拉在纸盒外面。另有四分之一的东西一定已搬进房了，其余的都还在拖车里呆着呢。孩子们正拿着小木棍，敲打拖车的车帮，还从尾门那儿爬上爬下。他们的妈妈和爸爸却连影子也看不见。

星期四我又在院子里看见他，提醒他别忘换信箱的名字。

"我正准备换呢。"他说。

"抓紧时间，"我说，"搬到一个新地方，总有好多事要操心。原来住这儿的人，柯尔一家，你来的两天前才搬出去。他要到尤瑞卡工作。给一家捕渔和猎兽公司干。"

马斯顿摸摸胡子，眼睛看着别处，好像在想什么事。

"再见吧。"我说。

"再见。"

总之，他还是没换信箱上的名字。不久我又来过，带来一封写着那个地址的信，他说了句："马斯顿？是的，是我们的，马斯顿……这几天我就把信箱上的名字换了。我得找一桶油漆，把那个名字……柯尔，把柯尔涂掉。"他的眼睛一直东张西望。然后他从眼角斜视着我，敲了敲下巴。但他还是没更换信箱上的名字。过了一阵儿，我也就耸耸肩，忘了这回事。

　　人们听到了一些传言。我不止一次地听说他是个被假释的囚犯；他到阿卡塔来是为了摆脱圣·弗兰西斯科不健康的环境。据这种传说讲，那女人是他妻子，但那几个孩子却没一个是他的。另一种说法是，他犯了罪，在这儿隐藏。不过没多少人相信这种说法。他看上去不像那种确实做了什么有罪的事的样子。大多数人看来都相信了那些至少是传得最广的说法，这种说法也是最可怕的。那是说，那女人有毒瘾，她丈夫把她带到这儿，是要帮助她戒掉恶习。作为旁证，萨莉·威尔逊的来访总是被提起——萨莉·威尔逊是从"旅行车招待站"来的。一天下午，她碰巧拜访了他们家。后来她说，不是瞎说，那儿确实有些很有意思的事——尤其那女人。刚刚那女人还坐在那儿听萨莉说个不停——似乎是全神贯注——不久她就站起身，尽管萨莉还在说话，她竟开始画她的画，好像萨莉根本不在那儿一样。同样地，她刚刚还抚摩亲吻着孩子们，一会儿突然就开始对他们大喊大叫，而且没有任何理由。萨莉还说，如果你离她很近，就会发现她眼睛看人的方式也很特别。不过，萨莉·威尔逊在"旅行车招待站"的掩护下，干了不少年管闲事、打探人家秘密的事。

　　"你不明白，"碰上谁提这事，我就说，"如果他现在就去工作的话，谁还会说什么呢？"

　　同样，依我看，他们在圣·弗兰西斯科也招惹了不少麻烦，不管那麻烦的性质如何，他们是想从那些麻烦中摆脱出来。不过他们为什么挑上来阿卡塔安家，就很难说了；因为他们肯定不是来找工作的。

　　最初的几个星期，根本谈不上有什么邮件，只有几张《老年》、《西部汽车》之类的订报单。而后开始有信来了，大概一周一两封的样子。我来时,有时能看见他们中的一个在屋外散步,有时则见不到任何人。不过孩子们倒是总在那儿,屋里屋外地跑进跑出,又在旁边的一块空地上玩耍。当然,不可能一开始就是模范家庭;可他们在那儿住了一段时间以后,草开始发芽了,可那是什么草啊,又枯又黄。谁也不会愿意看见这种东西的。我知道杰西老头来过一两次给它们浇浇水,而他们却说买不到水管。于是他给他们留了一根。后来我发现孩子们拿着那根管子在院子里玩儿,它的结局就是这样。有两次我看见一辆白色的小运动车停在房前,那车不是从这附近开来的。

我和那女人直接打交道只有一次。有一封信欠资,我就带着信走到她家门口。两个女孩子中的一个让我进去,然后跑去找她妈妈。屋内堆满了零零散散的旧家具,衣物也扔得到处都是,只是还不至于说很脏。可能不够整齐,但不是脏。起居室里,一把旧躺椅和一把扶手椅靠墙摆着。窗户下有一只用砖和木板搭成的书箱,里面塞满了平装书。犄角处,堆着许多面,都反扣着,另一侧有一幅画还搁在画架上,上面盖着布。

我把邮袋换了肩,想站得更稳些;不过我开始觉得还不如我自己付了那笔钱呢。我一边等一边看着那画架,正想侧身走过去掀掉盖布看看,这时我听见了脚步声。

"我能帮你什么忙?"她说道,人出现在门厅里,一点儿也不友好。

我碰了碰帽檐,说道:"如果你不介意,这儿有封欠资的信。"

"让我看看。谁来的? 噢,是杰! 这个傻瓜。给我们寄了封没邮票的信。利!"她叫道,"杰瑞来信了!"马斯顿走进来,不过他看上去不是很高兴。我等在那儿,两条腿换着站。

"我来付钱,"她说,"看在是老杰瑞来信的分上。给。再见。"

就是这种样子——可以说根本没什么样子。我不能说这附近的人已习惯了他们——他们不是那种你能真正适应的人。不过过了一阵,没人再注意他们了。如果人们在塞夫威超级市场碰上他推着货车,可能会瞧瞧他的胡子,除此之外就不会注意他什么了。再也听不到别的故事了。

有一天他们消失了。向两个方向。后来我发现一星期前她和一个人——一个男的——先离开了，过了几天，他带着孩子们去了瑞汀，他母亲家。从星期四到第二周星期三的六天里，他们的邮件就呆在信箱里。窗帘全挂着，没人确切知道他们是否把它打开过。但那个星期三，我看见那辆福特车又停在院中，窗帘仍拉着，但邮件没了。

从第二天起，他每天都呆在信箱边等着我把信递给他，要不他就坐在前廊的楼梯上抽烟，很显然，他是在等什么。他一看见我来，就站起身，抻抻屁股上的裤子，朝信箱这边走过来。如果我有邮件给他，我发现我几乎还没递给他，他的目光就已经急不可待地扫到了发信人的地址。我们很少交谈，哪怕是一句话；如果我们恰巧目光相遇，也只是彼此点点头，可连这种时候都很少。他很痛苦——谁都能看出来——如果我能，我真想帮帮这孩子，但我又不知说什么才好。

大约是他回来一星期后的一个早晨，我看见他双手插在后兜里，在信箱前走来走去，我下决心跟他说点什么。说什么，我还不知道，但我肯定会说点儿什么。我走上便道时，他的背正对着我。我走近他时，他猛然转过身，他脸上的表情使我要说的话僵住了。我手中拿着他的邮件立在那儿。他朝我跑了两步，我把它递过去，看也没看。他盯着它像在发愣。

"占有人。"他说。

那是洛杉矶寄来的一份医疗保险计划的广告单，那天上午我至少投送了七十五张。他把它对叠起来，走回屋去。

第二天，他又在外面等。他脸上的表情老成了，好像比前一天能自制多了。这一次我有种预感，我带来了他正盼着的东西。那天早晨在邮站装邮袋的时候，我仔细看过了那封信。那是个普通的信封，地址是一个女人手写的花体字，占去了大半个封皮。邮戳是波特兰的，发信人地址上有姓名的缩写 JD 和波特兰的街区地址。

"早上好。"我说，把信拿出来。

他一言不发地从我手上接过信，脸刷地就白了。他摇晃了一下，然后朝屋里走去，冲着光举着那封信。

我大叫道："孩子，她不是好人。我一见到她就敢断定。为什么你不忘了她？为什么你不去工作而忘了她？是什么使你不愿工作？我当年处在你这种境地时，是工作，白天黑夜地工作，让我忘掉一切的；那会儿正打仗，我在……"

打那以后，他不再在外面等我了，他在那儿只是再呆了五天。每天，我都能瞥见他仍在等我，不过是站在窗后，透过窗帘向我张望。我走以后他才出来，我能听见屏风门的响声。如果我回头看看，他就显出不紧不慢的样子，朝信箱走去。

我最后一次见到他，他正站在窗户边，神情平静、安闲。窗帘都放了下来，百叶窗收起来，我当时就看出他收拾好东西要离开。不过，从他的脸色我能看出，他这次不是在等我。他的目光扫过我，越过我，落在了南边的房顶和树上。甚至当我离开了房子，又走下便道以后，他仍然目不转睛地凝视着。我回头望了望。我能看见他仍呆在窗边。那种感觉是那么强烈，我只能转过身去，顺着他的目光的那个方向望过去。不过，正像你能猜到的，除了还是那片古老的森林、山峦、天空外，我什么也没看见。

第二天他就走了。他没有留下任何转投的地址。时而还会有些邮件，是寄给他的或他妻子或他们两人的。如果是甲级邮件，我们就保留一天，然后退还寄信人。不是很多。而我也不在意了。不管怎么说，这都是工作，而我总是高兴有事做。

敌　人

〔英〕V. S. 奈保尔

维·苏·奈保尔,1932 年生于西印度群岛特立尼达,十八岁获殖民地政府奖学金,到牛津大学读书,毕业后开始从事文学创作。1959 年出版短篇小说集《米格尔大街》,获毛姆文学奖。1961年出版长篇小说《比斯瓦斯先生的房子》,被誉为后殖民文学巨著,确立了他在英语文学中的地位。1977 年出版的《印度:受伤的文明》为非虚构作品。1979 年出版小说《大河湾》,获布克奖。另有散文集《过分拥挤的奴隶禁闭营》、创作谈《寻找中心》和《阅读与写作》。最新作品是 2001 年出版的长篇小说《半生》。

　　我总是把这个女人,我母亲,看做敌人。她老误解我做的一切,后来我想,她不只误解我,而且绝对不赞同我。我是一个独子,但对她来说一个已经太多。

　　她恨我父亲,甚至他死后她还在恨他。

　　她总是说:"继续做你在做的事吧。你是你爸的儿子,你听着,不是我的。"

　　母亲跟我的真正决裂,不是发生在米格尔大街,而是发生在农村。

　　母亲决定离开父亲,还要把我送到她母亲那里。

　　我拒绝去。

父亲生病，躺在床上。此外，他还答应说，如果我留在他身边，我会得到一整盒的彩色粉笔。

我选择彩色粉笔和父亲。

那时我们住在库努皮亚，父亲是那些甘蔗庄园的监工。他不是奴隶的监工，而是自由人的监工，但他把那些人当奴隶看待。他骑着一匹高大遒健的褐色马，在那些庄园到处驰骋，挥鞭抽打劳工，而人们说——我真的不相信——他常常踢劳工。

我不相信，因为父亲一生都住在库努皮亚，他知道你是无法欺侮库努皮亚人的。他们不是粗暴的人，但他们老想着杀人，他们有能耐等待几年，伺机杀死某个他们不喜欢的人。事实上，库努皮亚和泰布尔兰是特立尼达两个谋杀率很高的地区，派驻那里的警察很快就获得晋升。

最初我们住在民工宿舍，但是父亲想搬去不远处的一座小木屋。

母亲说："你扮英雄。你自己去住你的房子。你听着。"

她当然是害怕，但父亲坚持要搬。于是我们搬去那座房子，接着麻烦真的就来了。

有一天临近中午时分，一个男人来到那座房子，问我母亲："你丈夫在哪？"

母亲说："我不知道。"

那男人用一根从木槿树折下的枝条剔牙齿。他吐了口痰说："不要紧。我有时间。我可以等。"

母亲说："你别干这种事。我知道你想怎样，但我姐姐马上就要来了。"

那男人大笑说："我不干什么。我只想知道他什么时候回家。"

我吓得开始哭起来。

那男人大笑。

母亲说："给我闭嘴，否则我会让你真哭。"

我进了另一个房间，走来走去念道："罗摩！罗摩！悉达罗摩!"这是父亲教我的,他说一有任何危险就念这个。

我望出窗口。外面是又亮又热的日光,在灌木和树林的广阔世界里一个人也没有。

接着我看到姨妈从那条路走来。

她走来,问道:"这里发生了什么事?我在家里安安静静坐着,突然感到出了什么事。我感到必须来这里看看。"

那男人说:"是呀,我知道那种感觉。"

母亲总是很勇敢,这时却哭起来了。

但这一切只会吓坏我们,我们真的被吓坏了。那件事之后父亲随身带枪,母亲手握一把锋利的短弯刀。

接着,在夜里,常常可听见一些声音,有时从路上传来,有时从房子后面的灌木丛传来。发出声音的人说他们迷了路;说他们要灯盏;说他们是来告诉我父亲,他姐姐突然在德贝死了;说他们只是来告诉我父亲,糖厂发生大火。有时候会有两三个声音,从不同的方向叫喊,我们总是坐在黑暗的房子里,不敢睡,等待那些声音消失。当声音消失,那感觉更恐怖。

父亲总是说:"他们还在外面。他们等你走出去探个究竟。"

到了四五点,晨光出来了,我们会听见灌木丛里有脚步声,离开的脚步声。

黑夜降临,我们就会把自己锁在房子里等待。有时候,连续几天什么事也没发生,然后我们又会听见他们。

有一天父亲带了一条狗回家。我们叫它泰山。它更像用来玩耍的狗而不像看家狗。它是一条满身是毛的褐色大狗,我爱骑在它背上。

黄昏来了,我便说:"泰山,进来陪我们吗?"

它不。它留在门口呜呜叫,用爪子挠来挠去。

泰山没活多久。

有一天早晨我们发现它被砍成碎片,扔在最近门的那一级台阶上。

我们昨夜并没有听到任何声音。

母亲开始跟父亲争吵，但父亲表现得好像一点也不在乎发生在他或我们身上的事。

母亲总是说："你扮勇敢。但勇敢不是让我们任何人丢掉性命，你听着。让我们离开这地方。"

父亲开始在房子墙上悬挂希望的字句，是从《薄伽梵歌》和《圣经》上摘录的，有时是他刚想出来的。

他对母亲发脾气的次数也更多了，甚至到了她一走进某个房间他就会尖叫并向她扔东西的程度。

于是她回娘家，我跟父亲留下来。

在那段日子，父亲很多时间都呆在床上，我也得跟他一块躺着。我第一次真正跟父亲交谈。他教我三件事。

第一是这个。

"儿子，"父亲问，"谁是你父亲？"

我说："你是我父亲。"

"错。"

"怎会错？"

父亲说："你想知道你真正的父亲是谁？上帝是你父亲。"

"那么，你又是谁？"

"我，我是谁？我是——让我想想，对了，我只是第二父亲之类的，不是你真正的父亲。"

这个教导后来给我惹了不少麻烦，尤其是跟我母亲闹麻烦。

父亲教我的第二件事是引力定律。

我们当时正坐在床沿，他让一盒火柴掉下。

他问："好了，儿子，告诉我火柴为什么掉下。"

我说："它们就是会掉下的。你要它们做什么？往旁边走？"

父亲说："我来告诉你为什么它们掉下。它们掉下是因为引力定律。"

接着他表演一下把戏给我看。他装了半桶水，把水桶举到肩膀上，然后飞快地旋转。

他说："瞧，水不会掉下。"

但水掉下了。他全身湿透,地板也湿了。

他说:"不要紧。我只是放了太多水罢了。再看。"

第二次真的灵验。

父亲教我的第三件事是掺颜色。这是在他死前几天。他病得很重,他很多时间都在颤抖和咕哝。就算是他睡着了,我也常常听见他在呻吟。

我大部分时间都跟他呆在床上。

有一天他对我说:"你有没有彩色铅笔?"我从枕头下取出彩色铅笔。

他说:"你想不想看魔术?"

我说:"什么,你真的懂得玩魔术?"

他拿了黄色铅笔,涂了一个黄色方块。

他问:"儿子,这是什么颜色?"

我说:"黄色。"

他说:"现在把蓝色铅笔给我,紧闭你的眼睛。"

当我睁开眼睛,你说:"儿子,这个方块现在是什么颜色?"

我说:"你真的不是在骗人?"

他大笑,给我示范蓝色掺黄色如何变成绿色。

我说:"你是说如果我拿一片树叶,把它洗了又洗洗得干干净净,最后它会变成黄色或蓝色?"

他说:"不。你瞧,是上帝掺这些颜色。上帝,你的父亲。"

我花很多时间试图变戏法。我惟一做得出来的是将两根火柴头合拢,点燃,让它们黏在一块。但父亲懂这个。但我终于发现一个戏法,肯定是父亲不知道的。他永远也没弄懂它,因为就在我准备给他看的那个晚上,他死了。

那一天奇热无比,到了下午,天空开始变得又低又沉又黑。我在屋里几乎感到冷,父亲裹住身体坐在摇椅里。雨开始大点大点落下,像一千个拳头敲击屋顶。天变黑,我点了油灯,把一根别针插在灯芯里,以便把恶鬼赶出屋子。

父亲突然停止摇动,低声说:"儿子,他们今天在这里。

中学生卷

听,听。"

我们都没说话,我小心听,但我耳朵什么也没听到,除了风和雨。

一扇窗自己砰地打开。风嗖的一声把大颗大颗的雨点卷进来。

"上帝!"父亲尖叫。

我走向窗口,外面黑漆漆的,世界是一个荒凉而孤独的地方,只有树叶上的风雨声。我拼命把窗户拉进来,还没把窗关上,我看见天空随着一阵噼啪的闪电亮了一下。

我关了窗,等待响雷。

雷声像蒸汽压路机滚过屋顶。

父亲说:"儿子,别害怕。我教你什么,念出来。"

我走过去坐在那张摇椅下,开始念:"罗摩! 罗摩! 悉达罗摩!"

父亲跟我一块念。他又是冷又是惊,不断颤抖。

突然他喊道:"儿子,他们在这里。他们在这里。我听见他们在屋子下讲话。外面这么吵,他们做什么都没人听见。"

我说:"别害怕,我这里有短弯刀,你有枪。"

但父亲没听进去。

他说:"但很黑,糟糕。这么黑。这么黑。"

我站起来,走向桌边,准备把油灯拿近一点。这时一阵雷声爆开,很低,可能就在屋顶上。它滚来滚去,滚了好久。接着又有一扇窗被吹开,油灯熄灭了。风和雨一股脑冲进黑暗的房间。

父亲又一次大声尖叫:"啊上帝,很黑。"

我迷失在黑漆漆的世界里。我尖叫,直到雷声远去,大雨变成毛毛雨。我完全忘记准备玩弄父亲的戏法:把肥皂放在手掌里摩擦,直到它干掉消失。

大家同意一点。母亲和我必须离开农村。西班牙港是最安全的地方。这里有太多人拿我父亲说笑,看来在我以后的人生中,我似乎必须背负父亲被吓死这个十字架。但是过了差不多一个月,我就把父亲给忘掉了,我开始将自己当成没有父亲的孩子。这似乎很自然。

事实上,当我们迁去西班牙港,我看到父亲与儿子之间的正常关系——无非是殴打者与被殴打者的关系——当我看到这点,真感到快意。

最初,母亲用了很大功夫让我规规矩矩,把父亲教我的所有荒谬想法清除掉。我不知道为什么她不试试更严厉些,但事实是,她很快就对我失去兴趣,任我在街上乱闯,除了时不时跑来把我痛打一顿。

不过,她偶尔也会像以前那样坚定。

有一天她不让我出去。她说:"今天你不必上课。我讨厌极了为你结鞋带。今天你要自己学这个!"

我不觉得她这样做很公平。要知道,在农村我们没人穿鞋,我不习惯结鞋带。

那天她打我打我,逼我一结再结,最后我仍然不懂结鞋带。以后好多年,这都是我的奇耻大辱,我竟不懂得做这么简单的事情,就像我不懂怎样剥橙皮。但在鞋子的事情上我搞了一个小诡计。我从来没使母亲给我买对了鞋的尺码。我假装鞋弄痛我,于是让她给我买大两号的鞋。店员帮我结好了鞋带之后,我就再也没有解开过,穿鞋脱鞋的时候就这么把脚伸进伸出。为了不让鞋子太宽松,我在脚尖处塞了些纸。

听我母亲说话,你会以为我是畸形人。她所认识的男孩几乎都比我好,比我聪明。她认识一个男孩,他帮母亲油漆整座房子。另一个男孩十三岁就每月赚二十块钱,而我游手好闲,吸她的血过日子。

不过,还是有些出人意料的慈祥时刻。

例如,有一次,我在星期天早晨替她清洁玻璃杯。我掉下一只杯,它碎了。我还没来得及想怎样处理它,母亲已知道发生了什么事。

她说："你怎样摔碎它了？"

我说："它溜掉。很滑很滑。"

她说："用玻璃杯喝东西真荒谬。它们这么容易就破了。"

事情就这么解决了。我开始担忧母亲的健康。

她从不操心我的健康。

她认为，只要用一撮硬巴巴的泻盐，世界上什么病都能治好。我每月都得忍受一次这样的惩罚。它完全把我的周末给毁了。如果她有什么不懂的，她就把我送到特拉加雷特道的卫生员那里去。你要等呀等呀等呀，才能进去见那医生。

你还没说"医生，我发——"他就给你开处方。接着你又得等拿药。卫生处所有药物都是一样的。水和半寸厚的粉红色沉渣。

哈特说起卫生处，总是说："政府在采用信仰疗法。"

母亲觉得卫生处是个好地方，最适合我去。我通常是早晨八点去，下午两点之后的任何时间才回来。这使我不能恶作剧，而一年只花费两角四分钱。

但你一定别以为我永远是个圣徒。只要我无法接受谁的命令，尤其是母亲，我就会奇怪地痉挛。我老是感到，要是我接受了谁的命令，我就会一辈子丢脸。而一辈子是多么有趣，真的。有时候当我母亲很想对我好，我就会痉挛。

有一天我差点溺死在码头边，是哈特把我救起来。第二天我写了一篇文章给老师，谈这件事，题目叫做《海边的一天》。我想，一定没有任何老师看过那样的文章。我谈到我怎样差点被溺毙，而我如何平静地面对死亡，我的头脑绝对平静，心想："好啦，哥们儿，完蛋了。"老师很高兴，满分是十二分而他给我打十分。

他说："我想你是个天才。"

我回家告诉母亲："我今天写的那篇文章，得了十分，满分是十二分。"

母亲说："你真是不要脸，竟敢在我面前这么大胆撒谎？你要让我捆歪你的脸不可？"

最后我令她相信。

她立即就心软了。她坐在吊床里说："过来,坐在我身边,儿子。"

　　就在这当儿,我那疯狂的痉挛又发作了。

　　我无缘无故冒火,我说:"不,我不坐在你身边。"

　　她大笑,然后哄我。

　　这使我更火了。

　　和气慢慢消失,变成两个意志之间的斗争。我宁愿溺死也不要服从,我不想自己丢脸。

　　"我请你过来坐在这里。"

　　"我不坐。"

　　"除下你的皮带。"

　　我除下皮带递给她。她狠狠鞭我,我鼻子流血,但我仍然不坐进吊床里。

　　平时这种时候我会叫道,但不是真的那样想:"要是爸爸活着,你就不会这样打我。"

　　她依然是敌人。她是我一长大就要立即逃离的人。事实上,这就是长大成人的主要诱惑。

　　那些日子,西班牙港进步惊人。美国人将大把大把的钞票塞进特立尼达,英国人老是在谈论殖民地的发展和福利。

　　这种进步的其中一个征兆是厕所消失。我讨厌厕所,我总是闹不清夜里推着车把粪便运走的那些男人到底是什么模样的;还有,一想到可能会掉进屎坑里,我便吓得魂不附体。

　　哈特是一个最早建造体面的抽水马桶的男人,我们花了很大功夫才摧毁他的旧厕所。所有男孩和男人都去帮他一把。我太小,帮不了他半把,但我去看了。墙一堵一堵拆掉,最后只剩下一堵。

　　哈特说:"伙计们,让我们把这堵墙整个儿推倒。"

　　他们照做。

　　那堵墙摇晃起来,开始倒下。

在那一瞬间，我一定是疯了，因为我做了超人举动，想去挡住那堵墙，不让它倒下来。

我只记得人们喊道："啊上帝！小心！"

我坐在巴士里，是萨姆超级服务公司的其中一辆巴士，从西班牙港去小河谷。巴士上坐满扎鲜亮头巾的老妇人，她们提着大篮大篮的芋根、番薯、香蕉，间或有几只鸡。突然间所有老妇人都开始喋喋不休，那些鸡也开始咯呱咯呱叫起来。我感到头就快裂开了，但是当我试图向那些老妇人叫喊的时候，我发现我不能张口。我再试，但我只听见她们更大声地喋喋不休。

水冲在我脸上。

我直挺挺躺在一个水龙头下，很多面孔俯视着我。

有人喊道："他醒来了。没事啦。"

哈特说："你感觉怎样？"

我说："感觉还可以。"我试图笑。

巴克库太太说："你痛吗？"

我摇摇头。

但是，突然间，我整个身体开始发疼。我想移动手，但很痛。

我说："我想我的手断了。"

但我可以站起来，他们扶我进屋。

母亲来了，我可以看见她眼睛无神，被泪水浸湿。

有人，但我记不清是谁，说："小伙子，你真让你妈妈担心死了。"

我望着她的眼泪，感到我也想哭。我发现她也会为我担惊受怕。那一刻我希望我是一个印度教神，有两百只手臂，让两百只手臂都断了，就为了享受那一刻，为了再看看母亲的眼泪。

关 于 爱

〔印度〕泰戈尔

罗宾德拉纳特·泰戈尔(1861—1941)印度近代著名诗人和作家。从小醉心于创作,十四岁发表诗作。一生共写了五十多部诗集,十二部中长篇小说、一百多篇短篇小说,二十多部剧本。他的诗歌继承了古典和民间文学的优秀传统,格调清新,感情真挚,意境隽永,语言秀丽,充满深刻的哲理和浓郁的抒情色彩。他的作品充满爱国主义精神,有很高的艺术成就,在印度文学中占有极其重要的地位。1913 年,由于他"富于高贵、深远的灵感,以英语的形式发挥其诗才,并糅合了西欧文学的美丽与清新"而获得诺贝尔文学奖。

中学生卷

　　我们现在接触到这个永恒的问题,即有限与无限、至高生命与我们灵魂的共存。在存在的根部有着最深刻的矛盾,我们永远无法避开它,因为我们永远无法站在这个问题之外,在创造中,我们有一系列的对应,例如,积极的一极与消极的一极,引力与斥力,诱惑与厌恶。这些也不过是名称而已,它们不是解释。它们只是以不同的方式说出,世界的本质是一对对相反力量的和谐。这些力量,就像创造者的左手与右手,绝对和谐地活动着,然而是从相反的方向进行活动。

　　我们的两眼之间有一种和谐,使它们联合活动。相似地,在物质界的冷与热、光与影、运动与静止之间，也有一种牢不可破的持续联系，就像钢琴的低音与高音之间一样。这就是为什么这些对立在宇宙中带来的是和谐，而非混乱。波浪升起，每一波都升到自己的高峰，有一种毫不妥协的竞争精神，而其实只升到了一定高度；从而我们知道，大海的静谧与所有的波浪有关，波浪都必须按着超然优美的节奏回到这静谧。

实际上，这些波动起伏，这些上升飞落，并不是由于相异的躯体反复无常地扭动，它们是有节奏的舞蹈。偶然性的争斗永远不会诞生节奏，最主要的目的必然是结合，而非对立。

结合的目的是所有神秘中的神秘。双重存在会立刻在我们头脑里引起疑问，而我们在结合的一体中寻求答案。当我们在两者之间发现一种关系，从而在本质上把它们作为一体看待，我们感到发现了真理。我们就会说出所有矛盾中最令人吃惊的，即一体以众多的形式出现，外形是真理的对立，而又与真理不可分地联系在一起。

很奇怪，当有些人发现了大千世界法则的同一性时，他们竟失去了神秘的感觉，而这种感觉是我们所有喜悦的根源。似乎引力并不比苹果的落下更神秘，似乎生命从一极进化到另一极，比创造的连续更难于解释。问题在于我们常常终止了法则，仿佛它就是我们探索的最终目的，随后我们发现它尚未开始解放我们的灵魂。它仅仅让我们的理智满足，并没有吸引我们整个的生命，还窒息了我们内心对于无限的感觉。

对一首伟大的诗加以分析，是一系列拆散的声音。意义是诗的内容媒介，这些外部声音联结起来，找到了这意义的读者发现，有一种完善的法则贯通全诗，从头至尾完美无损；这就是思想的法则，音乐和形式的法则。

但法则本身是一个限度，它仅仅显示了不可能是别样的东西。当一个人全神贯注于寻求因果联结，他的思想逃脱了事实的统治，而屈从于法则的暴君。在学习一门语言时，仅通过词汇就能理解词法，那我们就学到了很多。但如果我们仅此止步，只关注于一门语言的形式奇迹，寻求它表面反复无常的潜在原因，我们就没有达到终点——因为语法并不是文学，韵律并不是诗歌。

在谈到文学时我们发现，虽然文学服从语法规则，但它仍然是一桩乐事，它本身就是自由。一首诗的美受限于严格的规则，而又超越了规则。规则是它的翅膀，它们并不把它压落下来，而是载它飞到自由。诗的形式处于规则之中，诗的精灵则处于美之中。法则是通向自由的第一步，而美是完全的解放，立于法则的基座上。美在自身中和谐了限度与超越、法则与自由。

在世界之诗中，发现节奏的法则，扩展和收缩的量度，运动和静止，形式和性格的进展，的确是心灵的成就；但我们不能停留在这里。它像一座火车站，但月台并不是我们的家。只有知道整个世界是喜悦之创造的那人，才获得了最终的真理。

这让我想到人类心灵和大自然的关系是多么神秘。在外部活动的世界里，大自然有其一面；而在我们心中，在内部世界里，它却表现了一幅全然不同的画面。

例如植物的花朵，不管它看起来多么美丽娇嫩，它却被迫做一项伟大的服侍，它的色彩与形状全都适于这项工作：它必须诞生果实。否则植物生命的延续将受到破坏，而地球从此将变为一片荒漠。因而花朵的色彩与芳香都是为了一个目的，蜜蜂为它传粉后不久，它美丽的花瓣便片片飘零，迎来了结果的时节。它再没有时间炫耀它的优美，而繁忙得不可开交。

但当同一花朵进入人的心灵，它实际繁忙的一面就消失了，而成为悠闲与静止的象征。外表上是无尽活动象征的同一物体，内部却是美丽与和平的完美表达。

科学在这里告诫我们错了，花朵的目的就是它外部所显示出来的，而我们认为花朵与美丽芬芳之间的关系，完全是我们自己造出来的，是毫无根据的虚构。

但我们的心回答说，我们一点儿也没错。在大自然领域里，花朵本身有一种牺牲，说明它有巨大的能力来做有用的工作，但当它敲开我们的心灵之门时，同时还带来了另一封介绍信，美成为它惟一的特性。它在一处作为奴隶出现,在另一处却作为自由的事物出现。那么,我们怎能只赞美它的第一种特性,而不相信第二种呢? 花朵在牢固的因果链中获得了生命,这是毫无疑问的;但这只是外部的真理,内在的真理是:万物都的确诞生于永恒的喜悦。

所以,一朵花不仅在大自然中有其功能,它还有另一个伟大的功能,在于人类的心灵之中。在大自然中,花朵的工作就是仆人的工作,不得不在指定的时间露面,但在人类的心灵里,它像来自国王的使者般出现。在《罗摩衍那》中,当悉多被迫离开她丈夫,在罗凡那的金殿里悲叹她的厄运时,她遇见一位使者,使者带来了她所挚爱之人的戒指。看到戒指,悉多相信了使者带来的消息。使者再一次向她保证,他的确来自她爱人身边,告诉她罗摩没有忘记她,即刻就来救她。

一朵花就是这样的一位使者,来自我们伟大的爱人。我们被世俗的繁华壮丽所包围,这可以比作罗凡那的金殿,但我们依然生活在流放中,而繁华世俗傲慢的幽灵诱惑我们,要求我们做它的新娘。同时,花朵从另一岸带来了另一个消息,如果我们恰巧在那时醒来,就会问他:"我们怎么知道你的确是从他身边来的?"使者说:"看,我有他的戒指,它的色泽与魔力是多么可爱。"

啊,毫无疑问那是他的,的的确确,那是我们的婚戒。现在别的一切都归于遗忘,只有这永恒之爱的甜蜜一触,使我们充满深深的期待。我们意识到我们所在的金殿与我们毫无关系,我们的解脱在它之外,那里我们的爱才有果实,我们的生命才能盈满。

所以我告诉过你,不管运动的大自然外部是多么忙碌,她在心灵深处有一个秘密的房间,她可以自由地来来回回,没有任何定轨。在心灵里,她工作间的火焰变作节日的灯盏,噪音听起来仿佛是音乐。因果的铁链在外界大自然里发出沉重的声响,但在人类的心灵里,是纯粹的喜悦竖琴上金弦的和声。

不朽的生命在喜悦的形式中显示自身,他在创造中的显示是喜悦盈满后的外溢。丰富喜悦的天性要在法则的形象中实现自身喜悦本身不具有形式，它必须创造，必须将自己转化进形式中。歌手的喜悦在歌的形式中表达出来，而诗人是通过诗的形式。作为创造者的人类不断创造出形式，而这些形式来自他丰富的喜悦。

这喜悦的另一个名字是爱，它的天性为了自身的实现必有双重性。当歌手具有灵感时，他将自己一分为二；他内心有一个作为听者的我，而外界的观念不过是他这一个自我的延伸。恋人在他爱人身上寻找他的另一个自我。喜悦创造了这种分离，为的是通过障碍实现结合。

是的，我们个体灵魂是与至高灵魂分离的，但这不是由于疏远，而是由于爱的盈满，歌手将他的歌转化为歌唱，将喜悦转化为形式，而听者要把歌唱转化回最初的喜悦；那样歌手和听者之间的交流才是完全的。无限的喜悦要在各种形式中显示自己，将法则的枷锁戴到自己身上，而当我们从形式回到喜悦，从法则回到爱，当我们解开有限的纽结而返回无限时，我们就完成了自己的使命。

人类的灵魂从法则行进到爱，从纪律到解放，从道德阶段到灵魂阶段。佛宣讲自我约束的纪律和道德生命；那是对法则的完全接受。但法则的枷锁不能是自身的终止；通过彻底地掌握它，我们获得了超越它的形式。那就是回到佛，回到无限的爱，它在有限的法则形式中显示着自身，佛称之为生活在大梵中的喜悦。按佛的话说，要想达到这种境界的人，"不欺瞒他人，不记恨他人，不期望以愤怒伤人，对万物都怀有无限的爱。就像母亲爱她惟一的孩子，用自己的生命来保护这孩子。他向四面八方扩展他的爱，这爱不受约束，没有妨碍，摆脱了一切残忍与敌意。在立、坐、行、卧，直至入睡时，他都让心灵活跃于宇宙善意的实行中。"

爱的愿望在一定程度上是无情的，因为爱是意识的完美。我们不爱，因为我们不理解；或者我们不理解，因为我们不爱。爱是我们身边每样事物的最终意义，它不仅仅是感情，而且是真理，是喜悦，是所有创造的根源；爱是发自佛的纯粹意识的洁白光芒。

充满感情的生命在外部天空里,也在我们内部灵魂里。我们要与它成为一体,就必须到达意识的顶峰——爱。假如天空不是充满了喜悦,充满了爱,谁又能呼吸或运动? 只有通过意识的高峰进入爱,并把爱扩展到整个世界,我们才能获得与无限喜悦的交流。

爱自发地把自己奉献为无数的礼物,但如果通过这些礼物,我们没有达到爱,即给予者,那么礼物就失掉了最重要的意义。要达到爱,我们自己心中就必须有爱。心中没有爱的人,只是按礼物的实用程度来评价爱人的礼物。但实用只是暂时的,部分的,它从来不能占据我们整个的生命。有用的东西只在我们需要的时候才感动我们,需要满足之后,它就变成了负担。另一方面,当我们心中存有爱时,一个简单的象征对于我们就有永恒的价值。

问题在于,我们是以怎样的方式来接受这个世界,即这件完美的喜悦的礼物? 我们在心里保存着那些神圣的、对我们有不灭价值的事物,我们是否能在心灵里接受这礼物呢? 我们狂乱地忙碌于使用宇宙的力量,来获取日益强大的力量;我们用宇宙的储存来喂养、衣饰我们,还要争夺它的财富,使宇宙成为一个凶残的竞技场。可我们是否生来就是为了这个,为了把我们的产权扩展到边界,使之成为一件可买卖的商品? 如果我们全部思想都用于利用这个世界,世界对于我们就失去了它真正的价值。

有一天我在农庄坐船出游。那是一个美丽的秋日黄昏,太阳刚刚落下,寂静的天空溢满了难以形容的和平与美丽。广阔的水面没有一丝涟漪,映出变幻莫测的落日余辉。漫长而孤寂的河岸躺在那里,像一只太古时代的巨大两栖动物,鳞片熠熠生辉。我们的小船顺着陡峭的河岸寂然无声地滑行,河岸上布满了鸟群的巢孔。突然一条大鱼跃出水面,然后又消失了,在它转瞬即逝的形体上映满了天空绚丽的色彩。它在一瞬间撞开了彩色的帘幕,那后面是一个寂静的世界,充满了生命的喜悦。它以优美的舞蹈动作,从神秘居处的深层游上来,把它自己的音乐汇入黄昏无声的交响乐中。我感到那似乎是一个陌生的国度,用它自己的语言无声地欢迎我,以一瞬的喜悦触动了我。而船夫突然以一种很惋惜的声音喊道:"呵,多大的一条鱼啊!"那情景马上让他看到一幅图画:鱼被捉住了,而且烹好了做他的晚餐。他只能通过自己的欲望来看这鱼,从而错过了鱼存在的整个真理。但人类不完全是动物,他还渴望灵魂的幻象,即整个真理的幻象。这给他带来最高的愉快,揭示了他与环境之间最深沉的和谐。我们的欲望限制了我们自我实现的范围,妨碍了我们意志的延伸,从而带来罪。罪是内部的障碍,使我们与神分离,它造成分裂,以及孤芳自赏的无知。

所以我重复道,除非我们热爱人类,否则我们永远不会得到对人类真正的认识。不能通过文明所发展的力量来评判褒它,而必须按其律法和体制,看它引发及表达了多少人类之爱来评判。文明要回答的最根本的问题是:它是否以及在多大程度上认为人是灵魂而非机器?每当某种古代文明衰亡时,人心都变得冷酷无情,导致轻视人的价值;如果国家或某一强大的集团开始认为人民不过是其力量的工具,强迫弱小的民族服役,并以各种形式压制他们,人类就在破坏自己崇高的根基,破坏自己对自己公正的热爱。文明绝不可能维持在任何形式的残食同类之上,只有在爱情和正义的滋养下,人类才是真实的。

宇宙与人类相同。当我们通过欲望的面纱观望世界时,我们把它变狭隘了,不能观察到它全部的真理。当然,世界服侍我们,满足我们的需要,但我们与世界的关系并不止于此。把我们与世界联系在一起的,是比必需更深刻更真实的纽结。我们的灵魂被宇宙所吸引,我们对生命的热爱,其实是希望继续保持与大千世界的联系。这种联系是爱的联系,我们为自己处于其中而喜悦;我们通过千丝万缕的线与它联系着,这些线从地球一直拉向星辰。

由于科学的发展,世界的整体性与世界的一致性对于我们的思想来说,变得越来越明晰。当这种关于完美结合的感知不再仅仅停留于理智,当它使我们整个生命开放为对万物闪光的意识,它就变成了洋溢的喜悦,播撒的爱情。我们的灵魂在整个世界中发现了更大的自我,并绝对肯定它是不朽的。它在自我封闭时死去多次,因为分离注定要死亡,无法成为永恒的。但如果它与万物结为一体,就永远不会死亡,因为其中存在着真理与喜悦。当一个人在自己的灵魂中,感觉到整个世界的灵魂生命有节奏的颤动,那他就是自由的。然后他加入了美丽的世界新娘与新郎之间秘密的求爱,新娘蒙着多彩的面纱,而新郎则一身洁白。他知道自己加入了辉煌的节日,而且是永恒筵席上受人尊敬的客人。然后他明白了先知诗人歌词的意义:"世界诞生于爱,由于爱它得以保护,并朝向爱不断进发,而最终进入爱。"

在爱中,所有存在的矛盾都自行消失了。在爱中,结合与二重性并不冲突,爱同时是一又是二。

只有爱是运动与静止的一体。我们的心灵不断变换它的处所,直至找到了爱,然后就静止下来。但这种静止是一种紧张的活动方式,绝对的静止与不息的活力在爱中相会于同一点。

在爱中,失与得是和谐的。在爱的账单上,收支计算是在同一栏目里,而礼物算在收入里。在这美妙的创造的节日,在神自我牺牲的盛大庆典里,恋人不断地奉献自己,又在爱人身上得到自己。的确,爱是一种聚合,将放弃行为与接受行为联结在一起。

在爱中,你在一极发现个人,而在另一极发现非个人。你在一极积极地断言——我在;而在另一极是同样强烈的否定——我不在。没有这种自我,爱是什么呢? 没有这种自我,爱如何是可能的呢?

在爱中,枷锁和自由并不是相对的,因为爱是极度的自由,同时又是极度的束缚。假如神是绝对自由的,那么就不会有创造。无限的生命为自己假定了有限的神秘。在作为爱的他身上,有限与无限是一体。

与此相似,当我们谈论自由与非自由各自的价值时,就不过变成了文字游戏。我们并不仅只渴望自由,我们也渴望奴役。爱情的重要作用就是欢迎限制,并超越限制,没有什么比爱情更独

青少年文学读本

立的,但我们在何处又能发现这样的依赖? 在爱中,奴役与自由同样荣耀。

　　吠含明确宣称,神将自己与人结合在一起,这构成了人类存在的最大荣耀。在他念诵有限的美妙韵律时,他在每一韵步都束缚自己,从而在音乐中,在最严整的美的抒情诗中,表达出他的爱。美是他对我们心灵的求爱,不可能再有别的目的。美处处告诉我们,力量的展示并不是创造的最终目的。无论何处,只要有一抹色彩,一个音符,一种优雅,就出现了对爱的呼唤。饥饿迫使我们服从它的命令,但饥饿对于人来说并不是决定性的。曾经有人故意否定饥饿的要求,来显示人类的灵魂并不屈从于欲求的压力与痛苦的威胁。实际上,作为人类生命而生存,不管是最渺小的,还是最崇高的,每天都要抵抗生命的欲求。但另一方面,世界上还有一种美,它从未侮辱过我们的自由,甚至从未抬起过它的小手指来迫使我们承认它的主权。我们可以完全忽视它,而不用承受任何惩罚。它是对我们的召唤,而不是命令。它在我们当中寻求爱,而强迫绝不可能得到爱。强迫并不是对人类最大的吸引,而喜悦则是。

图书在版编目（CIP）数据

青少年文学读本.中学生卷（上、下）/ 刘继明编著.
北京：中国文联出版社，2004.4
ISBN978－7-5059-4612-5

Ⅰ.青… Ⅱ.刘… Ⅲ.语文课－中学－课外读物
Ⅳ.G634.303

中国版本图书馆CIP数据核字(2004)第020420号

书　　名	**青少年文学读本** 中学生卷（上、下）	
编　　著	刘继明	
出　　版	中国文联出版社	
发　　行	中国文联出版社 发行部（010-65389150）	
地　　址	北京农展馆南里10号(100125)	
经　　销	全国新华书店	
责任编辑	薛燕平　刘　旭	
责任印制	李寒江	
印　　刷	北京凯鑫彩色印刷有限公司	
开　　本	640×960　1/16	
印　　张	39.5	
插　　页	4页	
版　　次	2004年5月第1版 2008年12月第2次印刷	
书　　号	ISBN978－7-5059-4612-5	
定　　价	56.00元	

您若想详细了解我社的出版物
请登陆我们出版社的网站http://www.cflacp.com